W9-DJF-131

The Catholic
Theological Union
LIBRARY
Chicago, Ill.

The Catholic
Theological Union
LIBRARY
Chicago, Ill.

Trattato di
Antropologia del Sacro

diretto da
JULIEN RIES

Volume 1

WITHDRAWN

The Catholic
Theological Union
LIBRARY
Chicago, Ill.

LE ORIGINI E IL PROBLEMA DELL'*HOMO RELIGIOSUS*

E. Anati, R. Boyer, M. Delahoutre, G. Durand,
F. Facchini, C. Faïk-Nzuji Madiya, I.P. Lalèyê,
V. Mulago Gwa Cikala, L.V. Thomas, J. Ries

The Catholic
Theological Union
LIBRARY
Chicago, Ill.

Jaca Book-Massimo

Traduzione
Mariagiulia Telaro e Mariadele Cigognini

Cura della traduzione
Dario Cosi e Luigi Saibene

© 1989
Editoriale Jaca Book SpA, Milano

© 1989
per l'edizione italiana
Editoriale Jaca Book SpA, Milano
Editrice Massimo s.a.s., Milano

Prima edizione italiana
ottobre 1989

Grafica
Ufficio Grafico Jaca Book

in copertina
Pittura rupestre dell'antica età del bronzo
in Portogallo (*Le statue-stele della Lunigiana*,
Jaca Book 1981)

ISBN 88-16-40243-1

per informazioni sulle opere pubblicate e in programma
ci si può rivolgere a Editoriale Jaca Book spa
via A. Saffi 19, 20123 Milano, telefono 4982341

INDICE

Indice

L'esperienza del sacro
di
Régis Boyer   59

Indice

L'uomo religioso e i suoi simboli
di
Gilbert Durand   75

11

Indice

Il sacro e la sua espressione estetica:
spazio sacro, arte sacra, monumenti religiosi
di
Michel Delahoutre   119

Parte seconda
IL SACRO, LE ORIGINI, L'UOMO ARCAICO, LA MORTE

L'emergenza dell'*homo religiosus*
Paleoantropologia e Paleolitico
di
Fiorenzo Facchini   141

Indice

Simbolizzazione, concettualità
e ritualismo dell'*homo sapiens*
di
Emmanuel Anati   167

Il sacro e la morte
di
Louis-Vincent Thomas   193

Indice

Parte terza

IL SACRO E I POPOLI AFRICANI

L'uomo africano e il sacro
di
V. Mulago Gwa Cikala

Indice

L'*homo religiosus* africano e i suoi simboli
di
C. Faïk-Nzuji Madiya   257

Indice

Indice

Editoriale

Gli editori, pur già impegnati in varie opere di storia delle religioni e avendo in lavorazione l'edizione europea della Enciclopedia delle religioni—diretta da Mircea Eliade—, hanno deciso di intraprendere la pubblicazione del presente Trattato di Antropologia del Sacro spinti dalle seguenti considerazioni.

Sul dizionario della lingua italiana di G. Devoto e G. Oli, si legge la presente definizione di «trattato»:

«Opera contenente lo svolgimento sistematico di determinati argomenti di interesse scientifico, storico, letterario: Es. trattato di zoologia, di botanica, di filosofia».

Per «Trattato» possiamo ancora leggere nel dizionario del Robert la seguente definizione:

«Opera didattica, dove è esposto in forma sistematica un soggetto o un insieme di soggetti concernenti una materia. Es. Trattato di radioattività (Marie Curie)».

Il termine didattico ha qui una valenza «universitaria» e si rivolge a studenti che seguono un insegnamento di studi superiori.

Ciò che resta oggi della concezione del trattato ottocentesco e del primo Novecento è la necessità di realizzare opere di riferimento di fronte alla nascita di nuove materie di ricerca e di studio.

La proliferazione delle «materie» scientifiche tra Ottocento e Novecento spiega la vasta produzione di trattati.

Ci troviamo oggi di fronte ad un fenomeno analogo e ad un tempo differente. Dopo la nascita di nuove materie nella prima parte del secolo (relatività speciale, meccanica quantistica, microbiologia...) abbiamo in questi ultimi anni la nascita di materie che sono nuove o perché assolutamente «rinnovate» da scoperte recenti, o perché formate dalla partecipazione di diversi campi scientifici, prima fondamentalmente separati, che hanno contribuito a costituire, appunto, una nuova materia o a modificarne in modo determinante una preesistente.

Il Trattato serve perciò a percorrere l'arco della nuova materia o disciplina per permettere un punto di riferimento comune per tutti gli studiosi che vi sono implicati, come pure per gli studenti che devono decidere in che cosa impegnarsi; parallelamente ed in misura assai importante, il Trattato diventa anche punto di riferimento per tutti gli studiosi delle discipline interessate o in connessione con la materia; questi studiosi potranno così rendersi conto di che cosa si possono aspettare dalla disciplina neo-nata o rinnovata.

Nell'attuale contesto del rapido sviluppo delle scienze esatte e della biologia da un lato e dall'altro di fronte alle esitazioni provocate dalla crisi delle scienze umane si pone l'esigenza di ricostituire una griglia di lettura dei fenomeni umani, esigenza che colloca in primo piano un discorso antropologico. In particolare l'antropologia religiosa esamina l'uomo in quanto portatore di convenzioni religiose tali da dirigere la sua vita e il suo comportamento.

Di fatto le varie religioni propongono diverse antropologie. Ognuna ha la sua posizione sulla condizione umana e sul ruolo dell'uomo nel mondo. Possiamo rinvenire l'antropologia che forma l'ossatura del pensiero semitico, delle Upanishad, del buddismo, della religione faraonica, del pensiero greco. Esiste infine una antropologia cristiana che si fonda sulle tradizioni bibliche e che in modo decisivo è segnata da Gesù Cristo, l'Uomo-Dio, l'uomo nuovo che getta nuova luce sul mistero dell'uomo.

Ma parallelamente ad una tale antropologia religiosa dalle molte sfaccettature radicate nelle dottrine filosofiche delle diverse religioni, una nuova antropologia religiosa si sta oggi sviluppando centrata sull'*homo religiosus* e sul suo comportamento attraverso le sue differenti esperienze del sacro vissuto. Come Eliade ha mostrato nei suoi studi, il sacro non è un momento della storia della conoscenza ma un elemento strutturale della coscienza stessa. E proprio grazie al grande studioso rumeno, che ha ripreso e sviluppato le scoperte di Söderblom, Rudolf Otto, van der Leeuw e altri, le ricerche sul sacro si trovano in prima linea negli studi di storia delle religioni.

Tale nuova antropologia religiosa ha per scopo, dunque, di comprendere l'uomo come soggetto dell'esperienza del sacro: ne studia la struttura fondamentale, la coscienza e le attività, tramite molteplici tracce e documenti che l'*homo religiosus* ci ha lasciato, dal Paleolitico ai nostri giorni, come espressione del suo rapporto con una «Realtà assoluta» che trascende questo mondo ma che vi si manifesta.

Proprio la percezione di una tale manifestazione di quella Realtà è la scoperta che fa assumere all'uomo quello specifico modo di esistenza che possiamo chiamare «sacro». Questa esperienza umana si verifica all'interno e al di fuori delle grandi religioni e ha visto mobilitato nella storia tutto un universo simbolico di miti e di riti. L'obiettivo di questo trattato è analizzarli per cercare di conoscerli e di valutarne la rilevanza dal punto di vista antropologico, in vista dell'elaborazione di una antropologia dell'*homo religiosus*, una antropologia fondata sul sacro vissuto.

L'opera diretta da Julien Ries dell'Università di Lovanio—e con il contributo di una cinquantina di docenti principalmente europei—, come più ampiamente verrà spiegato nell'introduzione del curatore, concerne le seguenti discipline: Storia delle Religioni, Storia, Storia delle Culture, Preistoria e Paleoantropologia, Etnologia, Sociologia. Il grande interesse assunto dalla Storia delle Religioni sta uscendo dal semplice punto di vista istituzionale e dottrinale delle grandi religioni per affrontare il rapporto uomo-sacro e uomo-infinito, tanto più attuale in periodi di crisi delle religioni istituzionali, e tanto «antico» quanto «contemporaneo» come interesse.

Gli editori

Introduzione

L'UOMO E IL SACRO
TRATTATO DI ANTROPOLOGIA RELIGIOSA

di
Julien Ries

Le scienze esatte, la biologia e le scienze mediche stanno conoscendo uno straordinario sviluppo. Per contro, sembra che le scienze umane restino timide, esitanti, addirittura incerte. Eppure i nostri comportamenti sono assillati da queste scienze umane che si dibattono in un vicolo cieco, dal momento che gli eccessi del riduzionismo hanno condannato «le scienze dell'uomo a perdere l'uomo strada facendo»[1]. Una situazione simile richiede d'urgenza una cosa: rifare una griglia di lettura dei fenomeni umani. In altre parole, l'antropologia è chiamata a prendere un posto specifico nella scienza della nostra epoca.

Sarebbe anzitutto necessario chiarire le terminologie delle scienze dell'uomo. Nel 1787 lo svizzero Chavannes introdusse il termine «etnologia» che, all'inizio del secolo scorso, era considerato sinonimo di scienza della classificazione delle razze. Durante i primi decenni di questo secolo, per etnologia si intendeva il complesso delle scienze sociali che avevano per oggetto le società cosiddette «primitive» e l'uomo fossile. Attualmente c'è la tendenza a restringere l'etnologia agli studi sintetici e teorici eseguiti sulla base di osservazioni fatte sul posto dalle varie discipline dell'etnoscienza, fra cui citiamo l'etnodemografia, l'etnoeconomia, l'etnolinguistica, l'etnosociologia[2].

In Europa, il termine antropologia designò per molto tempo l'antropologia fisica, lasciando, così, tutto il campo sociale e culturale dell'uomo all'etnologia. Attualmente, grazie allo sviluppo della biologia e della genetica, l'antropologia fisica è in una fase di espansione fino ad oggi sconosciuta. Il termine antropologia

---

[1] G. Durand, *L'imagination symbolique*, PUF, Paris 1964 (trad. it. *L'immaginazione simbolica*, Il pensiero scientifico, Roma 1977); *Science de l'homme et tradition*, Berg Intern., Paris 1979, pp. 11s.
[2] Cfr. M. Panoff — M. Perrin, *Dictionnaire de l'ethnologie*, Payot, Paris 1973. Cfr. anche gli articoli *Ethnologie*, in *Encyclopaedia Universalis*, 7, Paris 1985, pp. 448-84.

è venuto a inserirsi nel vasto campo di quella che era l'etnologia. Si sono, dapprima, studiati i fenomeni della vita dell'uomo nella società e i fenomeni di cultura e di civiltà. Questa disciplina è stata denominata «antropologia sociale e culturale» e si prefigge lo studio sistematico dei comportamenti sociali dell'uomo, quali si manifestano nella società e nella cultura. Si sono susseguite varie correnti, sia nei paesi anglosassoni che in Francia: antropologia sociale della scuola di Durkheim, scuola funzionalistica, antropologia marxista, antropologia strutturale di Lévi-Strauss. Oggi si parla anche di antropologia economica, di antropologia storica: etichetta di successo, che nasconde tuttavia una grande imprecisione, poiché si tratta dell'alimentazione, della famiglia, della sessualità, dell'infanzia e della morte. Arriviamo, infine, all'ultima ·disciplina del gruppo, l'antropologia religiosa[3].

I. L'ANTROPOLOGIA RELIGIOSA

1. Antropologia e religione

L'antropologia religiosa va distinta dall'etnologia, dalla storia e dalla sociologia delle religioni. Studia infatti l'*homo religiosus* in quanto creatore e fruitore dell'insieme simbolico del sacro e in quanto portatore delle credenze religiose che guidano la sua vita e il suo comportamento. Non è lontana dall'etologia, o scienza del comportamento, che ha fatto i primi passi qualche decennio fa[4].

Ogni religione ha una sua propria posizione rispetto all'uomo, alla condizione umana, all'inserimento dell'uomo nel mondo e nella società. Basta scorrere i Veda, le Upanisad, i testi buddistici, i testi sumero-babilonesi, i documenti egiziani dell'epoca faraonica o il pensiero religioso greco-romano, per cogliere sfaccettature assai diverse dell'antropologia religiosa.

Vi è un'antropologia cristiana, che trova fondamento nelle tradizioni bibliche, ma è caratterizzata da una profonda impronta, quella di Gesù Cristo, l'Uomo-Dio, che getta una luce nuova sull'uomo, sul mistero dell'uomo, sulla condizione umana. Già delineata nei testi del Nuovo Testamento, e più particolarmente da San Paolo, questa antropologia cristiana venne elaborata dai Padri della Chiesa, entusiasti della prospettiva di un uomo nuovo, il cristiano. Recentemente è stata adattata alla cultura e alla scienza odierne con la promulgazione della Costituzione *Gaudium et Spes* del Vaticano II, il 7 dicembre 1965. Il documento dice: «È dunque l'uomo, l'uomo considerato nella sua unità e nella sua totalità, l'uomo

---

[3]   R. Bastide, *Anthropologie religieuse*, in *Encyclopaedia Universalis*, vol. 2, Paris 1985, pp. 271-75. Cfr. anche, nella medesima opera, gli articoli *Anthropologie*, vol. 2, pp. 239-71 e, di G. Thinès, *Ethnologie*, vol. 7, pp. 484-88.
[4]   G. Thinès, *Ethologie*, in *Encyclopaedia Universalis*, 7, Paris 1984, pp. 484-488.

corpo e anima, cuore e coscienza, pensiero e volontà, che costituirà l'asse di ogni nostro enunciato» (GS, 3,1).

2. Nascita di un nuovo spirito antropologico

Parallelamente all'antropologia religiosa, con le sue diverse sfaccettature evidenziate dalle dottrine filosofiche e religiose delle religioni umane e radicate nelle culture originate da quelle religioni, si va sviluppando oggi una nuova antropologia religiosa, centrata sull'*homo religiosus* e sul suo comportamento nella sua esperienza del sacro. Questa nuova antropologia s'interessa all'uomo, divenuto, in quanto tale, *homo religiosus*, nel corso del suo emergere storico, necessariamente caratterizzato dalla cultura e dalle culture. È una ricerca che si presenta subito come ricerca interdisciplinare, in quanto non si può isolare l'uomo dal suo ambiente culturale, né si può capirlo, se non si seguono le varie fasi del suo emergere biologico e storico. R. Bastide ha fatto notare che l'antropologia religiosa comporta una dinamica che si evidenzia attraverso la ricerca comparata[5].

Un primo tentativo di antropologia religiosa fatto da Emile Durkheim e dai suoi allievi aveva imboccato un vicolo cieco. Partiva dal postulato del totemismo come forma elementare di vita religiosa; nel sacro vedeva esclusivamente l'impronta del sociale e pretendeva di trovare nel sociale arcaico, cioè nelle società elementari delle tradizioni orali, l'origine e la natura della religione[6]. All'inizio del XX secolo Nathan Söderblom e Rudolf Otto reagivano a questa antropologia religiosa orizzontale, che riduceva il religioso al sociale. Il libro *Das Heilige* di R. Otto va considerato l'opera che ha fondato l'antropologia religiosa moderna[7]. Infatti, col concorso della storia comparata delle religioni, della filosofia, della psicologia religiosa, R. Otto realizzò un primo tentativo di comprensione dell'uomo religioso e della sua esperienza del sacro. Mostrò l'esperienza del sacro come esperienza umana del trascendente e dell'ineffabile.

Mentre un nuovo spirito scientifico preparava lo sviluppo della ricerca interdisciplinare del nostro secolo[8], all'indomani della seconda guerra mondiale, l'uomo si trovava frastornato nel caos d'idee dovuto al crollo delle ideologie. Fu il momento della gestazione di un nuovo spirito antropologico, i cui maestri furono grandi studiosi e uomini di vasta cultura. Citiamo solo i capifila: Mircea Eliade (1907-1986), storico delle religioni, indianista, filosofo, umanista ed ermeneuta; Georges Dumézil (1898-1986), sociologo, orientalista, indianista, mitografo e sto-

---

5   Cfr. art. *Anthropologie religieuse*, cit., pp. 271-75.

6   E. Durkheim, *Les formes élémentaires de la vie religieuse*, Alcan, Paris 1912.

7   R. Otto, *Das Heilige*, Gotha 1917 (trad. it. *Il sacro*, Bologna 1926). Cfr. J. Ries, *Il sacro nella storia religiosa dell'umanità*, Jaca Book, Milano 1982, 1989, pp. 37-47.

8   G. Bachelard, *Le nouvel esprit scientifique*, PUF, Paris 1934 ... 1987 (trad. it. *Il nuovo spirito scientifico*, Laterza, Bari 1951).

rico del pensiero; Henry Corbin (1903-1978), islamista, iranista, fenomenologo ed esploratore dell'immaginario; Carl G. Jung (1875-1961), psicologo, esploratore dell'inconscio collettivo e dell'anima. In questo *Trattato*, G. Durand dedica loro pagine assai dense. La finezza e la penetrazione del loro pensiero, la specificità e la varietà del loro campo di ricerca, il valore scientifico delle loro analisi, sono giunti a una convergenza notevole nel campo dell'antropologia religiosa, preparando una ricca «messe dell'equinozio» e suscitando una nuova generazione di ricercatori, che sono attualmente al lavoro.

II. L'ANTROPOLOGIA RELIGIOSA E IL SACRO

1. L'*homo religiosus e il sacro*

Il 18 gennaio 1949 appariva nelle vetrine dei librai parigini il *Trattato di storia delle religioni* di Mircea Eliade: è l'annuncio di una vera svolta nella scienza delle religioni. Nella prefazione, G. Dumézil scriveva che la storia delle religioni va fatta sotto il segno del *logos*, non sotto il segno del *mana*. Ogni fenomeno religioso è legato a un'esperienza vissuta. Secondo Eliade, al centro delle ricerche deve trovarsi l'uomo. Quindi, il fine ultimo del lavoro dello storico deve essere l'esplorazione del pensiero, della coscienza, del comportamento e dell'esperienza dell'*homo religiosus*. In realtà, si tratta «di identificare la presenza del trascendente nell'esperienza umana»[9].

Fin dal 1950, Eliade si interessava dei popoli senza scrittura, testimoni viventi delle origini, e l'incontro con Jung gli faceva vedere una serie d'interpretazioni comuni ottenute per vie differenti. Riprendendo i risultati della ricerca sul sacro di Durkheim e Otto, dimostrò che ogni comportamento religioso dell'uomo si organizza intorno alla manifestazione del sacro, che avviene attraverso qualcosa di diverso dal sacro stesso. Davanti alla ierofania, o irruzione del sacro nel mondo, l'uomo prende coscienza di una realtà trascendente che dà al mondo la sua vera e perfetta dimensione.

Agli occhi dell'uomo delle diverse religioni, il sacro appare come una potenza di ordine diverso da quello naturale. Eliade fruga nella profondità della coscienza e del comportamento dell'*homo religiosus* mentre vive l'esperienza esistenziale del sacro e ne conclude che il sacro «non è un momento della storia della coscienza, ma un elemento della struttura della coscienza»[10].

---

[9]   M. Eliade, *Fragments d'un journal*, Gallimard, Paris, p. 315 (trad. it. *Giornale*, Boringhieri, Torino 1976).

[10]   M. Eliade, *Fragments d'un journal*, cit., p. 555.

L'uomo e il Sacro

2. *Il sacro e il discorso dell'*homo religiosus

Le ricerche di Eliade, la teoria che i teologi della morte di Dio e della secolarizzazione pretendevano di imporre nei decenni dal '50 al '70, la disputa sul sacro provocata dalle discussioni e dalle opposizioni, ci hanno indotti a fare una vasta ricerca sul discorso per mezzo del quale l'uomo ha espresso la sua esperienza religiosa, e questo ci ha portati a seguire il cammino del sacro nella storia[11]. La nostra ricerca, fatta da una ventina di specialisti delle religioni, dimostra che il sacro non è un'invenzione degli storici delle religioni, ma che l'*homo religiosus* ha creato la terminologia del sacro per comunicare la manifestazione di una realtà diversa dalle realtà ambientali della vita[12]. Ed ha appunto preso coscienza del sacro partendo dalla sua stessa manifestazione. L'analisi del linguaggio dell'*homo religiosus* mostra chiaramente che nella percezione di una ierofania l'uomo ha il senso della presenza di una potenza invisibile ed efficiente, che si manifesta attraverso un oggetto o un essere, così che quest'oggetto o questo essere si trovano rivestiti di una dimensione nuova, la sacralità. Questa scoperta fa assumere all'uomo un modo specifico di esistenza. La nostra ricerca di semantica storica ha dato risultati sorprendenti, salutati dagli esperti come un apporto prezioso alla documentazione sul sacro.

3. *Sacro e comportamento dell'*homo religiosus

La copiosa documentazione sulla terminologia del sacro e la notevole convergenza del discorso dell'*homo religiosus* nelle varie culture e in tutte le epoche, costituiscono un dossier impressionante e irrefutabile. Nel XIX secolo, Max Müller diceva già che la lingua è il miglior testimone del pensiero.

Parallelo al discorso è il comportamento. Ora, l'analisi del sacro nel comportamento dell'*homo religiosus* si rivela estremamente interessante dal punto di vista antropologico. Infatti, per poter comunicare la sua esperienza, per poter mantenere la relazione col «numinoso», l'uomo religioso antico ha dato l'avvio a tutta una serie di simboli, ricorrendo alla luce, al vento, all'acqua, al fulmine, agli astri, alla luna, al sole: nelle grandi religioni pagane vediamo il legame fra cosmo e «numinoso». Per rendere efficace nella propria vita la potenza numinosa, l'*homo religiosus* antico ha mobilitato un vero universo simbolico di miti e di riti.

Nelle religioni monoteistiche vediamo un superamento del senso del sacro delle grandi religioni antiche. Questo dipende da un fatto fondamentale, ossia dall'esistenza, nel Giudaismo, nel Cristianesimo, nell'Islam, di un Dio unico e

---

[11] J. Ries, *Il sacro nella storia religiosa dell'umanità*, cit.
[12] J. Ries (ed.), *L'expression du sacré dans les grandes religions*, I-III, HIRE, Louvain-la-Neuve 1978-1986.

personale, autore di una alleanza e di una rivelazione e che interviene direttamente nella vita dei suoi fedeli e nella storia. La teofania sostituisce la ierofania.

L'esperienza del sacro vissuto, dal Paleolitico fino ai nostri giorni, è un dato di grande importanza per l'antropologia. Sulla base di questa esperienza, si può procedere all'elaborazione di un'antropologia dell'*homo religiosus*. Questo è appunto il proposito del nostro *Trattato*.

III. PERCHÉ UN TRATTATO DI ANTROPOLOGIA DEL SACRO

1. L'esperienza religiosa dell'uomo

Michel Meslin ha pubblicato recentemente un'opera intitolata *L'esperienza umana del divino. Fondamenti di una antropologia religiosa*[13]. Si tratta di un'analisi antropologica del religioso, anch'essa imperniata sulla prospettiva che sottende la ricerca di Eliade: «il sacro non può essere colto che nell'esistenza stessa dell'uomo che lo definisce e lo delimita». Meslin fa dapprima una riflessione sulle nozioni di religione, di sacro, di puro e d'impuro, di esperienza religiosa. Poi cerca di evidenziare i quadri culturali, rituali e simbolici, legati a questa esperienza. Infine, precisa le relazioni fra l'individuo e la divinità, viste nel contesto della psicologia umana. Qualche anno fa, Henry Clavier, di Strasburgo, pubblicava le *Esperienze del divino e le idee di Dio*, una sintesi di scienza religiosa realizzata in vista di una *teologia delle religioni*[14]. Queste due opere, complementari fra loro, venivano a proposito. L'una e l'altra confermano la necessità e l'utilità del nostro progetto «L'uomo e il sacro».

Questo *Trattato* si pone sulla scia del *Trattato di storia delle religioni* e dei tre volumi della *Storia delle credenze e delle idee religiose*[15]. Nel 1949 Eliade aveva posto l'accento su due dati essenziali per la storia delle religioni: da una parte, l'unità fondamentale dei fenomeni religiosi e, dall'altra, la loro inesauribile novità manifestata nel corso della storia. Nella *Storia delle credenze* egli ha invece ripreso lo studio delle varie ierofanie, situandole nella loro prospettiva storica. Non si tratta di una storia delle religioni in senso classico. L'originalità dell'opera sta nella sua prospettiva. Eliade ha costantemente presente l'unità profonda e indivisibile dello spirito umano. Attraverso le situazioni esistenziali, differenti secondo le culture, si sforza di afferrare questa unità spirituale che gli permette di accedere

---

[13]   M. Meslin, *L'experience humaine du divin. Fondements d'une anthropologie religieuse*, Cerf, Paris 1988.

[14]   H. Clavier, *Les expériences du divin et les idées de Dieu*, Fischbacher, Paris 1982.

[15]   M. Eliade, *Traité d'histoire des religions*, Payot, Paris 1949 (trad. it. *Trattato di storia delle religioni*, Boringhieri, Torino 1976); *Histoires des croyances et des idées religieuses*, I-III, Payot, Paris 1976-1983 (trad. it. *Storia delle credenze e delle idee religiose*, I-III, Sansoni, Firenze 1979-1983).

alla comprensione dell'*homo religiosus*. Un costante studio comparato mette in evidenza il significato delle ierofanie, il loro valore simbolico, oltre che il messaggio dell'uomo religioso.

2. Sacro, cultura e umanesimo

La nostra trilogia *L'espressione del sacro nelle grandi religioni* ha interrogato l'*homo religiosus* che, da oltre cinque millenni, ha fissato su pietra, argilla, papiro, legno, pergamena, la memoria delle sue credenze e della sua esperienza religiosa. La creazione del vocabolario del sacro da parte dell'*homo religiosus* resterà per sempre un grande avvenimento storico. Per conoscerne il pensiero, abbiamo sottoposto l'uomo religioso delle grandi civiltà dotate di scrittura a un interrogatorio preciso e sistematico.

Dopo questa ricerca filologica, semantica e storica, bisogna passare ad una seconda indagine riguardante, invece, il comportamento dell'*homo religiosus* nelle diverse fasi della sua esperienza religiosa. Qui l'uomo è impegnato nella propria interezza: con la volontà, con l'intelligenza e con l'immaginazione alla ricerca dell'assoluto, con tutti gli strumenti dell'*homo faber* e dell'*homo symbolicus*. Eliade ha assegnato alla storia delle religioni il compito di studiare l'uomo nella sua totalità.

Il sacro viene percepito e insieme vissuto come mediazione significativa della relazione dell'uomo col trascendente, col divino, con Dio. Questo rapporto è vissuto nel quadro di una cultura, essa stessa frutto del pensiero e della fatica dell'uomo. Eliade ha sempre insistito sull'origine religiosa delle culture ed ha sempre fatto notare che questa matrice originale distingue anche le culture secolarizzate. Nell'incontro attuale delle religioni e delle culture, egli ha visto l'origine di un nuovo umanesimo. In ogni cultura esiste un capitale simbolico, eredità che sono un patrimonio, funzioni relazionali e comunitarie. Lo sviluppo storico delle culture è legato all'attività dell'*homo symbolicus* e *religiosus*. Così sacro, cultura e umanesimo si reggono fra loro. Peraltro, l'incontro delle culture costituisce una delle dominanti della nostra epoca.

Fin dalle origini e nel corso dei millenni, l'*homo religiosus* è stato creatore di cultura. Affinando e sviluppando le diverse capacità del suo spirito e delle sue mani, prolungate con gli strumenti, si è sforzato di sottomettere il cosmo e di umanizzarlo. La sua esperienza religiosa è sempre stata intimamente legata all'esperienza culturale. Il nostro *Trattato* dovrà precisare queste relazioni nello spazio e nel tempo. È un importante aspetto ermeneutico della ricerca di un gruppo di specialisti delle religioni e delle culture, che hanno accettato di condurre questo studio su *L'uomo e il sacro*.

Introduzione

3. Struttura del Trattato

Il nostro progetto prevede sei volumi. Il primo volume è costituito da un dossier che getta luce sull'*homo religiosus*. Si tratta, dapprima, di precisare i limiti dell'esperienza del sacro nella vita dell'uomo religioso, nella dimensione simbolica e culturale delle sue attività e nella sua espressione estetica, ambito finora poco studiato. Una seconda parte dell'opera è dedicata all'esperienza del sacro nell'*Urzeit* e nell'*Endzeit*, cioè alle origini dell'emergere dell'*homo religiosus* e al termine della vita umana. Infine, abbiamo ritenuto utile dare un saggio significativo dell'esperienza del sacro nella vita dell'*homo religiosus* delle culture nere dell'Africa centrale, lavoro che deve costituire un modello per ulteriori ricerche, così urgenti in tempi di incontro delle culture.

Il secondo volume sarà interamente dedicato all'esperienza del sacro nel mondo indoeuropeo. Da circa un secolo i lavori su questo argomento sono andati moltiplicandosi. Gli studi fatti da Max Müller e James G. Frazer sono stati raccolti da Georges Dumézil, la cui immensa opera costituisce una delle grandi tappe della storia delle religioni e dell'antropologia religiosa. Il secondo volume del Trattato sarà una sintesi dei risultati raggiunti e un modello per ulteriori lavori di specialisti delle culture indoeuropee.

Il terzo volume affronterà l'area culturale e religiosa del mondo mediterraneo. Fu intorno al Mediterraneo che fiorirono e si svilupparono civiltà il cui irradiamento ha ininterrottamente influenzato il cammino delle culture, a tal punto che, nel primo millennio a.C., il Mediterraneo divenne il perno del mondo antico: Cretesi, Egiziani, Fenici, Cartaginesi, Etruschi, costituirono un patrimonio che la Grecia e Roma accolsero e portarono a compimento. La rottura dell'unità culturale mediterranea, seguita alle invasioni barbariche, annunciò il crepuscolo del mondo antico.

Il IV volume sarà consacrato alle culture antiche: Estremo Oriente, Australia, Africa, America Precolombiana. Per lo storico delle religioni e delle culture, la Cina è un campo di ricerche proficuo, con il suo Dio del Cielo, il culto degli antenati, il Tao e la dottrina dei riti rivalutati da Confucio. Già in epoca antichissima, l'uomo giapponese visse un'esperienza religiosa originale, con la venerazione delle forze e dei fenomeni della natura, i Kami. Le religioni dell'Australia e dell'Africa trasmettono un importante patrimonio dell'esperienza del Sacro. Di giorno in giorno le civiltà amerindie mostrano nuovi aspetti della vita religiosa dell'uomo antico. Il nostro Trattato farà una scelta rappresentativa del vasto mondo di queste culture antiche.

L'intero quinto volume tratterà dell'esperienza religiosa e del comportamento dell'uomo la cui vita è regolata dalla fede in un Dio unico e trascendente. Per l'ebreo, il musulmano, il cristiano, Dio è un essere personale che interviene con la sua Onnipotenza nella vita e nella storia dei suoi fedeli e del suo popolo. Dio parla all'uomo, non più per mezzo di oracoli, ma per mezzo di una Rivelazione, di una

Parola vivente e trasformatrice. Questo Dio esige la fede dal suo fedele, esperienza religiosa che implica adesione personale e interiorizzazione del culto.

Sesto volume: crisi, rotture e mutamenti. Nel corso della storia religiosa dell'umanità vi sono state rotture che furono all'origine di grandi svolte nella vita dell'*homo religiosus*. Dovremo affrontare i principali fenomeni di crisi: il buddismo, il dualismo, il confucianesimo, l'incontro del cristianesimo con l'uomo precolombiano d'America, con l'uomo del secolo dei lumi e dell'epoca romantica. In un'opera che tratta del sacro, dovremo necessariamente incontrare l'uomo della nostra epoca alle prese con l'ideologia della desacralizzazione.

Parte prima
L'*HOMO RELIGIOSUS* E IL SACRO

L'UOMO RELIGIOSO E IL SACRO ALLA LUCE DEL NUOVO SPIRITO ANTROPOLOGICO

di

Julien Ries

Le scoperte fatte in Africa da due decenni a questa parte hanno fatto arretrare in modo straordinario gli orizzonti della paleoantropologia[1]. L'improvvisa e inattesa accelerazione di cui si è avvantaggiata la nostra conoscenza del remoto passato dell'umanità, ci rivela secondo una visione nuova l'emergere dell'uomo, la sua evoluzione, la sua specificità e la sua storia. Getta inoltre una nuova luce sulle varie branche dell'antropologia e, più particolarmente, sull'antropologia religiosa. Sulla scia di queste scoperte, lo storico delle religioni trova nuovi segnali per il suo cammino sul terreno così poco chiaro della preistoria e trova dei punti di riferimento che permettono di fissare ipotesi di lavoro confortate dalla convergenza di risultati ottenuti grazie a una ricerca interdisciplinare. Lo studio dell'*homo religiosus* e della sua esperienza religiosa conoscerà notevoli progressi e l'antropologia religiosa raggiungerà la velocità di crociera.

I. DALLA SOCIOLOGIA DEL SACRO ALL'ANTROPOLOGIA RELIGIOSA

1. *Emile Durkheim: sacro e società*

Emile Durkheim (1858-1917) parte dal religioso considerato come manifestazione naturale dell'attività umana. È la constatazione di un positivista. Dai fatti osservati Durkheim esclude tre nozioni: il soprannaturale, il mistero e la divinità. Conserva due elementi, cioè un sistema complesso di miti, di credenze e di riti, e

---

[1]   Y. Coppens (ed.), *Le grandi tappe della preistoria e della paleoantropologia*, Jaca Book, Milano 1987; *Le singe, l'Afrique et l'homme*, Fayard, Paris 1983 (trad. it. *La scimmia, l'Africa e l'uomo*, Jaca Book, Milano 1985).

l'aspetto comunitario, la società. Colpito dalle scoperte di Darwin (1809-1882) sull'origine e l'evoluzione della specie, riprende lo schema della paleontologia e si mette quindi alla ricerca dell'origine della religione, ossia della religione elementare delle origini[2]. I suoi studi di seconda mano sulle religioni australiane lo portano al totemismo, per lui prima forma religiosa, strutturata partendo da una forza anonima e impersonale, chiamata *mana* e presente in ciascuno degli esseri del clan arcaico, senza tuttavia confondersi con lo stesso. Il *mana* avrebbe rappresentato la materia prima della religione elementare e perciò, nel corso dell'evoluzione, avrebbe sotteso tutte le religioni storiche. Gli spiriti, i demoni, i geni e gli dei sarebbero forme concrete assunte dal *mana* nel corso dei millenni.

Da sociologo, Durkheim cerca la spiegazione del fenomeno religioso. Secondo la sua ottica, si verifica nella coscienza collettiva, che trascende le coscienze individuali, un esercizio di divinazione della società. Sacro per eccellenza, il *mana* totemico costituisce una forza collettiva anonima e religiosa del clan, una forza insieme immanente e trascendente, un dio impersonale, un prodotto della società. Fenomeno religioso positivo e sociale, il sacro si trova nel cuore della religione, che ha come fine la sua amministrazione e la sua gestione. Il sacro è una categoria sociologica e collettiva, il serbatoio dei sentimenti del gruppo, l'elemento di coesione sociale. I discepoli di Durkheim, da Marcel Mauss (1872-1950) a Roger Caillois (1913-1978), cercheranno di precisare, sviluppare e applicare questa teoria del sacro[3]. Per loro è la società che risveglia nell'uomo la sensazione del divino. La società è per i suoi membri quello che è un dio per i suoi fedeli. L'azione collettiva del clan spiega la creazione del culto, dei riti, delle pratiche, cioè del sacro nel comportamento dell'uomo.

2. Rudolf Otto: l'esperienza del sacro

a. I fondamenti della conoscenza

Un lungo percorso porta Rudolf Otto (1860-1937) da un tentativo di conciliazione fra scienza e religione, fatto alla luce di Albrecht Ritschl (1822-1889), fino alla riflessione del neokantismo sul fondamento razionale delle istituzioni. Editore dei *Discorsi sulla religione* di Friedrich Schleiermacher (1768-1834), Otto aveva approfondito alcune idee essenziali del maestro: l'intuizione dell'universo come centro dell'esperienza religiosa, la percezione dell'eterno nel finito, l'idea di Dio come espressione del sentimento di dipendenza e quindi come relazione vivente fra l'uomo e Dio. Per Schleiermacher, il cui grande disegno era quello di riconciliare la religione e la cultura, la religione è l'intuizione dell'Universo. Il fondamen-

---

[2]   E. Durkheim, *Les formes élémentaires de la vie religieuse*, Paris 1912, 1968.
[3]   Cfr. J. Ries, *Il sacro nella storia religiosa dell'umanità*, Jaca Book, Milano 1982, 1989, pp. 14-33.

to della religione è una facoltà speciale dello spirito che spinge l'uomo a inchinarsi davanti alla Saggezza eterna. Schleiermacher e Ritschl hanno fornito a Otto un impianto che gli ha permesso di costruire una teoria della conoscenza. Vi troviamo tre principi: la teoria delle idee necessarie, fondamento razionale della conoscenza (Dio, anima, libertà), la conservazione dell'integrità del mistero, la necessità del simbolo per una presa di contatto col divino[4].

Su questa analisi psicologica, Otto innesta l'induzione storica, mediante la quale integra la vita religiosa dell'umanità, i poeti, gli eroi e i profeti. Arriva a scoprire il patrimonio religioso storico: le grandi tappe religiose, la mistica dell'India, i valori delle convergenze religiose fra Israele, la Cina e la Grecia. Per lui, l'affinità delle forme e la convergenza dei tipi senza filiazione fra le religioni, costituiscono una prova dell'unità degli atteggiamenti intimi dell'anima umana. Otto è cosciente d'aver scoperto un elemento essenziale e strutturale dell'anima. In possesso di questo dato antropologico, affronta il sacro.

b. I tre aspetti del sacro

La scuola sociologica—E. Durkheim e i suoi discepoli in Francia, W. Wundt in Germania—aveva visto nel sacro una forza impersonale proveniente dalla coscienza collettiva. Nathan Söderblom (1866-1931) aveva già reagito contro una simile riduzione del religioso al sociale e aveva insistito sulla presenza del Dio vivente nella storia dell'umanità. Rudolf Otto affronterà il problema del sacro con l'ausilio di uno strumento lungamente preparato, nel quale l'intuizione come conoscenza religiosa, la fede come esperienza del mistero e il patrimonio religioso come assise storica, costituiscono elementi nuovi per l'analisi; analisi che viene condotta partendo dall'uomo religioso, poiché il sacro non si spiega che attraverso l'esperienza vissuta dall'uomo. Il metodo è nuovo e si concluderà con la pubblicazione del libro *Das Heilige*, primo tentativo di un'antropologia religiosa[5].

Secondo R. Otto, l'uomo religoso scopre un elemento speciale che si sottrae totalmente alla ragione e al concetto e si presenta come ineffabile. Nelle lingue semitiche questo elemento è reso con *qadôsh*, in greco con *hagios*, in latino con *sacer*. Nelle religioni si presenta come un principio vivente e costitutivo. Otto chiama questo elemento *das Numinöse*, «il Divino». Ogni essere e ogni soggetto informato al numinoso non può venir valutato che mediante questa categoria speciale, il numinoso. Come arriva l'uomo religioso a scoprire questo elemento, il *qadôsh*, il *sacer*? Per Otto la sola via d'accesso è a un tempo simbolica e mistica. Inoltre, comporta quattro tappe. La prima è nell'uomo il sentimento di creatura,

---

4   Cfr. J. Ries, *Il sacro...*, pp. 37-51.
5   R. Otto, *Das Heilige*, Gotha 1917 (trad. it. *Il sacro*, Bologna 1926). Cfr. J. Ries, *Il sacro ...*, pp. 37-47. Alcuni autori hanno preteso che il creatore dell'antropologia religiosa fosse Schleiermacher.

reazione provocata nella coscienza umana dalla presenza dell'oggetto numinoso. La seconda tappa, che i Greci hanno descritto col termine *sebastos*, è quella di un terrore mistico in presenza della maestà del numinoso, inaccessibile al punto da provocare una reazione come quella del *trishagion* di Isaia. L'uomo è davanti a un *mysterium*, un trascendente di qualità tale da far proclamare ai mistici la propria nullità. A questa terza tappa segue il *fascinans*, l'adorazione, la beatitudine, l'esperienza della grazia, il *nirvâna*, l'estasi, la visione beatifica. Ecco il primo aspetto del sacro sperimentato dal fedele delle varie religioni e che fa del sacro una realtà ineffabile, unica, numinosa. È l'esperienza del divino. Lo storico delle religioni la scopre seguendo le tracce del discorso col quale il fedele se ne rende conto.

A questa esperienza segnata da quattro tappe è legata una seconda scoperta: il valore del numinoso. L'uomo religioso afferra questo valore e a fronte di questo presenta i suoi atti, il suo essere, la sua situazione di creatura. Per esprimere il non-valore di ciò che non è il numinoso, il latino parla di *sanctum*, che designa il valore del numinoso. Così il *sanctum* è il sacro in quanto si oppone al profano. La scoperta di questo valore numinoso è all'origine del senso del peccato, della nozione di espiazione, di un insieme di dati e atteggiamenti dell'uomo religioso. Il *sanctum* è il secondo aspetto del sacro considerato come valore per l'uomo.

Questa doppia scoperta fatta dall'uomo delle diverse religioni ha bisogno di una spiegazione. Da dove viene la possibilità di tale scoperta? Otto si volge a un dato antropologico della teoria kantiana della conoscenza, esplicitata da Schleiermacher e da Fries: un luogo e una forma nella geografia dello spirito umano, ossia una facoltà speciale che consente allo spirito di afferrare il numinoso. Per Otto si tratta di un terzo aspetto del sacro, il sacro in quanto categoria *a priori*, fonte da cui scaturisce il numinoso. Questa fonte permette una fioritura immediata per i profeti, una fioritura mediata per i fedeli. Secondo Otto, l'uomo religioso non può spiegarsi se non si accetta la teoria dell'esistenza a priori del sacro, organo psicologico dell'uomo. È anche la sola spiegazione dell'origine della religione e delle religioni, perché le religioni sono la lettura dei segni del sacro. Al postulato durkheimiano della coscienza collettiva, Otto sostituisce il postulato di una rivelazione interiore e della lettura dei segni del sacro.

c. Il sacro e l'esperienza religiosa

L'antropologia religiosa stabilita da R. Otto cerca la spiegazione del sacro come elemento fondatore e dinamico dell'esperienza religiosa dell'uomo. Attraverso il gioco complesso del razionale e del non razionale vede formarsi e svilupparsi il pensiero religioso dell'uomo e dell'umanità. Con la lettura dei segni del sacro l'uomo religioso percepisce e scopre il numinoso che si manifesta in fatti, persone, avvenimenti. Vi è dunque una doppia rivelazione del sacro: dapprima la rivelazione interiore, quindi la rivelazione del sacro nella storia, grazie ai segni che mettono in moto il sentimento del sacro, lo suscitano nell'uomo e lo fanno prorompere. La religione personale si fonda sulla rivelazione interiore; le religioni dell'umanità si formano grazie alla lettura da parte dell'uomo dei segni storici del sacro. Sacro, lettura dei segni del sacro e linguaggio simbolico sono i dati fondamentali dell'uomo religioso. Alla facoltà di lettura dei segni Otto dà il nome di divinazione, termine preso a prestito da Schleiermacher e dalla scuola kantiana, ma rivestito a nuovo dalla ricerca di Otto sulla mistica orientale e occidentale.

La divinazione è un potere di contemplazione, grazie al quale l'uomo religioso acquisisce una visione intuitiva del mondo e la facoltà di scoprire il sacro sotto i segni che lo manifestano. Ecco un nuovo dato antropologico che viene a completare la teoria del sacro a priori e gli dà un orientamento creativo al servizio dell'umanità. In luogo della coscienza collettiva postulata da Durkheim, Otto mette il genio creatore dei grandi fondatori religiosi che, con la loro facoltà divinatoria, hanno potuto decifrare i segni del sacro. Sono i lettori diretti del sacro, i profeti ai quali succederà il Figlio, Gesù Cristo, punto culminante nella ricerca di Dio e nell'esperienza del sacro.

Scrivendo quest'opera dopo un lungo soggiorno in India (1911-1912), R. Otto perseguiva diversi obiettivi: dare un contrappeso alla scuola sociologica di E. Durkheim e di W. Wundt, mostrando nel sacro una realtà religiosa e mistica, specifica dell'uomo religioso, arrestare la corrente di dissacrazione iniziata con Feuerbach (1804-1872) e K. Marx (1818-1883), presentare un metodo e un programma ai giovani storici delle religioni. Dopo settant'anni, *Das Heilige* continua ad essere ristampato e tradotto. Va considerato che questo libro non solo ha fondato l'antropologia religiosa, ma ha anche segnato una svolta decisiva nello studio del sacro. Per la prima volta si stagliava all'orizzonte il profilo dell'*homo religiosus*. Il maestro di Marburgo ha impiegato gli ultimi due decenni di vita per sviluppare, affinare, ampliare i dati della sua antropologia religiosa e le sue ricerche di storia delle religioni.

Senza alcun dubbio, vanno prima precisati i limiti di questa ricerca. Otto ha dato grande rilievo al pietismo luterano, alle dottrine di Schleiermacher sull'esperienza religiosa vissuta come un indirizzo dell'anima orientata verso l'Eterno e come percezione dell'Infinito divino, al neokantismo di Fries sulle idee a priori, fonte di conoscenza per l'uomo. Questa dottrina specifica della scuola del neokantismo è servita all'elaborazione della teoria di Otto sul sacro considerato come categoria a priori. Questa posizione di Otto è un postulato che egli oppone al postulato durkheimiano della coscienza collettiva come fonte e origine del sacro e dell'esperienza religiosa. In questo campo s'impone una posizione critica, in quanto restiamo nel quadro di un postulato dominato dalla filosofia dell'idealismo trascendentale che distingue due mondi, quello dei fenomeni e quello delle idee.

Un secondo aspetto della ricerca di Otto ruota intorno all'esperienza fatta dall'uomo religioso nel suo incontro col divino. Qui entriamo nell'ambito della conoscenza del mistero. La religione diventa l'esperienza intima del mistero assoluto: l'anima religiosa coglie l'eterno, l'infinito, il divino. Nel coglierli, giunge a una conoscenza, se non a una forma superiore di conoscenza, e si trova di fronte al mistero che ha presentito per intuizione (*Ahnung*). Eccoci alla soglia dell'esperienza del divino che trova, nella relazione mistica dell'uomo col divino, nell'intuizione del divino, la sua forma più piena. R. Otto ha svolto un lavoro di grande importanza nel preparare il terreno alla scienza antropologica, lavoro poi ampiamente sviluppato con la recente ricerca di M. Meslin su *L'espressione umana del divino: fondamenti di un'antropologia religiosa*[6]. Il maestro di Marburgo è stato un precursore dell'antropologia religiosa. Come ha rilevato M. Eliade, ci troviamo di fronte a qualcosa di nuovo e di originale, a una prospettiva nella quale Otto è riuscito ad allargare il contenuto e i caratteri specifici dell'esperienza religiosa[7].

Un terzo aspetto dell'opera di Otto riguarda il sacro, cioè il sacro come numinoso e il sacro come valore, in altre parole i primi due volti del sacro: da un lato il *mysterium tremendum et fascinans*, dall'altro il valore di questa scoperta per l'uomo. Anche questo aspetto rappresenta una tappa decisiva nello studio del sacro. Otto ha dimostrato che il sacro si manifesta sempre come una potenza di ordine affatto diverso dall'ordine naturale. L'apporto è decisivo. Il suo autore l'ha completato con un dato antropologico capitale, quello del simbolo come linguaggio normale nell'apprendimento del sacro, nell'esperienza religiosa.

II. IL NUOVO SPIRITO ANTROPOLOGICO

All'indomani della seconda guerra mondiale, in America e in Europa ebbe inizio una discussione di teologi protestanti e cattolici sul sacro e la secolarizzazione. La discussione traeva spunto da D. Bonhoeffer, il quale riteneva che l'umanità stesse incamminandosi verso un'epoca non religiosa. Si faceva strada una tesi: «la religione e l'*homo religiosus* corrispondono a un'epoca dell'umanità che è finita: all'epoca sacrale succede l'epoca tecnologica». I teologi della secolarizzazione convergono coi teologi della morte di Dio.

Feuerbach (1804-1872) aveva svuotato il cielo e al regno di Dio aveva sostituito il regno dell'uomo. Dopo di lui, Nietzsche (1844-1900) aveva tentato di sostituire all'uomo il superuomo. Ora, la desacralizzazione si afferma come una specificità del mondo moderno. La doppia corrente della teologia della morte di Dio e della secolarizzazione è sfociata nella disputa sul sacro che ha interessato l'Occidente per due decenni[8]. Nello stesso periodo la storia comparata delle religioni

---

[6]   M. Meslin, *L'expérience humaine du divin. Fondements d'une anthropologie religieuse*, Cerf, Paris 1988.

[7]   M. Eliade, *Mythes, rêves et mystères*, Gallimard, Paris 1957, pp. 165 67 (trad. it. *Miti, sogni e misteri*, Rusconi, Milano 1976).

[8]   J. Bishop, *Les théologiens de la mort· de Dieu*, Cerf, Paris 1967.

avanzava a passi da gigante e preparava un autentico rinnovamento di metodi e ricerche.

1. L'uomo indoeuropeo e il sacro
L'opera di Georges Dumézil (1898-1986)

Raffaele Pettazzoni (1883-1959) si è notevolmente interessato alla discussione sull'origine dell'idea di Dio nel pensiero umano. Nella discussione con Wilhelm Schmidt (1868-1954) aveva elaborato una teoria sulla personificazione della volta celeste, partendo da una riflessione sui fenomeni celesti[9]. Di fronte al cielo, l'uomo sembra aver provato l'impressione di una teofania, pienezza cosmica e presenza all'uomo.

Nel frattempo, Georges Dumézil aveva ripreso lo studio del dossier indoeuropeo costituito nel secolo scorso da Max Müller (1823-1900), fondatore del comparativismo nelle religioni. Mitografo, storico, indianista e filologo, M. Müller aveva dimostrato che la lingua è un testimone irrefutabile del pensiero. Alla scuola dei maestri Parigini della filologia e della sociologia, Dumézil intraprende l'esame delle strutture sociali e delle corrispondenze di vocabolario nelle diverse società indoeuropee[10]. Joseph Vendryès aveva messo in rilievo la corrispondenza fra alcune parole indoiraniche da una parte e parole italoceltiche dall'altra. Sono parole che designano il culto, il sacrificio, la purezza rituale, l'esattezza del rito, l'offerta agli dei e l'accettazione da parte degli dei, la protezione divina, la prosperità, la santità. Ci troviamo davanti a una comunanza di termini religiosi, a un vocabolario del sacro che si è mantenuto presso i popoli arii, futuri Indiani, Iranici, Italioti, Celti, ossia alle due estremità del mondo indoeuropeo[11].

Questo fatto stimola la riflessione di Dumézil. Questi popoli erano infatti i soli ad aver conservato collegi sacerdotali: brahmani, sacerdoti avestici, druidi, pontefici. Ora, dicendo sacerdozio, si suppone un rituale, una liturgia sacrificale, oggetti sacri, preghiere. Ecco la scoperta di concetti religiosi identici espressi per mezzo di una lingua comune. Dumézil intuisce l'esistenza di un pensiero indoeuropeo arcaico.

Dopo due decenni di ricerche, nel 1938, Dumézil ha trovato la chiave per penetrare negli arcani dell'uomo indoeuropeo antico, un'eredità, cioè, rappresentata da un'ideologia funzionale e gerarchizzata: la sovranità e il sacro, la forza fisica, la fecondità-fertilità soggetta alle altre due funzioni, ma indispensabile al loro sviluppo[12].

---

[9]   R. Pettazzoni, *Dio. L'essere celeste nelle credenze dei popoli primitivi*, Roma 1922.

[10]   Su G. Dumézil, si può vedere J.Cl. Rivière, *Georges Dumézil à la découverte des Indo-Européens*, Copernic, Paris 1979, Bibliogr., pp. 239-57; *Georges Dumézil*, Cahiers pour un temps, éd. Pandora, Paris 1981.

[11]   J. Vendryès, *Les correspondances de vocabulaire entre l'indo-iranien et l'italo-celtique*, in «Mémoires de la Société linguistique de Paris», 20 (1918), pp. 265-85.

[12]   G. Dumézil, *L'idéologie tripartie des Indo-Européens*, Latomus, Bruxelles 1958 (trad. it. *L'ideologia tripartita degli Indoeuropei*, Il Cerchio, Rimini 1988).

L'*homo religiosus* e il Sacro

Progredendo nei suoi studi, Dumézil ha messo a punto un nuovo metodo comparativo. Allo scopo di ricercare il sistema e la struttura del pensiero, ha comparato gruppi di concetti e di dei per trovare un sistema religioso coerente. A questo fine ha utilizzato tutto il materiale disponibile: i concetti, i miti, i riti, l'organizzazione sociale, la distribuzione del lavoro, il corpo sacerdotale, l'amministrazione del sacro. Dopo aver basato la comparazione su questo complesso di elementi, ha cercato di stabilire un'archeologia del comportamento dell'*homo religiosus* indoeuropeo. Giunge così a uno schema e a un'armatura che ha proiettati nella preistoria per riuscire a vedere la curva dell'evoluzione religiosa e anche per ritrovare il tipo religioso arcaico con le sue articolazioni essenziali. Dumézil ha dato un nome al suo metodo: «comparazione genetica». Utilizzando tutti gli elementi disponibili, questa comparazione permette di determinare il sistema di pensiero, gli equilibri, il pensiero e il comportamento dell'uomo indoeuropeo antico. In questo metodo c'è un elemento da sottolineare: l'induzione in direzione delle origini, per giungere a penetrare nella penombra dei *tempora ignota*.

I risultati del metodo duméziliano sono davvero straordinari, a cominciare dalla scoperta delle tre funzioni, ossia le tre attività fondamentali, assicurate da tre categorie di individui in vista della sussistenza della comunità: sacerdoti, guerrieri, produttori. La prima di tali funzioni è il sacro: rapporto degli uomini fra loro sotto la protezione degli dei, potere sovrano esercitato dal re e dai suoi delegati col favore degli dei, scienza e intelligenza inseparabili dalla meditazione e dalla manipolazione delle cose sacre. Questa ideologia tripartita corrisponde alla teologia delle tre funzioni articolate in tre livelli di dei: sovranità, forza e fecondità.

Il nostro interesse si volge particolarmente al metodo di comparazione genetica, che ha permesso a Dumézil di dire che la storia delle religioni non si fa sotto il segno del *mana*, ma sotto il segno del *logos*. Mobilitando archeologia, sociologia, mitologia, filologia e teologia per poter seguire le orme dell'uomo indoeuropeo fin nei più remoti millenni della preistoria, lo studioso francese ha offerto un esempio notevole del nuovo spirito scientifico. Così facendo, ha tracciato un sentiero lungo il quale possiamo ora camminare per ritrovare l'uomo del Paleolitico. Le nozioni sul retaggio e il patrimonio religioso, di cui Dumézil ha dimostrato l'importanza nelle religioni comparate, aprono nuove prospettive per lo studio dell'*homo religiosus*. Tutta la sua ricerca dimostra che le antiche religioni non sono un pulviscolo di miti o di riti, ma sistemi coerenti che non si spiegano se non in relazione con la creatività dello spirito umano e dell'uomo religioso, osservatore dell'universo, ermeneuta del cosmo e creatore della cultura. Infine, l'insistenza sul comportamento, sui riti, sui miti e sulla dinamica del simbolismo, porta lo storico delle religioni all'*homo religiosus* e alla sua esperienza del sacro. Il metodo comparativo genetico e integrale di Dumézil è servito da modello per l'opera del suo amico e collega M. Eliade, che si è gettato nel campo così vasto delle ierofanie e, con una ricerca incessante, ha scrutato il comportamento, il pensiero, la logica simbolica e l'universo mentale dell'*homo religiosus*.

Alla luce del nuovo spirito antropologico

2. L'homo religiosus e il sacro
L'opera di Mircea Eliade (1907-1986)

a. La nascita di un'opera

Nato a Bucarest il 9 marzo 1907, Mircea Eliade mostrò fin da giovane grande curiosità per tutti i campi del sapere e un particolare interesse per il comportamento dell'uomo. A diciott'anni aveva una bibliografia di un centinaio di titoli[13]. Nel novembre 1928 s'imbarcò per l'India, dove, sotto la direzione di S. Dasgupta, preparò in tre anni la sua tesi di dottorato sullo yoga[14]. Quest'opera pone i fondamenti dell'antropologia eliadiana: il problema della situazione dell'uomo nel mondo; la risposta dell'uomo all'angoscia dell'esistenza; la struttura iniziatica della conoscenza, morte-resurrezione-liberazione; l'equazione dolore-esistenza; immortalità e libertà. Come per Otto e Dumézil, l'India sta all'origine dell'opera di Eliade.

Alla fine degli avvenimenti bellici, il giovane intellettuale rumeno scelse l'esilio. A Parigi incontrò i maggiori esponenti del nuovo spirito scientifico e antropologico e, nel 1949, pubblicò il *Trattato di storia delle religioni,* opera che mostra la struttura del suo pensiero, l'affermazione di un metodo nuovo nell'affrontare il fenomeno religioso, l'inizio di una ricerca decisiva sul sacro, gli elementi essenziali della sua ricerca antropologica[15]. Si tratta di andare oltre il semplice studio storico che si accontenta di mettere in evidenza le credenze religiose. Il fenomeno religioso, infatti, è intimamente legato all'esperienza vissuta dall'uomo. Quindi, l'esplorazione del pensiero, della coscienza, del comportamento e dell'esperienza dell'*homo religiosus* diventa il fine ultimo dell'opera dello storico delle religioni. Nel *Trattato,* Eliade mostra l'unità fondamentale dei fenomeni religiosi, ma anche la loro inesauribile novità nel corso della storia. A partire dal 1950, si volge allo studio dei popoli senza scrittura, testimoni viventi delle origini. L'incontro con C.G. Jung gli fa scoprire una serie d'interpretazioni comuni attraverso strade diverse.

---

[13] M. Eliade, *Mémoire I, 1907-1937. Les promesses de l'équinoxe,* Gallimard, Paris 1980; vedi anche *Fragments d'un journal,* Gallimard, Paris 1973, e *Fragments d'un journal II, 1970-1978,* Gallimard, Paris 1981; *Mémoire II, 1937-1960, Les moissons du solstice,* Gallimard Paris 1988. Per la bibliografia di Eliade, vedi J.M. Kitagawa e Ch.H. Long, (edd.), *Myths and Symbols, Studies in honor of Mircea Eliade,* Univ. Chicago Press, London-Chicago 1969, pp. 413-33; e C. Tacou, *Mircea Eliade,* in «Cahier de l'Herne», 33 (1978), pp. 391-409. J.P. Culianu, *Mircea Eliade,* Cittadella, Assisi 1978. M. Mincu e R. Scagno, (edd.), *Mircea Eliade e l'Italia,* Jaca Book, Milano 1987, Bibliogr., pp. 383-99.

[14] M. Eliade, *Le yoga. Immortalité et liberté,* Payot, Paris, 1954, 1967 (trad. it. *Lo Yoga. Immortalità e libertà,* Rizzoli, Milano 1973; Firenze, Sansoni, 1982).

[15] M. Eliade, *Traité d'histoire des religions,* Payot, Paris 1949 (trad. it. *Trattato di storia delle religioni,* Boringhieri, Torino 1976, 1986).

L'*homo religiosus* e il Sacro

b. L'emergere dell'*homo religiosus*

Eliade rifiuta di lasciare in bianco il lungo periodo dello spirito umano durante i millenni della preistoria. Allo scopo di inquadrare, secondo le nostre attuali possibilità, l'emergere dell'uomo all'inizio del Paleolitico, il suo studio va dai depositi di ossa delle sepolture, all'addomesticamento del fuoco, alle iscrizioni rupestri e ai dipinti delle caverne. Cerca di scoprire l'intenzionalità religiosa. Mettendo a profitto il metodo genetico di Dumézil, Eliade integra la documentazione archeologica della preistoria in un sistema di significati simbolici. Convinto che i numerosi fenomeni storico-religiosi non sono che espressioni diverse di alcune esperienze religiose fondamentali, Eliade incentra la sua ricerca su quattro elementi essenziali: il sacro, il simbolo, il mito e il rito.

Una lunga rivoluzione religiosa succede al Paleolitico: il Mesolitico e il Neolitico. Va precisandosi l'idea dell'antenato mitico, insieme coi miti cosmogonici e i miti d'origine. Con la cerealicoltura e la vegetocoltura nascono i villaggi. L'uomo diventa produttore del proprio nutrimento. Viene a costituirsi un vero e proprio edificio spirituale: miti, credenze più precise nella sopravvivenza, solidarietà mistica fra uomo e vegetazione, sacralità femminile e materna, mistero della nascita, della morte e della rinascita. La religione neolitica è una religione cosmica incentrata sul rinnovamento periodico del mondo: albero cosmico, tempo circolare, simbolismo del centro, luoghi sacri, sacralizzazione dello spazio. In questo edificio spirituale il simbolismo occupa il posto centrale. Con l'apparizione dei primi testi, si scopre in essi la visione dell'uomo arcaico di fronte a un universo carico di significati. La paziente ricerca di Eliade ha posto fine al malinteso creato dal positivismo e dall'evoluzionismo[16].

c. Tipologia dell'*homo religiosus*

Dopo aver messo in evidenza l'emergere dell'uomo religioso, Eliade segue le sue orme nelle diverse forme religiose, privilegiando soprattutto le grandi religioni dell'Asia e le tradizioni orali dei popoli senza scrittura. Pur continuando a indagare le forme storiche del comportamento dell'uomo, il nostro autore cerca di mettere in luce il lato simbolico e spirituale dei fenomeni, considerati come esperienze dell'uomo nei suoi tentativi di trascendere la sua condizione e prendere contatto con la Realtà ultima. Questa tipologia eliadiana è un prolungamento della ricerca di Otto. L'uomo religioso assume nel mondo un modo d'essere specifico, ciò che porta Eliade a definire l'*homo religiosus*: «egli crede sempre che esista una realtà assoluta, il sacro, che trascende questo mondo, ma che vi si

---

[16]   M. Eliade ha presentato una eccellente sintesi della sua lunga ricerca sull'emergere dell'*homo religiosus*, in *Histoire des croyances et des idées religieuses*, I, Payot, Paris 1976, pp. 13-67 (trad. it. *Storia delle credenze e delle idee religiose*, I, Sansoni, Firenze 1979, pp. 13-69).

manifesta, e perciò lo santifica e lo rende reale»[17]. Così, l'*homo religiosus* viene definito da un'esperienza *sui generis*, l'esperienza religiosa. L'uomo realizza questa esperienza in un contesto socioeconomico e culturale, e questo ci obbliga a ricostruire storicamente ogni forma religiosa, per farne un vero e proprio documento storico. Ma questo documento va decifrato in funzione dell'*homo religiosus*, della sua intenzionalità e del suo comportamento. C'è da un lato una tipologia dell'*homo religiosus*, ma c'è dall'altro l'esistenza concreta di quest'uomo che reca l'impronta della storia e della cultura.

Questo dato ambivalente, se chiarisce l'antropologia religiosa, apre tuttavia la prospettiva di una ricerca diversificata secondo che si tratti dell'uomo religioso arcaico, dell'adepto delle grandi religioni legate alle culture storiche o del fedele delle religioni monoteistiche (ebraica, musulmana, cristiana). Con la fede monoteistica, il fedele si pone alla presenza di un Dio personale che interviene nella sua vita e nella sua storia, ciò che distingue la sua esperienza religiosa da quella di un induista o di un buddista.

Così Eliade ha insistito sulla novità rappresentata dal mosaismo, che pone l'accento sulla fede in Javhè, Dio trascendente che ha eletto un popolo, gli ha fatto delle promesse e ha concluso con lui un patto. Questa rivoluzione monoteistica, profetica e messianica, si è opposta agli dei orientali concepiti come potenze cosmiche. Javhè è un Dio che si rivela nella storia. I profeti hanno valorizzato la storia e vi hanno scoperto un tempo lineare. Fondata su una rivelazione divina, la fede dell'*homo religiosus* di Israele si articola in una teofania divina, avvenimento storico e presenza attiva di Javhè[18].

A questa rivoluzione segue l'Incarnazione di Dio in Gesù Cristo, ierofania suprema e teofania unica, poiché la Storia stessa diventa teofania. L'*homo religiosus* arcaico ha riconosciuto il sacro nelle sue manifestazioni cosmiche. Ora, in Gesù Cristo, Dio si manifesta incarnandosi. È la fine del tempo mitico e dell'eterno ritorno. Mediante la Chiesa, Cristo continua ad essere presente nella storia: è la nuova alleanza che comporta una valorizzazione dell'uomo e della storia[19]. Mircea Eliade ha imperniato la storia delle religioni sull'*homo religiosus*, sul suo comportamento e sulla sua esperienza religiosa. Un metodo del genere conferisce alla scienza delle religioni una grande dimensione antropologica. L'*homo religiosus* appare come un personaggio storico che vediamo emergere nel corso dei millenni della preistoria. E noi riusciamo a camminare con lui lungo tutta la storia umana. La sua natura e la sua struttura dimostrano che nell'umanità vi è

---

[17]   M. Eliade, *Le sacré et le profane*, Gallimard, Paris 1965, p. 171 (trad. it. *Il sacro e il profano*, Boringhieri, Torino 1967, 1979).
[18]   M. Eliade, *Le mythe de l'éternel retour*, Gallimard, Paris 1979, p. 155 (trad. it. *Il mito dell'eterno ritorno*, Borla, Torino 1968).
[19]   M. Eliade, *Mythes, rêves et mystères*, Gallimard, Paris 1957, pp. 203-206 (trad. it. *Miti, sogni e misteri*, Rusconi, Milano 1976).

unità spirituale. Questa scoperta è significativa per l'antropologia e per la storia delle religioni.

Tuttavia questo personaggio che chiamiamo *homo religiosus*, onnipresente nello spazio e nel tempo, ha vari volti. Infatti, ciascuna cultura gli ha attribuito dei tratti specifici. La sua fede, le sue credenze, la sua esperienza di vita, le situazioni storiche esistenziali, il suo comportamento sociale caratterizzano in modo diverso ciascuna delle culture derivate dalle sue credenze. La pubblicazione della notevole trilogia *Storia delle credenze e delle idee religiose* ha permesso a Eliade di rivelare l'*homo religiosus* nelle sue dimensioni storiche e transtoriche. Studiandolo nel suo comportamento in situazioni esistenziali assai diverse secondo le varie culture, ogni volta Eliade ha definito in modo preciso la sua identità culturale, pur affermando l'unità spirituale dell'umanità[20].

3. Conclusioni

I lavori di Dumézil e di Eliade sono determinanti per l'avvenire dell'antropologia religiosa. Dumézil, linguista, comparatista, etnologo, storico del pensiero e della religione, ha realmente rinnovato gli studi sugli indoeuropei. Colpito dall'eredità, che grazie al metodo comparativo tipologico, ha trovato nel mondo indoiranico, nell'area italo-celtica e nel campo germano-scandinavo, ne ha analizzato e confrontato i dati. Poi ha ripreso i risultati acquisiti al termine di questa tappa. Li ha sottoposti al suo metodo comparativo genetico, che gli ha consentito di proiettarli in avanti, verso le origini. Una simile intuizione storica gli ha permesso di scoprire il pensiero indoeuropeo arcaico e l'*homo religiosus* indoeuropeo dei *tempora ignota*: tripartizione teologica degli dei e tripartizione sociale degli uomini. In cima alle tre funzioni—sovranità, forza, fecondità—si colloca il sacro. Sono preziosi i dati antropologici risultanti da questo studio: l'uomo indoeuropeo arcaico, il luogo privilegiato del sacro, il valore scientifico dell'induzione storica fondata su basi altrimenti solide che quelle della filosofia kantiana e dell'idealismo trascendentale di Schleiermacher e di Otto. Ora, lo storico e l'antropologo dispongono di un metodo e di un modello per lo studio dell'*homo religiosus* delle origini.

Fin dai suoi primi lavori Eliade s'interessò all'uomo e alla sua condizione nel cosmo. Le opere giovanili gli consentirono di familiarizzarsi con il pensiero indiano e con quello dei popoli arcaici. A questo brillante intellettuale rumeno in esilio a Parigi, Dumézil propose fin dal 1945 di tenere dei corsi all'*Ecole Pratique des Hautes Etudes*. Eliade accettò e si diede alla redazione del suo *Trattato*, le cui bozze Dumézil rilesse con entusiasmo e che Pettazzoni saluterà come «un'opera di prim'ordine». Eliade ha evidenziato le strutture e la coerenza interiore dei

---

[20]   M. Eliade, *Histoire des croyances et des idées religieuses*, I-III., Payot, Paris 1976-1983 (trad. it. *Storia delle credenze e delle idee religiose*, I-III, Sansoni, Firenze 1981-1986).

fenomeni religiosi: la loro complessità, la diversità delle relative cerchie culturali, la morfologia del sacro, i contenuti delle ierofanie, ciascuna delle quali rivela una modalità del sacro, gli Esseri supremi del patrimonio religioso dei popoli primitivi, la morfologia e la funzione dei miti, la coerenza del simbolo e la sua funzione rivelatrice. La spiegazione ultima della ricchezza, della struttura e coerenza del fenomeno religioso va ricercata nell'*homo religiosus*. L'apporto di Eliade all'antropologia religiosa diventa decisivo, un apporto che si riassume in poche parole: l'*homo religiosus* e la sua esperienza del sacro.

In costante contatto con i grandi protagonisti delle scienze umane, l'orecchio teso alla ricerca di C.G. Jung e all'ermeneutica di P. Ricoeur, l'occhio volto ai lavori di Corbin e di G. Durand sul simbolo, Eliade percorre l'immensa eredità delle ierofanie trasmesse nel corso dei millenni dall'*homo religiosus*. Rifiutandosi di lasciare in bianco il periodo religioso della preistoria, col solido fondamento del valore scientifico dell'eredità costituita dalle molteplici ierofanie, Eliade utilizza il metodo comparativo genetico e, camminando contro corrente nella storia, in direzione delle origini, interroga l'*homo religiosus* arcaico e cerca d'incontrarlo nel momento in cui emerge. Infine, mettendo in opera la ricerca ermeneutica, fa parlare l'*homo religiosus* per captarne il messaggio, per decifrarne ed esplicitarne l'incontro col sacro. Una simile ermeneutica è creatrice poiché trasmette un messaggio suscettibile di cambiare l'uomo d'oggi. Nel progetto di Eliade l'antropologia religiosa deve portare alla creazione di un nuovo umanesimo.

III. L'*HOMO RELIGIOSUS* E LA SUA ESPERIENZA DEL SACRO

Dopo aver tracciato il profilo e il percorso dell'antropologia religiosa da Otto a Eliade, restano da descrivere gli elementi essenziali dell'articolazione di questa disciplina scientifica. Ci limitiamo a una breve presentazione, dal momento che questi dati verranno sviluppati dai vari autori durante l'intero corso dei sei volumi del *Trattato*[21].

1. Ierofania: l'uomo e la manifestazione del sacro

a. Ierofania

E. Durkheim e la sua scuola hanno fatto del sacro il fondamento della scienza delle religioni. Nella sua sottile e penetrante analisi, R. Otto ha messo in evidenza il contenuto e i caratteri specifici dell'esperienza religiosa fatta dall'uomo nella

---

[21]   Cfr. gli articoli di G. Durand e R. Boyer in questo volume. Vedi anche G. Durand, *Science de l'homme et tradition. Le nouvel esprit anthropologique*, Berg intern., Paris 1979.

scoperta del sacro, stabilendo che il sacro si manifesta sempre come una potenza di tutt'altro ordine che quello naturale. Eliade ha proposto di designare l'atto specifico di questa manifestazione con una parola divenuta classica: ierofania[22].

Otto ha insistito sulla scoperta fatta dall'uomo di un elemento ineffabile, il numinoso, il divino. È il primo aspetto del sacro, quello che le religioni chiamano *qadôsh, hagios, sacer*. Partendo dall'analisi di Otto e dalla sua insistenza sulla terminologia, gli storici delle religioni hanno potuto evidenziare la straordinaria eredità terminologica del discorso col quale l'*homo religiosus* ha testimoniato della sua esperienza religiosa nel corso dei millenni seguiti all'invenzione della scrittura. La parola *sacer* è la parola chiave di questa esperienza[23].

b. Complessità della ierofania

Su un percorso parallelo a quello di Otto, Eliade ha fatto l'analisi della ierofania. Ponendo la questione dell'elemento «reale», dell'«esistente», ritiene che si tratti di porsi sul piano dell'«essere», dell'«ontologia». Si tratta appunto del numinoso di cui parla Otto: una realtà invisibile, misteriosa, trascendente, transcosciente, che l'*homo religiosus* percepisce e che le diverse religioni designano ciascuna con un termine specifico. Le molteplici ierofanie, infatti, ci mettono davanti una straordinaria varietà di nomi divini e di nomi del divino. Per parlare di questa realtà numinosa, sia Eliade che Otto usano la parola «sacro». H. Bouillard, criticando l'ambiguità di questo termine, propone di usare «divino» per evitare ogni confusione fra sacro e divino[24]. In realtà, Eliade e Otto conservano la parola «sacro» proprio per dimostrare che non ci troviamo in una sfera concettuale, ma nella linea della percezione simbolica del mistero e della trascendenza. Questo è il primo elemento di ogni ierofania.

Un altro elemento è l'oggetto o l'essere per mezzo del quale il divino (il sacro) si manifesta: poiché infatti, la manifestazione del sacro non avviene mai allo stato puro, ma attraverso miti, oggetti, simboli, in breve per mezzo d'altro che il sacro stesso. È a questo punto che troviamo la sconcertante eterogeneità delle ierofanie. Ciascuna di queste categorie ha la propria morfologia: albero, pietra, uomo, ecc. Per attuare la propria manifestazione, il sacro, o divino, ha bisogno di qualcosa di reale tratto dal visibile, da ciò che Bouillard chiama il profano.

Il terzo elemento è l'oggetto naturale, o l'essere rivestito di una dimensione nuova, la sacralità. Grazie alla mediazione del visibile, il divino può manifestarsi.

---

[22]   M. Eliade, *Traité...*, pp. 15-45 (*Trattato...*, pp. 3-41).

[23]   H. Fugier, *Recherche sur l'expression du sacré dans la langue latine*, Belles Lettres, Paris 1963. E. Benveniste, *Le vocabulaire des institutions indo-européennes*, Minuit, Paris 1975, II, pp. 179-207. J. Ries (ed.), *L'expression du sacré dans les grandes religions*, I-III, HIRE, Louvain-la-Neuve 1978-1986.

[24]   H. Bouillard, *La catégorie du sacré dans la science des religions*, in E. Castelli, (ed.), *Le Sacré*, Aubier, Paris 1974, pp. 33-56.

Alla luce del nuovo spirito antropologico

Con questa mediazione si manifesta senza alterare la natura del mediatore, ma conferendogli una dimensione nuova. Un albero sacro è pur sempre un albero. Ma, grazie alla sua dimensione sacrale, quest'albero, agli occhi dell'*homo religio sus*, è diverso da un altro. Un sacerdote è sempre un uomo, ma l'investitura sacerdotale gli conferisce una dimensione sacrale, eleggendolo alla sua funzione di mediatore. Qui siamo nel cuore del mistero e del paradosso. Rivestendo di sacralità un essere o un oggetto, l'irruzione del divino lo costituisce mediatore, in quanto l'oggetto o l'essere, pur restando della sua natura specifica, si distacca dal mondo profano.

c. Fenomenologia ed ermeneutica delle ierofanie

Eliade ha messo in evidenza i diversi elementi della struttura di ogni ierofania: il trascendente, la manifestazione grazie alla quale si mostra, la sua manifestazione attraverso qualcosa di diverso, la dimensione sacrale di cui viene rivestito l'elemento mediatore, la permanenza della natura dell'elemento mediatore anche dopo investito della dimensione sacrale, l'atto paradossale di questa manifestazione, l'omogeneità della natura e l'eterogeneità delle forme delle diverse ierofanie. Il compito del fenomenologo consiste nel descrivere l'elemento mediatore in quanto manifestazione del sacro e mostrarne il significato in quanto fenomeno religioso. Dopo il lavoro del fenomenologo interviene il ruolo dell'ermeneuta: svelare il contenuto misterioso, il transcosciente, il trascendente, per giungere a presentare il messaggio della ierofania. Esistono infatti diversi livelli nell'esperienza del sacro. Accanto alle ierofanie elementari, vi sono ierofanie di alto livello. Nella storia dell'umanità, al vertice della gerarchia ierofanica c'è l'incarnazione di Dio in Gesù Cristo: è la più grande rivoluzione religiosa di tutti i tempi e una esperienza unica per il cristiano[25].

2. Homo symbolicus. *Il simbolo nell'esperienza religiosa*

Il simbolo è un elemento di riconoscimento. Nel significato etimologico, si tratta di due metà di un oggetto in possesso di due persone, ciò che permette loro di riconoscersi. Il simbolo è un significante concreto e sensibile che suggerisce il significato e lo svela in trasparenza. Presuppone l'omogeneità del significante e del significato, cosa che gli consente la risonanza. Secondo G. Durand, la funzione simbolica è nata dall'impossibilità per l'uomo di fermarsi al senso proprio delle cose[26].

---

[25]   M. Eliade, *Méphistophélès et l'androgyne*, Gallimard, Paris 1962 (trad. it. *Mefistofele e l'androgino*, Edizioni Mediterranee, Roma 1971).

[26]   G. Durand, *L'univers du symbole*, in J.E. Ménard, (ed.), *Le symbole*, Strasbourg 1975, pp. 7-23; *Les trois niveaux de formation du symbolisme*, in «Cahiers internationaux de symbolisme», 1 (1962), pp. 7-29.

L'*homo religiosus* e il Sacro

a. Simbolo e ierofania

In ogni ierofania, il simbolo esercita una funzione di mediazione. Permette il passaggio dal visibile all'invisibile, dall'umano al divino. Contribuisce a realizzare un'epifania del mistero, che rende possibile l'avventura spirituale dell'essere umano. Nella sua ermeneutica, P. Ricoeur parla del simbolo come rivelatore della realtà umana e crede che «ogni simbolo sia infine una ierofania, una manifestazione del vincolo dell'uomo col sacro», e aggiunge: «in definitiva, dunque, il simbolo ci parla come indice della situazione dell'uomo nel centro dell'essere in cui si muove, esiste e vuole»[27]. Queste parole sono dense di una carica religiosa poco comune. Ricoeur, infatti, riconosce che il simbolo è dotato di un'energia che gli viene dalla manifestazione di un legame fra l'uomo e il sacro. Questa posizione si ricollega direttamente con quelle di Eliade e di Durand. Quest'ultimo vede nella funzione simbolica una funzione essenziale dello spirito.

b. Simbolo e linguaggio di rivelazione

Abbiamo detto che, secondo Eliade, il sacro è «un elemento della struttura della coscienza». Un'affermazione del genere è ambivalente: il sacro è da una parte un'energia costitutiva della coscienza e dall'altra una modalità di esistenza, un dato della condizione umana. Eccoci sul sentiero che conduce l'uomo al divino. In quest'ottica, il simbolo è un linguaggio che rivela all'uomo valori transpersonali e transcoscienti. Per mezzo del simbolo, il cosmo parla all'uomo, gli fa conoscere realtà che non sono evidenti per se stesse. Questa visione antropologica si ricollega alla teologia di Giustino Martire e di Clemente d'Alessandria sulle sementi del *Logos* nell'umanità prima dell'Incarnazione, e anche al pensiero di Newman e di Söderblom sulla storia umana come laboratorio di Dio[28]. Eliade ha ripetutamente detto che il pensiero simbolico è consustanziale all'essere umano e che ha preceduto il linguaggio.

Nelle sue osservazioni sul simbolismo religioso, insiste sulle diverse funzioni del simbolo: la possibilità di rivelare una modalità del reale, o una struttura del mondo che non sono immediatamente evidenti; il fatto che, per i primitivi, i simboli sono sempre religiosi; le multivalenze, così come la possibilità di articolare in un insieme realtà eterogenee; la capacità di esprimere situazioni paradossali e strutture della realtà ultima. Infine, Eliade ha sottolineato il valore esistenziale del simbolismo religioso: «un simbolo riguarda sempre una realtà o una situazione che impegna l'esistenza umana», cosa che gli conferisce un'aura «numinosa». Il simbolo religioso dà un significato all'esistenza umana[29].

---

[27]   P. Ricoeur, *La symbolique du mal*, Aubier, Paris 1960, pp. 330s.

[28]   J. Ries, *Les chrétiens parmi les religions. Des Actes des Apôtres à Vatican II*, Desclée, Paris 1987, pp. 58-65; 400-403; 380-84.

[29]   M. Eliade, *Méphistophélès...*, cit., pp. 254-68.

Alla luce del nuovo spirito antropologico

c. L'emergere dell'*homo religiosus* secondo la paleoantropologia

Le recenti scoperte nella Rift Valley africana hanno dato risultati insperati[30]. Nell'Africa orientale, tre milioni di anni fa, l'*homo habilis* organizzava la caccia e tagliava utensili nella selce. Un milione e mezzo di anni fa, ancora nell'Africa orientale, l'*homo erectus*, pronto a lanciarsi alla conquista del pianeta, inventa il taglio simmetrico degli utensili, cerca i colori, sceglie i materiali e forse adotta già un comportamento rituale di fronte alla morte. Infatti, fra le ossa scoperte nei luoghi abitati dall'*homo erectus*, si sono trovati crani spezzati alla base con notevole regolarità.

L'*homo erectus* ha visto e osservato segni naturali portatori di informazioni. Senza dubbio, secondo Y. Coppens, «ha riprodotto quei segni sotto forma di tracce sulla terra, sulla sabbia, sul legno, sulla pietra, per trasmetterne il messaggio. Poi è arrivato il giorno in cui ha inventato segni che non esistevano in natura e li ha caricati di significato»[31]. Eccoci arrivati al momento della concezione simbolica. L'uomo affida a un oggetto, o alla rappresentazione di un oggetto, il carico di un'idea. Così, i segni, gli utensili simmetrici, la scelta del materiale e dei colori ci mostrano l'emergere dell'*homo symbolicus*. Scoperte simili, provenienti dalla paleontologia e dalla paleoantropologia, sono cariche di felici conseguenze per lo studio dell'*homo religiosus*.

La documentazione raccolta consente di affermare che l'*homo erectus* era già un *homo symbolicus*. Forse faceva già i suoi primi passi di *homo sapiens*. Assistiamo al sorgere del pensiero e probabilmente alla formazione del linguaggio. Quest'uomo costruisce capanne, all'interno delle quali trova una sistemazione per il taglio degli utensili, un'altra per il riposo, un'altra ancora per gli animali. «Egli sa che sa». Ha coscienza d'essere creatore. Non cesserà più di creare e di estendere il proprio territorio.

Con la riflessione della coscienza appare l'angoscia dell'esistenza. L'uomo sembra già porsi il problema della propria origine e del proprio destino. Inventa la prima sorgente di energia, il fuoco, un'arte specificamente umana. È nato l'uomo moderno[32].

[30]   F. Facchini, *Il cammino dell'evoluzione umana. Le scoperte e i dibattiti della paleoantropologia*, Jaca Book, Milano 1985. Y. Coppens, *Orizzonti della paleoantropologia*, in «L'umana avventura», autunno 1986, pp. 45-56.

[31]   Y. Coppens, *Pré-ambules. Les premiers pas de l'homme*, Odile Jacob, Paris 1988, pp. 186-90; *L'origine de l'homme*, in «Revue des sciences morales et politiques», 1987, pp. 507-32.

[32]   J. Piveteau, *L'apparition de l'homme*, O.E.I.L., Paris 1986.

L'*homo religiosus* e il Sacro

d. Simbolismo della volta celeste e trascendenza

Dalla fine del secolo XIX, una discussione appassionata ha impegnato antropologi, etnologi, storici e teologi. La questione era: come spiegare la credenza universale in un Essere supremo, nelle remote tradizioni di popoli arcaici ancora esistenti nei secoli XIX e XX? La teoria di una rivelazione primitiva formulata da certi teologi è stata scartata dagli scienziati. Peraltro, ritenendo che la tesi di una riflessione logico-causale dell'uomo arcaico, elaborata dall'etnologo W. Schmidt, fosse troppo debole, gli storici delle religioni hanno pensato che occorreva cercare una risposta così riguardo al mito, come riguardo al simbolo[33]. R. Pettazzoni ha pensato alla personificazione della volta celeste, che suggeriva l'idea di un dio uranico, e alla fine si è arrestato all'idea dell'affabulazione mitica. Eliade ha formulato un'ipotesi geniale: la scoperta della trascendenza fatta dall'uomo arcaico nella contemplazione della volta celeste. Per Eliade, la volta celeste simbolizza la trascendenza, la forza, l'immutabilità, l'altezza, la sacralità. L'uomo ha preso coscienza di questo simbolismo primordiale, dato immediato della coscienza totale. Non si tratta dunque né di deduzione causale, né di affabulazione mitica, ma di una presa di coscienza del simbolismo della volta celeste, che mette l'uomo arcaico di fronte a una ierofania primordiale[34].

Alla luce delle scoperte paleoantropologiche africane, questa ipotesi riceve una conferma scientifica. Occorre anzitutto costatare che i filosofi dell'Antichità greca, i poeti latini e i Padri della Chiesa hanno sottolineato il posto dell'uomo nell'Universo: eretto, diritto, anello d'incontro fra cielo e terra, mentre gli animali sono rivolti a terra. La stessa idea troviamo anche in Estremo Oriente.

Oggi, grazie ai risultati delle scoperte nella Rift Valley, afferriamo l'importanza dell'*homo erectus*, diventato *homo symbolicus*. Eretto sui suoi piedi, si è trovato con le mani libere; le ha prolungate per mezzo degli attrezzi e questo gli ha permesso di divenire creatore di cultura. In piedi, ha contemplato il cielo, il moto diurno del sole, il moto notturno della luna e delle stelle.

Secondo Eliade, la categoria trascendentale dell'altezza e dell'infinito si è rivelata alla totalità dell'uomo, alla sua intelligenza e alla sua anima. Il cielo ha rivelato la trascendenza che esso simbolizza. La paleoantropologia conferisce al *Trattato* di Eliade una dimensione nuova e particolarmente ai capitoli sui simboli celesti, sul simbolo solare e lunare[35].

[33] J. Ries, *Le symbole et le symbolisme dans la vie de l'homo religiosus*, HIRE, Louvain-la-Neuve 1982.
[34] M. Eliade, *Religions australiennes*, Payot, Payot 1972 (trad. it. *La creatività dello spirito*, Jaca Book, Milano 1979, pp. 30-34).
[35] M. Eliade, *Traité...*, pp. 46-164 (*Trattato...*, pp. 42-192).

Alla luce del nuovo spirito antropologico

3. Mito, archetipo e comportamento religioso

Fin dai tempi di Omero e di Esiodo l'uomo si interroga sul mito e sul suo significato. I filosofi ionici ne hanno fatto la critica. Platone ha cercato di purificare la mitologia. L'evemerismo ne ha dato un'interpretazione storica ripresa dai Padri della Chiesa, mentre il movimento neoplatonico ha visto nel mito un mezzo di riflessione e un metodo d'iniziazione ai misteri divini. Il movimento umanistico si è orientato verso l'esegesi simbolica del mito, ma il secolo dei lumi si è dato a una ricerca storica comparata. Presentando il mito come l'intelligibilità immanente della cultura, G. Vico (1668-1744) ha aperto la via a una nuova ermeneutica, quella dei romantici, per i quali il mito è linguaggio, espressione di verità e messaggio[36].

a. Il mito, racconto delle origini e della fine del mondo

Mircea Eliade ha veramente rinnovato lo studio del mito. Ha cominciato interrogando le mitologie dei popoli senza scrittura e ha costatato che il mito è legato a un comportamento dell'uomo. In seguito ha esaminato le mitologie dei popoli antichi del Vicino Oriente e, grazie a un lungo lavoro comparato, è arrivato a mettere in luce la natura del mito.

Il mito è un racconto che riporta la storia delle origini, del tempo primordiale. Narra come, grazie alle imprese di esseri soprannaturali, è venuta alla luce una realtà. Si tratta di una storia sacra, con attori e avvenimenti. È un racconto che riguarda realtà esistenti, e questo dà un aspetto di verità al mito[37]. G. Durand mette l'accento sulla dinamica del mito, con i suoi archetipi, i suoi simboli e i suoi schemi[38]. P. Ricoeur, invece, osserva che gli avvenimenti narrati stanno all'origine dell'azione rituale dell'uomo odierno[39]. La convergenza di questi tre specialisti porta a una conclusione: il mito determina un comportamento dell'uomo e dà il senso vero all'esistenza umana. L'esperienza del mito è legata al sacro, perché mette l'uomo religioso in rapporto col mondo soprannaturale.

Alla sommità stanno i miti cosmogonici, che costituiscono la storia sacra dei popoli: storia coerente, dramma della creazione, principi che reggono il cosmo e la condizione umana. Questi miti si riferiscono a un'età d'oro dell'umanità. Accanto a questi ci sono i miti d'origine, che raccontano e giustificano una situa-

---

[36]   J. Ries, *Le mythe et sa signification*, HIRE, Louvain-la-Neuve 1982; *Le mythe, son langage et son message*, HIRE, Louvain-la-Neuve 1983.

[37]   M. Eliade, *Le mythe de l'éternel retour*, Gallimard, Paris 1949 (trad. it. *Il mito dell'eterno ritorno*, Borla, Torino 1968; Rusconi, Milano 1975); *Aspects du mythe*, Gallimard, Paris 1963.

[38]   G. Durand, *Les structures anthropologiques de l'imaginaire*, Bordas, Paris 1973, pp. 410-33.

[39]   P. Ricoeur, *La symbolique du mal*, Aubier, Paris 1960, pp. 153-65.

zione nuova, che non esisteva in origine: genealogie, miti di guarigione, terapeutiche nuove. Vengono poi i miti di *renovatio mundi*: intronizzazione dei re, anno nuovo, stagioni. Questi miti hanno particolarmente attratto l'attenzione di Eliade, poiché si trovano alla fine del Paleolitico e nel Neolitico, quando l'uomo, con la cerealicoltura e la vegetocoltura, diventa produttore dei propri alimenti. In questi miti abbiamo lo schema dei miti cosmogonici. L'arte parietale franco-cantabrica e l'arte rupestre ci forniscono abbondanti illustrazioni di questi miti di rinnovamento[40].

I miti escatologici narrano la distruzione del mondo, l'annientamento dell'umanità: diluvio, crollo delle montagne, terremoti. I più noti sono i miti dell'età del mondo, nei quali abbiamo lo schema della nascita di un mondo nuovo. Se con le tre categorie—cosmogonia, origine, *renovatio*—siamo all'*Urzeit*, i miti escatologici ci orientano verso l'*Endzeit* del cosmo.

b. Archetipo e messaggio

Jung vede nell'archetipo una dominante energetica dell'inconscio collettivo: in un'ottica del genere l'archetipo si presenta come un organo psichico. Lévi-Strauss è vicino a questa interpretazione[41]. Eliade, per contro, concepisce l'archetipo come un modello primordiale, la cui origine si trova nel mondo soprannaturale. Per lui non si tratta di inconscio, ma di transconscio. L'archetipo si presenta come uno strumento mentale dell'*homo religiosus*, strumento indispensabile per comprendere la creazione dell'uomo e del cosmo. Eliade ha studiato una quantità notevole di archetipi di Mesopotamia, Egitto e Vicino Oriente. Fra questi troviamo archetipi celesti, modelli che derivano dalla creazione, la Gerusalemme celeste, gli archetipi cosmogonici[42].

Bisogna aggiungere che l'archetipo è inseparabile dal simbolo, soprattutto dal simbolismo delle acque, del centro, dello spazio.

Così, l'immersione nell'acqua significa dissoluzione delle forme; l'albero cosmico collega le zone dell'Universo; il centro è il luogo sacro per eccellenza; l'ascensione suppone una rottura di livelli.

L'ermeneutica cerca di decriptare i miti per estrarne il messaggio per l'uomo. Nel corso dei secoli, tre incontri hanno paralizzato il mito: il cristianesimo, la scienza, la storia. Il mito si appresta a un quarto incontro, quello «delle società e delle culture non occidentali, nel progetto di un mondo in via di unificazione tumultuosa»[43]. Il mito cosmogonico contiene un messaggio assai denso: racconta

---

[40]   M. Eliade, vedi nota 37. *Traité...*, pp. 344-66 (*Trattato...*, pp. 423-51).
[41]   Cl. Lévi-Strauss, *Anthropologie structurale*, Plon, Paris 1958, pp. 205-26.
[42]   Cfr. note 37 e 40.
[43]   J. Vidal, *Aspects d'une mythique*, in *Le mythe, son lagage et son message*, HIRE, Louvain-la-Neuve 1983, pp. 35-61.

infatti una storia sacra, un avvenimento primordiale, quello di una creazione. Rivela inoltre il mistero dell'attività creatrice degli Esseri divini. In questo senso, mostra l'irruzione del sacro nel mondo e fa vedere come questa irruzione ha fondato il mondo. Rivela ancora, questo mito, un archetipo che l'uomo deve riprodurre nella sua vita. Un simile messaggio orienta l'attività dell'*homo religiosus* e, presentando una storia sacra esemplare e normativa, invita l'uomo a mantenere il mondo del sacro. Anche il mito di caduta, presente in tutte le tradizioni religiose dell'umanità, merita speciale attenzione[44]. La tipologia di questi miti ci fornisce quattro dati: la caduta è situata fra l'*Urzeit* e l'*Endzeit*; abbiamo una degradazione del divino; l'accidente cosmogonico è un diluvio; la condizione umana attuale si spiega con un errore e una tragedia. Il messaggio di questi miti, di cui ogni versione è caratterizzata da tratti culturali specifici, dà orientamenti essenziali per l'uomo e per la sua comprensione della condizione umana: la creazione in origine è buona; il male viene da un errore che coinvolge la responsabilità dell'uomo; la condizione umana è soggetta alla fragilità, alla malattia e alla morte; l'errore può essere riparato e la salvezza è possibile. Queste poche indicazioni mostrano che il mito ha una funzione esplorativa che lo porta a svelare il vincolo esistente fra l'uomo e il sacro.

c. Miti e comportamento religioso

Il mito presenta un modello esemplare per l'azione umana, che assume efficacia nella misura in cui ripete l'azione primordiale. Questo comportamento è un modo d'essere nel mondo che, secondo Eliade, sbocca nell'imitazione di un modello transumano, nella ripetizione di uno scenario esemplare e nella rottura del tempo profano. Così, i miti mantengono la coscienza di un mondo diverso dal mondo profano, ossia la coscienza del mondo divino. Il comportamento dell'uomo nella vita personale e sociale è messo in relazione con l'avvenimento primordiale. La storia delle società arcaiche di ieri e di oggi mostra chiaramente l'importanza della teologia del mito e il valore del suo chiarimento normativo per l'azione umana.

Per Eliade, una peculiarità del cristianesimo sta, da un lato, nella fede cristiana vissuta come esperienza religiosa *sui generis*, e, dall'altro, nella valorizzazione della storia come manifestazione diretta e irreversibile di Dio nel mondo. Gesù Cristo è una persona storica. Tuttavia, ci sono nella vita del cristiano aspetti di comportamento mitico, poiché si tratta di imitare Cristo, l'archetipo, di celebrare nella liturgia un modello esemplare, la Passione e la Resurrezione, e di ritualizzare il mistero di Cristo e della sua vita[45].

---

[44]   J. Ries, *Fall*, in *Encyclopedia of Religion*, Macmillan, New York 1987, V, pp. 256-67.
[45]   M. Eliade, *Aspects du mythe*, pp. 197-219.

4. Il rito nella vita dell'homo religiosus

La parola *ritu* è una parola arcaica indoeuropea. Nel *Rig-Veda* (X 124,5) significa l'ordine immanente del cosmo. È sinonimo di *dharma*, la fede fondamentale del mondo. Dal significato cosmico è derivato il significato religioso indoeuropeo: necessità, rettitudine, verità. Nel significato moderno, rito vuol dire pratica regolata: protocollo, società civile, società segreta, religione, liturgia, culto. Il rito può essere privato o pubblico, individuale o collettivo, profano o religioso. Fa parte della condizione umana, è soggetto a regole precise e implica continuità. Questi aspetti diversi hanno dato luogo a numerosi studi[46].

a. Il rito e l'*homo religiosus*

Nel *Trattato di antropologia religiosa*, il rito viene considerato nel quadro dell'esperienza esistenziale dell'uomo. Si colloca all'interno di una espressione simbolica che cerca un contatto vitale con la Realtà trascendente, col divino, con Dio. Il rito viene espresso mediante gesti e parole. È legato a una struttura simbolica tramite la quale si opera il passaggio verso la realtà ontologica, il passaggio dal segno all'essere. Le azioni rituali sono mezzi coi quali l'*homo religiosus* cerca di collegarsi con l'archetipo, che è fuori del mondo naturale.

Il rito si trova a livello del comportamento dell'uomo e si pone nella linea del sacro vissuto. In tutte le religioni, l'uomo che compie un rito fa un gesto significativo per la propria vita, se ne attende efficacia e benefici. Il rito si compie per mezzo di elementi presi dal cosmo: acqua, luce, sale, olio. Nei rituali, l'uomo organizza il tempo con riferimento al tempo archetipico, all'*illud tempus*: rituali festivi, di celebrazione, sacrificali, d'iniziazione. Grazie al rituale, l'*homo religiosus* si ricollega a un tempo primordiale o a un avvenimento archetipico.

M. Meslin ha dedicato un capitolo alle azioni rituali, viste come «azioni collettive, con le quali l'uomo tenta di sperimentare il divino, entrando in relazione con lo stesso»[47]. Considera quattro tipi di azioni rituali: la sacralizzazione del tempo; lo spazio sacro; i rituali d'iniziazione; i pellegrinaggi. Per l'autore si tratta di azioni «direttamente ispirate dalla volontà di collegarsi col divino» e che sono considerate come «l'espressione pratica di un'esperienza religiosa». Meslin insiste sui luoghi dell'esperienza, sulla sua espressione sociale: legame stretto fra l'individuo credente e il gruppo che professa la stessa fede.

---

[46]   J. Cazeneuve, *Les rites et la condition humaine d'après les documents ethnologiques*, PUF, Paris 1958; *Sociologie du rite*, PUF, Paris 1971. J. Greisch, (ed.), *Le rite*, Beauchesne, Paris 1981. J. Maisonneuve, *Les rituels*, PUF, Paris 1988.

[47]   M. Meslin, *L'expérience humaine du divin*, Cerf, Paris 1988, pp. 135-95. J. Chélini, H. Branthomme, (edd.), *Histoire des pélerinages non chrétiens*, Hachette, Paris 1987.

Alla luce del nuovo spirito antropologico

La ricerca sulla funzione mediatrice del sacro, nel contesto delle ierofanie afferrate dall'*homo religiosus*, ha portato Eliade allo studio del rito e del rituale. Si è dedicato ai riti di rinnovamento e ai riti d'iniziazione, campo vastissimo che va dai riti di passaggio alle religioni misteriche e dallo sciamanismo alle varie società segrete[48]. In tutta la ricerca, insiste sul riferimento all'archetipo, sul luogo sacro, sul tempo primordiale, sulla rivelazione dei miti e sulle prove iniziatiche. Una prima componente archetipica, tale da far comprendere l'efficacia dei riti, si trova nei modelli celesti. Vengono poi altre due componenti: il simbolismo del centro e il modello divino onnipresente nei rituali.

b. L'iniziazione nella vita dell'*homo religiosus*

I riti d'iniziazione costituiscono un elemento notevole dell'antropologia religiosa. Senza dubbio si tratta di riti di passaggio nel vero senso della parola, dal momento che l'iniziazione equivale a una mutazione ontologica del regime esistenziale, introduce il neofita nella comunità e contemporaneamente in un mondo di valori. Ogni rito d'iniziazione implica un simbolismo della creazione, che riattualizza l'avvenimento primordiale della cosmogonia e dell'antropogonia. L'iniziazione è una nuova nascita[49].

Dopo Eliade, potremmo rischiare una classificazione fondata sulla funzione dei riti d'iniziazione. Un gruppo importante è formato dai riti di pubertà, già attestati nei documenti antichi dell'umanità, come la grotta di Lascaux. Queste iniziazioni hanno avuto un ruolo essenziale nella formazione delle culture e delle società. Esse mostrano come le società hanno tentato e tentano ancora di operare la piena realizzazione dell'*homo religiosus*. Il cristianesimo ha conservato il mistero iniziatico del battesimo, che modifica lo stato ontologico dell'uomo e fonda l'antropologia cristiana. La cresima completa l'iniziazione battesimale.

Una seconda classe di riti d'iniziazione è costituita dai riti di entrata in una società religiosa chiusa, come fu per i misteri di Mithra e per le religioni misteriche del mondo greco. La terza categoria riguarda la vocazione mistica: sciamano, iniziazione o ordinazione sacerdotale, iniziazioni eroiche. Qui si tratta, da un lato, del conferimento di poteri spirituali e, dall'altro, di un nuovo stato di vita.

Atto simbolico inteso a realizzare le figure di un ordine al crocevia della natura, della società, della cultura e della religione, il rito si rapporta all'uomo, consi-

---

[48]   M. Eliade, *Traité...*, pp. 229-80 (*Trattato...*, pp. 272-341); *Le sacré et le profane*, Gallimard, Paris 1965 (trad. it. *Il sacro e il profano*, Boringhieri, Torino 1967, 1979); *Naissances mystiques*, Gallimard, Paris 1959; riedizione: *Initiation, rites, sociétés secrètes*, Gallimard, Paris 1976 (trad. it. *La nascita mistica. Riti e simboli d'iniziazione*, Morcelliana, Brescia 1974).

[49]   J. Ries, H. Limet, (edd.), *Les rites d'initiation*, HIRE, Louvain-la-Neuve 1986, Bibliogr., pp. 503-12 (trad. it. Jaca Book, Milano 1989); U. Bianchi, (ed.), *Transition Rites*, L'Erma di Bretschneider, Roma 1986; C.J. Bleeker, *Initiation*, Brill, Leiden 1965.

derato al tempo stesso persona e membro della società. In questo senso, si può parlare di riti di integrazione sociale e di riti di aggregazione. Ma ogni rito d'iniziazione è passaggio a una realtà nuova, a una ontologia trascendente. Nel cristianesimo, si tratta di ricreazione dell'uomo, di ritualizzazione dell'innocenza e di santificazione. La ritualità cristiana fondata su Gesù Cristo ricapitola la storia sacra e la conduce alla trasfigurazione[50].

CONCLUSIONI

La fine del XX secolo è improntata a un nuovo spirito scientifico e a una nuova ricerca antropologica. Questo primo capitolo del nostro *Trattato di antropologia religiosa* cerca di delineare gli orientamenti e i limiti che ci siamo posti. La prima metà del secolo ha visto il passaggio da una sociologia del sacro a un tentativo di antropologia religiosa, quella di Rudolf Otto. Mentre si sviluppavano la teologia della morte di Dio e la disputa sul sacro, la scienza delle religioni conosceva un'apertura straordinaria, grazie all'opera di G. Dumézil e di M. Eliade. La prodigiosa documentazione di questi due studiosi, nonché la loro vasta cultura, il loro sguardo sempre attento all'opera dei colleghi, l'adozione del loro metodo comparativo tipologico, davano alla fenomenologia una solida base scientifica e pervenivano a sintesi nuove. Ma ecco che la messa a punto e l'utilizzazione di un metodo comparativo genetico ha permesso loro di delineare nuove prospettive: uno studio scientifico del sacro, della sua espressione e del suo posto nell'esperienza religiosa, l'evidenza della figura storica e transtorica dell'*homo religiosus*, il significato dell'esperienza del sacro nella vita dell'uomo religioso, un'ermeneutica che sfocia nel messaggio dell'*homo religiosus* con la prospettiva di un nuovo umanesimo. L'elaborazione di un'antropologia religiosa, fondata sull'esperienza del sacro, che sottende tutta la storia religiosa dell'umanità, mette già a profitto i recenti studi sul sacro, sul simbolo, sul mito e sul rito. Il gruppo scientifico che ha intrapreso la realizzazione di questo progetto antropologico è cosciente dell'urgenza di quest'opera.

[50]   J. Vidal, *Rite et ritualité*, in J. Ries,..., *Les rites d'initiation*, pp. 39-85. Vedi anche L. Bouyer, *Le rite et l'homme*, Cerf, Paris 1962; F. Isambert, *Rite et efficacité symbolique*, Cerf, Paris 1979.

L'ESPERIENZA DEL SACRO

di
Régis Boyer

INTRODUZIONE

IL SACRO: TRASCENDENZA E IMMANENZA

Con un paradosso del tutto intenzionale, chiederò di introdurre questo saggio a Cioran; da qualche parte egli ha scritto: «È probabile che l'uomo non abbia altra ragione d'essere che pensare a Dio». In verità, per *coincidentia oppositorum*, non mi sembra casuale trovare un'affermazione del genere sulla penna di un agnostico nichilista, che ha finito per erigere il proprio pessimismo a valore supremo. E confrontiamola subito, per non uscire da un atteggiamento sicuramente universale e fondamentale, col celebre titolo di un nostro noto saggista cattolico: «Dio esiste, io l'ho incontrato».

Il principio da cui bisogna partire è, in realtà, semplicemente questo: in qualunque accezione si voglia intendere il Sacro, cioè, in un senso che occorrerà sviluppare, quale che sia la cultura considerata, non c'è sacro se non attraverso un'esperienza e, in ultima analisi, un'esperienza personale. Questa constatazione, esistenzialista in prospettiva kierkegaardiana, non tende a ridurre la nozione di Sacro alle sole dimensioni dell'umano, bensì a postulare che il Sacro non discende dalle categorie concettuali, immanenti o trascendentali, dove si può casualmente collocarlo, per divenire il valore supremo, se non dal momento in cui prende forma incarnata, o direttamente, come rivela il cristianesimo, oppure mediante inneschi diversi che, in fin dei conti, si riducono tutti a un incontro personale, a un'esperienza vissuta, sia pure meramente interiore: il pascaliano «Tu non mi cercheresti se non mi avessi già trovato» ha piuttosto della constatazione che della provocazione. Al principio di ogni religione c'è l'esperienza del Sacro, non importa se collettiva o individuale, dal momento che l'una finirà per ritornare all'altra: l'*homo religiosus* che noi tutti siamo, bisogna pur dirlo, poiché si finisce sempre per erigere a valore assoluto persino le nostre negazioni, semplicemente non si può concepirlo senza la frequentazione intima, senza la certezza profonda (che non è strettamente necessario che la ragione verifichi in ogni dettaglio), di una Realtà suprema. Ragionando per doppia negazione e restando nella linea dell'ironia socratica praticata da Cioran, non è possibile che l'uomo, di cui ho appena detto che è sempre, per qualche lato essenziale, *religiosus*, non faccia un giorno l'esperienza del Sacro.

Beninteso, si potrà sempre discutere abbondantemente sull'esatto contenuto da attribuire al termine Sacro. Non è espressamente lo scopo di queste pagine, ma io constato che tutti i tentativi di approccio e di definizione considerati implicano un rapporto immediato con l'essere umano che li propone: trascendente, ineffabile, affatto differente o tutt'altra cosa (*ganz andere*), assoluto, non si concepiscono che in relazione a certe lacune, assenze, incompletezze, compromessi, «difetti» di cui siamo coscienti, che non percepiamo se non partendo da noi stessi, ossia attraverso un'esperienza vissuta da noi o da altri per noi, che ci è stata comunicata, che abbiamo recepito, ammesso e preso in considerazione.

Le reazioni di rivolta, di disperazione e anche di assurdo, così frequenti da qualche secolo, non sono negazioni di questa Essenza, anzi, al contrario, sono riconoscenze, aspettative, vanno lette in profondità, pongono in realtà con gran forza ciò a cui pretendono di opporsi. Una sia pur breve analisi dei nostri compromessi svela con assoluta lucidità—ma, ancora una volta, anche in funzione delle nostre abitudini immemoriali o acquisite e quindi della cultura che ne è portatrice—una realtà «vera», in cui tutte le pecche della realtà che viviamo si assottigliano, questa pienezza, questa globalità, questa autenticità, questa eternità, il cui ideale, secondo la nostra intelligenza, la nostra sensibilità, la nostra immaginazione, ci assilla perché una buona volta ne abbiamo avvertito i richiami e quotidianamente scopriamo poi la potenza del loro fascino.

È certamente quel che voleva dire Mircea Eliade quando insisteva tanto su questo «paradiso», questa «età dell'oro» atemporale delle nostre origini (*in illo tempore*, che in realtà è appunto sbarazzato dal tempo!), questo stato in cui, almeno nelle fantasticherie umane, viviamo l'Assoluto come realtà e di cui non siamo mai riusciti a perdere la nostalgia. Mi sembra che analogamente vada letta in profondità anche l'opera di Georges Dumézil, prescindendo da ogni disputa scolastica e da ogni sterzata di fronte a un «sistema» che per l'appunto correrà sempre il rischio di non essere applicabile in ogni luogo e in ogni tempo: dimostra, quest'opera, che l'assurdo non si adatta a caratterizzare l'atteggiamento dell'*homo religiosus*, che tanti comportamenti, riti, miti, cerimonie possono trovare un senso, sia pure a prezzo di analisi sottili come quelle cui ci ha abituati questo maestro, dimostra che è notoriamente derisorio considerare con degnazione o disprezzo i comportamenti ritenuti «primitivi» o «barbari», poiché essi attestano invece la permanenza, la solidità, il calore umano di una esperienza del Sacro non certo univoca e universale (ancorché in sostanza riconducibile, forse, ad alcune grandi invarianti), ma costantemente presente, dal momento che si tratta dell'uomo.

Perfezione, assoluto, totalità, trascendenza, ineffabile, ecc.....: l'orgia di termini astratti citati più sopra non significa in sé che una cosa: esiste un Principio superiore creatore o motore di ogni destino. Esiste in sé, ne intravvediamo l'intelligibilità, non fosse che grossolanamente, ne immaginiamo lo splendore totale e da millenni ci sforziamo maldestramente di raffigurarlo in segni, simboli o parole, la nostra sensibilità lo recepisce al di là di ogni formulazione, più spesso per rapimento estatico, mistico, contemplativo: chiamiamolo Sacro per comodità, visto che tanti abbozzi se ne sono schizzati da che gli uomini esistono e pensano. Ma non dobbiamo accanirci a negarne l'evidenza: sarebbe un gioco sterile, che non serve ad altro che a sostituire nuovi dati ai vecchi, per ricostruire bene o male percorsi omologhi. Dal cielo diurno in cui brilla un sole smagliante (*dyaus*) alle cosiddette meraviglie della nostra tecnica moderna, dal Grande Avo eroicizzato e poi divinizzato a quel poeta francese che, si dice, passa per divinità presso non so quale tribu vietnamita, i nomi e le figurazioni cambiano: ma ciò che non cambia è il nostro irresistibile bisogno di una perfezione pura (alla quale possiamo ben sostituire astrazioni eventualmente personificate o personalizzate, come Amore, Giustizia, Libertà, ecc. ...), il bisogno di un Superuomo (di cui i nostri piccoli *supermen* attuali non sono che risibili caricature, ma risibili appunto in funzione della grossolana distanza che li separa dal loro Archetipo): si ha perfettamente ragione di rifiutarne l'antropomorfismo e di preferirgli un'entità inconcepibile, inimmaginabile, inaccessibile alla nostra sensibilità, tanto disturbano il nostro egocentrismo, la nostra mania di auto-proiezione ideale e quindi la nostra incapacità di uscire da noi stessi: dovremmo piuttosto vedere che, nel suo stesso movimento, questa estrapolazione non fa che rafforzare l'evidenza del Sacro.

Se dunque, in altri termini, esiste un Sacro trascendentale per definizione—anche supponendolo diverso dalle strutture della nostra coscienza che lo invocano—se c'è un numinoso che nulla ci impone, per invertire i termini del riferimento biblico d'obbligo in questo caso, di creare a nostra immagine, noi tuttavia non possiamo scorgerlo che attraverso una rivelazione interiore, non possiamo incontrarlo che attraverso un'esperienza umana. Ciò vuol dire postulare deliberatamente l'imperiosa necessità di una antropologia religiosa come normale approccio al Sacro. Con questo non si vuol necessariamente dire che non ci siano persone, luoghi, oggetti sacri in sé: che insomma tutto ciò che sfugge totalmente alla nostra esperienza razionale, sensibile o immaginaria, esca radicalmente dall'ambito delle nostre capacità e quindi, non appartenendoci più, neppure ci riguardi. Si vuol dire invece che se persone, luoghi, oggetti sono sacri è perché a renderli tali sono le nostre credenze, la nostra fede. Affermazione che, a sua volta, richiama una sfumatura capitale: essi non sono tali *in sé*, non è la nostra credulità a causarne tutto il valore. Essi sono gl'inneschi, le proposte, i segni più o meno clamorosi che, in ultima istanza, offrono una fuga, propongono un itinerario verso il Sacro.

L'*homo religiosus* e il Sacro

Dopotutto, è appunto questo che significa religione, ogni religione: *re-ligio*, ciò che, per mezzo di tramiti ai quali diamo un significato, collega l'uomo al Sacro. J. Lachelier, a buon diritto, vedeva all'inizio di ogni processo religioso un desiderio e, più ancora, un bisogno di rapporto diretto del principio (anima) con l'Essere trascendente (Dio). E sia. Nello stesso senso diciamo che si tratta di un contatto *vissuto*, di una attualizzazione, attraverso l'individuo, di quel Sacro di cui l'uomo cerca e interpreta le manifestazioni, i «passaggi» (ierofanie). L'*homo religiosus* (ammesso che esista davvero un *homo religiosus*) è anzitutto colui che ha fatto l'esperienza del Sacro. Che l'ha vissuta.

I. VALORI UMANI E SENSO DEL SACRO

1. *Esistenza umana e scoperta del Sacro*

Ripetiamo che, nella prospettiva fenomenologica in cui in un primo tempo ci collochiamo, non si tratta evidentemente di creare il Sacro—errore troppo banale, divenuto troppo comune, che, in conclusione, finisce per erigere a Sacro se stesso, poiché non potremmo fare a meno di questo punto di riferimento e di magnetizzazione, e che si riduce quindi a una penosa tautologia—si tratta bensì di scoprirlo, di sentire una Presenza, magari ideale, di vivere una comunione. Da parte mia riprenderò qui, per quanto non l'afferri bene, la distinzione fatta spesso fra sacro percepito e sacro vissuto: dico che non la capisco bene perché mi sembra che una percezione del genere, quella dell'ontologico puro, se è autentica e, per quanto possibile, tendente all'esaustività, deve naturalmente sfociare nel vissuto. Ma è ugualmente possibile che un certo ritualismo (bigotteria), che finisce per prendere se stesso come oggetto, riesca a svuotare del suo contenuto il processo religioso. Va considerata anche la forza della tradizione: chi non ricorda il significato propriamente sacro delle feste del solstizio d'estate e di San Giovanni, che usano ancora nei Paesi Nordici, o il significato inizialmente ieratico nascosto nei confetti del nostro battesimo, o nelle manciate di riso del matrimonio americano?

Certamente ci fu un tempo in cui tutto, spazio e tempo, era sacralizzato in un universo irto di segni e di simboli intelligibili: le nostre superstizioni, una quantità di nostri usi e costumi lo ricordano, senza che noi ne abbiamo serbato coscienza. Ma la loro riattualizzazione non sfugge mai alla nostra portata: basta vedere come certi tipi di culto divino ritrovano ingenuamente vigore e diffusione a proposito dei sostituti moderni dei nostri antichissimi dei: atleti, vedettes o tutti quegli individui considerati eccezionali, che il nostro incoscio collettivo dota subito di carismi immemorabili. Bisogna affrettarsi a ridere di chiunque pretenda che stiamo vivendo in un universo despiritualizzato e desacralizzato... È davvero un gioco da ragazzi—senza bisogno di invocare gergo e metodi degli psicanalisti—trovare, dietro la maggior parte dei nostri comportamenti, atteggiamenti che si fondano sul Sacro, e non necessariamente in epoche lontane! Io mi stupisco nel vedere come l'astrologia abbia il dono di suscitare, oggigiorno e nei migliori spiriti, interesse, quando non addirittura passione e certezza: c'è davvero tanta distanza fra i suoi seguaci e i Maya o i Caldei, che infondevano negli astri e nel loro incomprensibile moto l'idea che si facevano del Sacro?

L'onnipresenza, in tutte le religioni conosciute, di un mondo spirituale che sdoppia o riproduce idealmente quello reale, la ricerca dovunque assidua di un universo che sfugga alle leggi apparentemente inesorabili della «natura»—e se dobbiamo credere a Lévi-Strauss e a parecchi altri, è proprio a quell'universo che si applica, nelle migliori accezioni, il nostro termine «cultura»—, la volontà universalmente diffusa di cercare un aldilà della morte, poiché mai gli esseri umani hanno acconsentito a riguardarla come un termine assoluto e irrevocabile: tutto testimonia una tensione irresistibile, commovente nella sua intensità, verso uno stato sovrano in cui le categorie (materia, natura, morte), appena intravviste, si aboliscono, o meglio si riassorbono. Ora, è appunto questa, per eccellenza, un'esperienza che l'uomo ha sempre fatto: che la realtà non colma le sue aspettative, che la «natura» circoscrive crudelmente le sue speranze, che la morte totale è inammissibile. Perciò le ha sacralizzate, vogliamo dire che le ha dotate di una dimensione, di una forza di slancio che le strappa al loro nulla. Egli ha vissuto—noi viviamo sempre—della certezza, casomai inespressa, che l'inerte è tesoro di vita superiore (non sarà la fisica atomica a contraddirlo: non diceva scherzosamente Bernard Shaw che non capiva come ci si rifiutasse di credere agli angeli quando si crede agli elettroni?), che la natura ha leggi occulte alle cui manifestazioni bisogna inchinarsi (da cui le sagre delle stagioni che conserviamo nei nostri rituali cosiddetti «laici», come gli esodi massicci delle vacanze estive), che la morte stessa non è nulla: penso alle innumerevoli religioni che ne facevano un semplice passaggio, un mutamento di stato, come, per citare un caso limite, la religione germanica che faceva tanto poco la distinzione, che in molti casi (nell'Edda, nelle saghe) non sappiamo sempre esattamente in quale dominio ci troviamo.

Non è obbligatorio fare quest'esperienza per grazia e con gioia. Al di là delle apparenze, dunque, il Sacro così vissuto può benissimo ingenerare spavento o terrore a causa del presentimento di presenza divina: il tema greco *hag-* e tutto il Vecchio Testamento sono abituali di un atteggiamento che tutti scorgiamo, e parzialmente viviamo, nella nostra nudità e nelle nostre angosce, per esempio di fronte a un grande amore vissuto. Incarnato. E poiché parlavo prima di invarianti o di universali, credo proprio che, in buona antropologia religiosa, ci troviamo qui di fronte a un gesto, direi un riflesso, comune a tutti gli uomini e a tutti i tempi. La mistica esige pure una fase purificatrice prima di quella illuminante e di quella contemplativa. Adorare trepidando rientra nella nostra condizione, purché ne abbiamo sincera coscienza. Come se questo trepidare fosse la *conditio sine qua non* dei nostri terrori sacri e delle nostre sacre estasi: sacri sempre!

L'*homo religiosus* e il Sacro

2. *Il sacro e la condizione umana*

Possiamo sviluppare un poco, visto che ci stiamo avvicinando, ma per ora *a contrario*, alle vive fonti. Vi sono situazioni legate, o che possono trovarsi legate, al nostro stato, e che sappiamo per esperienza inammissibili. Vediamone almeno qualcuna.

a. La solitudine

La solitudine, per esempio. Stupisce constatare fino a qual punto molte culture non solo la ripudiavano, ma addirittura non riuscivano a concepirla, tanto è vero che in islandese antico, per esempio, «da solo» (ma anche nel «tout seul» francese l'aggiunta dell'avverbio potrebbe dar da pensare) non si diceva altrimenti che «uno insieme» (*einn saman*), tanto era evidente allo schema della lingua stessa l'incongruità del concetto. I manuali di storia delle religioni tengono a distinguere fra culto privato e culto pubblico, dovendosi intendere per «privato» quello che si rivolge a una comunità di numero limitato, per esempio la famiglia: ma certo non si tratta di vero e proprio culto privato, dal momento che la comunione si stabilisce direttamente fra il fedele e il suo Dio. In altri termini, ed eccoci portati in un'altra prospettiva, l'esperienza del Sacro è sempre nell'ordine dell'amore: per convincersene non è necessario ricorrere alle antiche religioni orientali, più di altre portate ad esprimere chiaramente questa passione. Adorare, celebrare, invocare, evocare rappresentano indubbiamente un bisogno vitale—proprio vitale—poiché l'esperienza del Sacro che quegli atteggiamenti rivelano fa assai bene la sintesi di tutte quelle carenze, di tutte quelle attese (quelle speranze) ricordate più sopra: esse esprimono una sete di conoscenza (con-nascita, direbbe Claudel) totale, di passione vissuta nella sua purezza integrale, di bellezza realizzata anche oltre i nostri più folli fantasmi. L'amore sacro è, per sua natura, celebrazione (visto che il termine comunione mi è già venuto alla penna). E si sa bene che il sacrificio, di cui occorrerà riparlare, è ben altro che un'offerta; ai nostri occhi è un modo significativo di rafforzare la potenza del Sacro.

b. La morte

Oppure riparliamo della morte. Ho già rilevato, è un truismo, il suo carattere inaccettabile. A che servirebbe il Sacro se non giustificasse il fatto che si ammette questa fine—provvisoria—in virtù del suo eventuale carattere di catarsi o, più semplicemente, della sua necessità per assicurare il passaggio alla perfezione presentita, attesa ed anzi intuitivamente vissuta? Sia che si tratti di andare a ricongiungersi coi parenti defunti, passando quindi all'invidiabile stato di antenati, o di accedere finalmente alla conoscenza dei grandi segreti, la cui ignoranza ci ha tanto turbato l'esistenza, oppure di entrare nel dominio degli dei, idealizzato secondo la ricchezza della nostra immaginazione (paradiso, nirvana, walhalla, ecc. ...), l'uomo non accetta di riconoscere la fondatezza di ciò che considera una tappa necessaria, se non perché ne ha già vissuto (intuito, intravvisto forse) ciò che suggerisce di felicità futura. Questo separato va a ricongiungersi col Tutto, questo incompleto è in cammino verso la Pienezza, questo disperso va verso l'Uno. Chi può negare la prodigiosa misura di speranza e al tempo stesso di esorcizzazione del carattere penoso del trapasso, che questa certezza propaga?

c. La fine dei tempi

Molti pensieri e sistemi religiosi non hanno mancato di mettere in relazione questo tema con quello della temporalità devastatrice. Parlano allora di «fine dei tempi»: l'espressione, specie con quel plurale, è seducente perché, una volta ancora, rompe con la diversità, la dispersione di cui soffriamo. Il Grande Tempo è infatti l'abolizione di ogni temporalità. E noi viviamo abbastanza la relatività di questa categoria, in verità assai più di quella spaziale, per avere almeno l'intuizione della possibilità della sua scomparsa. Io diffido un poco della teoria dell'Eterno Ritorno cara a Eliade, per le interpretazioni troppo affrettate e parziali cui ha dato luogo. Ma certo, se si intende per «eterno» ciò che durerà eternamente, in cui la categoria temporale non avrà più senso, allora bisogna sottoscrivere senza riserve. È infatti come parlare di pace: è uno stato ideale di cui non cessiamo di vivere quaggiù l'illusione, ma al quale tendiamo con tutte le nostre forze. Va ricordato che, molto simbolicamente ed eloquentemente, il tempio, l'assemblea popolare a fini di culto, secondo le religioni, il focolare, la yurta dello sciamano, ecc. ..., erano luoghi sacri alla pace e che il violatore di questa pace (non importa come si attuasse praticamente la cosa in una data religione) veniva in un modo o nell'altro tagliato fuori dal consorzio degli uomini.

d. Sacro e inviolabilità

Ora, dovunque è fondamentale morire in pace con se stessi: senza dubbio con la più alta idea che ci si fa di se stessi e che tende a realizzare l'esperienza che si è vissuta del Sacro. Affrontando per una volta il mio campo specifico, l'antico mondo germanico, non vedo meglio illustrato quanto sopra che nella nozione di *helgi/óhelgi*. Senza bisogno di sviluppare qui l'argomento, faccio notare che il Germanico, portando con sé una scintilla del Sacro, che le Potenze avevano deposto in lui alla nascita, non soffriva né di rivolta contro «la sorte» (nozione a lui sconosciuta), né di disperazione, né, bisogna dirlo, di quel sentimento dell'assurdo che è forse uno dei figli del nostro modernismo. Era e sapeva di essere posseduto, abitato. Ne faceva prova in vari modi, non fosse che rifacendosi al giudizio dei saggi, dei profeti e dei conoscitori della sua stirpe, perché era cosciente di non esser sacro solo per sé, ma di far parte di un sacro in certo modo più vasto, che si estendeva a tutta la stirpe, la quale, d'altronde, era responsabile del nome che portava e che gli veniva conferito secondo principi rigorosi, in cui il caso (altra nozione sconosciuta) non aveva parte. Tale era la sua *helgi*, la sua santità, il sentimento che aveva della sua inviolabilità, in quanto sacro. Con ciò si giustificava la vendetta che si sentiva autorizzato a fare verso chiunque attentasse alla sua *helgi*. Ma la cosa più interessante, e che va qui sottolineata, è che poteva coscientemente perdere la sua *helgi*, quindi desacralizzarsi, per un atto giudicato universalmente sacrilego (sarebbe ozioso qui farne un elenco), ossia perdere la pace in cui viveva con se stesso. Da tale momento non era più un uomo, ma un lupo (*vargr*), condannato come tale a subire la sorte più sciagurata. Morire in pace con se stesso era dunque aver saputo far vivere fino alla fine il sacro che viveva in lui per assurgere, insomma, allo stesso livello del Sacro allo stato puro. Conosco pochi esempi di un'esperienza così completa del Sacro.

II. IL SACRO E I VALORI FONDAMENTALI

Tali sono alcuni dei valori (solitudine, morte) *contro* i quali insorge il senso del sacro. Evidentemente è ora più facile considerare, nella misura in cui non siano già stati visti, i valori per i quali vale la pena di vivere il Sacro.

Ne ricorderò solo due che, per la verità, riassumono tutti gli altri, o, piuttosto, di cui gli altri non possono essere che delle varianti.

1. La vita

Il primo è la vita: è senz'altro giusto dire che tutte le religioni sono esaltazione della vita, che anzi, al limite, non sono altro che questo. La Vita, nostro unico vero valore, tangibile, verificabile, sotto qualsiasi forma: fisiologica o materiale, come pure spirituale. Non è per caso che l'Eva biblica porta un nome che significa vita, appunto come la donna che sopravvive al Ragnarök (Líf) ai piedi del grande Yggdrasill. La Vita in se stessa, la forza vitale, quella che detta infine quasi tutti i miti inventati dall'uomo: dietro un'immagine fosforescente che si sforza d'illustrare al meglio la storia (greco *mythos*) che volentieri raccontiamo, si nasconde quello spirito di forza vitale che spiega altrettanto il fascino (nel senso più forte) della prima, quanto il prestigio della seconda.

a. Vita e miti

Ora, molti nostri miti sono un'espressione dell'esperienza del Sacro, talora apertamente dichiarata, come il mito d'Orfeo, il cui amore ha vinto la morte, ma non ha potuto rispettare il tabu legato alla trasgressione (quindi un doppio incentivo mitopoietico), più spesso sottilmente velata: occorre una riflessione matura per capire che il sangue del drago Fáfnir, incarnazione delle grandi forze telluriche e quindi della loro capacità di memoria dei grandi segreti sacri, una volta succhiato inavvertitamente da Sigurdr, gli conferisce *ipso facto* la facoltà di oltrepassare i confini del suo regno e di capire il linguaggio delle cince, d'altronde profetico e premonitore. Il sangue è sempre stato il simbolo privilegiato della Vita: il suo flusso, il suo calore ne sono le manifestazioni più evidenti. Esso resta l'emblema intelligibile a ciascuno di noi, immediatamente verificabile da ciascuno di noi, di questo tenace voler-vivere, a volte esasperato oltre i limiti pensabili dell'umano—e, in questo caso, cadiamo immediatamente nell'eroico, ipostasi del divino—, voler-vivere che è la nostra caratteristica, la nostra grandezza, perché non è solo volontà forsennata di trionfare sulla morte, bensì anche tentativo di assurgere a quella forma suprema di vita che è il Sacro. Non c'è nichilismo che tenga di fronte a questo forte desiderio di durare, di perdurare. Quando sentiamo Cristo dirci: Io sono la Via, la Verità, la Vita, qualcosa d'irreprimibile ci costringe a ritenere l'ultimo di questi termini come normale conclusione degli altri due.

b. Simbolismo della vita

Ho detto il sangue, il calore. Restando nell'area semantica di quest'ultimo termine, avrei potuto egualmente dire la Luce, lo Splendore. Che è forse la caratterizzazione più alta che si sia riusciti a trovare per il Sacro, così netta già presso i Mesopotamici, ma in realtà dovunque presente sotto le specie del dio Sole (o dea, secondo le diverse culture). Chi non ha mai provato, al di là di ogni approccio «ragionevole», la superba sovranità di questo astro divino, alternativamente benefico e crudele, secondo le latitudini, ma incontestabilmente espressione stessa, se non raffigurazione, del Sacro vissuto? Si dirà che anche altre grandi forze naturali: il tuono, il vento, la montagna hanno, secondo i luoghi, ispirato la stessa venerazione. Ma non con la stessa intensità. Splendore, irraggiamento, sboccio: felicità, comunque, cioè questa perfezione dell'accordo dell'uomo con se stesso, ancora una volta, ed anche con l'ambiente. Di ciò, per eccellenza, facciamo la prova, sia pure attraverso la sua incompiutezza. E nulla potrebbe piacerci di più. Il solare e il suo elemento, il celeste, l'aereo, sono ovunque simboli di un richiamo ideale e stimolatori di quella virtù di superamento che, sempre e dovunque, resta il modello stesso delle nostre aspirazioni: tutti quegli angeli, serafini, cherubini, tutte quelle creature alate, valchirie, apsaras, di cui sono popolate le nostre mitologie, non sono in realtà che figurazioni di questo slancio verso l'inaccessibile e proiezioni di un desiderio travolgente che non si concepirebbe senza la prescienza, appena offuscata, di un altrove e di un altrimenti ineffabili.

O ancora (ma è un riprendere gli stessi dati sotto altra angolazione) il sole, il cielo diurno in cui splende, il suo fulgore vittorioso hanno il dono di mettere ogni cosa nella giusta luce e di farci vedere il mondo in ordine: giustizia, ordine, ecco ancora potenti vettori al nostro bisogno di evolverci in pace in un mondo, naturale e umano, dove sia bello vivere. Ma che sappiamo costantemente precario e minacciato. Non mi basta che *dyaus*, *theos* (Zeus), *deus*, *ju-(piter)*, *tiuaz*, *dí-* siano designazioni del cielo diurno illuminato dal sole: io vedo la prova dell'esperienza che ovunque l'uomo ha fatto della sua supremazia, più esattamente della sua realtà—poiché egli *è* il Sacro per eccellenza—in questo mito universale che abbiamo concepito, in cui egli fa un patto con le Potenze delle tenebre, del caos, dell'anarchia, affinché venga assicurato il giusto ordine. Forse da nessuna parte questo mito è formulato meglio che attraverso il Týr germanico. È chiaro che l'idea non può essere venuta se non a chi ne ha provato la perfezione nella sua imperiosa eccellenza.

2. *Unità e diversità dell'*homo religiosus

Sembrerà inutile proseguire: tutti i nostri miti, tutte le divinità dei nostri paganesimi, tutti i riti che abbiamo elaborato per celebrarli sono proiezioni, sublimazioni di incontri indicibili che abbiamo fatto in noi stessi, molto più che al di fuori di noi. Qui senza dubbio è opportuno, per non cadere in un sincretismo frettoloso e proporre abusive generalizzazioni, tener conto della diversità e relatività dei tempi e dei luoghi. L'unica vera storia delle religioni che possa concepirsi dovrebbe essere una storia delle mentalità religiose. Se davvero esiste un *homo religiosus*, sarebbe pericolosamente riduttivo, al limite addirittura assurdo, volerlo uguale a se stesso sempre e dovunque. Non ci si può aspettare dall'Asiatico dei tempi preistorici e dall'Indoeuropeo del secondo millennio avanti Cristo, dal Nero dell'Africa Centrale e dall'Indiano del Nord America, che abbiano avuto le stesse reazioni e prodotto le stesse immagini. È assolutamente importante tener conto del substrato naturale, geografico, climatico, senza il quale, in buona filosofia bachelardiana, non può esistere approccio pertinente al Sacro. Ancora una volta, questa precauzione non anticipa un giudizio sulla realtà di universali che, in definitiva, rientrano nel campo stesso dell'umano; ma ci si rimetterebbe sicuramente a voler erigere a sistema alcuni tratti che devono anzitutto dipendere da una mentalità che nulla ci impedisce di definire anche come modo di vivere il Sacro. Il re sacro può benissimo essere tale solo per i sudditi: la storia non è avara di società che ignoravano questo tipo di entità ed è noto che la religione di un popolo può facilmente passare per semplice mitologia agli occhi di un altro popolo, o, ancora, che le credenze di un'epoca vengono spesso degradate, dall'epoca successiva, al rango di folklore. Il nostro tempo, ad esempio, sviluppa grandi sforzi per scoprire i lontani strati ieratici di banali racconti popolari. Impresa rispettabile, beninteso, ma che converrebbe mettere in prospettiva per coglierla nel suo principio, cioè che all'origine si ritrova immancabilmente l'esperienza del Sacro.

L'esperienza del Sacro

III. IL SACRO E L'ESPERIENZA VISSUTA

1. Il sacrificio

Resta da dire in qual modo si vive normalmente questa esperienza. L'uomo è un essere di azione, quanto di pensiero e di sentimento. Non gli è mai bastato concepire, o provare, o immaginare.

Un'esperienza vissuta non ha senso se non impegna la Persona per intero. Perciò va posta la maggiore attenzione all'atto che produce il sacro, letteralmente al sacrificio (*sacri-ficium*): abbiamo troppo spesso la tendenza a prenderlo o per la totalità, o, al contrario, per un epifenomeno del processo religioso. Ho detto, a tutt'altro proposito, che il sacrificio non aveva altra funzione che quella di rafforzare i poteri, la Potenza della divinità che così si adorava. Non ne conosco illustrazione migliore, visto che è colta a livello del linguaggio stesso, dell'espressione nordica antica *blóta gud hestum* («sacrificare un cavallo al dio», in cui il verbo *blóta* corrisponde al nostro «sacrificare» e quello che in italiano, in francese, ecc., si considera il destinatario del sacrificio, cioè Dio (*gud*), in questo caso non è al dativo, ma all'accusativo, mentre la vittima sacrificata, qui un cavallo, figura al dativo e non all'accusativo (*hestum* invece di *hest*), così che la traduzione letterale dell'espressione sarebbe «sacrificare il dio per mezzo di un cavallo»). La forma si capisce ancor meglio sostituendo al verbo *blóta* un suo equivalente di più immediata eloquenza, *magna* (*magna gud hestum*), che comporta l'idea di potenza, di capacità (*megin*). Dunque, rendere più potente il dio con l'olocausto di un cavallo.

In definitiva, niente qui di più naturale. L'assoluto, una volta percepito e provato come inaccessibile e nel contempo infinitamente adorabile, abbiamo il legittimo timore di perderlo, di farcelo sfuggire. Di qui il gesto, in certo modo commemorativo e perpetuatore, forse non necessariamente in prospettiva eliadiana, che avrebbe il difetto d'instaurare un'esperienza iniziale e comune che si tratterebbe di riattualizzare, e neppure, senza dubbio, nel senso in cui Girard tiene a collegare violenza e sacro, come se percepire la nozione di sacro fosse necessariamente inseparabile da situazioni trasgressive, come se non fosse concepibile e provato che il sacrificio può assumere altre forme che quelle di un rituale cruento, sia pure simbolico. Al limite e al di là di constatazioni statistiche—poiché è innegabile che un atto di violenza tende spesso a riattualizzare l'estasi primordiale o un suo sostituto—, si può benissimo immaginare il sacrificio, e numerose culture ci inducono a farlo, come atto «pacifico» di riproduzione di un'esperienza tutta interiore. L'atto brutale, sanguinoso, inammissibile in un contesto normale, ma legittimato dalla preoccupazione di raggiungere un parossismo che in qualche modo rifletta o faccia eco, almeno nell'intenzione, all'eccesso stesso della scoperta dell'ineffabile, genera l'immolazione d'Isacco solo in certe culture in cui il sangue, come abbiamo visto, è l'espressione paradigmatica della forza vitale e in cui la perpetuazione della famiglia o del clan è considerata come il pegno sicuro di una sfida alla morte. Si può *sacri-facere* ugualmente con un'offerta non violenta, né cruenta, per poco che in essa si riassuma quel dono totale che l'esperienza del Sacro irresistibilmente richiama.

L'amore, quello umano in primo luogo, non ha altre esigenze. Di sfuggita abbiamo visto che rappresenta il primo passo, l'avvicinamento e insomma, per omeopatia, la prefigurazione della perfezione assoluta: non ci stanchiamo di ripeterne la gestualità, indipendentemente dalla coscienza delle sue conseguenze psicologiche, giacché l'amore vorrebbe essere dono, dono totale se possibile, abbandono. Non dobbiamo desacralizzarlo, trattando da romantica la visuale che ce ne viene data, visto che conosciamo altre culture nelle quali, apparentemente, le componenti che si son dette farebbero difetto. Ammettiamo che questo amore possa essere socializzato o banalizzato al punto da escludere commenti del genere—ancorché, in verità, l'idea mi sarebbe difficilmente conciliabile. Resterebbe il semplice esercizio di un'oblazione gratuita che conserverebbe almeno il potere di aprire la strada verso una trascendenza. Siccome mi rifiuto di fare distinzioni fra offerta e sacrificio (il quale non raggiunge il parossismo, nella visuale che abbiamo detto, se non presso i Semiti), è sufficiente che quest'omaggio sia caratterizzato da latria, che si diriga per definizione a una divinità la cui esistenza è emanazione del sacro.

2. Il culto

Ho scelto di prendere l'amore come esempio privilegiato del Sacro vissuto in quanto esso è, intimamente, gesto di partecipazione, gesto cultuale. Ma ci sono buone ragioni per dire altrettanto di ogni rito, di ogni culto purché sia, anche oscuramente, anche per tradizione, cosciente della propria origine e dei propri fini. Non occorre riprendere la dialettica che stiamo ininterrottamente proseguendo dall'inizio di queste pagine: ogni vero processo cultuale non si capisce se non manifesta almeno in parte il ricordo di una prima esperienza di scoperta del sacro e, sforzandosi di ricrearne qualche premessa, non tende a ritrovarne il tutto. Perciò appunto è così difficile in una data religione, a uno stadio piuttosto arretrato in diacronia, distinguere fra religione, magia e «arte». Stabiliamo che la magia è un insieme di formule o la creazione artificiale di uno stato di cose che forza le Potenze a intervenire. Facciamo notare per adesso, perché bisognerà riparlarne, che essa non può affatto esercitarsi senza l'ausilio di oggetti, di segni altamente simbolici. È chiaro tuttavia che il suo fine profondo è quello di ripristinare uno stato in cui la comunicazione (la comunione) col Sacro, qualunque idea ci si faccia di esso *hic et nunc*, dovrebbe essere assicurata. Così come l'artista—e quell'artista per eccellenza che è il Poeta—non si concepisce lui stesso, e non esiste per noi, se non in quanto il suo lavoro (il suo talento, il suo genio) tende a resuscitare l'emozione creatrice iniziale che ha provocato la sua vocazione.

L'esperienza del Sacro

3. Sacro e vocazione

Ed ecco il termine-chiave, nel quale, ai miei occhi, si cristallizza l'idea che mi faccio dell'esperienza del Sacro: vocazione. Dopotutto la parola «chiamata» mi è venuta alla penna così spesso che, in un certo senso, non ho mai smesso di sviluppare questo tema. Se la prendiamo nella sua accezione più alta, rimanda a una scelta di vita, come si dice oggi, in cui l'idea più alta che ci si fa di se stessi, ripetiamo, si trova impegnata definitivamente, quotidianamente, e abbiamo detto che quest'idea presume, per definizione, una visione della vita che supera considerevolmente—magari infinitamente—la percezione «razionale» delle nostre potenzialità: ritorno all'eroe, reale o mitico (e sappiamo per esperienza che il mitico è concepibile solo partendo da un esempio reale, di cui decuplica le prestazioni, diversamente si cade nel fantastico e nel gratuito), eroe che è tale perché è andato fino al punto estremo di una vocazione, se non oltre. Ma torniamo al tema. L'eroe ha fatto l'esperienza del Sacro, ne ha presentito la realtà magnetica, è andato volontariamente verso di lui. E ciò lo rende per sempre esemplare, naturalmente in funzione della cultura in cui è nato: è risaputo, ad esempio, che le culture pastorali non si fanno di questa nozione la stessa rappresentazione di quelle agrarie sedentarie. Ciò non toglie (per ritrovare un'immagine-forza che mi sembra riassuma bene la sostanza del discorso) che, per le une e per le altre, l'eroe solare (Icaro) unitamente al fabbro meraviglioso, o in lui identificato (Völundr), resti pur sempre la figura più alta che si sia potuto dare a questa irresistibile scalata di cui, in entrambi i casi, l'ala rimane simbolo d'immediata eloquenza. Poco importa se, per una sorta di giustizia immanente in cui si misurano le nostre impotenze congenite così come le nostre magnifiche aspirazioni, l'impresa si risolva in uno scacco, esattamente come i ladri del fuoco (Prometeo, Loki) finiscono col subire un castigo in cui si può leggere esattamente la natura profonda della trasgressione perpetrata: importa il simbolo, ala, fiamma, che affascina incessantemente le nostre coscienze.

4. Espressioni simboliche del Sacro

Ma il significato di questi simboli non è necessariamente certo, soprattutto quando riguardano civiltà mal conosciute che, a loro volta, sono frutto di mentalità sulle quali spesso non possiamo fare congetture. Va aggiunto che, secondo il Sacro ineffabile per definizione, i suoi approcci non possono dar luogo a segni direttamente e totalmente intelligibili. Etimologicamente il simbolo (*sym-bolon*), per essere compreso, esige la congiunzione, o almeno il rapporto, la relazione, delle sue parti, l'una che diremo profana, l'altra, per *transfert* o per *relais*, sacra. È dunque, per restare nel campo della filosofia, dello stesso ordine della re-ligione. È un truismo dire che tutti i grandi simboli che l'umanità si è data nella sua ricerca di assoluto sono il linguaggio della ierofania. Linguaggio comodo in virtù della sua ambiguità, cioè della sua polisemia. Linguaggio che inoltre, ed eccoci tornati alle invarianti che, come si vede, assillano queste pagine, ogni tempo, ogni luogo può dotare a proprio piacimento di un contenuto e di una forza nuovi. Si dirà pure che, più essi sfuggono a una caratterizzazione razionale, più probabilità hanno di impegnarci verso l'essenziale (più sono «poietici»). Aggiungiamo: più restano, inoltre, alla portata del più diseredato di noi. Prendiamo la storia altamente simbolica dell'Innocente buono e bello, iniquamente immolato dalle Potenze malvagie, di cui rappresenta l'esatta antinomia (Baal, Baldr, Adone, Gesù): soffermiamoci sull'immagine simbolica che, all'interno delle rispettive culture, ne esprime nel modo più adeguato il nocciolo (freccia di vischio, ruota dentata, croce): abbiamo bisogno di questi supporti, adattabili e reinterpretabili da un'epoca all'altra e secondo l'ambiente umano considerato, per scoprire il gusto, provare l'intuizione, trovare la forza veramente entusiasta di andare verso un assoluto la cui impensabile distanza, senza quei supporti, ci scoraggerebbe.

Ciò può esprimersi anche in altro modo. Esiste, come dicevamo, un tutt'altro, benché non irrimediabilmente inaccessibile, un separato che tuttavia non esclude la possibilità di legami, di ponti—e tutte le nostre religioni conoscono di questi ponti, sia pure un arcobaleno personificato, tutte hanno familiarità con questi «facitori di sacro» che con un termine pertinente chiamiamo pontefici, *pontifex*, e la cui funzione, eventualmente codificata, istituzionalizzata, gerarchizzata, finisce per trovarsi dovunque—esiste, dicevamo, un interdetto che più spesso sembra esistere solo per sfidarci. Ridotta ai suoi stimoli primi, l'esperienza del Sacro, infatti, si manifesta sempre con una trasgressione, una violazione di tabu, un bisogno di uscire dal profano (dal *pro-fanum* che, come dice il nome, si colloca davanti al tempio) per assurgere all'ineffabile. Teilhard de Chardin diceva che non c'è idea, progetto che, una volta intuiti, l'umanità non cerchi, magari forsennatamente, di portare a termine: e non saranno certo le realizzazioni tecniche di questo scorcio del XX secolo, per quanto cariche di minacce apocalittiche, che potranno contraddirlo. Da notare che non per questo l'umanità si considera soddisfatta, visto che rientra nella natura del nostro sacro restare eternamente altro e inaccessibile, e nulla è più puerile della ben nota riflessione che i primi astronauti non hanno incontrato Dio in cielo! Dio è precisamente l'infinitamente inattingibile: che non abbiamo mai cessato di voler raggiungere, pur sapendo, confusamente o lucidamente, secondo i casi, che non potremo riuscirvi. Ma nei limiti di questa doppia certezza s'iscrivono l'esercizio della nostra libertà, le virtualità della nostra volontà, gli slanci della nostra sete di conoscenza, il rifiuto delle nostre impotenze e, infine, la suprema grandezza della nostra dignità di uomini.

Dovrei commentare analogamente un'altra dicotomia, in certo qual modo più interiorizzata, in cui si opporrebbero, questa volta, puro e impuro, netto e sudicio, altra figura della coppia lecito-proibito, permesso-interdetto che qui ci interessa. Gli intoccabili indu, gli Esseni, tutte le varianti del puritanesimo, sistematicamente presenti in tutte le religioni, quali che siano, illustrano assai bene questa connotazione immacolata del Sacro e, allo stesso tempo, la sua irresistibile seduzione. E visto che parlavamo di segni e di simboli, c'è bisogno di insistere sull'abbagliante fascino del bianco, dell'oro (o, al contrario, sulla repulsione del nero, del grigio, così spesso segni di morte, di decadimento e di pericoloso maleficio), bianco e oro che sono per eccellenza attributi del Sacro? E con ciò veniamo ancora riportati all'amore: che è, allo stato puro, mi si consenta il gioco di parole, ricerca dell'essenza stessa; la coscienza degli ostacoli che opporrà, che non può non opporre, che ci aspettiamo che opponga, se vogliamo che abbia tutto il suo valore, costituisce nella sua rivelazione il sacro segreto che nulla ci impedirà di desiderare e appassionatamente possedere, da un lato perché sentiamo, sappiamo che ci porrà alle porte del regno cosiddetto proibito, dall'altro lato perché sentiamo, sappiamo che, di fronte a questo «paradiso», nient'altro potrebbe avere valore. Ammetto anche che si spostino un poco i termini di una formulazione del genere e che si stabilisca un'equivalenza fra ierofania (manifestazione del sacro) e cratofania (manifestazione del potere): non cambia nulla. Non è neppure necessario ricorrere a Nietzsche e alla sua volontà di potenza per giustificare questo bisogno costante nell'uomo di elevarsi a uno stadio superiore, una volta che ne abbia intuito, magari vissuto, il magnetismo e la fosforescenza. Non sono sicuro, tanto la visuale mi sembra limitata e precaria, che l'uomo tenda verso il Sacro *per* diventare strapotente, o che si sforzi verso la metafisica *per* diventare più sapiente: torno a dire che questo suo solo procedere lo appaga indipendentemente dagli eventuali fini, perché ciò che conta è andare verso l'irraggiungibile, piuttosto che pretendere risibilmente di raggiungerlo. È come l'immagine ben nota del Piccolo Principe nel deserto, per il quale non ha confronti il valore della fonte d'acqua sorgiva, e tuttavia non gl'importa affrettarsi per raggiungerla, perché sa che in questo suo tendervi sta tutto il suo appagamento.

CONCLUSIONI

Concludiamo ripetendo che in definitiva l'esperienza del Sacro è cosa comune e che c'è da stupirsi che alcuni possano metterla in discussione. Ne abbiamo posto i principi e suggerito gli approcci, ossia i molteplici modi di viverla, positivamente, in funzione di ciò che, a nostro avviso, costituisce la sua natura e, al contrario, con l'esame e il rigetto di tutto ciò che pretenderebbe di negarla. Mi sono guardato dall'avventurarmi in distinzioni o troppo sottili (fra santo e sacro, per esempio, poiché il contenuto dei termini mi sembra questione d'interpretazione personale più che di vera discriminazione) o tautologiche (non vedo sfumature fra sacro di partecipazione e sacro culturale). Se è utile distinguere fra natura e funzione del sacro, è assai probabile che la sfumatura non s'imponga a livello dell'esperienza.

Benveniste vedeva, a giusto titolo, sembra, due aspetti del sacro: ciò che è carico di presenza divina (o assoluta, o perfetta, o ineffabile: i termini affini sono

73

stati volutamente prodigati in queste pagine) e ciò che è proibito al contatto degli uomini, in ragione diretta della sua appartenenza al precedente. Perché no? Nulla di questa distinzione contrasta con le visuali che si sono qui abbozzate. Questo riconduce a quello. Ciò che rimane è l'intuizione prima di una realtà infinitamente desiderabile, adorabile perché raggiunge la sottile punta d'una sensibilità, supera le possibilità di un'immaginazione, manifesta le attese della ragione per il solo fatto che la riduce al silenzio. Ho insistito sulla virtù (*virtus*, la forza attiva) che spinge l'uomo al superamento. Ricusarla non serve a gran che, perché la sua esperienza, che fa gli eroi, i contemplatori e i santi, è troppo nota. Esiste: e tanto basta. Al di là di tutti i sogghigni e di tutte le rivolte, resta nel nostro cuore questo giardino segreto dove cresce il fiore raro che ci fa vivere o per il quale, che è lo stesso, accettiamo di morire. Noi intuiamo soltanto, lo sappiamo bene, che il raggiungimento dipende a un tempo dalla nostra passione più alta e dalla nostra angoscia più viva, perché, grazie a Dio, nulla può autorizzarci ad affermare categoricamente cosa mai possa significare essere «simile a Dio», e allo stesso tempo tutto ci induce a tentarne la prova.

Chi ha saputo esprimere meglio, mi sembra, sono gli Ebrei, che hanno inscritto tutta la loro storia, mitica e reale, sotto il segno di quel Jahvè, di cui non hanno mai avuto l'idea di negar l'esistenza, fosse pure mediante effimeri sostituti. Il Salmista è quello che è riuscito a inquadrare più da vicino questa esperienza fondamentale: quella di Jahvè *tremendum et fascinans*.

L'UOMO RELIGIOSO E I SUOI SIMBOLI

di
Gilbert Durand

INTRODUZIONE
IL METODO DELLA RICERCA

Cercheremo in questa sede di illustrare la nozione di simbolo e quella di uomo religioso (*homo religiosus*), sottolineandone la stretta relazione. La seconda nozione è particolarmente collegata a quella di sacro, dal momento che è tipico dell'uomo religioso «ri-legare», legare di nuovo, l'uomo al sacro. Entrambe le nozioni sono state, fino a questi ultimi decenni, guardate con sospetto, ed anzi escluse dall'episteme (per usare il termine di Michel Foucault[1]) e dalle connesse ideologie e pedagogie che hanno dominato il panorama culturale per tre secoli. Certamente questi tenaci sospetti, queste esclusioni, queste marginalizzazioni, questi malintesi che hanno impregnato per una quindicina di generazioni il panorama culturale dell'Occidente e hanno segnato i confini del suo campo di verità non possono svanire dall'oggi al domani senza lasciare tracce profonde nell'attività filosofica ed euristica dell'«adulto bianco civilizzato», che con le sue tecnologie ha colonizzato il mondo. Nonostante ciò, la scienza d'avanguardia, quella praticata nella sperimentazione e nella riflessione dei laboratori, soprattutto in quelli che si occupano di ricerca nel campo della fisica—giusto capovolgimento delle cose, dato che questa scienza ha sempre fornito, nel bene e nel male, il «modello» epistemologico per il pensiero occidentale—, la scienza d'avanguardia, si diceva, sta per vivere e produrre uno dei più radicali mutamenti della sua avventura epistemologica. Proprio per questo collocheremo la rivoluzione prodotta dal

---

[1]   M. Foucault, *Les mots et les choses*, Gallimard, Paris 1966 (trad. it. *Le parole e le cose*, Rizzoli, Milano 1967).

75

L'*homo religiosus* e il Sacro

«Nuovo Spirito Scientifico»[2] al centro della nostra riflessione sul «simbolo» e sul punto di approccio all'*homo religiosus*, per affrontare i nuovi atteggiamenti che collegano queste due nozioni e per trarre da essi alcune conseguenze filosofiche ed euristiche. Precisiamo che il nostro campo di ricerca non è quello della teologia o della «storia delle religioni» (che peraltro, con Eliade, preferiamo chiamare «scienza religiosa»). Il duplice terreno sul quale collocheremo la nostra ricerca è piuttosto quello della filosofia (cioè, naturalmente, «storia delle idee e delle dottrine») e dell'antropologia «culturale» (cioè studio dei rapporti strutturali e funzionali che legano l'*homo sapiens* alle diverse manifestazioni della cultura). «Storia delle idee», dunque e, più ampiamente, delle dottrine e delle teorizzazioni culturali dell'episteme d'Occidente. Per fare questo, riprenderemo dapprima brevemente alcune osservazioni che abbiamo pubblicato venticinque anni fa con il titolo «La vittoria degli iconoclasti o l'inverso dei positivismi»[3], integrando naturalmente quelle prime constatazioni con i chiarimenti forniti nel frattempo da un quarto di secolo di riflessioni e di ricerche. In un secondo momento collocheremo la nozione di simbolo all'interno delle conoscenze che, nel campo della simbologia, sono state precisate e affinate dal «Grande Mutamento Epistemologico» di questi ultimi decenni. Analizzeremo infine, brevemente, il contributo fornito all'antropologia dai pionieri di questa restaurazione del simbolismo, restaurazione che si accompagna ad una piena riabilitazione dell'*homo religiosus*.

I. IL MASCHERAMENTO ICONOCLASTA. IL SUO MITO DI FONDAZIONE. L'INUTILITÀ DEI CONCORDISMI

1. L'iconoclastia occidentale

Fino a questi ultimi decenni l'episteme occidentale, come scrivevamo qualche tempo fa[4], è stata fondata su un atteggiamento iconoclasta, per lo meno a livello di intenzione. Certamente questa affermazione può apparire un paradosso (e ne avevamo coscienza già allora): attribuiamo l'iconoclastia alla nostra civiltà proprio nel momento in cui l'espressione artistica dell'Occidente trabocca di «figure», da Bisanzio all'arte di Saint-Sulpice, passando attraverso la ieraticità romana, il naturalismo gotico e la straordinaria fioritura barocca. Tuttavia le «figure» sono sempre state ridotte—a parte forse qualche breve parentesi nell'estetica di S. Bona-

---

[2] G. Bachelard, *Le Nouvel Esprit Scientifique*, PUF, Paris 1940 (trad. it. *Il nuovo spirito scientifico*, Laterza, Bari 1951).
[3] G. Durand, *L'imagination symbolique*, PUF, Paris 1964 (trad. it. *L'immaginazione simbolica*, Il pensiero scientifico, Roma 1977). Di quest'opera sono comparse tre edizioni francesi e, oltre a quella in italiano, traduzioni in spagnolo, portoghese, giapponese, polacco e coreano.
[4] *Ibid.*

ventura e poi nel preromanticismo[5]—al rango subordinato di «illustrazioni», divenendo parte più o meno «maledetta» (per parlare come Georges Bataille), ombra (necessaria ma insufficiente) prodotta dalle luci della verità razionale e dell'intuizione percettiva.

Dovremo forse attribuire, come fa Henry Corbin[6], questa scelta epistemologica che privilegia la «scienza» aristotelica rispetto a un certo platonismo visionario, «agli sforzi prodotti nei primi secoli dalla Grande Chiesa per eliminare la Gnosi ... eliminazione (che assicurò) in anticipo la vittoria dell'averroismo e di tutte le sue implicazioni» ? Non ne siamo sicuri, anche se l'energica eliminazione dei «romanzi mitici» degli gnostici costituì davvero (diciotto secoli prima di Bultmann) un primo tentativo di «demitologizzazione»[7]. Piuttosto le nostre personali concezioni sul determinismo storico—quelle in particolare che concettualizziamo sotto la nozione di «bacino semantico»[8]—ci spingono a individuare alcuni fasci di motivazioni, alcune «cascate», come ci piace dire. È certamente vero che la scolastica peripatetica, sostenuta dal genio di Tommaso d'Aquino, ha potuto stabilire il suo magistero monopolizzatore proprio grazie alla diffusione degli scritti di Averroé, nel XIII secolo. Ma non dobbiamo neppure dimenticare le risorgenze tenaci del nominalismo—la messa in questione degli «universali», a partire da Boezio e addirittura da Porfirio—che attraverso Occam[9] e Buridano si preparavano a condannare il realismo delle figure. Appunto a partire dal XIII secolo ha inizio la frattura perenne che fonda l'iconoclastia spirituale, frattura tra le verità della fede, che utilizza peraltro intermediari metaforici e «illustrazioni» iconografiche, e le verità della scienza, fondate sul pensiero diretto e sempre di più sulle combinazioni semiotiche: tra i percetti e i concetti.

Galileo, Gassendi, Cartesio, poi tra gli altri Condillac, quattro secoli più tardi, non faranno altro che rafforzare, in modi diversi e spesso tra loro contrastanti, il privilegio accordato al pensiero diretto: intuizione percettiva e soprattutto intuizione matematica. Un tale fenomeno continua fino all'apogeo della corrente di «lunga durata» costituita dai positivismi e da quelle filosofie della storia che tentarono di «ricucire»—come dice Hegel—gli «strappi» della coscienza lucidamente teorizzati da Kant. Ma ciò avvenne in modo illegittimo,

[5]   G. Durand, *La Beauté comme présence paraclétique. Essai sur les résurgences d'un bassin sémantique*, in «Eranos Jahrbuch», 53 (1984).

[6]   H. Corbin, *L'imagination créatrice dans le soufisme d'Ibn Arabî*, Flammarion, Paris 1958.

[7]   R. Bultmann, *Kerygma und Mythos*, I-II, Reich, Hamburg 1965-1967; *Jesus*, Mohr, Tübingen 1951. Per una critica della «demitologizzazione» bultmanniana, cfr. G. Durand, *La foi du Cordonnier*, Denoël, Paris 1984, Cap. 5.II.

[8]   G. Durand, *La sortie du XXe siècle*, in *Pensées hors du rond* (Liberté de l'Esprit, 12), Hachette, Paris 1986; e *La Beauté comme présence...*, cit.

[9]   Cfr. P. Mandonnet, *Siger de Brabant et l'averroïsme latin au XIIIe siècle*, Libr. de l'Univ., Fribourg 1899; Univ., Louvain 1908-1911; L. Baudry, *Le «Tractatus de Principiis theologiae» attribué à G. d'Occam*, Vrin, Paris 1936.

giacché non si tratta di riconciliare le verità fenomeniche con quelle della fede (secondo la grande ambizione di S. Anselmo), ma semplicemente di riconciliare—nella nozione di «fatto» o di «fenomeno»—la ragione con i dati naturali. E questo per una ragione molto semplice: nel corso dello sviluppo epistemologico dell'Occidente, attraversato da crisi ripetute del magistero ecclesiastico, da scismi e da guerre di religione, autentiche guerre civili all'interno del cristianesimo, non solo si è giunti all'affievolirsi, o addirittura all'eclissi totale delle «verità» religiose di fronte alle verità secolarizzate della scienza, ma addirittura al riassorbimento completo della religione e delle sue verità all'interno di una «storia» umana ipostatizzata. Tale riassorbimento è espresso in modo esemplare in Hegel, ma anche in Marx o Auguste Comte. La scienza storica, che ebbe origine, come ha dimostrato Claude Gilbert Dubois[10], dalla mitologia cristiana, cioè dalla «storia sacra», nel XVI secolo provoca a sua volta, sulla base di una radicale inversione dei suoi stessi fondamenti, il riassorbimento della «storia sacra» all'interno della storia umana ipostatizzata. Riassorbimento dello stato «teologico» nello stato «positivo»—per usare i termini di Comte—e degli eventi/avventi (kerigma) della fede religiosa nella «Religione dell'Umanità», che costituisce il motore stesso della storia: cioè il progresso. L'antico causalismo scientista del *post hoc propter hoc* viene così a trovarsi rafforzato dallo storicismo. Doppio «errore», sia dal punto di vista dell'ortodossia cristiana, sia dal punto di vista della semplice etica scientifica. Da una parte, infatti, l'errore conduce alla famosa «demitologizzazione» del cristianesimo e infine ai «teologi della morte di Dio» e alla connessa idolatria della storia, che già più volte abbiamo criticato e sulla quale non vogliamo ritornare[11]. Dall'altra parte già da tempo, grazie a Spengler[12], era emerso il sospetto di arbitrarietà e di scarsa scientificità per un processo storico inteso come ipostasi unidimensionale e lineare, costituita da sequenze di «epoche» convenzionali e fittizie, come per esempio Antichità/Medio Evo/Età moderna.

2. Il dualismo epistemologico

Ma oggi soprattutto, grazie alla rivoluzionaria «svolta» epistemologica di questa fine del XX secolo, si può meglio distinguere la differenza tra la nostra mentalità e quella di un recente passato: la scienza storica delle idee—storia questa volta veramente scientifica—permette ormai di distinguere e chiarire,

---

[10]   Cl.G. Dubois, *La Conception de l'Histoire en France au XVIe siècle, 1560-1610*, Nizet, Paris 1977.

[11]   Cfr. in «Eranos Jahrbuch», 34 (1965); G. Durand, *L'Ame tigrée. Les pluriels de Psyché*, Denoël, Paris 1980; *La foi du Cordonnier*, cit., Cap. 5.I e II.

[12]   O. Spengler, *Der Untergang des Abendlandes*, I-II, Beck, München 1922 (trad. it. *Il tramonto dell'Occidente*, Longanesi, Milano 1978).

grazie ai lavori di Mottu e soprattutto di H. de Lubac[13], quel potente e tenace mitologema che ha orientato e canalizzato per quasi otto secoli l'intera episteme d'Occidente. La ricerca di de Lubac (una volta ampliata all'area lusitana, che è rimasta purtroppo assente dall'indagine[14]) copre quasi, a ben vedere, la totalità della storia della filosofia occidentale. Dai fraticelli dissidenti, da S. Bonaventura fino a Marx o Soloviev, passando per Bernardino da Siena, Campanella, Böhme, Oetinger, Lessing, Ballanche, de Maistre, Hegel, Cousin, Michelet, Comte e molti altri, il messianismo a tre fasi dell'abate calabrese risulta ancor più produttivo, per la teologia e l'epistemologia occidentale, delle varie riprese cristiane dell'aristotelismo o del nominalismo.

L'intero Occidente a partire dal XIII secolo—il secolo che Spengler chiamava «faustiano», se Faust è davvero Daryush Shayegan, il personaggio che simboleggia l'abbandono dell'anima occidentale[15]—fonda la sua fede e il suo sapere sulla successione temporale e progressiva delle tre «età» (o «stati», come dirà Comte) del mondo. Viene ripresa in questo modo la vecchia immagine messianica dell'albero di Jesse, ormai «portato a compimento» dalla venuta di Gesù Cristo. Ma tale ripresa è illecita, e anche ambigua, perché confonde nella sua profezia l'avvento di un «Papa angelico» con l'avvento temporale, fondato sulla profezia di Daniele, del celebre «Quinto Impero». Ciò che maggiormente colpisce, nell'analisi di questa «eredità», è la facilità con la quale la dottrina—condannata solennemente nel 1215, 13 anni dopo la morte di Gioachino, dal Concilio Lateranense IV convocato da Innocenzo III—si è andata rapidamente secolarizzando, fino a diventare il supporto non solo per la ricerca spirituale ma anche per l'azione temporale. Nel XIV e XV secolo divenne infatti il supporto per la conquista del globo terracqueo, specialmente da parte dei Portoghesi che si appoggiavano ai Francescani nella ricerca del Regno di Prete Gianni, il Regno dello Spirito Santo[16]. Ma anche il supporto per la conquista di un «libero spirito» scientifico, che progressivamente trionferà, da Occam al «libero pensiero» positivista, passando attraverso Galileo e Kant. Tutto ciò era già presente in germe nei francescani ribelli, da Bernardo di

---

[13] H. de Lubac, *La posterité spirituelle de Joachim de Flore*, I-II, Le Thielleux, Paris 1979 (trad. it. *La posterità spirituale di Gioachino da Fiore*, Jaca Book, Milano 1982); H. Mottu, *La manifestation de l'Esprit selon Joachim de Flore*, Delachaux, Neuchâtel 1977 (trad. ·it. *La manifestazione dello spirito secondo Gioachino da Fiore...*, Marietti, Torino 1983); E. Aegerter, *L'Evangile Eternel*, I-II, Rieder, Paris 1938. Cfr. J.P. Sironneau, *Joachim de Flore, herméneute de l'Esprit ou théologien de la révolution?*, in *La Matière spirituelle* (Cahiers de l'USJJ, 13), Berg, Paris 1987.

[14] A. Quadros, *Poesia e filosofia de mito sebastianista*, I-II, Guimarães 1982-1983; Cfr. *Portugal, razão e misterio*, Guimarães 1986.

[15] D. Shayegan, *Isomorphismes et Séparations*, in *Sciences et Symboles* (Colloquio di Tsukuba), A. Michel, Paris 1986.

[16] J. Lima de Freitas, *Considérations portugaises autour du Prêtre Jean*, in *Imaginaire chavaleresque et conquête du monde* (Incontro di Tomar), GES Univers. Nova, Lisboa 1983.

San Donino a S. Bernardino da Siena, che diffusero le tesi dell'abate Gioachino da Fiore. La ribellione francescana si estenderà ben presto—a partire dal 1257 con il Generale dell'Ordine Giovanni da Parma—all'intera enorme rete della struttura monastica francescana. In questa vasta corrente ideologica si distinguono Guglielmo di Occam—il fiero avversario degli universali—e in seguito i diversi nominalismi, quelli di Giovanni Buridano, di Alberto di Sassonia, di Nicola di Oresme, il fondatore della «meccanica celeste», e in Germania—nel xv secolo, specialmente a Tubinga—quello di Gabriel Biel e dei suoi discepoli, che introdussero Lutero al nominalismo.

Ricordiamo in sintesi le grandi idee di Gioachino da Fiore, che a lungo avrebbero modellato le speranze e i sogni dell'Occidente. Alla prima età, quella del Padre (il «tempo delle spine»), avrebbe fatto seguito l'età del Figlio (il «tempo delle rose») e infine sarebbe giunta (tra breve, Gioachino la poneva nel 1260) la terza età, quella dello Spirito Santo, il «tempo dei gigli». Questo «tempo dei gigli» avrebbe visto l'avvento di un Papa angelico e contemporaneamente l'estensione a tutti gli uomini della condizione monacale. Quest'ultima previsione sembrava preparata dal «terz'ordine» di Francesco d'Assisi. La terza età avrebbe inoltre coinciso con l'avvento del Quinto Impero, una specie di ritorno astrale dell'età paradisiaca, ritorno che sembrava preannunciato dal sogno di Nabuchodonosor, interpretato nella Bibbia dal profeta Daniele. Questo ampio mitologema, che fu attivo per otto secoli, distende per così dire la Trinità divina su un piano orizzontale all'interno del divenire degli uomini e privilegia il presente rispetto al passato e specialmente il futuro dello Spirito rispetto al presente. E conferma in questo modo tutti i miti ottimisti e progressisti dell'Occidente e soprattutto ipostatizza la storia in un profilo unidimensionale e lineare. Nello stesso tempo impone una valorizzazione del «fatto positivo», lasciando spazio alla secolarizzazione scientista che cancella ogni considerazione etica o mistica. Infine il mitologema gioachimita sopravvaluta ogni «modernità» e ogni prospettiva, comprese quelle schierate lungo una linea puramente materialista. Con il gioachimismo e la sua lunga «eredità» si verifica una volta per tutte la «caduta» del cristianesimo (e della sua teologia trinitaria) nella storia. Ed è appunto questa caduta—più che le nuove gnosi—la premessa che porta ai sogni progressisti dell'età dell'Aquario e della *New Age*, di cui, a quanto pare, Teilhard de Chardin «è uno degli araldi negli Stati Uniti»[17]. La sequenza costituita dai segni zodiacali Ariete, Pesci, Aquario assomiglia terribilmente alla sequenza formata dalle spine (o dalle ortiche), le rose, i gigli.

Senza dubbio il Concilio Lateranense intendeva condannare nella dottrina di Gioachino il «triteismo», ma forse in essa bisognerebbe piuttosto vedere un

---

[17]   Cfr. J.L. Schlegel, *La Gnose ou le réenchantement du monde*, in «Etudes», 1987, p. 391, nota 5.

«tetrateismo». Non soltanto lo Spirito Santo «procede» dal Padre (in conformità col *filioque* dell'ortodossia romana), ma soprattutto l'ordine progressivo delle tre successioni costituisce a sua volta una quarta ipostasi divina, che regola le altre e che quindi è più potente rispetto ad esse. È il ritorno ad una specie di «Fatum», trionfalista e progressista; è l'apertura di una frattura profonda tra un passato superato, epoca oscura, e l'apocalisse di un «domani che canta». Ormai è irrimediabilmente tramontata l'epoca filosofica delle «gerarchie celesti» di Dionigi, o anche semplicemente delle gerarchie creaturali degli «exempla» di S. Bonaventura (vestigia, immagini, somiglianze di Dio). E se ancora si amano le immagini, i simboli, i poemi o la preghiera, così come si ama la verità scientifica, si è però costretti—fino a Bachelard compreso—ad amarli di «due amori differenti».

Henry Gouhier diceva che il Medio Evo tramontò quando scomparve la mediazione degli angeli. Noi possiamo dire che il principio della religione (*religare*) venne a cadere quando, all'interno di una iconoclastia filosofica, sfumarono i poteri ermeneutici (di «riconduzione») delle figure, dei mediatori e degli intercessori, cioè in definitiva quando scomparvero i poteri del simbolo. Si trovarono così faccia a faccia una «religione classica», sempre più potente fino alla deificazione sacrilega del 1793, e una ex-fede, con il suo bagaglio di relazioni simboliche, sempre più confinata nell'isolamento più o meno «maledetto» del sogno, dell'iconografia dilettevole e della poetica romantica.

Nel corso dei secoli si susseguirono numerosi tentativi di riconciliare le verità screditate della fede con quelle ormai trionfanti, anche se ancora oscillanti, della Scienza. Ma tutti questi tentativi fallirono, soprattutto perché operavano sempre una riduzione brutale allo scientismo dominante in quel momento e rinunciavano invece ad utilizzare perfino il grado più basso dell'intermediazione simbolica, la metafora. A partire dal XVIII secolo si ricordano gli sforzi pericolosi—perché confinanti con lo spinozismo—degli Oratoriani, e specialmente di Malebranche, per conciliare l'insegnamento della Chiesa con la cosmologia e la teodicea cartesiane. Più tardi è celebre il grandioso tentativo hegeliano di allineare sulla positiva obiettività della Storia dello Spirito umano i dati della Rivelazione cristiana. Meno conosciuti sono invece alcuni tentativi più recenti, della fine del secolo scorso, come quelli dell'abate Moigno o dell'abate Moreux, o ancora quelli di Monsignor Battifol o del Padre Lagrange, il fondatore della Scuola di Gerusalemme, fortemente storicista. Per lo studio dettagliato di questo appassionante dossier sul «modernismo» e sul «progressismo», rinviamo comunque ai dotti lavori di Emile Poulat[18].

Tutti questi tentativi, al contrario di quanto avviene oggi in alcuni celebri

---

[18]   E. Poulat, *Modernistica. Horizons, physionomies, débats*, Nouv. Ed. Latines, Paris 1982; *Histoire, dogme et critique dans la crise moderne*, Casterman, Tournai 1962 (trad. it. *Storia, dogma e critica nella crisi moderna*, Morcelliana, Brescia 1967).

«incontri» come quelli di Cordova, Tsukuba, Fez, Washington e Venezia[19], erano però destinati al fallimento, perché partivano (e ancora partono in qualche caso[20]) da un presupposto agnostico, ereditato dall'illuminismo: la verità scientifica deve servire da modello per ogni verità. Come dice bene Poulat a proposito della cultura cattolica «moderna»: «il sistema cattolico si propone come intermediario di una cultura della quale però non è né il custode, né il produttore, né il controllore: di una cultura elaborata *altrove*».

La frattura tra «qui» e «altrove» si è andata perpetuando fino a Bachelard, nonostante il grande merito[21] che va riconosciuto all'opera del celebre epistemologo e pioniere della pratica poetica, che ha riabilitato la «verità» poetica accanto alla verità scientifica. Ma in Bachelard l'asse della poesia e quello della scienza continuano ad essere «due poli della vita psichica» e, «se si vuole amare insieme sia i concetti che le immagini», è necessario comunque «amare le potenze psichiche con due diversi tipi di amore»[22]. A questo punto era la situazione nel 1960, per opera del filosofo del «Nuovo Spirito Scientifico». Notiamo a questo proposito che non si tratta più dell'antico conflitto delineato a suo tempo con precisione dalla Chiesa, da un lato nelle sue denunce del «modernismo» (la famosa Enciclica «Rerum Novarum» del 1891), dall'altro nello sforzo disperato dei «progressisti» per rimediare e per sottomettersi ai criteri di una scienza «venuta da fuori». Non si tratta più di una semplice «disputa di frati». Si tratta al contrario di uno iato profondo che coinvolge l'intera episteme—quella sacra e quella profana—, nella quale sono immerse sia la scienza, con i suoi procedimenti di verità, il suo potere «noumenotecnico», sia le «futilità»—termine caro a Bachelard—dei poeti, delle arti e delle credenze, di cui solo la fenomenologia, attraverso la sua «lettura feli-

---

[19]   Colloquio di Cordova: *Science et Conscience. Les deux lectures de l'Univers*, France Culture/Stock, Paris 1980. Colloquio di Tsukuba: *Sciences et Symboles. Les voies de la connaissance*, France Culture/A. Michel, Paris 1986. Colloquio di Fez: *L'Esprit et la Science 1.*, A. Michel, Paris 1985. Colloquio di Washington: *L'Esprit et la Science 2.*, A. Michel, Paris 1985. Colloquio di Venezia: *Actes du Colloque de Venise*, Unesco, Paris 1987; e *La Science face aux confins de la connaissance. La déclaration de Venise*, Ed. du Félin, Paris 1987.

[20]   Riprendendo più o meno il titolo di un mio articolo (*Le renouveau de l'Enchantement*, in «Question de», 59), la rivista «Etudes», in un fascicolo (marzo 1987) intitolato *Réveil des Gnoses* (nel quale regna grande confusione), confonde la mia posizione (la constatazione dell'incontro tra fede tradizionale e scienza contemporanea) con le riduzioni «concordiste» della fine del secolo scorso. L'autore dell'articolo in questione esprime questa curiosa professione di fede, sulla linea di Karl Barth e di Gogarten: «Il cristianesimo come "religione dell'uscita dalla religione" è storicamente parte integrante del processo illuminista». In questo modo il cristianesimo è appunto «sceso» fino alle profondità della storia. Ma l'autore riferisce le sue verità soltanto a quelle di Th. Adorno. Ciascuno ha il «concordismo» che si merita.

[21]   G. Durand, *L'Ame tigrée...*, cit., Cap. 1: *Science et conscience dans l'oeuvre de Gaston Bachelard*.

[22]   G. Bachelard, *La Psychanalyse du feu*, Gallimard, Paris 1938 (trad. it. *La psicoanalisi del fuoco...*, Dedalo, Bari 1984, *Introduzione*).

ce», recupera il senso con gioia. L'antico dualismo socratico balza ancora fuori tutto armato dal progresso scientifico e tecnico e prolunga la pedagogia dell'illuminismo.

3. Il Nuovo Spirito Scientifico

Questo «dualismo» epistemologico, ancora rivendicato in modo conciliante da Bergson nella sua vana rivolta spiritualista e ancora (in modo altrettanto conciliante) da Bachelard, si è andato progressivamente dissolvendo, soprattutto nel corso degli ultimi venti anni, sotto l'azione del movimento stesso della rivoluzione permanente del «Nuovo Spirito Scientifico».

Come dicevo alla Sorbona nel dicembre 1983 (in una riunione del Gruppo di Ricerca Coordinata «Sapere razionale e Sapere immaginario»), siamo volontariamente entrati, in questi ultimi due decenni, nell'era del «Grande Mutamento», che coincide con il «dopo-Bachelard»[23]. Ma in questa sede il nostro scopo è quello di delineare soltanto a grandissime linee le tappe e le conseguenze di questa gigantesca rivoluzione scientifica che, come osserva lucidamente il fisico di Berkeley F. Capra, conduce gli studiosi, «che ne siano coscienti o meno, ... sulla soglia di una conversione metafisica». Rinviamo per questo ai lavori di Michel Cazenave, il promotore degli incontri di Cordova e di Tsukuba, e a quelli dell'epistemologo Edgard Morin[24]. Vorremmmo soltanto mostrare in questa sede come tale rivoluzione scientifica, all'interno stesso del processo razionale (ma di una «razionalità» che non è più quella classica, o almeno non è più quella aristotelica[25]), abbia completamente eliminato l'interdetto (o almeno il sospetto) nel quale lo scientismo del secolo scorso aveva rinchiuso la produzione simbolica e le attività propriamente religiose dell'*homo sapiens*.

II. IL «GRANDE MUTAMENTO EPISTEMOLOGICO» E LE NUOVE RIDEFINIZIONI DEL SIMBOLO

1. Elementi per una definizione del simbolo

Ricordiamo brevemente, in primo luogo, i pochi elementi di definizione del simbolo ai quali ci aveva condotto la nostra ricerca di 25 anni fa. Ribadiamo ancora una volta che, in quanto antropologi, noi usiamo i termini «simbolo» e

---

[23] Cfr. G. Durand, *Les grand changement ou l'après-Bachelard*, in *L'imaginaire dans les Sciences et les Arts*, 1 («Cahiers de l'Imaginaire»), Privat, Toulouse 1988.

[24] F. Capra, *La Science et ses doubles*, in «Autrement», 1986; cfr. M. Cazenave, *La Science et l'âme du monde*, Imago-Payot, Paris 1983.

[25] S. Lupasco, *Le Principe d'antagonisme et la logique de l'énergie*, Hermann, Paris 1951.

«segno» in modo esattamente contrario rispetto a quello adottato dai teologi e dai linguisti[26]. Per costoro il «segno» è naturale e plurivoco, mentre il «simbolo» è convenzionale e univoco. Per noi, invece, che riprendiamo la vecchia definizione del *Vocabolario Filosofico* di André Lalande: «Il simbolo è un *segno concreto*, che rinvia, attraverso un *rapporto naturale* (le sottolineature sono nostre), a qualcosa di *assente* o di *impossibile da percepire*». Poiché dunque il simbolo è, per alcuni suoi aspetti, naturale, esso *non è arbitrario*; d'altra parte, poiché appartiene alla famiglia del segno, qualcosa in esso di costitutivo e di funzionale *sfugge* all'economia della percezione. Ma ciò che «sfugge» fonda la parte «significante» del simbolo su una inadeguatezza di fondo: il significante del simbolo è dunque contemporaneamente naturale, essenziale e inadeguato.

Scrivevo qualche tempo fa: «Il simbolo è una rappresentazione che fa *apparire* un senso segreto; esso è l'epifania di un mistero». Oggi preciserei dicendo che il simbolo—tipico caso di «pensiero indiretto»—finisce per ricadere nella categoria dell'esoterico, perché ciò che di esso «appare» (ciò che è «essoterico») «riconduce» (questo è il senso del termine arabo *ta'wil*, sul quale a lungo si è soffermato Henry Corbin[27]) ad un essere irrimediabilmente «assente», o «impossibile» da conoscere direttamente. In altri termini: il simbolo appartiene all'universo della parabola (attribuendo al prefisso tutta la forza che esso possiede in greco: *pará* = «che non giunge a»).

2. L'impatto del Nuovo Spirito Scientifico
Una rivoluzione scientifica, espistemologica e filosofica

Questa inadeguatezza fondamentale colloca ogni simbolo (e ogni parabola, comprese quelle evangeliche) in uno sviluppo di discorso che non è più analitico e dimostrativo, ma che si presenta come persuasivo o, almeno, «dimostrativo», intuitivo, attraverso la «ridondanza» indefinita delle diverse «lezioni», delle diverse sfaccettature di ciò che Lévi-Strauss chiama «sincronia»[28]. In altri termini: il simbolo è un elemento costitutivo del discorso «mitico» (*sermo mythicus*). Le catene semantiche che costituiscono questo tipo di discorso mettono dunque in azione alcune «figure», o alcuni simboli, «intermediari», sostituti, rispetto ai quali l'insieme delle inadeguatezze costituisce un'intuizione adeguata. Avviene in qualche modo come nella musica—Corbin amava questa metafora—quando si arriva ad una *progressio* sempre più armonica attraverso una serie di variazioni musicali

---

[26]   B. Morel, *Le Signe sacré*, Flammarion, Paris 1959; J.P. Manigne, *Le Maître des Signes*, Cerf, Paris 1987; G. Durand, *L'immaginazione simbolica*, cit., p. 12.
[27]   H. Corbin, *En Islam iranien. Aspects spirituels et philosophiques*, I-IV, Gallimard, Paris 1971-1973. Su «ta'wil» cfr. vol. IV *Index Général*.
[28]   Cl. Lévi-Strauss, *Anthropologie structurelle*, Plon, Paris 1953 (trad. it. *Antropologia strutturale*, Saggiatore, Milano 1980). Cfr. G. Durand, *Figures mythiques et visages de l'oeuvre. De la mythocritique à la mythanalyse*, Berg Intern., Paris 1979, *Conclusion*.

che a poco a poco costruiscono un tema. È particolarmente importante la sempre maggiore attenzione che a un «discorso» di questo genere prestano l'etnologia e la sociologia contemporanee[29]; ma anche la psicologia, nei suoi procedimenti analitici, le «nuove critiche» letterarie[30], che hanno inaugurato un metodo «mitocritico» in quelle che Guy Michaud chiama «le scienze della letteratura», e infine le scienze religiose, come mostreremo nel paragrafo seguente.

Si deve constatare che i concetti di «immaginario», di «simbolo» e di «mito» risultano per così dire riabilitati, «normalizzati» da questo grande mutamento epistemologico. Una nostra intuizione del 1960, secondo la quale anche i processi scientifici più astratti non sono affatto il modello al quale ricondurre tutti gli ordini di verità[31], ma sono soltanto le parti di strutture immaginarie più inglobanti, è stata di recente dimostrata in modo evidente da un fisico dell'Università di Harvard, Gerald Holton[32]. Nel suo libro *L'immaginario scientifico* egli mostra come la scoperta e il procedere scientifico siano di fatto tributari rispetto ad alcuni temi (*thémata*, dice Holton) immaginari e determinanti. Per esempio l'irriducibile opposizione che separa l'immagine del mondo e la fisica di Einstein da quelle di Niels Bohr si può spiegare sulla base di un differente regime tematico dell'immagine. Tali conclusioni sono cariche di conseguenze filosofiche rivoluzionarie, in quanto viene ora completamente rovesciato l'antico e tenace schema che spingeva a «ridurre» il mondo dell'immaginario al mondo della razionalità immutabile e onnipotente. Contrariamente alle false interpretazioni di alcuni[33], infatti, costituisce un atteggiamento di «blocco» proprio il monoteismo referenziale e immutabile del razionalismo classico dei «fanatici», e non l'allineamento—per semplificare diciamo «aleatorio»—dei procedimenti scientifici su questa o quella costellazione archetipica. Holton dimostra chiaramente, per esempio, come Th.S. Kuhn abbia derivato direttamente dalle parole di Bohr l'influsso di alcuni *thémata* provenienti dalle ipotesi e dalle metafore psicologiche di W. James, di H. Höffding, e persino dalle metafore del suo compatriota Kierkegaard o del poeta danese Poul Martin Möller (tra questi i *thémata* della «corrente di pensiero» e del «discontinuo qualitativo», dai quali deriva l'immagine del «salto» utilizzata da Kierkegaard)[34].

[29]   G. Durand, *Mito e Sociedade. A mitanalise e a sociologia das profundezas*, Ed. «Regra de jogo», Lisboa 1983; J.P. Sironneau, *Sécularisation et religions politiques*, Mouton, Paris 1982.
[30]   G. Michaud, *Introduction à une science de la littérature*, Poulhan, Istambul 1950. Cfr. G. Durand, *La méthode archétypologique: de la mythocritique à la mythanalyse*, in *Actes du II Congrès Mondial Basque*, Vitoria 1988.
[31]   G. Durand, *Les structures anthropologiques de l'imaginaire. Introduction à l'archétypologie générale*, PUF, Paris 1963 (10ª ed. Bordas, Paris 1984) (trad. it. *Le strutture antropologiche dell'immaginario. Introduzione all'archetipologia generale*, Dedalo, Bari 1984).
[32]   G. Holton, *The Scientific Imagination. Case Studies*, Univ. Press, Cambridge 1978 (trad. it. *L'immaginazione scientifica. I temi del pensiero scientifico*, Einaudi, Torino 1983).
[33]   F. Isambert, *Le sens du sacré*, Minuit, Paris 1982.
[34]   G. Holton, *L'immaginazione scientifica...*, cit., pp. 116-24.

Ma c'è di più: in alcune «avanzate» teorie matematiche o fisiche o anche biologiche, come ad esempio quelle di René Thom, di Jean Charron o di Rupert Sheldrake, alla pertinenza del sistema, matematico o fisico, risulta indispensabile, per così dire, un «coefficiente» di immaginario. In questo modo Thom fornisce una definizione più accurata del simbolo e dei procedimenti simbolici, definizione che noi possiamo ora integrare. Per Thom[35] il «simbolo deriva dal conflitto tra due criteri di identità»; ed esistono, nella realtà, «due modi radicalmente diversi di considerare l'identità di un essere». Si nota subito come Thom, quando fonda sul «conflitto» eracliteo ogni processo di pensiero—dal simbolo alla teoria delle catastrofi, di cui è padre—si viene di fatto a trovare in risonanza epistemologica con i *thémata* dell'epistemologia della «contraddittorialità» (quale emerge dai lavori di S. Lupasco o di J.J. Wunenburger) e con una delle nozioni fondamentali della psicologia del profondo: quella di «coincidentia oppositorum»[36]. In questo caso i due parametri che, a causa della loro stessa tensione conflittuale, risultano costitutivi del simbolo rappresentano una «identità di localizzazione», cioè «lo spazio-tempo occupato da un essere», quale potrebbe essere ben esemplificato da una scheda di stato civile, da una «carta d'identità». Appartengono a questa categoria tutte le descrizioni identificanti, con qualunque linguaggio siano scritte, con le parole di un lessico che hanno una loro storia, una loro posizione etimologica, ecc.). Thom[37] proponeva questa osservazione a proposito della nostra teoria relativa alla «localizzazione» sostantiva del simbolo. Per parte nostra, notiamo che ogni sostantivo, ogni «nome» tende sempre, per così dire, al «nome proprio», capace di fissare e situare l'oggetto denominato in una localizzazione particolare nello spazio e nel tempo. Ma nel simbolo, sulla base del suo stesso nome e anche senza attribuire tutta la sua importanza alla teoria della «relatività linguistica»[38], non sussiste forse una parte che potremmo addirittura definire «maledetta» ? O almeno, più modestamente, localizzata e databile, situabile in un luogo e in un momento di una cultura o di una biografia? Questa parte è il «significante», descrivibile con il metodo filologico e storico, misurabile anche nella frequenza delle sue manifestazioni e nella sua data cronologica.

Ma anche l'identità del simboleggiato è non localizzabile, pur essendo qualitativa, dato che la qualità è «del tutto indipendente dalla localizzazione spazio-

---

[35]   R. Thom, *Modèles mathématiques de la morphogénèse*, Ed. 10-18, Paris 1974; Chr. Bourgois, *Les racines biologiques du symbolisme*, in *La Galaxie de l'imaginaire. Dérive autour de l'oeuvre de G. Durand*, Berg Intern., Paris 1980.

[36]   S. Lupasco, *Le Principe d'antagonisme...*, cit.; *L'homme et ses trois éthiques*, (in collaborazione con S. de Maillyesle e B. Nicolescu), Rocher, Paris 1986.

[37]   R. Thom, *Les racines biologiques du symbolisme*, cit.

[38]   B.L. Whorf, *Language, Thought, and Reality*, MIT Press, Cambridge, Mass. 1956 (trad. it. *Linguaggio, pensiero e realtà*, Boringhieri, Torino 1970). Cfr. M. van Overbeke, *La relativité linguistique et les universaux symboliques*, in J. Ries (ed.), *Le symbolisme dans le culte des grandes religions*, HIRE, Louvain 1985.

temporale degli oggetti», come osserva Thom sulla linea dell'intera disputa sugli universali[39]. Questa identità non localizzabile è «semantica» e si riferisce a ciò che i sociologi tedeschi chiamano «comprendere», piuttosto che «spiegare». Da un punto di vista grammaticale, come già dicevamo 30 anni fa, questa identità—per quanto può permettere una «descrizione» in un testo—va situata sul lato non localizzabile dell'epiteto (senza peraltro che ci sia bisogno di articolare quest'ultimo, come nelle dispute scolastiche, sfumando tra «attributo» necessario e «accidente» contingente) e meglio ancora del verbo (salire, inghiottire, camminare, tenere, e così via).

Questi due tipi irriducibili di identità che costituiscono le due parti del «symbolon» sono indissolubilmente e costitutivamente collegati tra loro. Le due istanze, l'una localizzabile e l'altra invece non localizzabile, erano state ben individuate da Cartesio, nella sua celebre VI *Meditazione*, come «res extensa» e «res cogitans», ma si trattava in questo caso di due sostanze distinte, il cui reciproco rapporto e l'azione dell'una sull'altra hanno posto molti e insolubili problemi. Nel nostro caso, invece, nella «forma simbolica»—usiamo questa espressione in omaggio a E. Cassirer—il localizzabile e il non localizzabile sono inseparabili e legati tra loro in un insieme sistemico. Thom si rende conto in questo modo che «l'interazione» delle due «metà» del simbolo fonda la potente ridondanza del linguaggio simbolico: «trascinato dal flusso universale, il significato emette, genera il significante, in una *crescita a cespuglio* (sottolineatura nostra) che si ramifica continuamente». Thom esprime con questa immagine il legame, da noi già individuato, che collega l'atto simbolico con i procedimenti ridondanti del «sermo mythicus». Ma qui ha bisogno di una metafora presa in prestito dalla fisica e rappresenta il modello del fenomeno della significazione sulla base dell'esempio meccanico della «risonanza». La «risonanza» è il concetto che «assicura l'unità e la stabilità del fenomeno vibratorio, in mezzo alle perturbazioni continue dovute all'universo circostante». Osserviamo di passaggio che questa nozione di «unità e stabilità», capace di identificare un fenomeno senza localizzarlo, è stata spinta fino alle sue estreme conseguenze filosofiche dal fisico Bernard d'Espagnat, che verifica in modo sperimentale l'esistenza nel fenomeno di una identità non locale (il «principio di non separabilità»), che costituisce la «realtà intrinseca» del fenomeno stesso[40]. Per indicare questa realtà «non separabile» e non localizzabile, giacché trascende semanticamente le manifestazioni significanti, Thom utilizza talvolta, «in ricordo di Eraclito», il termine *logos*, che rappresenta l'identità di una «risonanza» attraverso le «perturbazioni» spazio-temporali dell'universo circostante. Altre volte egli prende in prestito il tanto aborrito termine platonico *arché*, o *archetipo*. Il significato, cioè lo «spazio *interno*» e «non localizzabile» del simbolo, produce per «risonan-

[39]   R. Thom, *Les racines biologiques...*, cit.
[40]   B. d'Espagnat, *A la recherche du réel*, Gauthier-Villars, Paris 1979.

za» l'inesauribile «crescita a cespuglio» dei significanti: è, rispetto ad essi, il *logos* o l'*arché*. Altre volte, infine, Thom prende a prestito dalla biologia e dall'embriologia più recente (quella di C.H. Waddington e di R. Sheldrake[41]) il termine «creodo» (carattere direzionale e stabile dei tessuti, nello sviluppo casuale e «perturbato» dell'embrione), o il concetto di «campi morfici» (o «morfologici») e di «risonanza morfica».

Grazie a quest'ultima sfumatura concettuale, Thom giunge alla teoria della «causalità formativa» del biologo R. Sheldrake: la «forma caratteristica di una unità morfica è determinata dalle forme dei precedenti sistemi simili che agiscono su di essa, nel tempo e nello spazio, attraverso un processo definito *risonanza morfica*».

Ma questa «risonanza», che trascende in entrambe le direzioni le alterazioni spazio-temporali—e perciò, come osserva Sheldrake, «non implica affatto una trasmissione di energia» (e neppure di «materia»)—, si colloca per definizione nell'ambito proprio della trascendenza, cioè dello «spirito» (dato che *spiritus*, «soffio», indica appunto l'immaterialità). Un altro grande fisico di Londra, David Bohm[42], giunge alle medesime conseguenze quando stabilisce, all'interno della «teoria dell'ordine implicito», le nozioni operative di *iniezione* e di *proiezione*, o «replica generale delle forme passate». La dialettica che lega proiezione a iniezione si fonda su una energia minima, del tutto trascurabile, che costituisce «l'ordine» implicito nello svolgimento di un processo e che attribuisce ad esso, per così dire, la sua vera «identità». L'identificazione di un fenomeno è dunque una reminiscenza (come Platone aveva già visto nel *Fedro* e nel X libro della *Repubblica*): essa fonda la relazione con la trascendenza, fonda il re-ligioso. Questa nuova spiritualizzazione della materia, che tanto scandalizza menti deformate da secoli di dualismo «agnostico», era già stata intravvista—osserveremo di passaggio—da Teilhard de Chardin, quando scriveva ne *Il fenomeno umano*: «Noi siamo logicamente portati a congetturare in ogni corpuscolo di materia l'esistenza rudimentale di una qualche *psyché*». Si tratta in fondo della grande intuizione di Leibniz, contro Cartesio, ripresa ai nostri giorni da E.A. Milne e da Jean E. Charon[43].

Thom ha dunque colto, anche se in modo timido, questa intrusione dello spirito, o almeno della immaterialità, all'interno dell'economia della fisica e della biologia. Egli scrive: «a causa di questo sottile equilibrio tra due morfologie, a

[41]   R. Sheldrake, *A New Science of Life. The Hypothesis of Formative Causation*, Blond & Briggs, London 1981; Granada, London 1983; C.H. Waddington, *Towards a Theoretical Biology*, I-IV, Univ. Press, Edinburgh 1968-1972.

[42]   D. Bohm, *L'imagination et l'ordre impliqué*, in *Science et Conscience* (Atti del Colloquio di Cordova), Stock, Paris 1980; *Whileness and the Implicate Ordre*, Routledge & Kegan, London 1979.

[43]   E.A. Milne, *Modern Cosmology and the Christian Idea of God*, Univ. Press, Oxford 1952.

causa della sua esigenza (la sottolineatura è nostra) di *simultanea reversibilità e irreversibilità*, ... la dinamica del simbolismo porta in se stessa (in forma locale e concentrata) tutte le contraddizioni della visione scientifica del mondo: in questo modo essa è l'immagine stessa della vita». Thom mostra peraltro come la termodinamica risulti lacerata al suo interno dai suoi due celebri principi: il primo, che afferma la «conservazione»; il secondo, che al contrario sostiene la «degradazione». L'uno assicura, per così dire, l'identità non localizzabile, la negazione dell'entropia dell'energia, che è il substrato «spirituale» della reminiscenza; l'altro propone l'entropia e l'irreversibilità di ogni fenomeno che si situa all'interno delle coordinate spazio-temporali. Ma, come ha ben visto e sperimentato la biologia di Waddington e soprattutto di Sheldrake, ogni «conservazione» della forma al di fuori dell'energia/materia—«altrove», secondo un'espressione cara a Olivier Costa di Beauregard, ma anche a parecchi gnostici[44]—implica *ipso facto* una «memoria». Bohm è assai chiaro a questo proposito: «l'ordine implicito» che assicura «l'identità» di un fenomeno è una specie di «memoria cosmica». In questo modo è possibile riannodare i due capi, per così dire, della celebre formulazione di Bergson, ancora drammaticamente dualistica, sulla «materia» e sulla «memoria». Riannodare cioè da un lato la localizzazione in uno spazio geometrico (di Euclide o di Riemann poco importa), e in un tempo che può essere quello newtoniano degli «orologi» o quello dello storicismo; e dall'altro lato lo «spirito», o almeno l'«entità mentale» (*mens*), che sfugge all'entropia. Precisiamo meglio: questa memoria che permette la «conservazione» morfica grazie al suo stesso funzionamento di raccolta e conservazione di informazioni è sempre un fattore di negazione dell'entropia.

Così, grazie ai progressi della matematica, della fisica e della biologia contemporanee, i due universi di Bachelard e le «due letture dell'universo» (il tema del Colloquio di Cordova del 1979) tendono a fondersi in una teoria unitaria, i cui fondamenti sono stati esposti in formule matematiche dal celebre fisico Jean E. Charon, nella sua teoria della «relatività complessa»[45]. Charon dimostra che «*ogni particella* di materia, indipendentemente dal suo corpo fisico osservabile, possiede una «entità mentale» che non è direttamente osservabile, ma la cui *rappresentazio-*

---

[44]   O. Costa de Beauregard, *La physique moderne et les pouvoirs de l'esprit* (Entretien avec M. Cazenave et E. Noël), Le Hameau, Paris 1980; *Brève récapitulation d'un cheminement intellectuel*, in *Pensées hors du rond* (Liberté de l'Esprit, 12), Hachette, Paris 1981. Su questo *théma* dell'«altrove» cfr. M. Eliade, *Aspects du mythe*, Gallimard, Paris 1963 (trad. it. *Mito e realtà*, Borla, Torino 1966), Cap. VII *Mitologia della memoria e dell'oblio*; J.P. Vernant, *Aspects mythiques de la mémoire en Grèce*, in «Journal de Psychologie», (1959), pp. 1-29 (= *Mythe et Pensée chez les Grecs*, Maspero, Paris 1965, 1969, pp. 51-78; trad. it. *Mito e pensiero presso i Greci*, Einaudi, Torino 1970, pp. 93-124).

[45]   J.E. Charon, *La Relativité complexe et l'unification de l'ensemble des quatre interactions physiques*, A. Michel, Paris 1987. Per una volgarizzazione di queste teorie assai elaborate, cfr. *Le Tout, l'esprit et la matière*, A. Michel, Paris 1987.

ne (la sottolineatura è nostra: Charon distingue opportunamente tra «realtà» osservata ed empirica e immaginario, cioè ciò che viene rappresentato) consente di affermare che questa «entità mentale» possiede alcune proprietà di «*memoria cumulativa* e di *ragionamento*», cioè di accrescimento della significazione dei simboli memorizzati. Questa immaginaria «faccia nascosta», presente in ciascuna particella, viene da Charon chiamata *eone*. In questo modo il fisico rende omaggio in maniera esplicita alla gnosi dei primi secoli, che attribuiva tale nome ad ogni particella portatrice dello Spirito; e in maniera implicita alle teorie sulla storia di Eugenio d'Ors[46], che pone appunto nell'*eone* la capacità, per gli insiemi identificabili nel flusso del divenire storico, di ripetersi e di «ritornare».

Abbiamo soltanto tratteggiato a grandi linee, riferendoci in particolare al chiarimento della realtà simbolica, alcuni aspetti della gigantesca rivoluzione scientifica (e perciò epistemologica e filosofica) che si sta verificando sotto i nostri occhi in quest'ultimo quarto del XX secolo. Questo periodo è ora scandito dai grandi Incontri (impensabili solo qualche decennio fa) che pongono a confronto le scienze «forti» (fisica, microfisica, ecc.) con quelle conoscenze (le scienze psicologiche, quelle sociali, la storia, le «scienze» poetiche, estetiche, religiose, ecc.) che hanno malamente seguito—cioè non hanno seguito affatto o l'hanno fatto con cattiva coscienza—il modello meccanicistico proposto dalla fisica classica del XVIII secolo. Tali Incontri si sono susseguiti a Cordova (1979), a Fez (1983), a Tsukuba (1983), a Washington (1984) e infine a Venezia (1986): il titolo di quest'ultimo Incontro indicava opportunamente l'intenzione illuminante, in qualche modo «gnostica», della riflessione contemporanea: *La scienza di fronte ai confini della conoscenza*[47].

Non si tratta infatti di un «concordismo» riduttivo, che ponga le attività umane—e tra esse quella religiosa—in sintonia con una scienza «venuta da altrove» (per riprendere l'espressione di H. Poulat). Si tratta al contrario della grandiosa convergenza di tutta la ricerca scientifica più avanzata verso questi «confini della materia» che l'agnosticismo, di cui Kant ha stabilito il postulato, negava all'esplorazione scientifica. Grazie alla scienza contemporanea è ormai in atto un «confronto interattivo»—come dice F. Popper—che pone faccia a faccia l'ambito aperto dalle più accurate ricerche «scientifiche» con l'enorme eredità costituita dalle intuizioni poetiche, artistiche, filosofiche e religiose dell'intera storia dell'*homo sapiens*. È ormai arrivato, anzi è ritornato, il «Tempo degli appuntamenti» (questo era il titolo del mio Intervento al Colloquio di Washington[48]), specialmen-

---

[46] E. d'Ors, *Du Barocque*, Gallimard, Paris 1935 (trad. it. *Del barocco*, Rosa & Ballo, Milano 1945). Molti altri studiosi hanno empiricamente rintracciato nella storia altri «ritorni», cfr. H. Wölfflin; P. Sorokin, *Social and Cultural Dynamics*, Porter Sargent, Boston 1957. Cfr. infine le mie osservazioni in *Essai sur les résurgences d'un bassin sémantique*, in «Eranos Jahrbuch», 53 (1984).

[47] *Actes du Colloque de Venise*, cit.; *La Science face aux confins de la connaissance*, cit.

[48] G. Durand, *Le temps des retrouvailles. Imaginaire de la science et science de l'Imaginaire*, in J.E. Charon (ed.), *Imaginaire et réalité* (Atti del Colloquio di Washington), cit.

te tra il sapere scientifico e la conoscenza religiosa. «Appuntamenti», dunque, e non riduzioni di tipo concordistico.

A questo punto è facile rendersi conto che, attraverso queste ridefinizioni del simbolo, dell'immaginario, della memoria e persino dello Spirito, il problema stesso del simbolo (e insieme i chiarimenti relativi offerti da Thom, Sheldrake, d'Espagnat, Bohm, Charon e così via) si viene ora a trovare al centro di ogni discorso filosofico (e di conseguenza teologico) degno del pensiero contemporaneo.

È possibile tradurre nei tradizionali termini della filosofia ciò che i nostri scienziati hanno postulato, o assiomatizzato, attraverso le diverse espressioni che abbiamo ricordato, come «doppia identità», «logos», «non separabilità», «creodo», «risonanza morfica», «forma causativa», «eone», e così via? Diremo allora che il processo simbolico—finalmente ben «riconosciuto» dalla scienza—è il modo in cui una trascendenza si manifesta attraverso segnali immanenti, «una telefonata dall'esterno», direbbe Costa di Beauregard. Oppure, nella direzione inversa (come nel *sermo mythicus*): le ridondanze immanenti al tempo e allo spazio percepibili costituiscono le tracce che indicano un senso che le trascende.

Ma allora è facile vedere, ed è assai importante, che una simile definizione del simbolo, sempre più epistemologicamente accurata, abbraccia per intero l'*homo religiosus*. L'attività simbolica, giudicata la più specifica dell'*homo sapiens*, permette così di collocare l'*homo religiosus* non più nella primitività e nella preistoria «teologica» dell'uomo, ma al centro dell'attività di costruzione di se medesimo, al centro della sua ominizzazione, o addirittura nella più attuale avanguardia delle conquiste del suo «spirito». D'ora in avanti sarà possibile, in quanto autorizzata dall'epistemologia contemporanea, l'operazione che invece in Bergson (in modo in fondo kantiano) era ancora impedita dalla «frattura» sacrosanta tra le due fonti, i due saperi, ecc.; o in Bachelard tra i «due amori» non conciliabili della psiche; o infine l'operazione che impediva e bloccava (a causa delle *regole* troppo positiviste del *metodo sociologico*) la legittima fioritura della teoria di Durkheim sulle «forme» elementari della vita religiosa, e dunque della società. A questo proposito è opportuno chiarire brevemente il termine «gnosi», che tanti studiosi contemporanei amano applicare alla percezione che essi hanno della loro stessa ricerca. Certamente questo termine (come molti altri: archetipo, «entità mentale» della materia, ecc.) è assai screditato da secoli di pedagogia e di «concordismi» positivisti. Eppure il termine gnosi non dovrebbe allarmare fino a questo punto. Esso è utilizzato più volte da Paolo (Rm 2,20; 9,33; 1 Cor 1,5; 12,8; 13,2): *gnosis* nel senso di «conoscenza dell'essenziale», o anche (attribuendogli pienamente il suo significato ebraico: *binah*) nel senso di «intelligenza (contrapposta a «sapienza») dell'essenziale». Con Henry Corbin[49], che tante volte si è richiamato alla «gnosi»,

---

[49]   Cfr. H. Corbin, che infinite volte è ritornato su questo tema: *En Islam iranien...*, cit., vol. IV: Index: «gnose», «gnoséologie», «gnosticisme», «gnostique».

bisogna tuttavia precisare che non si deve confondere questa conoscenza «gnostica», che supera i divieti e gli interdetti posti da Kant alla fine del secolo dell'*Aufklärung*, con gli «gnosticismi» storici, con le gnosi più o meno «false» contro le quali si scagliava Ireneo. Un solo punto in comune bisogna forse concedere tra gli «gnosticismi»—così contraddittori nella loro struttura, come abbiamo mostrato in altra occasione[50]—e quegli studiosi contemporanei che si rifanno alla *gnosis*. Gli uni e gli altri fondano l'essenza della loro ricerca, come osserva il grande specialista della gnosi H.-Ch. Puech[51], su un procedimento intellettuale «*antistorico* o *astorico*, indifferente o ostile alla storia». Tale «indifferenza»—e questa ostilità al mito gioachimita della storia—deriva semplicemente dal fatto che l'intera scienza contemporanea rifiuta, anche se per motivi diversi, l'antico adagio scolastico, rafforzato dall'empirismo di Hume, secondo il quale vi è un unico tipo di causalità: *post hoc propter hoc*.

Ma ciò che spinge soprattutto questa significativa corrente del progresso scientifico contemporaneo[52] a richiamarsi alla *gnosis*, è il fatto che in essa non sono più separati—come abbiamo potuto constatare a proposito dell'attuale riflessione sulla nozione di simbolo—le intuizioni e i ragionamenti del «Nuovo Spirito Scientifico» dalle intuizioni e dai discorsi (*sermones mythici*) delle religioni e delle mistiche. Se non c'è più «separazione», questo primo pensiero «gnostico» reintroduce a tutti i suoi livelli e in tutti i suoi orientamenti una economia euristica fondata sugli «intermediari» e sulle «mediazioni». E appunto questi sono in fondo il «meccanismo» e la funzione del simbolo; questa è la sua logica «mitogenica» che utilizza la ridondanza. Bernard Valade[53] può dire allora, concludendo un capitolo dedicato alla «storia della ricerca» mitologica: «una medesima logica agisce nel pensiero mitico e nel pensiero scientifico». Ci rimangono a questo punto da esaminare i modi in cui questo pensiero, che sempre utilizza il pluralismo degli intermediari, ha costituito lo «zoccolo» euristico delle scienze dell'*homo religiosus*.

[50]   Cfr. G. Durand, *L'Ame tigrée...* , cit., Cap. 3 (ripreso dai «Cahiers Internationaux du Symbolisme»).

[51]   H.-Ch. Puech, *La Gnose et le temps*, in «Eranos Jahrbuch», 19 (1952), pp. 57-113 (= *En quête de la Gnose*, I-II, Gallimard, Paris 1978, I; trad. it. *Sulle tracce della Gnosi*, Adelphi, Milano 1985, pp. 239-91); H. Jonas, *The Gnostic Religion*, Beacon, Boston (1958) 1965 (trad. it. *Lo Gnosticismo*, SEI, Torino 1975).

[52]   Cfr. A. Faivre, *Accès de l'ésotérisme occidental*, Gallimard, Paris 1987, p. 327 (*Les métamorphoses d'Hermès*); cfr. F. Bonardel, *L'Hermétisme*, PUF, Paris 1985.

[53]   B. Valade, *La mythologie. Histoire de la recherche*, in *Mythes et Croyances du Monde entier*, V, Lidis-Brepols, Paris 1985.

L'uomo religioso e i suoi simboli

III. L'UNIVERSO RELIGIOSO DEI SIMBOLI

Non intendiamo ripercorrere l'ampia documentazione raccolta da Julien Ries[54] nella prima parte del suo libro *Les chemins du sacré dans l'histoire*. Attraverso questo percorso epistemologico, dal quale emergono progressivamente l'importanza e l'autonomia dell'*homo religiosus*, possiamo comunque intravvedere i blocchi, le biforcazioni e infine la liberazione dei *thémata* relativi all'*homo religiosus*. E possiamo anche osservare come le diverse tappe di questa storia coincidano perfettamente con le tappe dello sviluppo del *Nuovo Spirito Scientifico*, di cui abbiamo appena segnalato l'influsso sulla nozione di simbolo.

1. Blocchi, biforcazioni, liberazione
dei thémata relativi all'homo religiosus

I pesanti effetti del positivismo comtiano si constatano ancora in Durkheim, Hubert e Mauss all'inizio di questo secolo; e ancora fino all'effimero *Collège philosophique* fondato da Caillois, Michel Leiris e Georges Bataille alla vigilia della seconda guerra mondiale. In tutti questi autori, anche se con notevoli sfumature, il «sacro» e la religione sono *ridotti* a motivazioni sociologiche. Ben presto, però, rifacendosi ai metodi della nascente fenomenologia (*Essere e Tempo* e *Che cos'è la metafisica?* di Heidegger sono del 1927; *Idee per una fenomenologia pura e una filosofia fenomenologica* di Husserl del 1905) si realizza con Nathan Söderblom, Rudolf Otto e Gerardus van der Leeuw una significativa biforcazione euristica: da un lato si va attenuando in modo sempre più marcato lo storicismo positivistico e dall'altro vengono invece valorizzati i caratteri autonomi dell'«uomo religioso».

Su questo «zoccolo» fenomenologico, al quale dobbiamo aggiungere la «rivoluzione» epistemologica della quale abbiamo fatto rapido cenno e il lavoro minuzioso dei filologi (citiamo soltanto Antoine Meillet, Joseph Vendryès, Darmsteter, Burnouf, Bréal), si realizza negli anni cruciali del «dramma contemporaneo» (titolo di un'opera di Jung) la restaurazione dell'*homo religiosus* e si sviluppa, a partire da alcune opere fondamentali, lo studio approfondito dei suoi simboli. Dal 1941 al 1948 appaiono i quattro volumi di *Jupiter, Mars, Quirinus* di Georges Dumézil. Il sottotitolo del primo volume espone l'intero programma: *Saggio sulla concezione indoeuropea della società e sulle origini di Roma*. Nel 1949 segue *Eredità indoeuropea a Roma*. Nel 1944, raccogliendo tra l'altro alcune conferenze tenute al Circolo Eranos nel 1935 e nel 1936, Jung pubblica *Psicologia e Alchimia*: quest'opera, secondo il suo traduttore francese Roland Cahen, ha una funzione di «cerniera, in quanto collega la prima parte della monumentale opera di Jung con

---

[54] J. Ries, *Les chemins du sacré dans l'histoire*, Aubier, Paris 1985.

la seconda parte, dedicata in particolare agli archetipi». Nel 1954 Jung pubblica *Le radici della coscienza*, che riprende la celebre conferenza pronunciata ad Ascona nel 1934: *Gli archetipi della coscienza collettiva*. Nel 1949 Mircea Eliade, che già nel 1936 aveva pubblicato *Lo Yoga*, presenta uno dopo l'altro il celebre *Trattato di storia delle religioni* (con prefazione di Dumézil) e il decisivo *Il mito dell'eterno ritorno*. Nel 1950 interviene per la prima volta agli incontri Eranos, con una conferenza su *Psicologia e storia delle religioni. A proposito del simbolismo del centro*. Infine Henry Corbin, che per primo tradusse in Francia Heidegger (nel 1938: *Qu'est-ce que la métaphysique?*), che intervenne per la prima volta ad Ascona nel 1949 (*Il racconto iniziatico e l'ermetismo in Iran*) e che nel 1954 fondò a Teheran la «Bibliotheca Iranica», pubblica una dopo l'altra tre opere di sintesi: *Avicenna e il racconto visionario* (1954); *L'immaginazione creatrice nel sufismo di Ibn'Arabî* (1958); *Terra celeste e Corpo di resurrezione* (1961)[55]. A titolo informativo aggiungiamo a queste ricerche, che riguardano direttamente l'argomento qui trattato e sono fortemente «tematizzate» su quello che noi chiamiamo pensiero gnostico, i lavori dell'epistemologo S. Lupasco (*L'energia e la materia vivente*, 1962), di Gaston Bachelard (*La poetica della rêverie*, 1960), di Claude Lévi-Strauss (*Antropologia strutturale*, 1958; *Il pensiero selvaggio*, 1962), e infine il nostro lavoro di sintesi *Le strutture antropologiche dell'immaginario. Introduzione all'archetipologia generale*, del 1960[56]. Avremo in questo modo un'idea soddisfacente dell'originalità «tematica» (dei *thémata*, nel senso holtoniano del termine) di questo «bacino semantico» che si è andato progressivamente scavando dall'inizio del secolo fino a questi anni 1950-1980, all'interno di quella morfologia che abbiamo chiamato «la sistemazione delle sponde»[57].

2. La nuova ermeneutica scientifica:
G. Dumézil, C.G. Jung, H. Corbin, M. Eliade

All'interno di questa straordinaria concentrazione di sapere, dal 1933 al 1960, si è potuta definitivamente costituire la nuova ermeneutica simbolica e la piena

---

[55]   Su questo movimento di idee, dal 1933 al 1961, cfr. Magda Kerényi (cur.), *Eranos Index*, I-II, Rhein Verlag, Zürich 1961-1965. Gli Indici dal 1961 al 1988 purtroppo non sono stati pubblicati; in occasione del cinquantenario del Circolo Eranos io stesso ho fatto un panorama delle ricerche: G. Durand, *Le génie du lieu et les heures propices*, in «Eranos Jahrbuch», 51 (1982).

[56]   Il grande successo di quest'opera—dieci edizioni francesi, due italiane, una spagnola, una romena, una portoghese (nel 1989), una americana (nel 1989)—è un sicuro indizio dell'interesse odierno per i problemi del simbolo.

[57]   Sulla nozione di «bacino semantico», cfr. G. Durand, *La Beauté comme présence...*, cit.; e *La sortie du XXe siècle*, cit. Sui contenuti di questa fase del «bacino semantico» che va dal 1950 al 1980, cfr. G. Durand, *Science de l'homme et tradition. Le Nouvel Esprit Anthropologique*, Sirac, Paris 1975; Berg, Paris 1979, Cap. V; e *Figures mythiques et visages de l'oeuvre...*, cit., Cap. IX (*Le XXe siècle et le retour d'Hermès*).

restaurazione dei valori dell'*homo religiosus*. Ma prima di procedere ad una rapida (in quanto contenuta nel modesto spazio di un capitolo) rassegna dei contributi forniti dai quattro fondatori moderni della simbologia e della «scienza delle religioni», sono necessarie alcune osservazioni preliminari.

In primo luogo—e la cosa mi provoca un certo imbarazzo, anche se è necessaria, nell'epoca della massima industrializzazione dell'editoria e della diffusione, attraverso i mass-media, di «ogni genere» di libri—è necessario affermare con forza che l'opera di Dumézil, Jung, Corbin e Eliade è l'opera monumentale di autentici studiosi. Non si tratta infatti di semplici «specialisti» di lingue e dialetti indoeuropei (Dumézil mi ha confidato di conoscerne ventisette), di psichiatria, di storia delle religioni (in particolare dell'Asia) o di Islam, ma appunto di studiosi di immensa cultura. Soltanto una cultura così vasta e profonda ha permesso loro di padroneggiare i comparatismi senza cadere banalmente nei sincretismi. Mircea Eliade che, non dimentichiamolo, fu *anche* un grande romanziere, in una delle sue ultime opere (*Premessa* al vol. I della *Storia delle credenze e delle idee religiose*, p. 10) scriveva: «condivido la convinzione di quanti pensano che lo studio di Dante o di Shakespeare, di Dostoevskij o di Proust, tragga lumi dalla conoscenza di Kâlidâsa, dei *Nô* o della *Scimmia pellegrina*». E io stesso ricordo le appassionanti conversazioni con Eliade, sotto i cedri del lago Maggiore, su Thomas Mann, Leonardo da Vinci, Dostoevskij o Pessoa; con Corbin su Richard Wagner, Zacharias Werner, Albrecht von Scharfenberg o Mahler. È quindi assai triste leggere, ancora nel 1987, le desolanti valutazioni di uno storico, peraltro stimato, che denuncia, dimostrando grave carenza di informazione, «le elucubrazioni archetipologiche di Jung»[58].

La seconda osservazione è collegata alla precedente. Di fatto per tre di questi studiosi, Jung, Corbin, Eliade (e per me stesso da almeno venticinque anni), le *Tagungen* del Circolo Eranos furono autentici «Incontri», ricchi di fecondo ampliamento culturale, in cui si strinsero solide e durature amicizie. Ad Ascona, nel corso di dodici anni, lo psichiatra Jung[59] coltivò lunghe e fruttuose collaborazioni con il grande grecista ungherese K. Kerényi, con l'etnologo Paul Radin, con il biologo A. Portmann, con il fisico Erwin Schrödinger (per coloro che dimenticano la «scientificità» di Jung, ricordiamo che egli scrisse il suo libro sulla sincronicità in collaborazione con Wolfgang Pauli, premio Nobel per la fisica). E naturalmente, per ciò che interessa direttamente il nostro scopo, Jung incontrò ad

---

[58] J. Le Goff, *L'imaginaire médiéval*, Gallimard, Paris 1986.
[59] Sugli Incontri Eranos, cfr. nota 55. C.G. Jung e K. Kerényi, *Einführung in das Wesen der Mythologie*, Pantheon Akad. Verlag, Amsterdam-Leipzig 1942 (trad. it. *Prolegomeni allo studio scientifico della mitologia*, Einaudi, Torino 1948); C.G. Jung e W. Pauli, *Urerklärung und Psyche*, Rascher, Zürich 1952; C.G. Jung, *Antwort auf Hiob*, Rascher, Zürich 1953 (trad. it. *Risposta a Giobbe*, nel vol. 11 dell'edizione complessiva delle opere di Jung, Boringhieri, Torino 1979).

Ascona Eliade e Corbin (il quale ultimo scrisse la *Postfazione* alla traduzione francese di *Risposta a Giobbe*), e ancora l'indologo Heinrich Zimmer, i teologi Ernesto Buonaiuti, Hugo Rahner, e molti altri ancora. Eliade e Corbin, a loro volta, allacciarono agli incontri Eranos solidi e dotti legami di amicizia non soltanto con Jung, ma anche con Gershom Scholem (Presidente dell'Accademia delle scienze di Israele, eminente specialista delle gnosi giudaiche) e con Ernst Benz, il teologo di Marburgo, studioso di Swedenborg e di Böhme e in genere degli «spirituali» protestanti. Ricordiamo infine che noi stessi ad Ascona abbiamo stretto amicizie ventennali con Corbin, Eliade, Benz, James Hillmann, Scholem, Aniela Jaffé, Kathleen Raine, Toshihiko Izutsu e ancora molti altri[60].

Un'ultima osservazione testimonia, se ancora ce ne fosse bisogno, la scientificità dei nostri quattro rinnovatori della scienza religiosa. Come ha dimostrato Gaston Bachelard[61], suscitando nel 1940 un certo clamore, la scienza non procede, come voleva il mito banale della filosofia illuministica, per accumulazioni successive di osservazioni e di leggi, ma al contrario in modo discontinuo, «drammatico», per così dire, opponendosi, rompendo con le *Weltanschauungen* e i *thémata* precedenti. I nostri studiosi non sfuggono a questa regola dialettica. È ben noto—e non vi ritorneremo in questa sede, avendolo già fatto in altra occasione[62]—come la «psicologia del profondo» di Jung sia partita, fin dal 1909 (in un famoso sogno), dalle limitazioni riduttive che Freud attribuiva all'inconscio. Quanto a Eliade—come sottolineava con gioia Dumézil nella sua *Introduzione* al *Trattato*, e come noi stessi dicevamo[63] nel 1982—, egli «rompe appunto con il modo abituale di collocare le manifestazioni religiose nell'infrastruttura monotona della storicità». Influenzato dalla dottrina induista dei «ritorni», delle ridondanze del tempo, Eliade sottrae la «storia delle religioni» allo storicismo. Altrettanto forte e costante è la rottura con lo storicismo (che a lungo ha contribuito a «trattenere» l'orientalistica europea) operata da Corbin. Tale rottura fu ispirata da *Essere e Tempo* di Heidegger, in base al quale il «senso» (e la sua epifania, il «segno» o il simbolo) si ricollega agli spazi «presenti» e alle «presenze» che lo manifestano. L'intera opera di Dumézil, infine, può essere definita un «evemerismo alla rovescia», perché ritrova sotto le banalizzazioni di una storia aneddotica, quale per esempio quella di Tito Livio, le radici profonde dei miti e dei riti. Sotto l'esiguità delle diacronie della storia (per parlare come Lévi-Strauss) viene ritrovata la solida roccia delle sincronie del mito.

Una solida base di immensa erudizione, una specializzazione altamente qualificata, una decisa filosofia del «non»: questi sono dunque gli elementi che garantiscono ai nostri quattro studiosi un doveroso rispetto scientifico.

---

60   Oltre alle opere indicate alle note 55 e 57, cfr. G. Durand, *L'Empire de l'image et les rencontre d'Eranos*, in *Mythes et Croyances du monde entier*, cit., V (*Mythe et Archétype*).

61   G. Bachelard, *La Philosophie du Non. Essai de philosophie du Nouvel Esprit Scientifique*, PUF, Paris 1944 (trad. it. *La filosofia del non*, Pellicanolibri, Catania).

62   G. Durand, *L'Empire de l'image...*, cit.

63   G. Durand, *Le génie du lieu...*, cit.

L'uomo religioso e i suoi simboli

3. Le quattro dimensioni del religiosus redivivus

Ritorniamo a questo punto, purtroppo brevemente, ai quattro orientamenti, alle quattro «dimensioni» attribuite dalla ricerca dei nostri studiosi al *religiosus redivivus*. Per motivi didattici, raggrupperemo i quattro ambiti di studio prendendoli a due a due, in quanto la simbologia del «religiosus» si presenta in modo complementare in Jung e in Dumézil, da una parte, e in Corbin e in Eliade, dall'altra. Jung e Dumézil—se posso permettermi un'espressione familiare—si sono collocati alle due estremità di ciò che un tempo chiamavo il «tragitto antropologico»[64] (definito allora come «l'incessante *scambio* che esiste al livello dell'immaginario tra le pulsioni soggettive e assimilatrici e le intimazioni oggettive provenienti dall'ambiente cosmico e sociale»). Jung si colloca, in quanto psicologo e psichiatra, dalla parte degli elementi soggettivi; Dumézil, in quanto filologo, storico e sociologo dell'antichità, dalla parte delle intimazioni sociali. Ma ripetiamolo ancora una volta: non si tratta affatto di «riduzioni» come quelle praticate dal positivismo di Durkheim e anche dal positivismo di Freud. Si tratta di un «terreno di indagine» correttamente delimitato dalle competenze. Jung e Dumézil non sono di certo dei teologi. Essi sono antropologi: il loro compito è quello di seguire le tracce dell'*homo religiosus*, ricostruito dalla fenomenologia e dalla filologia, all'interno di un processo psicologico o all'interno di un modello sociologico, senza però mai ridurre il *religiosus* a psichismo rimosso o a quel cemento sociale un po' magico costituito dal «mana» o dal «totem». Jung continua a ripeterlo, contro le accuse di «psicologismo» che soffocarono il suo libro *Psicologia e religione* (1940), che venne mal compreso, per il suo dualismo e per alcune evidenti schizomorfie, anche all'interno delle Chiese. Contrariamente a tutta la tradizione positivista che domina ancora in Freud—e, lasciatemelo dire, contrariamente ai «concordismi» degli «psicoanalisti cristiani»—Jung non cessa di affermare e di confermare la dignità dell'anima: «l'anima non può essere soltanto un «nulla»; al contrario essa possiede la dignità di una entità alla quale è concesso di essere cosciente di una *relazione* (sottolineatura nostra, per mettere in risalto questa funzione di «re-ligione») con la divinità»[65].

[64]   G. Durand, *Le strutture antropologiche...*, cit., p. 31. Abbiamo sempre lasciata aperta la possibilità di una «Rezeptionstheorie».
[65]   C.G. Jung, *Psychologie und Alchemie*, Rascher, Zürich 1944 (trad. it. *Psicologia e alchimia*, Astrolabio, Roma 1950), Cap. I: *Introduzione alla problematica religiosa e psicologica dell'alchimia*.

L'*homo religiosus* e il Sacro

a. C.G. Jung e la scoperta delle «immagini archetipiche»
Il sacro come elemento costitutivo dell'instaurazione dell'anima

Dello psicologo e psichiatra C.G. Jung considereremo per i nostri scopi la scoperta che i fondamenti del simbolismo religioso risiedono nelle «grandi immagini»—le celebri «immagini archetipiche»—della psiche, normale o patologica, dell'*homo sapiens*. Si tratta in qualche modo—e l'espressione latina potrebbe servire da titolo per questo paragrafo dedicato a Jung—delle *dramatis personae* di ogni racconto mitico e di ogni scenario religioso[66]. Certamente nell'opera di Jung ci sono posizioni anche più innovatrici di questa delle «grandi immagini»: ad esempio il problema della natura degli archetipi e quello, assai importante, della sincronicità, accuratamente messo a punto da Jung insieme con Wolfgang Pauli. Quest'ultima teoria, lentamente elaborata dallo psicologo, ricorda la teoria della «concatenazione non causale», posta in evidenza dalla fisica e dalla biologia moderne[67].

Ma per il nostro scopo vogliamo soltanto soffermarci su queste «immagini di Dio»—nozione che Jung deriva dai Padri della Chiesa[68]—che sono appunto le *dramatis personae* più profonde della psiche e perciò, secondo le leggi della sincronicità, del destino umano. Se «l'anima dell'uomo esiste, essa deve essere complicata all'infinito...» e se «è una bestemmia affermare che Dio può manifestarsi in qualunque luogo tranne che nell'anima umana»; se infine l'anima «corrisponde all'essenza di Dio»[69], ne risulta allora che la complessità dell'anima corrisponde a una certa complessità di Dio. Si pone allora il problema del politeismo all'interno dell'anima, all'interno di questa mitologia rivelata dall'analisi delle profondità teofaniche dell'inconscio. Certo l'influsso su Jung di K. Kerényi, grecista e storico della religione greca, ha segnato tutto il pensiero junghiano, fino ai «politeismi» apertamente dichiarati di James Hillman e soprattutto del teologo David L. Miller[70]. A questo proposito è assai opportuna la risposta di Henry Corbin[71] al teologo della Syracuse University (Corbin

---

[66]   La questione delle «dramatis personae» si impone a chiunque si occupi della genesi di un «discorso», teatrale o romanzesco. Cfr. per es. E. Souriau, *Les deux cent milles situations dramatiques,* Flammarion, Paris 1950; P. Gallais, *Dialectique de récit médiéval. Chrétien de Troyes et l'exagone logique,* Rodopi, Amsterdam 1982. Y. Durand, *Introduction à l'analyse actantielle des univers mythiques,* in «Annales du CRAPS-Univ. de Savoie», 1 (1984).

[67]   Cfr. H. Reeves, M. Cazenave, P. Solie, K. Pribram, H.F. Heller, M.L. von Frans, *La synchronicité, l'âme et la science. Existe-t-il un ordre a-causal?,* Poiésis Payot, Paris 1984.

[68]   C.G. Jung, *Risposta a Giobbe,* cit., pp. 394ss.

[69]   C.G. Jung, *Psicologia e alchimia,* cit.

[70]   J. Hillman, *Re-visioning Psychology,* Harper & Row, New York 1975 (trad. it. *Re-visione della psicologia,* Adelphi, Milano 1983); *Psychology: Monotheistic or Polytheistic,* Spring, Dallas 1981 (trad. it. *Psicologia: monoteistica o politeistica,* in D.L. Miller e J. Hillman, *Il nuovo politeismo,* Comunità, Milano 1983, pp. 115-53).

[71]   Lettera di H. Corbin a D.L. Miller in «Cahier de l'Herne» (Henry Corbin), 1981, (trad. it. come *Prefazione* a D.L. Miller e J. Hillman, *Il nuovo politeismo,* cit., pp. 7-12, pp. 9 e 11. Cfr.

nel 1964 ha scritto la *Postfazione* alla traduzione francese di *Risposta a Giobbe*, e già nel 1953 aveva dedicato a Jung un articolo intitolato: «La Sophia étérnelle»). Riprendendo quasi parola per parola i termini che Jung applicava all'anima, Corbin scrive: «è nella natura della theótes (*deitas abscondita*) rivelarsi e manifestarsi, tramite la pluralità delle sue teofanie, in un numero illimitato di forme teofaniche». E ancora in conformità con la teoria junghiana degli archetipi, il grande specialista dell'Islam, il monoteismo per eccellenza, aggiungeva: «a mio avviso questo mondo immaginale è il luogo della "rinascita" degli Dei».

In questa teofania «senza limiti» e plurale, «quadruplice» e tetramorfa «divisione fondamentale del cerchio», lo stesso Jung (nel suo duplice impegno di studio dei casi clinici e di riflessione sulle opere della cultura) mette in risalto le istanze primordiali dell'immaginario simbolico.

Per ragioni puramente didattiche, capovolgeremo a questo punto l'ordine della ricerca di Jung, che procede dal più semplice al più complesso. Cominceremo quindi con quello che è il risultato finale del «processo di individuazione», cioè con l'affermazione dell'entità più fondamentale e più caratteristica della psiche—e insieme della teofania—: il «Sé» o figura completa, e perciò tetramorfa, di Dio. Jung è ritornato infinite volte, nel corso di tutta la sua opera, su queste «immagini del Sé» realizzato. Nominiamo soltanto due punti di riferimento essenziali: l'ampio studio sul «Simbolismo del Mandala», inserito nel 1943 in *Psicologia e Alchimia* ma il cui nucleo si trova già nelle Conferenze tenute ad Ascona nel 1935 e nel 1936; e il volume intitolato *Aion. Ricerche sul simbolismo del Sé*, pubblicato nel 1951 (e tradotto in francese soltanto nel 1983). Queste immagini dell'Unità e della Totalità «si trovano sul gradino più alto della scala dei valori oggettivi; perciò i loro simboli non possono più esser distinti dalla *imago dei*»[72]. Lo psicologo di Zurigo elabora queste riflessioni sull'archetipo della totalità unificante partendo dall'analisi di oltre «quattrocento sogni», e soprattutto dal confronto tra queste immagini e l'esperienza dei lama tibetani, incontrati a Darjeeling nel 1938. Nella sua enorme erudizione, Jung si rende conto che questi «cerchi quadrati»—*mandala* o *khilkor*—«appartengono ai simboli religiosi più antichi dell'umanità»[73]. I più antichi e anche i più universali: lo studioso, infatti, non ha alcuna difficoltà a ritrovare tali simboli del Sacro Supremo nello yoga tantrico e nel lamaismo, nei «disegni di sabbia» degli indiani Pueblos e nei calendari Aztechi, nel tetramorfo evangelico e nella visione di Ezechiele (*Merkaba*). Corbin[74] aggiun-

---

H. Corbin, *Le Paradoxe du Monothéisme*, L'Herne, Paris 1981 (riprod. di una Conferenza di Eranos, 1976). D.L. Miller, *The New Polytheism*, Spring, Dallas 1981 (trad. it. *Il nuovo politeismo*, cit.).

[72] C.G. Jung, *Aion. Beiträge zur Symbolik des Selbst*, Rascher, Zürich 1951 (trad. it. *Aion. Ricerche sul simbolismo del sé*, nel vol. 9 delle *Opere*, Boringhieri, Torino 1982).

[73] C.G. Jung, *Psicologia e alchimia*, cit., p. 128: *Il simbolismo del Mandala*).

[74] H. Corbin, Introduzione a Haydar Amolî, *Le Texte des textes*, Maisonneuve, Paris 1975. Cfr. G. Durand, *Implications épistémologiques des modèles diagrammatiques circulaires*, in «Annales du CRAPS—Univ. de Savoie», 1 (1984).

ge alcuni preziosi esempi di simili totalità circolari e significanti, traendoli dai diagrammi cosmologici e teofanici di Haydar Amolî. Nelle polarità quadripartite e spesso sottolineate da colori, diversi e tra loro irriducibili, che compongono il cerchio mandalico, bisogna vedere e leggere il fatto che questo è il luogo del raggruppamento ordinato delle virtù, della riunione di personaggi divini contraddittori. L'immagine della totalità è immagine dell'unificazione dei contrari, della famosa *coincidentia oppositorum* che Jung penserà come modello della costruzione del Sé e contemporaneamente come simbolo del *pléroma* teofanico realizzato.

In questa «cerca e ricerca» del simbolo della totalità attraverso i sogni («intervalli» nella fase inconscia del sonno) e insieme nei monumenti e documenti lasciati dalle grandi culture, non è difficile trovare numerosi esempi di queste unità quaternarie che riuniscono in una stessa comprensione immaginaria figure conflittuali e tra loro irriducibili. In tutta l'iconografia cristiana—e specialmente in quella dell'«Incoronazione della Vergine»—Jung non ha alcuna difficoltà a mostrare come la Trinità scivoli in primo luogo verso una «quaternità», a causa dell'iperdulia mariana (Magda Kerényi mi ha spesso raccontato l'entusiasmo con il quale il loro illustre amico, che peraltro era protestante, aveva accolto la notizia della proclamazione del dogma dell'Assunzione che, a un secolo di distanza da quello dell'Immacolata Concezione, collocava la Vergine Maria in uno statuto di eccezione). Ma soprattutto la Trinità racchiude in sé le «tensioni» caratteristiche della *coincidentia oppositorum*: la persona divina del Padre Giusto—o addirittura, come nella Kabbala, del Padre Punitore—controbilancia la persona divina del Figlio Clemente, Amoroso, Misericordioso, e così via. Informato da Kerényi e da Gilles Quispel[75], amici di Eranos e grandi conoscitori degli gnosticismi, Jung non ha alcuna difficoltà a segnalare nelle rappresentazioni drammatiche di alcuni gnostici dualisti, come Basilide e soprattutto Marcione, le tensioni tragiche che separano il Grande Arconte, il Dio Demiurgo della Bibbia, «Principe di questo mondo», dal Dio Buono, straniero (*xenos*), nascosto (*apokekrúmmenos*) e sconosciuto (*ágnostos*). Alcuni echi di questa *coincidentia oppositorum* si possono ancora ritrovare nell'ortodossia cristiana, in particolare nel dramma di Giobbe, in cui il teorico degli archetipi legge la «risposta», cristologica e mariana, rivolta a uno Jahvè troppo complice di Satana tentatore.

Più difficile (e contestata) è invece l'applicazione di questa *coincidentia* quaternaria alla persona di Cristo. Gesù Cristo indubbiamente «realizza», incorporandolo, l'antichissimo simbolo della croce, che struttura le raffigurazioni mandaliche e, per il cristiano, condensa in un «solo Dio»—secondo un fenomeno di

---

[75] C.G. Jung, *Psicologia e alchimia*, cit., Cap. XIII: *Simboli gnostici del sé*; cfr. K. Kerényi, *Mythologie und Gnosis*, in «Eranos Jahrbuch», 8 (1940/41); G. Quispel, *La conception de l'homme dans la gnose valentinienne*, «Eranos Jahrbuch», 15 (1947); *L'homme gnostique (La doctrine de Basilide)*, in «Eranos Jahrbuch», 16 (1984) (ripr. in *Gnostic Studies*, I-II, Istambul 1974-1975).

imperialismo teofanico che Dumézil ha ritrovato anche altrove[76]—i tre diversi *numina* della Trinità (o i quattro della «Tetranità», se si aggiunge Maria *theotokos*). Il recupero del tetramorfo evangelico, a sua volta derivato dai «quattro viventi» della Visione di Ezechiele (che reggono il trono di Jahvè), è questa volta imperniato sulla figura del Cristo o su uno dei suoi simboli: l'agnello, il pellicano, la fonte dalla quale scorrono i quattro fiumi del Paradiso, e così via. Questo recupero è estremamente frequente nell'iconografia cristiana[77]. Più rara è invece l'interpretazione di tipo junghiano, chiaramente derivata da modelli naasseni e gnostici, secondo la quale Cristo contiene in se stesso la *coincidentia oppositorum* e diventa per il credente il simbolo che rappresenta l'unificazione del Sé. Intorno a questo sforzo di reinserire il Male all'interno dell'economia teofanica gravita tutta la tesi «teologica» dello studio di Jung del 1951, *Aion*, in cui si dimostra come il simbolismo cristologico del pesce (e quello del serpente della visione di Mosé) recuperi, per così dire, alcune «figure d'Ombra». Già S. Bernardo, del resto, aveva colto questo difficile mistero dell'«adombramento» nell'espressione *et incarnatus est*.

A parte comunque questa interpretazione, è certamente vero (e Jung lo dimostra facilmente sia nella tradizione iconografica dell'Alchimia, sia nell'esegesi delle concezioni e dell'immaginario cristiano) che il simbolo del «Figlio»—Figlio di Dio e Figlio dell'Uomo—equivale alla totalità unificante delle figure mandaliche. Jung prende sul serio l'immagine del «bambino Gesù». Il «figlio», infatti, non soltanto è un simbolo naturale della coincidenza del padre e della madre, e nel caso cristiano delle due «nature» di Gesù, quella umana e quella divina, ma l'infanzia del figlio è anche in se stessa, come confermano tanti testi evangelici, l'emblema di una innocenza, di una via soteriologica «naturale». La forza di questo simbolismo del «figlio bambino» deriva dal suo collegamento con la grande immagine archetipica del *Puer Aeternus*. Non c'è bisogno di insistere sulla ricca iconografia del figlio nella tradizione alchemica, in cui Mercurio è *filius philosophorum*. È ben noto che Jung attinse largamente a queste epifanie, parallele, per così dire, al dogma cristiano, così come alle tradizioni derivate dall'ermetismo antico e dalla gnosi. E al Fanciullo divino (maschio o femmina, Apollo, Hermes, Dioniso, Hecate, Kore, e così via) ha consacrato con l'amico Kerényi un'opera intera (il cui titolo, peraltro, non rivela affatto il contenuto: *Prolegomeni allo studio scientifico della mitologia*)[78].

---

[76]   Cfr. le assunzioni di poteri teologici nel caso della Giunone capitolina, G. Dumézil, *La religion romaine archaïque*, Payot, Paris 1966, 1974 (trad. it. *La religione romana arcaica*, Rizzoli, Milano 1977).

[77]   Cfr. l'ottimo libro di G. de Champeaux e Dom S. Sterk, *Introduction au monde des Symboles*, Zodiaque, Paris 1965; cfr. anche G. Durand, *La Foi du Cordonnier*, cit., pp. 56ss., sulla figura tetramorfa del calendario liturgico.

[78]   Cfr. J. Hillman, in *Puer Papers*, Spring, Dallas 1979; sull'ermetismo cfr. l'intero volume 9 (1942) di «Eranos Jahrbuch». C.G. Jung e K. Kerényi, *Prolegomeni ...*, cit. Quest'opera è dedicata per intero al Fanciullo Divino.

Questa grande immagine della totalità quanto meno contrastata ci conduce all'esame della figura più naturale di questa *coincidentia*: la sizigia del maschile e del femminile. Precisiamo meglio, in relazione al mistero cristiano: il rapporto di unione tra madre e figlio (madre umana e padre pneumatico e divino; figlio umano e divino al tempo stesso, e la Chiesa come «sposa»); oppure, meglio ancora: la coincidenza tra l'*anima* (come la intende Jung) e l'*animus*. Lo psicologo constata che nell'individuo di sesso maschile l'*imago* della donna (madre, sposa, fidanzata) è una autentica immagine archetipica, così come nell'individuo di sesso femminile la proiezione immaginaria del suo inconscio assume un aspetto maschile e fonda nell'inconscio stesso un archetipo di *animus* (virilità plurale, pretendenti in lotta, eroi virili, ecc.). Naturalmente queste potenze archetipiche, di cui non dobbiamo in questa sede analizzare il ruolo psicologico, sono rivestite di tutti quei simbolismi immaginari già scoperti da Freud, ma posti ora da Jung in una prospettiva completamente diversa. In Freud il simbolo non è altro che un sintomo della sessualità repressa o traumatizzata; in Jung invece il simbolo, che non ha nulla a che fare con le «repressioni» moralistiche, potendo anche mostrarsi senza veli in tutta la sua crudezza sessuale, rinvia alla costituzione profonda e alla vocazione dell'anima[79]. Da una parte *anima* (oltre alle sue personificazioni in vergine, madre, fidanzata, fanciulla, e così via) produce i simboli che noi stessi abbiamo chiamato «mistici»[80], ben rappresentati dalle litanie di Loreto: torre d'avorio, dimora di saggezza, giardino chiuso, rosa mistica, ecc. Dall'altra parte *animus*, rivestito di armatura e con lo scudo del guerriero, cavalca con la spada in pugno per liberare la Principessa, ecc. ecc.[81]. Naturalmente questa bipartizione sessuale secondo i due archetipi dell'inconscio si ritrova in tutti i pantheon politeistici: in quello indiano con i suoi paredri divini (tra cui la dea Kali, che è la Cakli del dio Shiva); e in quello dell'antica Grecia, con il corteggio delle dee che rappresentano, una per una, tutte le sfumature possibili di *anima*: Afrodite, Persefone, Demetra, Atena, Giunone, e così via[82].

Ricordiamo infine l'immagine dell'*Ombra*, «la figura più facilmente accessibile all'esperienza, poiché la sua natura può essere largamente desunta dai contenuti dell'inconscio personale». Si tratta dell'elemento che resiste alla conoscenza del Sé, formato da immagini ossessive, una forma di *possessione* che si manifesta attraverso stati emozionali che mantengono una certa autonomia e che il soggetto psicologico ha la tendenza a proiettare fuori di sé. Il termine «possessione» fa naturalmente pensare al diavolo, a Satana «princeps huius mundi», all'Anticristo o all'Avversario. Il rappresentante del mondo ctonio e oscuro è il «serpente»,

[79] G. Durand, *Mythe et Archétype*, cit.

[80] G. Durand, *Le strutture antropologiche...*, cit.

[81] G. Durand, *Le Climat légendaire de la Chevalerie*, in *La Chevalerie spirituelle* (Cahier de l'USJJ, 10), Berg Intern., Paris 1983.

[82] G. Paris, *La renaissance d'Aphrodite*, Boréal Express, Montréal 1985.

genio familiare dell'Adamo inferiore, o talvolta un mostro marino come il Leviatano della Bibbia o la «balena» che inghiotte Giona; oppure infine è il pesce di Ossirinco, sul Nilo, che inghiotte il fallo di Osiride, smembrato da quell'altra «Ombra» che è Tifone. L'erudizione di Jung non manca di accostare questa epifania di un inizio tenebroso con la teogonia di Jacob Böhme, cara ai suoi amici di Eranos, Ernst Benz e Henry Corbin[83], teogonia che prende inizio dall'«ira di Dio», da un fuoco di collera in cui Lucifero è tenuto prigioniero. Appunto questo inizio satanico lascia presagire il dramma che provocherà la lunga e insistente implorazione di Giobbe e il suo appello alla saggezza e alla potenza di Dio, di questo Dio la cui «risposta» sarà l'invio del Figlio e dell'*Advocatum*, il Paraclito[84]. Su questo punto si può veramente constatare la profondità dell'analisi dell'*homo religiosus* proposta da Jung. Il *religiosus* getta le sue radici nella negatività, nell'ombra e nell'iniziale presa di coscienza del Male. L'economia delle immagini dell'Ombra è insieme l'economia del Male e questa «realtà» teofanica del Male porta l'autore di *Risposta a Giobbe* ad adottare deliberatamente una posizione assai prossima a quella degli gnosticismi storici del primo cristianesimo, contro la dottrina della *privatio boni* dei Padri della Chiesa[85]. Ma soprattutto Cristo, che per Jung, come abbiamo detto, è un simbolo dell'archetipo della totalità dell'essere, il Sé, contiene fatalmente in se stesso il suo contrario: «egli deve anche *soffrire*, contro la sua intenzione, per rendere giustizia alla sua totalità»[86]. Ecco perché Cristo spartisce con Satana alcuni simboli: il leone, il serpente, il corvo e gli uccelli notturni, l'aquila e il pesce. Grazie all'Ombra, purché essa sia psicologicamente assunta e non proiettata al di fuori dell'inconscio sull'alterità, siamo ricondotti all'immagine che per Jung occupa la posizione centrale: la *coincidentia oppositorum*, in cui il Male stesso contribuisce all'instaurazione di un Bene più grande. E Satana può allora dire a Dio, con il poeta: «No, tu sei il volto ed io le ginocchia». L'anima è dunque per sua natura «tigrata», così come lo sviluppo di Dio: «Equilibrio che regge l'astro e giustizia che guida l'anima...»[87].

Il dramma simbolico costruito da Jung si colloca dunque deliberatamente nel pluralismo contraddittorio delle istanze ultime, «politeismo» di motivazioni teofaniche, anche se queste ultime si inscrivono—come nella mistica ebraica e nell'economia religiosa dell'Islam o del Cristianesimo—all'interno di una professione di fede monoteista. E ciò che lo psicologo del profondo andava constatando nel

---

[83]   C.G. Jung, *Aion...*, cit., p. 58.

[84]   C.G. Jung, *Risposta a Giobbe*, cit., p. 437.

[85]   Sull'esposizione dogmatica degli «gnosticismi» storici, ai quali si rivolge Jung attraverso Origene, Dionigi, Basilio, Clemente Alessandrino, Agostino, Giovanni Crisostomo, cfr. C.G. Jung, *Aion...*, cit., pp. 50ss.

[86]   C.G. Jung. *Aion...*, cit., p. 65.

[87]   Abbiamo studiato i diversi aspetti di questo problema nella poesia di V. Hugo: G. Durand, *L'Ame tigrée...*, cit.

flusso «delle trasformazioni e dei simboli»[88] dell'anima, quasi parallelamente il filologo delle funzioni sociali G. Dumézil andava constatando in una sorta di «sociologia del profondo», a completare il pantheon dell'anima con le teofanie relative alla città.

b. G. Dumézil: le *divisiones regni* e le teofanie
Il sacro come elemento costitutivo della società

Proprio su questo nodo epistemologico si colloca infatti l'opera, anch'essa monumentale, di Georges Dumézil, «all'altro capo» del «tragitto antropologico», come si diceva. Mentre Jung si interessava all'anima dell'*homo religiosus*, nella quale si manifestano le *dramatis personae* del sacro, Dumézil fa emergere dallo studio delle società indoeuropee dell'Europa e dell'Asia le *divisiones regni*, che si fondano anch'esse su precise teofanie[89]. Inverso è dunque il tragitto percorso dal filosofo-sociologo rispetto a quello dello psicologo; ma entrambi convergono verso lo stesso fondamento: per entrambi il sacro costituisce il fondo ultimo, per l'uno dell'instaurazione dell'anima, per l'altro della società.

Partito come il suo maestro Antoine Meillet e il suo collega Joseph Vendryès dal materiale filologico delle lingue indoeuropee, non solo Dumézil rileva in tali lingue alcune serie etimologiche parallele (come quella celebre che lega il latino *flamen* al sanscrito *brahman*), ma egli ricerca, al di là delle somiglianze etimologiche, le corrispondenze sociologiche o addirittura ideologiche[90]. In questo slittamento che porta la filologia verso una sociologia funzionale, Dumézil non tarda ad accorgersi che in definitiva ciò che unifica le strutture della società iranica, celtica, gallica, romana, germanica, è il comportamento gestuale e mentale dell'*homo religiosus*, i suoi riti e i suoi miti. Si può dire che l'*homo religiosus*—in contraddizione totale con le idee positivistiche e materialistiche—è «l'infrastruttura» della società e in particolare del suo funzionamento strutturale tripartito. Come ha ben mostrato Julien Ries[91], nei sottotitoli di alcune celebri opere si passa progressivamente da «Lavoro esplorativo storico-filologico» (Karl Otfried Müller, Bopp e Darmsteter, Burnouf e Bréal) al comparatismo di Max Müller («Lingue indoeu-

---

[88] È il titolo di uno dei primi scritti di Jung (1911: *Wandlungen und Symbole der Libido*), poi riedito (Rascher, Zürich 1952) con il titolo *Symbole der Wandlung* (trad. it. *La Libido. Simboli e trasformazioni*, vol. 5, Boringhieri, Torino).

[89] Cfr. G. Durand, *La Cité et les divisions du royaume. Vers une sociologie des profondeurs*, in «Eranos Jahrbuch», 45 (1976); cfr. anche, su Dumézil, J. Ries, *Les chemins du sacré...*, cit., pp. 94ss. (Bibliografia del Cap. IV).

[90] Cfr. M. Meslin, *De la mythologie comparée à l'histoire des structures de la pensée: l'oeuvre de Georges Dumézil*, in «Revue Historique», 1972. E, nell'opera immensa di Dumézil: G. Dumézil, *Flamen-Brahman*, Ann. Musée Guimet, Paris 1935; *Ouranos-Varuna. Essai de mythologie comparée indoeuropéenne*, Maisonneuve, Paris 1934.

[91] J. Ries, *Les chemins du sacré...*, cit., Cap. IV.

ropee e mitologia ariana comparata»), fino ad arrivare, con Meillet e Vendryès, «sulle tracce del sacro», per giungere infine, con Dumézil (attraverso l'«eredità indoeuropea» e l'«ideologia tripartita degli Indoeuropei»), al fondamento: «la teologia delle tre funzioni». Questo percorso epistemologico, questo «Nuovo Spirito Antropologico» che scopre l'infrastruttura religiosa, è dunque l'esatto contrappunto nella prima metà del XX secolo del «Nuovo Spirito Scientifico», che supera invece i limiti dell'interdetto metafisico kantiano. Per riprendere il linguaggio filosofico dell'epoca—che è quello di W. Dilthey[92]—solo l'ipotesi di un *homo religiosus* (nel caso: presso gli Indoeuropei) consente di comprendere ciò che la filologia e la sociologia tentano di spiegare.

Non entreremo in una descrizione dettagliata di queste «tre funzioni» teofaniche presso gli Indoeuropei, limitandoci a un breve riassunto. In primo luogo vi è una configurazione teologica duplice: quella di Mitra/Varuna, potenze divine che garantiscono la sacralità sociale rappresentando la magia e i contratti. Tale configurazione duplice si ritrova anche nella triade precapitolina di Roma, nei due aspetti di Jupiter, il dio che fulmina e il dio che garantisce i contratti; e nel dio germanico Odhin. Della casta sacerdotale dell'India vedica, i brahmani, sopravvivono a Roma—sia dal punto di vista etimologico che da quello funzionale—i *flamines*: più precisamente, nella società romana che propriamente non ha caste, il flamine di Jupiter, il *flamen Dialis*. Nel mondo celtico la funzione è ricoperta invece dai Druidi.

La seconda funzione teologica, se così si può dire, è quella occupata dal dio Indra e dai suoi compagni, i Marut, che rappresentano la sacralità della forza e della vittoria, cioè della guerra. A Roma tale funzione sarà attribuita al dio Marte, tenuto «fuori dalle mura» e lontano dalla presenza del *flamen Dialis*. Queste divinità sono servite dalla casta dei guerrieri: i *Ksatriyas* in India, i *Flaith* nell'Irlanda celtica, i *Rathaestar* in Iran. Segnaliamo che gli attributi teofanici della seconda funzione (spada, *hasta martis* e freccia) e le armi difensive (corazza, armatura, scudo, torre, fossato, muraglia, ecc.) coincidono con gli emblemi «diairetici» che noi stessi abbiamo rilevato nelle strutture antropologiche dell'immaginario. L'universo di Indra o di Marte è un «universo dei contrari» e nel contesto indoeuropeo, che è fondato sul mondo dei «legami», colui che spezza i legami è irriducibile al dio «legatore del destino» o «legatore attraverso il giuramento», cioè a Mitra e a Varuna[93].

Infine la terza teologia si sviluppa attorno a divinità della fecondità e dell'agricoltura, spesso plurime e talvolta femminili. Esse sono in India i Nasatya o Açvin,

---

[92] A lui si deve la celebre distinzione tra «spiegazione» e «comprensione». Cfr. W. Dilthey, *Einleitung in die Geisteswissenschaften*, Berlin 1883 (trad. it. *Introduzione alle scienze dello spirito*, Nuova Italia, Firenze 1974).

[93] Cfr. G. Durand, *Le strutture antropologiche...*, cit., Libro Primo: *Il Regime Diurno dell'immagine*, Parte seconda: *Lo scettro e la spada*, pp. 119-90.

che Dumézil accosta ai Dioscuri greci, «divinità della massa sociale e della ricchezza economica» (come scrive Ries), rappresentati a Roma nella triade precapitolina da Quirino (talvolta Vofonius, o Flora, o Pomona[94], talvolta ancora da Saturno: *sâta*=la semente). Queste divinità sono accompagnate dalla loro casta (in India i *Vaishya*), o almeno dalla loro confraternita (i *Luperci* a Roma, o le Vestali custodi del fuoco domestico, i *vastryo-fshuyant* iranici, i *boairig* irlandesi). Tutti gli attributi di queste divinità (ricchezza, cibo, bevande e i loro contenitori, camera, dispensa—*penus* = armadio per le provviste, da cui deriva il nome delle piccole divinità della casa, i Penati—, fecondità, casa, tomba) appartengono chiaramente a quelle che abbiamo chiamato le «strutture mitiche» dell'immaginario[95].

Sarebbe certo interessante, anche se non possiamo farlo in questa sede, chiederci se questo modello trifunzionale (che Georges Duby ha ritrovato perfettamente riprodotto nell'immaginario della cristianità feudale[96]) sia soltanto indoeuropeo o se la filologia non abbia individuato in questo ambito linguistico una infrastruttura teologica che si può trovare anche nel mondo semitico, in Cina o in Giappone: in questo caso saremmo davvero di fronte ad una diffusione universale. Altrettanto interessante sarebbe, in senso inverso (come abbiamo fatto nell'articolo citato in nota[97]), domandarsi se già in Dumézil le «tre funzioni» (grazie allo sdoppiamento della prima in due diverse entità teologiche, Mitra e Varuna) non si manifestino anch'esse in forma quaternaria, come il dispiegarsi psichico del Sé individuale, o addirittura in forma pentadica, in un insieme di cinque funzioni. Ma per il nostro scopo dobbiamo semplicemente limitarci a constatare come il percorso di Dumézil abbia completamente rovesciato le prospettive sociologiche derivate dai positivismi e dai presupposti dello scientismo materialista. Grazie a Dumézil il *religiosus* occupa ora un ruolo realmente euristico nelle scienze umane, e in particolare in quel campo di ricerca che si chiama «scienze sociali».

Grazie quindi allo psicologo Jung, da una parte, e al filologo e sociologo Dumézil, dall'altra, l'*homo religiosus*, ridotto al ruolo secondario di sovrastruttura o di epifenomeno e rimosso da secoli di agnosticismo, viene ora reintegrato pienamente tra le entità che fondano il dramma e i problemi dell'animo umano (*dramatis personae*), e insieme viene riammesso tra le strutture che permettono il funzionamento e il «contratto sociale»—se così posso dire—di ogni città (le *divisiones regni*).

---

[94] Cfr. G. Dumézil, *La religione romana...*, cit.
[95] Cfr. G. Durand, *La Cité et les divisions du royaume*, cit.; *Le strutture antropologiche...*, cit., Libro Secondo: *Il Regime notturno dell'immagine*, Parte prima: *La discesa e la coppa*, pp. 201-36.
[96] G. Duby, *Les trois Ordres ou l'Imaginaire du féodalisme*, Gallimard, Paris 1978.
[97] G. Durand, *La Cité...*, cit.

L'uomo religioso e i suoi simboli

c. H. Corbin: *mundus imaginalis*
Topologia del sacro e funzione simbolica dell'anima

Se l'opera di Jung e quella di Dumézil presentavano l'universo simbolico del «tragitto antropologico» dell'*homo religiosus*, cioè l'articolazione, la «re-ligione» del sacro dell'*homo religiosus* con la psicologia e con la società, l'opera di Henry Corbin e quella di Mircea Eliade ci offrono le condizioni *a priori* di ogni intuizione e di ogni discorso religioso. Kant, nella celebre *Estetica trascendentale*, aveva illustrato gli sfondi *a priori* di ogni intuizione fenomenica, cioè lo spazio euclideo e il tempo newtoniano: si tratta di ciò che i fisici moderni chiamano «l'osservabile», escludendo invece, a ragione, il «rappresentabile», che del resto già Kant aveva respinto oltre il muro invalicabile della metafisica. Nello stesso modo operano Corbin ed Eliade rispetto alla totalità delle rappresentazioni possibili dell'immaginario umano, che nella terminologia di Corbin viene ora promosso, per distinguerlo dalla semplice «finzione» e per riconoscergli questa sua supremazia, al rango di universo «immaginale».

Secondo l'espressione di Novalis che già trent'anni fa ho scelto come titolo del Libro III del mio *Le strutture antropologiche dell'immaginario*, si opera a questo punto un tentativo di «fantastica trascendentale». Corbin ed Eliade stabiliscono le forme *a priori* di un processo di conoscenza totale, di una *gnosis* che non lascia nulla al di là del muro delle «antinomie» della Ragione pura. In particolare la religiosità, per manifestarsi con l'intensità e l'universalità che oggi ad essa si riconoscono, e il sacro, per mostrarsi nelle teofanie, hanno bisogno di uno spazio e di un tempo che non siano più quelli del vuoto e dell'indifferenza geometrica di Euclide (del resto anche le «rappresentazioni» della fisica moderna non si accontentano più, dopo Einstein, di questo spazio percettivo). E neppure sono sufficienti lo spazio dell'indifferenza e il tempo scandito dall'orologio, tipico della classica fisica newtoniana, o la «continuità» della durata bergsoniana. (Come ha scritto Bachelard, i nostri fisici non sono più seguaci né di Euclide, né di Laplace, né di Newton). Corbin disegna la mappa—per così dire—di uno spazio (*topos*) che consenta al simbolismo del *religiosus* di espandersi e di formularsi: si tratta del *mundus imaginalis*. Eliade invece, contro il tempo vuoto di Newton e i periodi entropici (anche se «concreti») della storia e dei suoi «terrori», ci restituisce un *illud tempus* nel quale può ripetersi il racconto sacro, il mito: un tempo pieno di «significato», un *kairós*[98].

David L. Miller ha scritto giustamente[99]: «L'opera di Henry Corbin lascia in eredità al mondo un *luogo* per l'immaginazione... il linguaggio di Corbin è esso stesso un *mundus imaginalis*». E a noi ritorna in mente quanto Corbin amasse la

---

[98]   Su *topos* e *kairós*, cfr. G. Durand, *Le génie du lieu...*, cit.

[99]   D.L. Miller, *Sur le Paradoxe du monothéisme*, in «Cahiers de l'Herne» (Henry Corbin), cit., p. 122.

risposta di Gurnemanz a Parsifal nel *Parsifal* di Wagner: «Lo vedi, figlio mio: qui il tempo diventa spazio». Appunto questo spazio, questo luogo è il *mundus imaginalis* che Corbin ha continuato ad esplorare per tutta la sua vita, alla luce delle teosofie islamiche e in particolare sciite. A questo punto si impone una riflessione: come Jung, pur trovando i migliori modelli dell'anima e delle *dramatis personae* che la «animano» negli gnosticismi piuttosto che presso i Padri della Chiesa, non opera comunque una mescolanza sincretistica, nello stesso modo Corbin non si converte all'Islam o tenta una sintesi tra diverse religioni. Egli non ne ha alcun bisogno, dal momento che trova, anche se in forma nascosta, in una certa tradizione cristiana (quella giovannea e della Chiesa di Giacomo, che è anche, tra l'altro quella degli spirituali protestanti) tutto ciò che va scoprendo, in forma esplicita e amplificata, negli spirituali dell'Islam. Il «comparatismo» degli autori che qui prendiamo in esame non è affatto una mescolanza riduttiva, ma al contrario è incitamento esaltante a scoprire ciò che è sepolto alla luce di ciò che altrove si mostra invece apertamente[100].

Il *mundus imaginalis*, cancellato in Occidente dalle imprudenti scelte metafisiche della Chiesa e dalla logica e dalla fisica aristoteliche, nell'Oriente islamico costituisce invece il luogo stesso dell'ermeneutica della Parola rivelata. Il *mundus imaginalis* (*'âlam al-mithâl*) è un «mondo intermedio» (*barzakh*), «un inter-mondo», posto tra il mondo delle pure forme intelligibili, delle Intelligenze cherubiniche, il *Jabarût*, e il mondo sensibile (*'âlam hissi*), che è l'ambito (*molk*) delle cose materiali e perciò destinate a perire. «I nostri autori—dice Corbin—ce lo ripetono continuamente»: Ibn 'Arabî (il maggior filosofo dell'Islam, il *Doctor Maximus*), Sohravardî, Dâwûd Qaysarî, Lâhîjî, «Mollâ Sadrâ», Shîrâzî, l'intera scuola shaykhie moderna: Ahmad Ahsâ'î, Karîm Khân Kermânî, ecc. ...[101]. Dal XII secolo (Sohravardî) fino ai giorni nostri (Sarkâr Aghâ, morto nel 1969) con tenace continuità il *mundus imaginalis* è affermato, rafforzato ed esplorato; l'esatto contrario avviene negli sviluppi delle nostre teologie, delle nostre psicologie e della nostra episteme «occidentali». Precisiamo meglio: questa intuizione continua dell'Oriente islamico, scoperta per noi da Corbin, è esattamente la stessa nozione di «spazio interno» (cioè, nei termini del simbolismo, di «spazio del significato») riscoperta ai giorni nostri da un matematico come Thom. Il *mundus imaginalis*, infatti, in

---

[100] Cfr. quanto scrive Corbin a proposito del preteso «sincretismo» di Ibn Arabî: «il sincretismo è la spiegazione, sommaria e pigra, dello spirito dogmatico che si spaventa di fronte al cammino di un pensiero che obbedisce soltanto ai comandi della sua regola interiore, che è personale ma non è priva di rigore»: H. Corbin, *L'Imagination Créatrice...*, cit., p. 12.

[101] Naturalmente il *mundus imaginalis* è «presente» in tutta l'opera dell'illustre islamista. Cfr. bibliografia in H. Corbin, *En Islam Iranien...*, cit., vol. IV, Index Général. Cfr. anche l'opera fondamentale su questo argomento: *Terre céleste et Corps de Résurrection*, Buchet-Chastel, Paris 1960, riedito con il titolo *Corps spirituel et Terre céleste...*, 1979 (trad. it. *Corpo spirituale e Terra celeste...*, Adelphi, Milano 1986); Ch. Jambet, *La logique des orientaux*, Seuil, Paris 1983, I, Cap. 1.

quanto mondo intermedio, elimina le irriducibilità dei dualismi, come ad esempio quella, tenacissima in Occidente, tra «spirito» e «corpo». Quello immaginale è «il mondo in cui lo spirito prende corpo»; ma è anche l'inverso: «il mondo in cui i corpi si spiritualizzano». Lo stesso Corbin sarà sempre molto attento ad espressioni come quelle di *Geistesleiblichkeit* o di *spissitudo spiritualis*[102], adoperate da certi mistici o spirituali. La fusione delle due identità, l'una localizzabile e l'altra «non separabile», si può definire ancora in un altro modo: nel simbolo. Lo spazio immaginale paradossalmente è «non localizzabile», anche se mantiene tutte le proprietà di estensione e di movimento che sono proprie di ogni localizzazione. Oppure, se si vuole, esistono due spazi: quello delle localizzazioni «sulle carte geografiche», nel quale le distanze contano più del punto di partenza e di quello di arrivo; e lo spazio non localizzabile (il «non dove», in persiano *Nâ-Kojâ-âbâd*, l'*u-topia* in senso forte), nel quale invece contano di più il punto di arrivo e quello di partenza, nel quale «appaiono» immediatamente le forme e i corpi sottili, in una sorta di «non separabilità», in una non distanza, come direbbero i fisici moderni, che conoscono anche la logica di tali processi.

Passiamo ora a illustrare alcuni dei simboli principali che «danno esistenza» a questo spazio interno, partendo da quelli più inglobanti, quelli che sono in qualche modo la sfera armillare del *mundus imaginalis*, per arrivare poi fino a quelli meno inglobanti, fino al più minuscolo, rappresentato dal «nocciolo» di J.G. Hamann, anch'esso collocato in uno spazio «tra due mondi»[103]. Così facendo, tracciando cioè un breve inventario, non vorremmo tuttavia tradire il pensiero profondo di Corbin: ogni manifestazione di anima, ogni manifestazione dell'anima, si situa nel *mundus imaginalis*, è soggetta soltanto ad una «fenomenologia» e non è—come dice giustamente Jambet—un «materiale» che sussiste al di fuori di se stessa. È altrettanto vero, comunque, che questo «Verbo» designa e richiama una pluralità di simboli concreti.

Nel «teologo protestante» c'è in primo luogo, grazie al contributo fornito dall'Islam, una riscoperta del senso e dei valori dell'angelologia. L'angelo infatti (e persino Cristo in quanto *Christos Aggelos*) è il tipo stesso del messaggero, del «portatore di messaggio», dell'intermediario. L'angelologia tipizza dunque il *mundus imaginalis*. L'angelo, come dimostrano tante apparizioni nell'Antico Testamento e specialmente quella ad Abramo (una delle icone preferite da Corbin) è appunto un esempio di «carne spirituale». È anche il paradigma di ogni simbolo. Di più: l'angelo è una delle manifestazioni (dato che «appare», e anzi nella cosmologia di Avicenna «fa apparire» successivamente le sfere celesti, e

---

[102] Su questa nozione centrale nella teosofia di Corbin, cfr. il fascicolo 13 dei «Cahiers de l'Université St Jean de Jérusalem», 1987, dedicato a *La Matière spirituelle*; in particolare l'articolo di P. Deghaye, *La notion de chair spirituelle, chez Friedrich Christoph Oetinger*. Cfr. infine H. Corbin, *L'Homme et son ange*, Fayard, Paris 1983.

[103] Cfr. H. Corbin, *Hamann philosophe du luteranisme*, Berg, Paris 1985.

specialmente la nostra «terra», sulla quale ha tanto insistito il mazdeismo) del nostro universo localizzabile, cosmologico o terrestre, nel «non-dove» del senso. In sintesi si può dire che in questi sistemi dei Dieci Intelletti Angelici situati nel *lâhût*, per contemplare questi ultimi (che del resto si producono per emanazione—se così si può dire—l'uno dall'altro) procedono gli *Angeli Coelestes*. Il decimo di essi emana, in una sorta di «esplosione», la moltitudine delle anime umane, «mentre dalla sua dimensione d'ombra ha origine la materia sublunare»[104]. Ma non ci soffermeremo su questa grandiosa cosmogonia mazdea, ripresa poi da Avicenna, che a molti è apparsa una «politeistizzazione» dell'Islam. Osserveremo soltanto che questo decimo angelo assimilato al Gabriele (Jabril) delle Scritture, l'«angelo dell'umanità», è contemporaneamente l'«angelo della rivelazione e della conoscenza», il che avrà importanti conseguenze rispetto ai fondamenti della gnosi. Osserveremo anche che in questo modo, come in Jung, viene introdotta nello spazio pleromatico della creazione una necessaria «dimensione d'ombra», attestata da numerosi «racconti visionari» (Corbin preferisce sempre questa espressione al termine «mito», troppo carico ai suoi occhi di teologo delle «religioni del libro» di connotazioni non realistiche); in particolare dal celebre *Racconto dell'Arcangelo purpureo* di Sohravardî. La porpora è infatti il «colore del crepuscolo della sera e del mattino» ... «mescolanza della luce e della notte»; e la luce e le tenebre in un altro trattato sono i colori delle «due ali dell'angelo Gabriele», il decimo angelo emanato[105], l'angelo dell'adombramento, si potrebbe dire usando i termini di S. Bernardo.

A questa prima cosmologia angelica, che tipizza ciò che vi è di *imaginalis* nel *mundus*, corrisponde una duplice nozione: quella di Oriente, o di Polo, che, per così dire, pone la scala dei valori nell'emanazione plurima degli angeli; e quella di Pellegrinaggio, posto in risalto da tutti i «racconti visionari», da quelli di Avicenna all'epopea del grande poeta mistico Farîd'Attâr, fino ai celebri «racconti» di Sohravardî. A questo «percorso» nel *mundus imaginalis* (percorso privo di distanze fisiche) Corbin dedicò nel 1977, un anno prima della sua scomparsa, la Sessione dell'Università S. Giovanni di Gerusalemme, raccolta intorno al tema *I pellegrini d'Oriente e i vagabondi d'Occidente*[106].

---

[104] Cfr. H. Corbin, *Histoire de la Philosophie islamique*, Gallimard, Paris 1964 (trad. it. *Storia della filosofia islamica, I. Dalle origini alla morte di Averroé*, Adelphi, Milano 1978, p. 215). Cfr. anche *Avicenne et le récit visionnaire*, Maisonneuve, Paris-Téhéran 1954 (che ho avuto l'onore di rieditare per Berg Intern. nel 1979); e *Corpo spirituale...*, cit., Cap. I, paragr. 1: *La Terra è un angelo*, pp. 35-46.

[105] S.Y. Sohravardi, *L'Archange empourpré* (Quinzes traités et récits mystiques traduits, présentés et annotés par H. Corbin), Fayard, Paris 1976, pp. 196ss.

[106] Cfr. H. Corbin, *L'Orient et les Pélerins abrahamiques*, in *Le Pélerins de l'Orient et les vagabondes de l'Occident* (Cahiers de l'USJJ, 4), Berg Intern., Paris 1978. Sulla nozione di «polo» cfr. H. Corbin, *L'Homme de Lumière dans le soufisme iranien*, Présence, Chambéry 1971.

Sarebbe necessario sostare in ciascuna delle stazioni di questa geografia mistica (e del pellegrinaggio) che segnano lo spazio visionario del *mundus imaginalis*,
della «Terra celeste». Ricorderemo soltanto rapidamente le sette zone (*keshvar*)
del «quaggiù» terreno, l'ultima delle quali, centrale e già sacra, è l'*Erân Vêj*, la
culla degli Ariani. Ma sulla verticale di questo mondo, al di là della montagna di
Qâf (assimilata all'Alborz), si situa ancora una «ottava zona», la meta luminosa di
ogni pellegrinaggio, l'esito di ogni racconto visionario, dove «al polo celeste»
comincia l'Oriente che illumina le città di smeraldo Jâbalqâ e Jâbarsâ, nella «terra
delle visioni» Hûqalyâ (che è anche «terra di resurrezione», «terra promessa»).
Non possiamo purtroppo soffermarci in questa sede sulla straordinaria ricchezza
spirituale e filosofica di queste «immagini» che Corbin mette in luce nei maestri
dello sciismo Ahmad Ahsâ'î, Karîm Khan Kermânî, Sarkâr Aghâ, e ci limitiamo a
rinviare il lettore ai testi citati in *Corpo spirituale e Terra celeste*[107].

Prima di concludere questa nostra esplorazione della terra immaginale, sulle
tracce di Corbin, vorremmo tuttavia soffermarci brevemente su due corollari della
«spazializzazione» mistica. Qualche pagina fa abbiamo aperto questa analisi con
una citazione wagneriana; ora sulla «spazializzazione» mistica poniamo, guidati
dall'immensa erudizione di Corbin, un segno di enfasi e di solennità con una
citazione di Gustav Mahler: «Oh, credi, mio cuore: nulla si perde per te. Resta
tuo, sì, tuo per sempre, ciò che fu la tua attesa, ciò che fu il tuo amore, ciò che fu
la tua lotta»[108]. Lo spazio religioso, nel senso forte del termine, implica (e Mahler
lo conferma nel magnifico finale della Sinfonia *Resurrezione*) l'eternità delle anime, che hanno, per così dire, una «radice» angelica, quella che caratterizza presso
i Mazdei l'accoglimento del defunto oltre il ponte Chinvat: l'«angelo» personale,
l'angelo «guardiano» Daênâ. Ma lo spazio religioso implica molto di più, implica
la «spazializzazione» nell'immaginale delle rivelazioni profetiche. Spazializzazione
che significa interiorizzazione trascendente di morfologie. Da una parte interiorizzazione nello «spazio dell'anima» dei «sette profeti del tuo essere» nella dottrina
di Semnânî[109] (dal momento che ogni profeta dell'Islam, da Adamo a Maometto
passando per Gesù, si situa in una regione dell'anima, *latîfa*, e si manifesta attraverso un colore). D'altra parte spazializzazione delle rivelazioni profetiche che si
manifesta soprattutto nella nozione, così importante per Corbin, di *Verus Prophe-
ta*, «che si rincorre di profeta in profeta fino al luogo del suo riposo»[110]: proprio
come nell'antico ebraismo e nel cristianesimo. Ogni anima, nel suo sforzo di
«riconduzione», diventa allora il «luogo del riposo», il luogo della «ricapitolazio-
ne profetica».

---

[107]   Cfr. H. Corbin, *Corpo spirituale...*, cit., Parte II: *Scelta di testi tradizionali*.
[108]   Cfr. H. Corbin, *Op. cit.*, p. 119.
[109]   Cfr. H. Corbin, *L'Homme de Lumière...*, cit.; *En Islam iranien*, cit., spec. III, pp. 278-90.
[110]   Cfr. H. Corbin, *En Islam iranien*, cit., I, p. 101.

Per concludere, a coronamento e riassunto della topologia mistica di Corbin, citiamo naturalmente il tema del Tempio. Ad esso sono dedicati cinque studi presentati al Circolo Eranos, riuniti poi, per volontà dell'autore, sotto il titolo *Tempio e contemplazione*. Si tratta di un ampio insieme comparativo, in cui il «luogo del tempio», l'*imago templi*, è studiata a partire dai «luoghi colorati» della mistica sciita, passando attraverso i famosi diagrammi di Haydar Amolî (ai quali abbiamo già fatto allusione), attraverso il tempio sabeo e il rituale ismailitico, attraverso la Ka'ba, il Tempio di Ezechiele, quello degli Esseni, quello dei Cavalieri del Graal, per terminare con il dramma romantico di Zacharias Werner e con la *Nova Hierosolyma* di Swedenborg.

In questo modo Henry Corbin, in un'opera monumentale, ci propone una topologia indiscutibile del «sacro», che si fonda sulla funzione simbolica dell'anima, sulla funzione «re-ligiosa» (espressa dal *ta'wil*), e sull'esistenza perenne e necessaria del *mundus imaginalis*. Ma Corbin sa perfettamente che il riscatto che trasforma il tempo profano, lineare, soggetto ad ogni storicismo e insignificante, in uno spazio visionario (quello che Gurnemanz propone al giovane Parsifal nel Tempio del Graal), passa attraverso una fase di «liturgizzazione» del tempo, cioè attraverso la ripetizione e la commemorazione che produce un «tempo ciclico». Questo è il tema di *Tempo ciclico e gnosi ismailita*[111], e proprio su questo punto il pensiero del grande islamista si incontra con quello del suo amico Mircea Eliade.

d. M. Eliade: *homo religiosus* e tempo sacro
L'uomo religioso e la speranza di un *illud tempus*

Se in Corbin l'*homo religiosus* ha bisogno di una topologia mistica, in Eliade gli serve un «tempo adatto» alla manifestazione e all'accesso al sacro. Per Corbin ci sono due spazi, quello dell'«osservabile», come dicono i fisici, e quello delle «rappresentazioni» immaginali. Per Eliade invece ci sono due tempi, quello degli orologi, della durata continua, che segna in modo lineare e irreversibile l'usura e l'entropia degli oggetti materiali, e quello ciclico, ripetibile e dunque negatore dell'entropia, pieno di ridondanze liturgiche, di ripetizioni del mito.

A fronte del *tempus* banale e desolante, che segna la storia degli esseri e delle cose che «corrono» verso la loro fine, vi è un *illud tempus*, che conserva una forma discorsiva della temporalità (come lo spazio immaginale conservava la morfologia degli esseri), ma che per il suo potere di reminiscenza, di commemorazione e di ridondanza sfugge a ogni «fine ultima».

È significativo che tutta l'opera di Eliade (da *Il mito dell'eterno ritorno*, che nel 1949 accompagna il poco storicista *Trattato di storia delle religioni*, fino all'ultima opera, purtroppo incompiuta, *Storia delle credenze e delle idee religiose*, il cui

---

[111]   Libro che ho avuto l'onore di rieditare per Berg Intern. nel 1982.

ultimo volume è del 1980[112]) graviti intorno al problema centrale e assillante—il problema religioso fondamentale—dell'«uscita» dal tempo profano, portatore del «terrore della storia» e più banalmente dell'usura entropica degli esseri e della loro morte. Non ci si lasci ingannare dai due titoli che contengono il termine «storia». Il primo, il celebre «Trattato» nella cui prefazione Dumézil saluta il prototipo di una «scienza» religiosa fondata sul comparatismo molto più che sulle cronologie, taglia, per così dire, il materiale religioso in larghe sincronie: uranica, solare, lunare, acquatica, tellurica, e così via. Quanto all'ultima opera dello studioso romeno—a parte il fatto che in essa egli vuole insistere, nello sviluppo storico delle credenze e dei sistemi, sulle «crisi profonde» che «rinnovano» una tradizione diffusa—egli annuncia fin dalla Premessa che «il sacro è un elemento della struttura della coscienza, *e non uno stadio nella storia della coscienza stessa*» (sottolineatura nostra). In altri termini: la storia dello storico non fa altro che rivelarci «l'unità fondamentale» e la perennità dei fenomeni religiosi e le crisi, le creazioni, le rivoluzioni che li «rinnovano». La «storia delle religioni» è dunque immagine della convinzione fondamentale che si è fatta lo studioso: il «religioso» perdura in un *illud tempus* atemporale mentre, come si usa dire, il «mondo passa». Il pensiero di Corbin era supportato dai «racconti visionari» dell'Islam, e in particolare dell'Islam sciita, che proponeva un «luogo», un *topos*, in cui possono manifestarsi le forme simboliche; il pensiero di Eliade si radica invece nell'«India dei vent'anni»[113]. Appunto nella «tradizione indiana il mito della ripetizione eterna ha trovato la sua formulazione più audace», e appunto in questa tradizione il giovane studioso va ad immergere il suo pensiero e la sua vita (dal dicembre 1928 al dicembre 1931), fino nei *Kutiar* himalayani.

In India, dall'epoca vedica (*Atharva Veda* X, 8, 39s.) fino alle grandi eterodossie del buddhismo e del giainismo[114], il dogma filosofico fondamentale è quello del «tempo ciclico». Poiché esso è calcolabile in *yuga* o *kalpa* («età»), la cui durata varia secondo le fonti, le «speculazioni» indiane sul tempo ciclico mostrano con sufficiente insistenza il «rifiuto della storia»[115]. Ma questa grande tradizione filosofica trova conferma non solo presso gli Indoeuropei o i Germani, ma anche presso i Babilonesi, i Polinesiani, i Navaho e naturalmente nei filosofi greci, come il Platone del *Politico* (260c s.) o anche Eraclito o Zenone.

Eliade raccoglie una larghissima documentazione dalla quale emerge l'immagine archetipica del ciclo e delle ripetizioni temporali. Le sue modalità sono la

---

[112]   M. Eliade, *Le Mythe de l'Eternel retour. Archétypes et répétition*, Gallimard, Paris 1949 (trad. it. *Il mito dell'eterno ritorno. Archetipi e ripetizione*, Einaudi, Torino 1954; Borla, Torino 1968); *Histoire des croyances et des idées religieuses*, I-III, Payot, Paris 1975-1983 (trad. it. *Storia delle credenze e delle idee religiose*, I-III, Sansoni, Firenze, 1979-1983).

[113]   M. Eliade, *L'Inde à vingt ans* e *Journal himalayen*, in *Mircea Eliade* (Cahiers de l'Herne), Paris 1978. Sulla copertina compare una fotografia di Eliade con la barba e l'abito del *saddhu*.

[114]   Eliade, *Il mito dell'eterno ritorno...*, cit., pp. 148ss.

[115]   Eliade, *Op. cit.*, p. 152.

ripetizione del ciclo calendariale, delle narrazioni mitiche relative all'«anno» (*annus*=anello) solare, lunare, e così via, i ritorni periodici di creazione/distruzione all'interno di «grandi anni» astronomici, e infine le rigenerazioni continue del tempo attraverso la riattualizzazione dell'*illud tempus*. Questa riattualizzazione si realizza mediante la ripetizione delle narrazioni mitiche o delle formule di preghiera o di magia, ma anche attraverso tutti gli atti liturgici. L'*illud tempus* è un *kairós*, come il *mundus imaginalis* era un *topos*. L'uomo è *religiosus* perché ha il potere di sacralizzare il tempo e lo spazio. La liturgia ne è la prova: l'eucarestia celebrata ogni giorno dal sacerdote rende il tempo quotidiano non soltanto una restituzione, un ritorno della vicenda del Golgota, ma anche una manifestazione dell'*in principio* che precede la creazione del Tempo, in cui il Verbo di Dio, il «Logos», era già, fin dall'eternità.

Contrariamente a quello che credono alcuni teologi, l'«illud tempus» non è stato eliminato dal pensiero cristiano, se non in un'epoca molto recente. Le ricerche di F. Cumont e di H.S. Nyberg, opportunamente riprese da Eliade[116], mostrano come il mito iranico delle «quattro età» cosmiche e del «ciclo» temporale, dell'*illud tempus*, abbia influenzato le apocalissi ebraiche e cristiane, la teologia dell'apologista cristiano Lattanzio e la tradizione rabbinica che si basa su Isaia (26,19 e 65,17). Nell'ebraismo e nel cristianesimo, come nelle tradizioni iraniche, «la storia può essere abolita, e di conseguenza rinnovata, un numero considerevole di volte prima della realizzazione dell'*eschaton* finale»[117]. Nonostante la reazione di alcuni Padri della Chiesa, «la teoria dei cicli» è stata «accolta, almeno in parte, da altri Padri e scrittori ecclesiastici, come Clemente Alessandrino, Minucio Felice, Arnobio, Teodoreto». A dire il vero, solo a partire dal secolo XVII il «linearismo e la concezione progressista della storia si affermano, sempre di più, instaurando la fede in un progresso infinito, fede ... che domina nel secolo dei "lumi" e che viene volgarizzata nel secolo XIX dal trionfo delle idee evoluzionistiche». In altri termini: solo nel momento del declino religioso accade che un certo concordismo precoce allinei la filosofia cristiana sulle apologie evoluzioniste della storia profana. Le righe che chiudono *Il mito dell'eterno ritorno* sono assai amare: nel declino del religioso «il cristianesimo si rivela senza possibilità di contestazioni la religione dell'"uomo decaduto": e questo nella misura in cui l'uomo moderno è irrimediabilmente integrato alla *storia* e al *progresso*, e nella misura in cui la storia e il progresso sono una caduta, che implica l'abbandono definitivo del paradiso degli archetipi e della ripetizione»[118].

L'importanza eccezionale della ricerca di Eliade è evidente. Davanti all'uomo «decaduto» dei tempi moderni, il cui progresso svuota la sacralità del tempo a vantaggio di modelli puramente profani, pragmatici e materiali, davanti all'uomo

---

[116] Eliade, *Op. cit.*, p. 160.
[117] Eliade, *Op. cit.*, p. 166.
[118] Eliade, *Op. cit.*, p. 204.

consegnato infine al «terrore della storia», lo storico delle religioni, grazie all'ampiezza della sua ricerca comparativa, può erigere l'*homo religiosus* che, fondandosi sulla sua relazione con l'abisso del tempo, col metafisico, ritrova nel profondo di sé la speranza di un *illud tempus* i cui inverni e i cui oscuri *yugas* portano la promessa della primavera e il ricordo del Paradiso e dell'Età dell'oro.

Il potere «immaginatorio» (avrebbe scritto Corbin) dell'uomo e la sua facoltà fondamentale di *homo symbolicus* «ricollegano» l'*homo sapiens* al mondo della trascendenza e in questo modo lo consacrano *homo religiosus*. Uomo «legato» a una trascendenza, a un dramma dell'anima che lo supera, a un *topos* dell'altrove assoluto, e infine a un tempo liberato dalla morte e dal terrore, un *kairós* che attraverso la liturgia è pegno e promessa di eternità.

IV. CONCLUSIONE: LA POSTA IN GIOCO

1. *Pensiero simbolico e dimensione religiosa dell'*homo sapiens

In questo studio troppo breve abbiamo voluto mostrare come, all'interno della gigantesca rivoluzione epistemologica che segna gli ultimi 50 anni e vede le realizzazioni di questo «Nuovo Spirito Scientifico» confermate da scoperte tecnologiche senza precedenti dopo l'invenzione del fuoco, un «Nuovo Spirito Antropologico», in accordo con le *Weltanschauungen*, le logiche, le assiomatiche della scienza più moderna, ha permesso all'*episteme* della seconda metà del nostro secolo di riscoprire le potenze del pensiero simbolico e di riconoscere in esse la statura religiosa dell'*homo sapiens*.

Ripetiamo ancora una volta che l'«incontro» (l'«appuntamento», come dicevamo) non è affatto dovuto a uno sforzo concordista più o meno riduttivo: secondo il messaggio del Papa Giovanni Paolo II al Colloquio di Venezia, «l'autonomia» degli ambiti della Scienza e della Fede rimane in questo modo perfettamente rispettata, anche se è «complementare», dice il Papa, aggiungendo che la riflessione sulla «Scienza di fronte ai confini della conoscenza» prepara «in questo modo alcuni dati rinnovati e sicuri per la riflessione filosofica, prendendo in considerazione l'atteggiamento religioso autentico legato per un'altra via alla realtà trascendente»[119]. Questa «complementarietà» che lega i «dati rinnovati e sicuri» forniti dal Nuovo Spirito Scientifico a quelli della «via» d'accesso alla realtà religiosa sono in qualche modo una riscoperta dell'agostinismo di Sant'Anselmo: si tratta di una *gnosis* che con fini differenti riconosce l'identità dei suoi mezzi e del suo «metodo». Il *religiosus* si manifesta infatti tanto nell'*intellectus*, nelle «ragioni»

---

[119]   Cfr. il testo del Messaggio pontificio e della «Déclaration de Venise», in *La Science aux confins de la Connaissance*, cit.

che conducono la scienza moderna fino a ipotesi di ordine e di «coefficiente mentale» familiari alla teodicea, quanto nella *fides*, che muove incontro all'anima con il corteggio dei suoi simboli. *Fides quaerens intellectum*.

2. Innegabile perennità dell'homo religiosus

Dopo aver mostrato, se non dimostrato, tutto questo, molti problemi si pongono con maggior chiarezza alla nostra coscienza di uomini occidentali e alla «religione»—il cristianesimo—che ha educato l'Occidente. Oltre il fossato epistemologico e scientifico che si è aperto sempre più profondo tra le scienze «d'avanguardia» e la logora base delle nostre pedagogie, del nostro «accademismo» scolastico e universitario, e anche delle nostre «catechesi», decadute perché rovesciate sulla linea di un «altrove» agnostico (fossato di cui il Colloquio di Venezia ha perfettamente preso coscienza nella sua «Dichiarazione» finale), bisogna ora constatare alcuni risultati e mostrare il rischio di questa tragica frattura. Naturalmente alcuni «sconvolgimenti», quali gli «avvenimenti» del maggio '68 a Parigi e a Los Angeles, non sono estranei alla confusa coscienza che oggi abbiamo di questi arresti di civiltà che discreditano e indeboliscono le nostre pedagogie e quindi le nostre politiche[120]. Ma possiamo forse tentare un bilancio a scadenze più lunghe e mettere in risalto ancora meglio la posta in gioco. Il «disagio della (nostra) Civiltà» è legato a questo paradosso: nel momento in cui l'antropologia più avvertita riscopriva nel suo insieme il valore dell'*homo religiosus* e del simbolismo relativo, le istituzioni religiose—le «Chiese»—dell'Occidente europeo e americano, restavano invece su posizioni pericolose in sé e superate di fatto da un «concordismo» e da un «modernismo» regolato sulle epistemologie superate dell'*Aufklärung*, dei positivismi, della psicoanalisi e del marxismo. Non ci si deve quindi stupire se si vede che l'*homo religiosus*, ritornato d'attualità sia nelle élites scientifiche che nelle ricadute più banali dei mass-media, va a cercare i suoi modelli cosmologici, teologici e assiologici «altrove» che nel magistero, la pastorale o la catechesi, bloccati su modelli «decaduti»[121]. Questo spiega il ricorso, da parte di alcuni grandi fisici come E. Schrödinger o F. Capra, al modello «taoista» o a quello «vedico»[122]; ed egualmente spiega il ricorso delle nostre scienze antropologiche ai modelli, mantenuti con costanza fino ai nostri giorni, forniti dalle filosofie e dalle teologie dell'India, del Giappone, del Tibet e dell'Islam, o addirittura—come Jung—dall'Ermetismo e dalle antiche «eresie» gnostiche. Questi spostamenti delle aspirazioni filosofiche e religiose dell'uomo occidentale, resi inevitabili dall'arresto di

---

[120] Cfr. B. Duborgel, *Imaginaire et pédagogie de l'iconoclasme scolaire à la culture des songes*, «Le sourir qui mord» ed., Paris 1983.

[121] M. Eliade, *Images et Symboles*, Gallimard, Paris 1952 (trad. it. *Immagini e simboli. Saggi sul simbolismo magico-religioso*, Jaca Book, Milano 1981).

[122] Cfr. G. Durand, *La Sortie du XXe siècle*, cit.

un «aggiornamento» arretrato su modelli superati e inadeguati, spiegano lo svuotamento delle nostre chiese e il poco che rimane dei nostri culti, come pure l'adesione massiccia alle sette, alle logge massoniche, martiniste o rosacroce, e il successo degli orientalismi e dei sincretismi più banali. Il soffocamento istituzionale, sia laico che confessionale, dei poteri inarrestabili dell'immaginale e della pregnanza simbolica, e insieme la negazione ostinata dell'essenzialità del *religiosus* da parte dei teologi degli anni '50 (K. Barth, D. Bonhöffer, F. Gogarten, H. Cox, R. Bultmann, J.B. Metz, ecc.) si sono allineati su posizioni positivistiche o hegeliane del XIX secolo, autentici «prodotti di decomposizione del cristianesimo», come scrive Eliade[123], e sfociano storicamente—prova dell'indistruttibilità del «religiosus»—su rinnovamenti secolari e selvaggi della religione. Quando il magistero rinuncia al suo compito, il religioso si rinnova in tutti i feticismi. Certamente, nei casi meno qualificati il religioso si trasferisce nelle sacralizzazioni del quotidiano, o sul «mana» degli investimenti psicologici della società dei consumi, dello Star System o banalmente della pubblicità[124], o ancora sulle attività estetiche. Dalla fine del XVIII secolo emerge una «religione dell'arte», coronata dai grandi romanzi del XIX e del XX secolo e dalla re-mitologizzazione wagneriana[125]. Ma ci sono stati, e ci sono sempre, alcuni spostamenti del religioso più temibili, come ad esempio quelli sulle «religioni politiche» (ben esaminate da J.P. Sironneau[126]): il nazismo, lo stalinismo, ma anche il maoismo, il castrismo e il guevarismo, sulle cui orme camminano le «teologie della liberazione» dell'America latina. Non è più Dioniso o Hermes che ritorna, ma Wotan, il dio selvaggio delle steppe.

E parallelamente il fervore religioso intatto che (come chiunque) abbiamo potuto constatare nei templi di Delhi o di Kyoto, nelle moschee di Teheran, del Cairo, di Casablanca o di Bagdad, dovrebbe far riflettere un'Europa spiritualmente disarmata da quando ha secolarizzato tutti i suoi valori, un'Europa d'altro canto sempre più demograficamente esangue di fronte all'esplosione demografica dell'Asia e dell'Africa settentrionale. Bisogna constatare, infatti, che a fronte del miliardo di «battezzati» in Europa e in America (non possiamo dire «cristiani» dato che la statistica tiene conto soltanto dei battesimi; ma su questi battezzati quanti sono veramente i credenti e i «praticanti»?), ci saranno nel 2000 oltre due miliardi di non cristiani che «praticano» la loro religione (circa un miliardo di Indiani, 700 milioni di induisti, 300 milioni di musulmani, 700 milioni di buddisti).

---

[123]   M. Eliade, *Immagini e simboli...*, cit.
[124]   M. Maffesoli, *L'Ombre de Dionysos*, Méridien, Paris 1982; *Temps des Tribus*, Méridiens, Paris 1987. Cfr. G. Auclair, *Le mana quotidien. Structures et fonctions de la chronique des faits divers*, Anthropos, Paris 1970. A. Sauvegeot, *Figures de la Publicité, Figures du monde*, PUF, Paris 1987.
[125]   Cfr. G. Durand, *Beaux Arts et Archétypes. La Religion de l'Art*, PUF, Paris 1989.
[126]   J.P. Sironneau, *Sécularisation et religions politiques*, cit.

L'*homo religiosus* e il Sacro

Nella straordinaria «civiltà dell'immagine» che le nostre tecnologie, nel bene e nel male, ci impongono, nella quale ancora è assente il «potere dell'immaginazione», possano i responsabili politici e le autorità spirituali dell'Occidente prendere finalmente coscienza di questo rischio, ancora troppo ignorato dalle posizioni ufficiali, prendere coscienza dei poteri del simbolo e della innegabile perennità dell'*homo religiosus**.

*   Nota bibliografica.

Da sole, le opere di Eliade, Dumézil, Corbin e Jung superano il numero di 250, senza contare la ricchissima bibliografia secondaria. La documentazione su cui si fonda questo testo è costituita da circa 200 titoli: per evidenti motivi ci siamo limitati a indicare soltanto alcune «piste» di informazione e di lettura, attraverso le singole note.

IL SACRO E LA SUA ESPRESSIONE ESTETICA: SPAZIO SACRO, ARTE SACRA, MONUMENTI RELIGIOSI

di
Michel Delahoutre

INTRODUZIONE

LA DIMENSIONE ESTETICA NELLA PROBLEMATICA DEL SACRO

Le trattazioni classiche sul sacro non concedono molto spazio alla sua espressione estetica. La scienza delle religioni, infatti, così come si è andata costituendo all'inizio del secolo, con E. Durkheim e M. Mauss in contesto sociologico e con R. Otto in contesto fenomenologico, non si è quasi mai occupata della disposizione poetica dell'animo umano, della sua capacità di elaborare il sacro e di esprimere il bello[1]. Si parla dei miti, dei riti e dei simboli «sacri» come di realtà oggettive che si impongono all'uomo o come di realtà di cui egli sperimenta il valore esistenziale. Di essi vengono considerati talora alcuni aspetti che sono già valori estetici, come il sublime o il tragico[2]; ma è raro che si superi questo approccio sociologico o fenomenologico al sacro per affrontare un approccio decisamente poetico o estetico[3].

E tuttavia il sacro non si può dissociare da un atteggiamento artistico, che si manifesta nel fare e nel dire. Non ci sono miti senza un narratore, senza un poeta; non ci sono riti senza un officiante che celebra con fasto; non ci sono feste senza canti, senza danze, pitture del viso, senza maschere, rappresentazioni totemiche, ornamenti e abiti speciali. Non ci sono simboli senza utilizzazioni speciali degli

---

[1]   D. Dubarle, *L'invention du sacré*, in «La Maison-Dieu», 123 (1975), pp. 127 e 132.
[2]   R. Otto, *Das Heilige*, Beck, München 1917 (trad. it. *Il Sacro*, Zanichelli, Bologna 1926, p. 99).
[3]   E. Castelli, *Il Sacro. Studi e ricerche*, Cedam, Padova 1974. Dubarle (cit. alla nota 1) osserva quanto siano rare, in questi Atti di un Colloquio sul «sacro», le notazioni relative all'arte sacra.

elementi naturali (acqua, fuoco, terra), senza parole o gesti teatrali, senza rappresentazioni figurate, immagini poetiche o immagini di culto; non ci sono luoghi sacri senza una sistemazione degli spazi; non c'è l'*homo religiosus* senza l'*homo poeticus* o l'*homo aestheticus*.

Questo significa evidentemente che ogni volta che l'uomo ha potuto esprimere liberamente la sua religiosità lo ha fatto attraverso forme che egli ha voluto insieme benefiche, rispettabili e belle, degne di essere contemplate. Esiste dunque un'arte sacra, sotto la forma di una poesia sacra, di una eloquenza sacra, di una musica, un'architettura e un'iconografia sacra; e questo è avvenuto presso tutti i popoli la cui storia sia stata sufficientemente lunga, sufficientemente pacifica e aperta all'estetica da permettere lo sbocciare di un'arte sacra.

Una religione (che per definizione è sempre aperta al sacro, non fosse altro che per la sua ricerca di perfezione o santità) può tuttavia essere più o meno aperta all'estetica, alle forme artistiche. Essa per esempio può esprimere il sacro con mezzi esteticamente poveri. Oppure può ricorrere a un aiuto esterno, come avviene nella religione di Israele quando il re Salomone decide di costruire un tempio a Jahvè[4]. Oppure infine una religione può elaborare un'arte sacra originale. Tutte queste diverse possibilità si sono realizzate nella storia, che si manifesta peraltro come una storia polemica, come il riflesso di scelte, di decisioni e di giustificazioni che le diverse religioni hanno dovuto prendere o darsi quando si è trattato di passare dal rito e dalla liturgia all'architettura e all'immagine di culto. Non sempre si è conservata traccia scritta di queste polemiche. Comunque nelle religioni dei quattro ultimi millenni (ebraismo, cristianesimo, islam, induismo, buddismo, giainismo, sikhismo, ecc.) se ne conosce a sufficienza l'esistenza: perciò il problema dell'arte sacra può essere qui presentato fin nei suoi fondamenti e nelle sue giustificazioni ultime.

L'associazione tra sacro e arte, o tra religione ed estetica, che spesso è stata ignorata e talvolta nascosta, è stata comunque il continuo bersaglio polemico di alcune correnti «puriste» che si sono sviluppate e che ancora si sviluppano all'interno delle grandi religioni. Alcuni vorrebbero infatti che la predicazione evitasse l'eloquenza, che le celebrazioni liturgiche si svolgessero nella semplicità e senza fasto, che le chiese e i templi fossero spogli di ogni ornamento e di ogni immagine. Tali correnti contestano l'utilità, e anche la semplice possibilità di un'arte sacra, cioè di un'arte che ricerca la bellezza posta al servizio del religioso e del sacro. Le due esigenze sembrano a costoro incompatibili[5].

È evidente, del resto, che in questo campo non è facile giudicare con sicurezza. L'arte infatti è sempre qualcosa di assai preciso e particolare, qualcosa che si vede, si tocca o si ascolta, qualcosa che cattura lo spirito a livello delle sensazioni

---

[4]   1 Rm 5,32.
[5]   G. Mercier, *L'art abstrait dans l'art sacré*, De Boccard, Paris 1964. Nell'Introduzione (pp. 5s.) l'autore studia la particolare posizione della Chiesa riformata di fronte all'arte sacra.

oppure lo conduce su un piano estetico o spirituale, rivolgendosi a coloro che hanno un minimo di sensibilità e di educazione e che accettano il gioco, accettano cioè il passaggio dal sensibile all'intelligibile, allo spirituale o al religioso. Quando si parla di arte è dunque indispensabile precisarne le forme e i riferimenti.

Il sacro, per parte sua, è anch'esso sempre immerso in una liturgia, in alcuni gesti, in simboli e in riti precisi. Anche in questo caso, dunque, è necessario precisare di quale forma di sacro si tratta. Per fortuna gli storici delle religioni, i filosofi e i teologi si sono assunti il compito di studiare a fondo il sacro e così hanno posto in evidenza, al di là della categoria generale, la grande varietà dei suoi aspetti e delle sue forme. Il sacro infatti viene sentito, percepito, espresso e vissuto in modo assai diverso dai diversi popoli della terra. Non esiste un sacro elementare, ritrovabile sempre identico dappertutto. Ogni popolo ha la sua storia, nel corso della quale ha vissuto il sacro in una maniera originale. E il sacro di ciascun popolo deve essere esaminato all'interno della sua storia. Un notevole progresso è stato quello di esaminare il sacro nella lingua propria di ciascun popolo[6]. Ogni cultura, ogni religione ha una sua maniera originale di parlare del sacro.

È necessario tuttavia andare ancora più lontano. «Il sacro non si esprime soltanto attraverso la lingua»[7]. Esiste infatti un tipo di espressione non verbale del sacro e, a questo proposito, esiste anche nel mondo un popolo e una religione privilegiati: «l'induismo è straordinariamente creativo quando si tratta di esprimere il sacro con mezzi non verbali—simboli artistici, colori, riti—e di utilizzarli per entrare in comunicazione con il Divino»[8].

Tenendo conto della sua particolare propensione ad esprimersi in campo artistico e a riflettere sui fondamenti filosofici e metafisici della sua arte sacra, tratteremo in questo studio proprio dell'induismo, insieme con il buddismo, con l'ebraismo, il cristianesimo e l'Islam. Tutte queste religioni, comprese le manifestazioni di arte sacra dell'antico Egitto e della Grecia, saranno considerate in questa sede come validi documenti per una rapida riflessione sull'arte sacra.

Lo studio dell'arte sacra è stato finora in genere lasciato agli storici dell'arte, oppure ai filosofi e ai teologi interessati all'aspetto estetico delle cose. Pochi sono stati gli studiosi che si sono avventurati simultaneamente in queste diverse discipline. Gli studi comparativi sull'arte sacra sono soltanto agli inizi. Tra essi anche i più interessanti non sono purtroppo esenti da un certo spirito sincretistico, che tende ad assimilare e a ridurre le forme artistiche e religiose alle loro apparenze immediate[9]. Per parte nostra cercheremo di evitare questo errore, anche se utiliz-

---

[6]   *L'expression du sacré dans les grandes religions*, I-III, HIRE, Louvain-la-Neuve, 1978, 1983, 1986.

[7]   *Op. cit.*, II, p. 192.

[8]   *Op. cit.*, II, pp. 193s.

[9]   T. Burckhardt, *Principes et méthodes de l'art sacré*, Derain, Lyon 1958; G. Jouven, *La forme initiale*, Paris 1985.

zeremo la comparazione e l'analisi tipologica. Con questo metodo, infatti, è possibile procedere più velocemente e, spesso, cogliere l'essenziale tipologico, anche se sussiste l'inconveniente di lasciar talora ai margini l'aspetto più interessante delle cose. Spetterà al lettore aggiungere egli stesso le sfumature che riesce a percepire.

In una prima parte, essenzialmente descrittiva, presenteremo rapidamente le forme di arte sacra presenti nelle religioni che abbiamo nominato e che si prestano ad una comparazione. Si tratta in pratica di forme architettoniche e di raffigurazioni iconografiche. In realtà meriterebbero di essere prese in considerazione anche le forme sonore, musicali dell'arte sacra; esse tuttavia non saranno qui trattate sia perché non esistono, a nostra conoscenza, studi comparativi, sia perché la loro presentazione oltrepassa le nostre competenze.

Nonostante la vastità e la complessità dell'argomento, vale comunque la pena di affrontare questo impegno, se non altro per condurre il lettore a interessarsi in modo globale—ma salvaguardando la specificità degli ambiti esaminati e delle loro espressioni artistiche—ai diversi aspetti dell'arte sacra nella storia delle religioni.

I. L'ARCHITETTURA SACRA

Quando si parla di arte sacra vengono subito alla mente gli edifici religiosi e i monumenti, con le loro decorazioni, sculture e immagini. Si tratta di segni permanenti e visibili del sacro, più permanenti delle liturgie che in essi hanno luogo. Le religioni dei popoli sedentari si sono procurate e continuano a procurarsi questo genere di segni, con intento pedagogico e con la volontà di affermare la loro presenza in un certo luogo. Quando nella piana di Beauce si scorge da lontano la cattedrale di Chartres, o al Talminad le *gopura*, le porte monumentali dei templi dell'India meridionale, si prova una identica sensazione di presenza del sacro. Questi monumenti sono costruiti con una tensione verso la verticalità, quasi rivolti oltre il visibile.

Ma nonostante una certa analogia di forme e di aspetti esteriori, i monumenti religiosi esprimono anche la grande diversità che il sacro assume nelle diverse religioni.

1. Le condizioni necessarie per l'avvio dell'architettura sacra

L'arte sacra si manifesta in forme architettoniche solo in determinate condizioni. Ogni religione, anche se i suoi fedeli sono ormai divenuti stabili e sedentari, ha conosciuto un periodo privo di architettura, sebbene non privo di liturgia. Il popolo di Israele, per esempio, ha dovuto attendere la stabilità del regno di Salomone per potersi dotare di un edificio religioso costruito secondo le regole dell'architettura sacra. Il Tempio di Gerusalemme non aveva peraltro nulla di originale dal punto di vista architettonico, dal momento che gli operai specializzati erano venuti da Tiro e da Guebla (Byblos)[10] e l'architetto aveva tracciato il progetto ispirandosi ai templi siro-fenici. Anche i cristiani hanno cominciato a utilizzare gli edifici per il loro culto eucaristico soltanto al termine delle persecuzioni, nel IV secolo. In seguito hanno lentamente elaborato una originale architettura sacra. In Oriente il buddismo ha cominciato a costruire ben presto, a partire dal VI secolo a.C., monasteri per i bisogni della comunità ed edifici di legno e paglia per le assemblee aperte ai laici; ma si può parlare di una vera e propria architettura buddista originale soltanto con i santuari rupestri del III secolo a.C. L'induismo ha tranquillamente fatto a meno di templi per oltre due millenni, fino ai primi secoli della nostra era.

Quando compare per la prima volta, l'architettura sacra subentra ad altre manifestazioni del sacro, sostituendo alcune precedenti sistemazioni dei luoghi sacri, di cui non fa altro che perpetuare e sviluppare la tradizione. L'architettura sacra segue cronologicamente alla sistemazione sacra della terra, delle abitazioni degli uomini e dei palazzi. Così si esprime l'inizio di un antico Trattato indiano di architettura[11]: la terra è la prima abitazione e in essa sono comparse prima le costruzioni degli uomini e in seguito i templi[12].

In altri termini, ancora prima che l'uomo costruisca i suoi templi, la stessa terra è stata percepita come un luogo sacro, segnato in particolare dal sorgere e dal tramonto del sole, che viene considerato come la manifestazione più splendente del divino. La terra è dunque parte integrante del cosmo. Gli altari costruiti all'aperto, che precedono qualunque tipo di architettura sacra, sono stati edificati tenendo conto dell'orientamento. I templi che ad essi sono succeduti sono costruzioni che per il loro orientamento sono inserite nella terra e da essa consacrate. In questo modo essi diventano parte privilegiata del cosmo.

Alcune di queste strutture architettoniche sacre sono più importanti o almeno più notevoli delle altre: si tratta di quelle cristiane, musulmane, induiste e buddiste. Per poter comparare efficacemente e con le necessarie sfumature tutte queste forme architettoniche è però necessario tener conto di un altro fatto importante.

2. La funzione primaria degli edifici religiosi

Per definizione ogni edificio religioso è costruito per una funzione primaria; esso può tuttavia avere una forma e un aspetto esteriore che vanno molto al di là di questa funzione primaria e lo fanno entrare nell'ambito più vasto delle opere d'arte e dei monumenti.

---

[10]   I Rm 5,32.
[11]   *Mayamata. Traité sanskrit d'Architecture*, I, (cur. B. Dagens), Pondichery 1970.
[12]   *Mayamata...*, cit., II, 1.

La funzione primaria di ogni edificio religioso è assai facile da precisare: si tratta del culto e della liturgia. Il culto è qui inteso in primo luogo come il servizio del divino, che può essere presente sotto forma di un'immagine di culto. Di per sé non richiede molto spazio, dato che può essere assicurato da un solo celebrante specializzato. Sul piano architettonico questa funzione si traduce nella costruzione e nella sistemazione di un luogo in forma di cella. Gli antichi templi egizi e greci, e quelli dell'induismo antico e moderno rispondono bene a questa funzione primaria. Anche se con qualche leggera differenza, i santuari secondari delle chiese cristiane e le cappelle dedicate ai santi corrispondono anch'essi a questo tipo architettonico, concepito innanzi tutto per il culto.

La liturgia, al contrario, richiede uno spazio ampio, un luogo in cui sia possibile radunarsi per la preghiera comune, la predicazione, il culto celebrato in comune, la circolazione rituale. Quando la liturgia impegna tutto un popolo, come nel caso del cristianesimo, dell'Islam e dell'ebraismo, allora la chiesa o il tempio, la moschea e la sinagoga si definiscono dal punto di vista architettonico principalmente per la loro funzione di luogo di raccolta e di riunione.

Queste sono dunque in sintesi le due forme essenziali che esprimono la funzione primaria degli edifici religiosi: mostrare un'immagine o un oggetto sacro da venerare oppure radunare un popolo.

3. Una seconda funzione, simbolica e pedagogica

A questa prima funzione si è aggiunta anche, secondo le diverse circostanze e le diverse culture, una seconda funzione, questa volta simbolica. Tale funzione fa passare l'edificio religioso da uno statuto nel quale esso assicura soltanto una funzione essenziale, ad un altro statuto, quello di monumento religioso, cioè di un grandioso complesso architettonico che si impone e si mostra come una cosa bella a vedersi. Il Tempio di Gerusalemme, nelle sue successive sistemazioni, comprendeva numerose costruzioni, che sono spesso nominate nell'Antico e nel Nuovo Testamento.

In senso stretto si può parlare di architettura sacra quando è evidente lo sforzo di conservare la funzione primaria dell'edificio religioso e contemporaneamente lo si vuole bello a vedersi, ricco di valore simbolico, pur continuando a considerarlo carico di valore sacro.

Le chiese cristiane sono state costruite, per i bisogni della liturgia eucaristica, secondo un progetto centrale o assiale. Viene loro attribuita una forma circolare, quadrangolare o rettangolare, talvolta anche cruciforme. Spesso si è tenuto conto dell'orientamento del sole, sovrapponendo al simbolismo tradizionale quello di Cristo Sole Nascente del Mondo. La copertura ha talvolta preso la forma di una cupola, che evoca il cielo. La navata è fiancheggiata da torri e campanili, che si slanciano verticalmente verso il cielo e che culminano in guglie. Tutte le possibilità tecniche dell'architettura sono state utilizzate per allargare i luoghi di raduno, per sollevare le coperture degli edifici e per far entrare sempre più luce. Ma è stata sempre conservata la funzione primaria dell'edificio: accogliere l'assemblea che viene a pregare e a celebrare l'Eucaristia. Posta al servizio della liturgia, l'arte è diventata sacra nel momento in cui si è piegata alle esigenze del sacro cristiano.

Lo stesso avviene per le moschee: pur mantenendo la finalità principale, che è quella di radunare per la preghiera, gli architetti hanno utilizzato le risorse fornite dagli stili siro-egizio, persiano, ispano-moresco e così via. Sono stati così edificati magnifici e immensi edifici, tra i più belli del mondo, con le loro maestose cupole. Ma non bisogna dimenticare che le moschee traggono il loro carattere sacro soprattutto dalla loro funzione e dalla loro posizione, dato che obbligatoriamente il *mihrâb*, la nicchia per la preghiera, concretizza sul muro di fondo la *qibla*, l'orientamento verso la Mecca, che è condizione perché la preghiera rituale sia considerata valida.

Completamente diverso è invece il caso di una struttura architettonica destinata a contenere, come in un reliquiario, un'immagine di culto.

Per restare nel concreto, prendiamo l'esempio dell'architettura induista. Gli specialisti distinguono nella costruzione dei templi due stili principali: quello del nord, lo *shikhara*, e quello del sud, il *vimâna*. In entrambi gli stili la funzione del tempio è la stessa: contenere come in uno scrigno l'immagine del divino, l'immagine di culto e permettere ai fedeli, quando giungono alla porta della cella dopo aver fatto il giro esterno del santuario, di avere un visione diretta del dio.

Ma assai diverso nei due stili è il trattamento simbolico delle strutture superiori. Lo *shikhara* dal punto di vista architettonico è un edificio mosso, curvilineo, costruito di strati sovrapposti che si susseguono in altezza al di sopra dell'edificio squadrato della cella e che si vanno via via restringendo mentre ci si avvicina alla sommità. Un brusco restringimento verso l'alto costituisce quello che si chiama il collo o la gola del tempio, luogo sacro per eccellenza, che è la parte visibile superiore corrispondente alla cella sottostante. Questo luogo, che è chiamato *vedi*, altare (superiore), è occupato da un basso muretto circolare sul quale è posto un *âmalaka*, una massiccia pietra a forma di frutto molto schiacciato, simile ad una arancia, sormontata a sua volta da un vaso, che richiama la pienezza, e infine da un pinnacolo.

Questa struttura molto caratterizzata, posta esattamente al di sopra del santuario che contiene l'immagine chiamata *garbhagriha*, o casa dell'embrione, ma separata da esso da una pesante lastra di pietra, esprime in modo plastico il carattere sacro e la direzione principale dell'edificio: il tempio si eleva in verticale rispetto a tutte le regioni dello spazio circostante, alle quali è simbolicamente collegato, e rispetto a tutte le parti interne, di cui è costituito, e termina con un coronamento in forma di pinnacolo, che richiama il superamento di tutte le forme[13].

---

[13] St. Kramrisch, *The Superstructure of the Hindu Temple*, in «Journal of Indian Society of Oriental Art», 12 (1944), pp. 175-207.

Lo stesso simbolismo è attivo nei *vimâna* dell'India meridionale, ma con diverse soluzioni architettoniche: al di sopra della cella si innalza una piramide tronca, costituita di strati digradanti occupati da edifici sempre più piccoli. Sulla sommità, al posto dell'*âmalaka* dei templi del nord, è posto un piccolo santuario in scala ridotta, formato da una cupola poggiante su un muro circolare o ottagonale, a costituire il coronamento del tempio, il suo punto finale.

Sia al nord che al sud i templi esprimono dunque su un piano plastico la centralità e la convergenza del fedele verso il dio presente nella cella, ma suggeriscono anche un'ascensione spirituale, simboleggiata dai piani sovrapposti, che non ha più il suo centro nell'immagine ma si rivolge al Principio supremo e senza forma, di cui il dio presente nel santuario è soltanto la manifestazione.

Grazie a questi pochi esempi si può vedere come gli edifici religiosi rispondano a due funzioni complementari: la prima corrisponde al carattere stesso dell'edificio, santuario o luogo di riunione liturgica; la seconda è una funzione simbolica che si sviluppa sul piano architettonico, artistico e plastico, e che richiama in gran numero armonie spirituali e religiose.

Bisogna comunque sottolineare che, nonostante alcune sicure analogie formali, gli edifici religiosi appartenenti alle diverse arti sacre presentano significati differenti, così come sono differenti la spiritualità, la filosofia e la metafisica loro proprie. Per coglierne il valore simbolico ed estetico, senza fermarsi ad accostamenti superficiali, è allora necessario immedesimarsi nello spirito della religione in questione. L'arte sacra è infatti posta al servizio del sacro e si adatta alla specificità del sacro di ciascuna religione. Ritorneremo ancora sui fondamenti filosofici, metafisici e religiosi dell'architettura e delle immagini.

II. LA LEGITTIMITÀ DELLE IMMAGINI: UN PROBLEMA TEORICO UNIVERSALE

Il termine legittimità, che si usa abitualmente a proposito della capacità delle immagini di esprimere il divino, proviene senza dubbio dal fatto che il problema si è posto, storicamente, in relazione ai divieti contenuti nella Bibbia[14] e nel Corano[15]. Se infatti questi testi vengono considerati come una legge e come un riferimento ultimo, la questione è subito risolta in senso negativo: è proibito costruire immagini per rappresentare Dio. Questi testi hanno avuto e continuano ad avere un ruolo importante nell'arte sacra; nel Tempio, in primo luogo, ma anche, in modo più discreto, nelle sinagoghe. Sulla stessa linea, anche l'arte cristiana evita all'inizio di porre le sue statue al centro delle chiese, lasciando la scelta nella disposizione e nell'organizzazione ai Padri, cioè ai responsabili di ciascuna chiesa.

---

[14] Es 20,4s.; Dt 4,15-20.
[15] Corano III 43; VII 133s.; XX 96; XXII 31; XXV 3s.

Una statua, comunque, non potrà mai esprimere il divino e dunque non potrà ricevere un culto.

Questa situazione ha però provocato lunghe discussioni e anche violenze iconoclaste, che hanno segnato la storia dei rapporti tra il popolo ebraico, i cristiani e le comunità islamiche, da una parte, e le culture e i popoli circostanti, dall'altra. Non bisogna peraltro credere che l'iconoclastia sia un fenomeno conosciuto solamente in ambienti ebraici, cristiani e musulmani. Nel nome della purezza della dottrina buddista, per esempio, alcuni imperatori cinesi hanno abbattuto le statue del Buddha e alcuni ambienti brahmanici, per motivi interni alla loro stessa dottrina, hanno espresso fortissime riserve sulla capacità delle immagini di esprimere il divino.

A tali riserve gli architetti, gli artisti e i sacerdoti indiani, ed anche alcuni filosofi, hanno reagito fondando l'arte sacra delle immagini su basi filosofiche e teologiche. Esamineremo questi argomenti più da vicino dopo aver ricordato le riserve contenute nella Bibbia.

Per definizione, un'immagine rimanda a qualcosa di diverso da sé. L'immagine è una realtà materiale, ottenuta a partire da semplici elementi materiali (come la pietra, la terra, i colori), che rinvia ad un'altra realtà, questa volta invisibile. La pretesa di rimandare a qualcosa di diverso da sé deriva dal fatto che, pur essendo costituita di materia, l'immagine incarna un'idea, diviene il supporto di una forma. Si finisce così, dimenticando la materia, per pensare solo alla forma. Ciò che conta nell'immagine non è dunque la materia, ma ciò che viene aggiunto, cioè la forma.

Ma esiste una forma, in relazione alla realtà divina che si vuole esprimere, che possa servire da riferimento o da prototipo, una forma traducibile nella materia, una forma che si possa copiare o esprimere?

Per il popolo di Israele la risposta è semplice. Quando sull'Horeb il Signore gli ha parlato, nessuna forma è apparsa in mezzo al fuoco[16]: perciò è impossibile e insieme proibito rappresentare Dio sotto una qualunque forma. La sola immagine lecita è quella di un trono vuoto. L'arca dell'alleanza, custodita al centro del Tempio e collocata tra due cherubini, richiama «Colui che siede sopra i cherubini»[17], ma in questo caso non si tratta di un'immagine che rinvia ad un modello.

La questione della forma di Dio si pone in modo diverso nel cristianesimo. Poiché Dio si è manifestato incarnandosi nella persona di Gesù, i cristiani hanno Gesù stesso come riferimento, questa volta visibile, come un prototipo al quale un'immagine può rimandare. Tutta la questione iconoclasta, conclusasi con il trionfo dell'ortodossia a Nicea, ruota intorno a questa domanda: è possibile e legittimo rappresentare Dio? Pur conservando il divieto biblico, ma fondandosi

---

[16]   Dt 4,15.
[17]   2 S 6,2.

sull'Incarnazione, il cristianesimo dei primi secoli ha aperto, o almeno ha giudicato per sempre legittima la via di un'arte sacra cristiana.

In modo ancora diverso è stato posto nel buddismo il problema del prototipo al quale riferire le immagini. I testi canonici dicono che il Buddha nella sua ultima esistenza si è presentato con un corpo perfetto, segnato dai trentadue caratteri principali del Grande Uomo e dagli ottanta caratteri secondari dell'Uomo Eminente. Quando si è incominciato a rappresentare il Buddha, nel I secolo della nostra era, l'artista disponeva dunque di un modello di riferimento, presente nella cultura del tempo. Anche se non aveva mai visto il Buddha, egli sapeva ciò che doveva rappresentare: la statua o il dipinto si riferiva ad un modello, ad un prototipo. Tuttavia l'artista indiano sapeva che non si trattava affatto di un ritratto, ma soltanto di una riproduzione della forma corporale del Buddha al tempo della sua ultima esistenza. Così si spiega l'aspetto convenzionale e tradizionale che caratterizza le immagini del buddismo. D'altra parte il Buddha, al momento della sua morte o del suo nirvâna, si era definitivamente estinto: ciò che conta non è però il suo corpo fisico irrimediabilmente scomparso, ma il dharma che egli ha lasciato alla comunità, e la comunità stessa. Dei tre «Gioielli» del buddismo (il Buddha, il sangha e il dharma) il più importante è appunto il dharma. Come si è detto, dunque, per lungo tempo il buddismo ha fatto a meno delle immagini; nel corso dei secoli i monaci hanno meditato sul Maestro senza il «supporto» di immagini.

Nel buddismo Mahâyâna il problema è stato posto in modo ancora differente. Le correnti più vivaci della filosofia Mahâyâna definivano infatti la realtà ultima nei termini del *sûnyatâ*, il Vuoto, il Nulla. Era perciò naturale un atteggiamento di riluttanza di fronte alle rozze copie (fatte dall'uomo nella materia) di quel corpo umano che il Buddha aveva rivestito per compassione verso gli uomini e per salvare le apparenze. Una volta posto in questo modo, il problema ricevette risposte diverse, alcune delle quali veramente estreme.

La posizione più comune fu tuttavia una certa tolleranza, dato che si riconosceva lecita, sulla base di alcuni *sûtra*, la visualizzazione della realtà ultima per mezzo delle immagini. La risposta era di tipo pragmatico: l'immagine è una concessione fatta alla fragilità umana. «Se dunque non si rappresentano i colori e i segni caratteristici (cioè se non si fanno le statue) ... come si può vedere l'apparenza somigliante alla persona perfetta (il Buddha) e come si può raffigurare l'efficacia soprannaturale della dottrina?»[18]. L'immagine era dunque permessa per spirito di tolleranza.

Anche la risposta fornita dall'induismo alla questione della legittimità delle immagini è una risposta pragmatica più che una giustificazione filosofica. Tra i numerosi testi che si potrebbero citare, uno dei più interessanti, in quanto meglio

---

[18] Ed. Chavannes, *Mission Archéologique dans la Chine Septentrionale*, I-II, Paris 1913, p. 501.

difende la dottrina delle immagini, è una *Upanisad* ancora in uso negli ambienti artistici dell'Orissa, ritrovata e pubblicata recentemente. Si tratta della *Vâstu Sûtra Upanisad*, cioè il «Trattato esoterico (che commenta) gli aforismi (relativi all') architettura (sacra)»: un vero trattato di arte sacra[19]. Pippalâda dichiara che lo spirito del fedele può cadere in errore e costruirsi false fantasie quando non prende un'immagine come sua guida[20]. Le immagini sacre cancellano le false fantasticherie e suggeriscono il modo autentico di rendere culto alla divinità.

Tuttavia, secondo questo testo, l'immagine non rimanda a un prototipo trascendente. Il lavoro dello *sthâpaka*, dell'artista, è infatti una creazione simile a quella di Prajâpati, che passò dall'assenza di forma alla forma e che per poter creare l'universo dovette sottoporsi ad un severo *tapas* (una ascesi). Anche il creatore umano delle forme deve sottomettersi ad una severa disciplina per produrre un'immagine capace di aiutare l'uomo sul cammino della liberazione. A differenza di Prajâpati, però, l'artista umano segue il modello fornitogli dalle generazioni precedenti, elaborato grazie alla meditazione sulle Scritture praticata dai *rishis*, i poeti primordiali[21]. Egli si sottomette alla disciplina per sperimentare di persona il sentimento che deve esprimere nella sua opera. Non vi è dunque propriamente un modello trascendente, dato che il trascendente è privo di forma. I modelli provengono dal mondo fenomenico e dalla fantasia dei *rishis*.

È evidente che la *Vâstu Sûtra Upanisad* elabora la sua dottrina della legittimità delle immagini in un contesto polemico: il riferimento ultimo è la liturgia vedica praticata dai brahmani, che è aniconica, e, quando può, l'autore del nostro testo esalta l'artista paragonandolo all'officiante brahmanico, che esercita la sua attività in campo sacrificale.

In conformità alle correnti ortodosse più fedeli alle tradizioni vediche, ci sono all'interno dell'induismo numerose personalità che si sono dichiarate contrarie alle immagini. Citiamo soltanto le più note, come Kabîr, il guru Nânak fondatore del sikhismo, Rm Mohan Roy, il padre dell'induismo moderno, ecc. Invece Râmakrishna e Vivekânanda hanno legittimato l'uso delle immagini. Indubbiamente le correnti contrarie al culto delle immagini hanno provocato un certo effetto di purificazione e di spiritualizzazione dell'arte sacra, anche se non hanno raggiunto gli stessi risultati delle corrispondenti correnti cristiane.

Su questo punto, come si diceva, il cristianesimo dei Padri della Chiesa ha assunto una posizione originale, imposta dalla dottrina dell'Incarnazione. L'arte

---

[19]   *Vâstu Sûtra Upanisad. The Essence of Form in Sacred Art*, ed. A. Bonner, Delhi Varanasi 1982, 1986.

[20]   *Vâstu Sûtra Upanisad*, v 17.

[21]   La vera legittimazione delle immagini dell'induismo è la fedeltà alle intuizione dei *rishis*, cioè la fedeltà alla tradizione trasmessa oralmente (*srûti*): *Vâstu Sûtra Upanisad...*, cit., p. 9. In questo modo nasce il valore interiore delle immagini, perché esse, nate da una meditazione, portano alla meditazione.

sacra è così uno dei mezzi pedagogici di cui parla Y.M. Congar, nel quadro più vasto dell'economia della salvezza, in cui l'avvenimento centrale è appunto l'Incarnazione.

III. DALL'ESTETICA AL SACRO

Ogni gruppo religioso che utilizza edifici religiosi e che si serve di immagini esige in primo luogo un certo rispetto nei loro confronti. Propone inoltre di passare dalla figura alla realtà, dal tempio a Dio o all'Essere Supremo Invisibile, dall'immagine al prototipo, dall'estetico al religioso. Si tratta di un procedimento iniziatico. L'arte sacra non è mai fatta per se stessa: essa serve una causa che la oltrepassa.

L'uomo moderno, posto sempre più spesso di fronte ad opere religiose del passato o del presente, provenienti dal suo stesso paese o da paesi stranieri, dalla sua religione o da altre religioni, si chiede se anche a lui è concesso di compiere il percorso iniziatico che l'arte sacra di solito richiede. Sembra questo l'unico modo di porsi in rapporto all'arte sacra.

L'arte sacra dell'antico Egitto e del Vicino Oriente antico—e in generale dell'intero mondo antico—è ancor oggi presente *in situ* nei luoghi archeologici o è raccolta nei Musei. Ma nessun sacerdote veglia più su di essa; nessun rito antico viene più riproposto; nessuno più esige l'adorazione o la venerazione delle immagini sacre. Nei loro confronti è ormai possibile soltanto un atteggiamento di ammirazione estetica, dal quale però la dimensione del sacro non è necessariamente o totalmente assente. Basta che gli specialisti lavorino per ritrovarla e per evocarla[22]. «Poiché gli abitanti della valle del Nilo erano dotati di un senso estetico estremamente sviluppato, essi hanno saputo trasferire nella letteratura, nell'architettura e nelle arti plastiche il loro sentimento del sacro in modo talmente straordinario da suscitare ancor oggi la nostra ammirazione»[23]. Il rinnovarsi del sentimento del sacro è dunque il risultato di uno sforzo di ricostruzione storica, che nasce a sua volta da un sentimento di ammirazione. Non si può comunque parlare in questo caso di autentico atteggiamento religioso, giacché l'ammirazione non si trasforma né in adorazione, né in preghiera, né in rito.

Tuttavia questo tipo di approccio al sacro non è privo di interesse anche sul piano religioso. Esso infatti ci fa comprendere, tra l'altro, per quale motivo i divieti della Bibbia sono rivolti anche contro il culto delle immagini praticato in Egitto, Siria, Fenicia e a Canaan, e contro la frequentazione dei luoghi sacri e dei

---

[22]   F. Daumas, *L'expression du sacré dans la religion des Egyptiens*, in *L'expression du sacré*, cit., II, pp. 293-98.
[23]   *Op. cit.*, p. 305.

templi. E inoltre spiega perché tali culti esercitavano una così profonda attrazione verso un popolo che peraltro aveva coscienza di essere stato scelto da Dio.

Anche l'arte sacra della Grecia e di Roma viene oggi affrontata come quella dell'Egitto: se ne considera soltanto l'aspetto estetico. Le immagini delle divinità nei Musei suscitano la nostra ammirazione, ma non pongono più alcun problema di coscienza, dato che il loro culto non è più praticato. Il passaggio eventuale da una osservazione estetica ad una partecipazione religiosa è del resto reso oggi più difficile dal fatto che, dopo l'epoca antica in cui il carattere sacro delle divinità traspariva nell'esecuzione stessa delle immagini, il naturalismo di epoca classica ha finito col soffocare il sacro.

Appunto di questo linguaggio naturalista il Rinascimento si è servito in larga misura nell'arte sacra del Cristianesimo occidentale. Ecco perché una Madonna del Rinascimento, per esempio di Raffaello, suscita in noi sentimenti che rimangono soltanto ai margini del sacro. Data la perfetta identità che sussiste tra lo stile e la visione dell'artista, un'arte i cui fondamenti e il cui stile siano tratti dal paganesimo antico, anche quando tratta soggetti religiosi, non può fornire altro che una visione pagana delle cose. È dunque del tutto naturale che l'uomo moderno di fronte a un'opera d'arte di questo genere provi soltanto un sentimento estetico e non un sentimento del sacro.

Invece l'arte religiosa dell'induismo non è facile da definire in relazione al problema che qui stiamo trattando, cioè all'eventuale riconoscimento in essa di una certa sacralità da parte di un occidentale. Essa è assai ricca e diversificata e i suoi templi suscitano stupore e sconcerto. A prima vista le immagini di culto possono apparire brutte, dato che il corpo umano è trattato in modo del tutto particolare: si incontrano per esempio divinità con molte teste e molte braccia.

Ma un contatto appena superficiale con questa arte fa subito comprendere che si tratta in questo caso di una forma di sacro fortemente condizionata da una cultura. Si tratta inoltre di un'arte «intellettuale», nel senso che essa è nata dallo spirito e dall'intuizione dei poeti prima di essere trascritta dagli artisti. E ancora è un'arte «intellettuale» perché suppone, in chi l'accoglie, la conoscenza e la pratica di alcune regole, di alcune convenzioni e disposizioni d'animo, e inoltre l'esercizio di alcuni sentimenti.

Meno nota è invece l'esistenza di gradi e modalità diverse nella raffigurazione del sacro: solo in certi casi particolari quest'arte è veramente arte sacra. Perché un'immagine possa essere presentata al culto dei fedeli, bisogna in primo luogo che essa sia fatta di pietra e che sia lavorata a tutto tondo oppure in altorilievo. Anche alle immagini di bronzo usate nelle processioni o a certe immagini improvvisate costruite in occasione delle grandi feste viene prestato un culto. Non ci sono invece esempi, a quanto sembra, di immagini dipinte venerate allo stesso titolo delle immagini scolpite. Nelle case private senza dubbio sono presenti alcune immagini pie, ma esse appartengono, come dappertutto, alla religione popolare e hanno valore sacro soltanto perché riproducono le immagini che si trovano nei templi.

La costruzione dell'immagine di culto risponde inoltre a certi canoni precisi, fissati dalla tradizione[24], ed è accompagnata da numerosi riti specifici. L'immagine deve inoltre essere collocata nel tempio da un sacerdote-architetto, un brahmano che celebra i riti di insediamento e in particolare le «apre gli occhi» con un bastone d'oro. Solo a questo punto l'immagine è considerata un sostituto del divino, e di conseguenza il tempio viene ritenuto la dimora del dio. Un officiante, o un gruppo di officianti, veglia su di essa.

Nei confronti delle immagini di culto non bisogna tenere un atteggiamento irriverente. L'induismo ha infatti un senso acuto dell'unità fondamentale che unisce il sensibile (il tempio e l'immagine) e il soprasensibile (il mondo divino e lo Spirito Supremo anteriore a ogni manifestazione). Ogni immagine di culto è parte integrante del cosmo e, come il cosmo stesso, rimanda al soprasensibile. Disprezzare l'immagine o il tempio significherebbe che non si crede a ciò che oltrepassa l'uomo e il cosmo e, in ultima analisi, che non si crede all'Essere Supremo[25].

A coloro che appartengono ad un'altra religione non è mai richiesto di venerare le immagini conservate nei templi. In primo luogo perché l'accesso ai templi ancora in uso è piuttosto difficile, spesso addirittura proibito a chi non sia induista. La maggior parte delle immagini alle quali gli occidentali si interessano non sono più, del resto, oggetti di culto: le si trova nei Musei o in zone turistiche. Ma soprattutto perché molti degli stessi induisti, a richiesta, sosterrebbero di non venerare le immagini. In queste condizioni, l'approccio all'arte sacra induista da parte degli occidentali è essenzialmente un approccio estetico.

Tale atteggiamento non religioso, anche se rispettoso, davanti alle immagini sacre è condizionato dal fatto che l'induismo è stato attraversato da numerose correnti spiritualistiche che hanno rifiutato il valore delle immagini e la loro capacità di condurre al divino. Per molto tempo si è fatto a meno delle immagini, anche se non è stata rifiutata l'arte sacra in generale, se si includono in essa i canti, la poesia, la liturgia, il teatro, la danza.

Da un punto di vista pratico e plastico, un cristiano o comunque un occidentale può dunque porsi nella medesima posizione di numerosi induisti, che vedono nelle immagini la traduzione di simboli religiosi non essenziali e non indispensabili alla vera religione. Anche se si è sensibili ai valori estetici racchiusi nell'arte sacra, non c'è dunque nulla di strano se non si prova, davanti ad essa, alcun sentimento specifico del sacro. Ma è possibile andare più avanti.

---

[24]   La fattura di una immagine, come la costruzione di un tempio, richiede preventivamente che venga tracciato uno schema di composizione: *Vâstu Sûtra Upanisad...*, cit., p. 11.

[25]   La teoria brahmanica relativa all'architettura si esprime per intero in una parola composta: *vâstubrahman*, che significa la penetrazione dell'assoluto indifferenziato (*brahman*) nell'opera architettonica (*vâstu*). L'architettura del tempio e delle immagini è dunque posta sotto il segno del sacro, proviene dal sacro e ad esso conduce.

Il Sacro e la sua espressione estetica

Un certo numero di induisti trovano infatti nelle immagini un aiuto alla loro meditazione, che consente loro di penetrare nei miti e nelle storie divine, di sperimentare sentimenti diversi a seconda del tono dei racconti e della fattura stessa delle immagini. Perciò l'arte sacra è, per un appartenente ad un'altra religione, una buona chiave per entrare nell'induismo. Gli è possibile cioè intuire i numerosi aspetti del divino che sono presenti nell'arte. Gli è possibile porre il problema centrale ed essenziale di tutti gli sviluppi dell'induismo: il rapporto che unisce la forma, ciò che è manifesto, con l'informale o il divino. L'attaccamento alle immagini e in generale a ciò che è manifesto è così forte che, nel secolo scorso, ci è voluta la violenza di un asceta estraneo perché Râmakrishna abbandonasse il suo stato d'animo e arrivasse a superare il piano dell'immaginazione per entrare nella non dualità del brahman e dell'âtman.

L'arte buddista esige un diverso approccio e un altro trattamento. In primo luogo perché si tratta di un'arte che non si presenta come sacra. Ciò è provato a sufficienza dalla resistenza dei buddisti a elaborare un'arte plastica con rappresentazioni a tutto tondo del Buddha, in altri termini dalla loro riluttanza a fabbricare immagini di culto. Nel Piccolo Veicolo venerare un'immagine del Buddha non consiste, almeno in teoria, nell'adorarlo. D'altra parte all'artista è richiesta soltanto una riproduzione del Buddha, risultato della trascrizione dei caratteri fisici di cui si è detto sopra e, a coronamento, è richiesta l'integrazione di questi segni in un'immagine dominata da un sentimento di serenità e dallo splendore spirituale del Maestro.

Un occidentale, sia egli cristiano o meno, può senza dubbio, senza rinunciare a nulla della sua fede o della sua posizione teorica, lasciarsi impressionare da queste immagini ed entrare almeno parzialmente nella pace del buddismo. Le statue sono fatte per essere guardate, contemplate, meditate: esse traducono e inducono un sentimento. Senza essere specificamente religioso—dato che non si tratta di una presa di posizione in rapporto al trascendente—il sentimento della pace può provenire, dicono i testi, dal distacco[26]. Si tratta dunque di un sentimento estetico, che non è da un lato di semplice ammirazione e che non è ancora, dall'altro, un sentimento religioso: esso si colloca in qualche modo a mezza strada nella gerarchia dei valori ed è simile alla bontà.

Ma queste immagini hanno anche uno scopo pedagogico: esse sono costruite per invitare lo spettatore ad interessarsi alle dottrine buddiste. Il successo del buddismo deriva in gran parte dalla sua capacità di adattamento. Esso ha saputo sfruttare le immagini come un mezzo utile, secondo un'espressione tradizionale, senza però accordare loro un carattere sacro.

---

[26] La causa o l'origine di questo sentimento è «la vacuità o la vanità di tutte le cose, che non sono durature»: *Rasa. Les neuf visages de l'art indien*, Grand Palais, Paris 1986, p. 272.

IV. ORIGINALITÀ DELL'ARTE SACRA NEL CRISTIANESIMO

Ciò che abbiamo detto finora consente a questo punto, per comparazione, per analogia o per opposizione, di precisare quale sia l'originalità e il carattere tipico dell'arte sacra nel cristianesimo.

L'arte sacra cristiana è per intero integrata nella liturgia, che si celebra in luoghi opportunamente predisposti. Essa culmina perciò nell'architettura. La liturgia è la riattualizzazione e la celebrazione della storia della salvezza[27]. I profeti dell'Antico Testamento, il Cristo e la Vergine, gli apostoli e i santi rinviano sempre ad una storia. Ad essa è invitato a riferirsi anche colui che esegue la liturgia o si occupa di immagini. Le forme antropomorfiche dell'arte religiosa cristiana vengono comprese essenzialmente perché Dio si è servito di uomini, di profeti e di santi per intervenire nella storia umana. Di conseguenza le immagini rimandano a modelli: in primo luogo a Gesù Cristo e ai santi, i quali a loro volta rimandano, anche se indirettamente, a Dio.

Come ogni arte, anche quella cristiana utilizza un linguaggio plastico, che non è mai per sua natura neutro. Lo si è potuto constatare in numerose occasioni: l'arte cristiana primitiva utilizzò il linguaggio plastico del tempo, ma lo sottopose ad alcune modificazioni. Tra l'arte pagana dei romani e l'arte cristiana dei primi secoli vi è, in fondo, una sostanziale differenza esecutiva: anche gli aspetti che sono rimasti inalterati sono stati utilizzati per esprimere la gioia per la salvezza. Dal punto di vista stilistico si tratta in particolare di un alleggerimento delle forme. Nei secoli successivi l'arte cristiana si è data un linguaggio plastico più adatto e più specifico, che ha avuto il suo culmine nelle icone dell'arte bizantina.

Rimane comunque il fatto significativo che, a parte le icone bizantine, ben poche immagini hanno raggiunto in Occidente lo statuto di immagini di culto. Poche sono diventate oggetto di meditazione e di contemplazione. Questo si deve probabilmente al fatto che, a partire da Gregorio Magno, l'arte cristiana si è data come obiettivo principale l'illustrazione dell'insegnamento: in questo modo ha ridotto le sue aspirazioni. Ci si può chiedere allora se le grandi intuizioni iconografiche dei primi secoli (per esempio quella di Cristo che ammaestra circondato dai simboli dei quattro Evangelisti, o le scene che si riferiscono alle visioni di Giovanni nell'Apocalisse, che troviamo in Occidente dal quarto al tredicesimo secolo) siano state sufficientemente riprese e rappresentate in epoche successive. Si tratta infatti di scene che, come l'iconografia bizantina[28], sono capaci di produrre il sentimento del sacro in colui che medita, come già fecero in Ezechiele e in Giovanni. Esse pongono in realtà davanti agli occhi, come un avvenimento mera-

---

[27] Y.M.J. Congar: «bisogna sempre ricondurre le espressioni cristiane alla positività storica della Fede e degli eventi nei quali Dio si è manifestato venendo a noi»: *Situation du sacré en régime chrétien*, in *La liturgie après Vatican II*, Paris 1967, pp. 385-403.

[28] Nel mondo bizantino è stata specialmente meditata e trascritta la Trasfigurazione.

viglioso, l'elemento essenziale della fede di Israele e della fede cristiana: la teofania o manifestazione di Dio nella storia, che è manifestazione del sacro, e dunque ierofania, propria del cristianesimo.

Ma questo genere di rappresentazioni permette di conservare anche un'altra dimensione, anch'essa originale, dell'arte sacra cristiana: l'aspetto escatologico della fede. Cristo, per esempio, viene presentato come Colui che è venuto, che viene e che verrà. Perciò Nicolaj Berdjaev ha potuto mettere in risalto come ogni arte presenti un aspetto escatologico: «La bellezza è già di un altro mondo»[29]. L'artista, e in particolare l'artista cristiano, non ha soltanto l'incarico di descrivere ciò che è accaduto, ma deve anche anticipare ciò che potrà accadere. Nello stesso modo chi medita su una immagine non si attende in primo luogo una conferma delle sue convinzioni storiche. Richiede soprattutto l'illustrazione di ciò che egli conosce per altra via. Richiede di essere messo alla presenza di un prototipo che trascende la storia e che dà un senso alla sua vita. Il Cristo Pantocrator o il Cristo glorioso, il cui carattere teofanico è confermato dai quattro Evangelisti, è appunto il Cristo della fede, Colui che il cristiano scopre nell'Eucaristia e di cui proclama la venuta, Colui la cui resurrezione dal sepolcro non può essere descritta.

Per trattare un tale argomento, l'artista cristiano utilizza alcuni dati simbolici e fantastici già presenti nella Bibbia e che non si trovano altrove con la stessa intensità o con il medesimo significato: la Nuvola, la Luce, lo splendore della gloria che circonda una teofania. Non si vede del resto come un artista cristiano possa accantonare queste immagini bibliche che toccano il profondo della fantasia degli uomini.

L'unica soluzione sarebbe quella di astenersi del tutto dalla rappresentazione del sacro, sfruttando invece le capacità espressive dell'arte astratta: si tratta di una strada assai significativa[30], capace di attribuire particolare valore all'architettura, come si vede per esempio nel caso dell'Islam.

Qualunque sia la soluzione adottata, bisogna comunque ricordare che l'arte sacra non è neutra e impassibile. Al contrario essa si sforza di far entrare l'uomo in un mondo che oltrepassa il mondo abituale e che prefigura il mondo futuro. L'arte al servizio del sacro (l'architettura, la scultura, la pittura, la musica e la danza) interviene per favorire l'ingresso del soggetto religioso (anche di chi ha scelto di passare attraverso la sola mediazione del Cristo) in un tempo e in uno spazio in cui egli potrà più facilmente incontrare l'Altro.

[29]   N. Berdjaev, *Le sens de la création*, DDB, Bruges 1955; *The Meaning of the Creative Art*, London 1955.
[30]   G. Mercier, *L'art abstrait...*, cit.

L'*homo religiosus* e il Sacro

CONCLUSIONE

Lo studio del sacro non può essere separato dallo studio delle forme nelle quali il sacro si esprime e, in particolare, delle forme estetiche. L'*homo religiosus* non soltanto ha rivolto al cielo il suo sguardo e le sue aspirazioni, non soltanto ha prodotto i suoi simboli e creato dei riti, ma ha anche voluto—se consideriamo l'importanza di ciò che in questo modo egli ha cercato di raggiungere e di esprimere—che queste forme fossero belle e degne di essere contemplate. Ci si può innamorare di qualche cosa solo dopo averne conosciuto la bellezza, ha detto un filosofo. La dimensione estetica fa parte dell'arte sacra così come fa parte della vita quotidiana. Attribuendo al sacro forme plastiche, colorate o sonore, l'*homo religiosus* gli ha dato la forma della bellezza. Ma attraverso queste forme egli ha anche assegnato alle sue proprie conoscenze la forma della verità. Tale forma è del tutto particolare. L'*homo religiosus* non poteva del resto evitare di esprimersi attraverso forme e, attraverso queste forme, di esprimere il sacro. La dimensione estetica fa dunque parte integrante del sacro.

Lo studio dell'arte sacra ci spinge a rivolgere una particolare attenzione alla dimensione storica dell'*homo religiosus*. L'uomo è inventore, ma non può inventare tutto. Nelle sue invenzioni egli utilizza ciò che trova intorno a sé, utilizza dei dati. Si serve di ciò che vede, ascolta e tocca, di ciò che calpesta o percorre. L'arte sacra conserva sempre il sapore particolare del vissuto. Perciò l'arte delle caverne ci appare un riflesso della caccia, delle sue difficoltà, dei suoi misteri e dei suoi miti. I monumenti megalitici sono un'altra testimonianza dell'importanza che l'uomo attribuiva alle sue «radici» naturali. Le iscrizioni rupestri appaiono un modo per comunicare misteriosi messaggi a coloro che, periodicamente, sarebbero venuti a conoscerle. E lo stesso accade per ogni tappa della storia dell'arte sacra, testimonianza della forma di sensibilità che l'uomo di ciascuna epoca è capace di vivere. L'antropologia culturale non può perciò essere dissociata dal religioso.

Nell'arte sacra l'uomo produce mediazioni sensibili del divino. Non soltanto egli «riceve» il cosmo, ma ne esprime il significato sopra-cosmico reinserendolo in uno spazio qualificato, progettando questo spazio qualificato nei monumenti e negli edifici religiosi, dai megaliti, con i loro allineamenti e la loro disposizione in ampi cerchi, fino ai templi moderni.

Naturalmente questo passaggio attraverso le mediazioni sensibili non è l'unica via di accesso al divino. Ed è inoltre un passaggio contrassegnato da ambiguità. Tutte le gesta contenute nella storia biblica sono una sorta di reazione contro questa ambiguità. Quando Abramo abbandona Ur in Caldea, al centro della città sorgeva una magnifica Porta del Cielo, simile alla Torre di Babele. Eppure egli le volta le spalle e sceglie, o accetta, una diversa strada per giungere a Dio. Si tratta anche di una protesta contro gli idoli.

Il Sacro e la sua espressione estetica

Per unirsi a Dio bisogna per prima cosa incontrarlo. Ma allora non bisogna affidarsi sempre e soltanto ai segni; non si deve all'infinito fare ricorso alle mediazioni. Viene il momento in cui è necessario strappare i veli. Tutte le mistiche, assetate di assoluto e di bellezza, si propongono di raggiungere questo momento in cui il velo si squarcia. Dal punto di vista sociologico si producono così alcune forme di emarginazione: certi uomini si aggirano per le strade come vagabondi di Dio. La loro protesta è una testimonianza del fuoco che la religione e l'arte sacra hanno acceso in loro, e nello stesso tempo dell'incapacità di questo mondo, pur bello e pur trasformato dall'arte e dalla liturgia, di placare la loro sete. La loro stessa esistenza pone però il problema dei limiti dell'arte sacra, dei limiti delle forme. Tale problema è di tipo radicale: se Dio è Bellezza trascendente, allora l'arte sacra serve soltanto ad accendere un fuoco che non può estinguersi.

La Bibbia non parla della Bellezza di Dio ma della sua Gloria, senza dubbio per evitare all'uomo la tentazione dell'idolatria (Dio non può essere rappresentato) e il rischio che l'interesse umano si concentri su un solo aspetto. Come il sacro, che Egli impersona e personalmente trascende, Dio è al di là del Tutto, e dunque anche della Bellezza. L'arte sacra conduce a Lui, ma contemporaneamente rinuncia a porsi come il centro della vita religosa. Come un veicolo che ha assicurato il percorso, essa scompare dopo aver compiuto la sua missione.

Parte seconda

IL SACRO, LE ORIGINI
L'UOMO ARCAICO, LA MORTE

L'EMERGENZA DELL'*HOMO RELIGIOSUS*
Paleoantropologia e Paleolitico

di
Fiorenzo Facchini

POSIZIONE DEL PROBLEMA

La ricerca sul senso religioso nell'uomo preistorico non risponde solo a una curiosità intellettuale. Si tratta di vedere quando e in che cosa cogliere le radici non tanto della religione, come sistema di credenze, quanto di un'attitudine interiore dell'uomo espressa attraverso segni e riti che fanno parte della sua esistenza quotidiana e in qualche modo tendono a trascenderla.

Il problema è di vedere se il senso religioso e del sacro sia riferibile alla struttura originaria dell'esperienza umana o sia il prodotto di scelte culturali rese necessarie o comunque suggerite in una società via via più evoluta e complessa.

L'origine della religione è argomento assai dibattuto nel mondo umanistico e scientifico con approcci e metodi diversi (es. evoluzionistico, storico, etnologico, fenomenologico, ecc.), in cui finiscono spesso per prevalere o determinate impostazioni ideologiche o la trasposizione di sistemi religiosi di popoli attuali, primitivi o evoluti, all'uomo preistorico.

In qualche misura ciò diventa inevitabile in assenza di una documentazione paleoantropologica. Fu così che sociologi, etnologi, antropologi culturali, filosofi, storici hanno cercato di ricostruire e interpretare il fenomeno religioso nelle fasi preistoriche dell'umanità, spesso con argomenti poco convincenti, se non del tutto arbitrari.

Ma negli ultimi decenni gli orizzonti della Paleoantropologia si sono arricchiti di numerosi documenti circa l'attività concettuale dell'uomo preistorico, particolarmente sulle sue pratiche funerarie e rappresentazioni artistiche.

Inoltre nello studio del fenomeno religioso e delle sue espressioni diacroniche si è fatta maggiore chiarezza con la distinzione tra religione e senso religioso, tra religione e senso del sacro.

Il Sacro, le origini, l'uomo arcaico, la morte

È così che forse oggi si apre il campo per tentare nuove analisi e interpretazioni.

I. I DIVERSI APPROCCI

Il nostro contributo vorrebbe svilupparsi propriamente sul piano paleoantropologico, con un approccio di tipo preistorico globale. Non vogliamo però trascurare qualche riferimento su altri approcci, fra quelli più noti che sono stati seguiti: evoluzionistico, sociologico, etnologico, funzionalista, fenomenologico, ermeneutico.

1. La scuola evoluzionistica

La scuola *evoluzionistica* parte dal presupposto che nella fase primordiale dell'umanità fosse assente qualunque forma di religiosità e che la religione si sia formata dopo vari stadi dell'idea religiosa. Secondo *Lubbock* (1834-1913) si sarebbero susseguite le seguenti fasi: ateismo, feticismo, (o teriomorfismo), culto della natura (o totemismo), shamanismo, idolatria (o antropomorfismo). Nello stadio seguente viene posta l'idea di Dio. A una concezione evoluzionistica si ispirò anche *Edward Burnett Tylor* (1832-1917), il quale propose un'altra sequenza per lo sviluppo del senso religioso a partire dall'animismo. Da questo si sarebbe poi sviluppato il feticismo, l'idolatria, il politeismo e, infine, il monoteismo. In una linea evolutiva si collocano anche altri studiosi, come il *Morgan* (1818-1881) e più recentemente Sir *James Frazer* (1854-1941) con il suo schema evolutivo generale che parte dalla magia, come prima manifestazione dello spirito umano, per giungere alla religione e alla scienza.

2. L'approccio sociologico

L'approccio *sociologico* trova il suo iniziatore in *Emile Durkheim* (1858-1917), secondo il quale la religione è una proiezione della società, una emanazione della coscienza collettiva. È la società stessa a creare il sacro, ciò che dà vita e senso alla religione, distinguendolo dalla sfera del profano. Esso trova nel «Mana» la sua forza vitale e nel «Totem» la rappresentazione della divinità, come ipostasi del clan, della società stessa. Sulla sua scia si collocano *Marcel Mauss* (1873-1950) e *Henri Hubert* (1872-1927), mentre *Lévy-Bruhl* (1875-1939) attribuisce alla mentalità primitiva un carattere «pre-logico», fondato sul principio della partecipazione mistica e non sui principi della logica, cioè non sulla identità e sulla causalità.

3. Il metodo etnologico

Il metodo *etnologico* si basa sullo studio delle società primitive. Esse, quasi archivi viventi del passato, vengono prese come modello per ricostruire la mentalità, gli interessi, l'economia e anche il senso religioso dell'uomo preistorico. Fra i vari studiosi che si sono dedicati a questo argomento va ricordato innanzitutto *Andrew Lang* (1844-1912), il quale, contro l'animismo di Tylor e la mitologia naturistica di Max Müller che vedeva l'origine della religione nei fenomeni della natura, pose la credenza in un Dio superiore agli inizi della religione, con analogia a quanto si osserva presso popoli molto primitivi, come gli Australiani e gli Andamanesi. *Wilhelm Schmidt* (1868-1954) riprese questa idea e sostenne, sulla base di tradizioni orali raccolte presso gruppi primitivi dell'America (Algonchini, Californiani nord-centrali, Fuegini), dell'Africa (Pigmei) e dell'Australia, che la prima forma di religione fu il monoteismo, cioè la credenza nell'Essere supremo, da ricollegarsi a una rivelazione primitiva; da questa forma religiosa, per degenerazione, sarebbero derivate quelle successive di tipo animistico, magico, politeistico. *K. Preuss* (1869-1938) ammise invece una fase pre-animistica, da cui sarebbero derivate sia la magia sia l'idea degli dei supremi.

4. Il funzionalismo

Nella linea del *funzionalismo* di *Malinowski* (1884-1942), che ricerca il significato o la funzione di una concezione religiosa nell'ambito di una singola civiltà, in relazione ai bisogni fondamentali del gruppo sociale, si colloca l'idea di una certa correlazione tra le espressioni della religione e le forme economico-sociali avanzata da *R. Thurnwald* (1866-1954). Secondo questo Autore vi fu una credenza generale nella sacralità degli animali (teriomorfismo) durante il periodo dei popoli predatori; il totemismo corrisponderebbe alle culture dei cacciatori; la personificazione di divinità (attraverso l'animismo, ecc.) caratterizzerebbe le prime culture agricole e la credenza negli dei supremi sarebbe specifica dei popoli formati da pastori (1951). Un altro autore, *Ad.E. Jensen*, mise in relazione le nozioni di un dio celeste creatore e di un signore degli animali con le culture primitive dei cacciatori, mentre il concetto di divinità del tipo «Dema», caratteristiche del ciclo agricolo matriarcale, sarebbe da ricollegarsi con lo stadio degli agricoltori e nelle grandi civiltà si avrebbe la trasformazione del «Dema» in dei.

5. Il metodo storico

Anche *Raffaele Pettazzoni* (1877-1955), il quale ha considerato la religione come un fenomeno essenzialmente storico e quindi ne ha studiato gli sviluppi con *metodo storico*, comparando i dati offerti dalle religioni classiche dei Greci, dei Romani, dei Germani, degli Slavi, si è addentrato nel problema delle origini e dello sviluppo del senso religioso, in particolare del monoteismo, a partire dal mondo dei popoli primitivi. Secondo l'Autore non è verosimile che l'idea dell'Essere celeste si sia formata pienamente in un dato punto presso una famiglia umana e poi si sia diffusa sulla terra, come sostenuto da Schmidt. I popoli primitivi attuali che possiedono questa credenza appartengono a una grande varietà di aree culturali e rappresentano formazioni distinte maturatesi attraverso processi di durata considerevole. L'idea dell'Essere celeste «lungi dall'essere stata l'oggetto di una religione speciale elevatissima, di una religione primordiale, sopraffatta poi via via da altre forme religiose emerse col progredire della civiltà, come vogliono i teorici del monoteismo primitivo, subì anzi le varie influenze religiose dei vari ambienti culturali di cui fece parte, assumendo così da luogo a luogo una colorazione religiosa diversa.»

Nella linea storica può collocarsi anche *Paul Schebesta*, secondo il quale «la via storica per l'indagine sull'origine della religione passa per la preistoria e per l'etnologia» (1966, p. 19).

6. Approccio fenomenologico

Secondo un approccio *fenomenologico* al problema delle origini delle religioni si sono sviluppati gli studi di *Nathan Söderblom* (1866-1931), di *Rudolf Otto* (1869-1937) e *Gerardus van der Leeuw* (1890-1950).

Söderblom punta sulla importanza del sacro. «Sacro è la parola che conta in religione; essa è perfino più importante della nozione di Dio. Una religione può realmente esistere senza una concezione precisa della divinità, ma non esiste alcuna religione reale senza la distinzione tra sacro e profano» (cit. da Ries, 1982). In questa concezione, in cui il sacro è considerato «come un potere o un'entità misteriosa legata a certi esseri, cose, avvenimenti o azioni» è superata la distinzione di stadio magico e di stadio religioso. Rudolf Otto riprende e sviluppa l'idea del sacro; esso affonda le sue radici nelle profondità dell'animo umano come in una rivelazione interiore, che porta ad apprezzare il valore numinoso che si manifesta in fatti e avvenimenti. Per Rudolf Otto, osserva Julien Ries, si ha una doppia manifestazione del sacro: da una parte la rivelazione interna del sacro sulla quale si fonda la religione personale, e dall'altra la manifestazione del sacro nella storia, e ciò grazie a dei segni. Dunque, si tratta di leggere questi segni: è il problema del simbolo e del sacro (cit. p. 45).

Van der Leeuw identifica nel sacro l'oggetto della religione e lo vede rivestito di un potere specifico che si rende presente in esseri e oggetti considerati appunto come sacri nelle diverse forme religiose.

L'emergenza dell'*homo religiosus*

7. Approccio ermeneutico

Un approccio più completo, definito di tipo *ermeneutico*, è quello di *Mircea Eliade* (1907-1986). Il suo metodo, integrale, storico, fenomenologico ed ermeneutico, cerca di utilizzare e interpretare questi diversi approcci. Ogni fenomeno religioso può essere considerato una «ierofania», cioè una manifestazione del sacro. Molto importante è allora non soltanto descrivere il fenomeno, ma interpretarlo, decifrarne il messaggio, a partire dalla propria esperienza interiore e da quella che matura nella comunità. «Il sacro è un elemento di una struttura della coscienza e non un momento della storia della coscienza... L'esperienza del sacro è indissolubilmente legata allo sforzo dell'uomo per costruire un mondo che abbia un significato» (*Fragments d'un journal*, p. 555). Questa realtà, comunque si manifesti o sia percepita come oggetto, è il «tutt'altro» e trascende il mondo. La storia delle religioni non è che un accumulo di ierofanie, di cui occorre cercare il significato attraverso un approccio fenomenologico.

Su questa linea, che vede coessenziale all'uomo l'esperienza del sacro, così da farne l'*homo religiosus*, si è sviluppato il pensiero e il contributo di *Julien Ries*, particolarmente per quanto si riferisce alle grandi religioni di epoca protostorica e storica in cui la teofania prende il posto della ierofania. Si tratta sempre di un'esperienza del sacro in cui l'*homo religiosus* si muove in un universo simbolico di miti e di riti, ricollegati non più a elementi cosmici e numinosi, ma a rivelazioni dirette o teofanie.

8. Valutazione di questi approcci

Alcuni metodi, sopra ricordati, circa lo studio delle origini e dello sviluppo del senso religioso hanno il limite di voler affrontare il problema sulla base di comparazioni o extrapolazioni, non scevre a volte di pastoie ideologiche. Più libero e metodologicamente più corretto appare il metodo fenomenologico, come pure quello ermeneutico, anche se non si basano su documentazione fossile.

Nello studio del fenomeno religioso presso l'uomo preistorico l'approccio che utilizza gli elementi forniti dalla Paleoantropologia e dalla Preistoria ci sembra il più adeguato, anche se ancora lacunoso allo stato attuale. In questa linea si sono sviluppati vari studi che hanno fatto riferimento a reperti antropologici e a espressioni culturali dell'uomo paleolitico. In particolare possono essere ricordati i contributi di *Breuil, Bergounioux, Boné, Blanc, Leroi-Gourhan*. Anche l'etnologo *Schebesta*, pur seguendo il metodo storico, non ha trascurato la preistoria. È appunto con un approccio di tipo paleoantropologico e preistorico globale che vorremmo dare un contributo allo studio della emergenza del sacro, cioè dell'*homo religiosus* e delle sue manifestazioni nei lunghi periodi del Paleolitico.

Il Sacro, le origini, l'uomo arcaico, la morte

II. L'APPROCCIO PALEOANTROPOLOGICO E PREISTORICO

1. Le principali tappe dell'evoluzione umana

Prima di sviluppare le nostre considerazioni, riteniamo opportuno richiamare, a grandi linee, le principali tappe che si riconoscono nell'evoluzione umana, a partire da quella che ha preceduto la comparsa dell'uomo.

Si possono infatti riconoscere negli ultimi 4 milioni di anni vari livelli che appaiono in successione cronologica, pur con sovrapposizioni parziali, e segnano, dal punto di vista morfologico, un graduale avvicinamento alla forma umana attuale (cfr. *Facchini*, 1985).

a. *Le forme australopitecine*: erano caratterizzate da un'avanzata ominizzazione nella dentatura e nell'apparato locomotore, adatto al bipedismo; avevano una capacità cranica intorno ai valori delle scimmie antropomorfe. Vissero in varie località dell'Africa e forse dell'Asia in un periodo che va da 5-4 milioni di anni a 1 milione di anni fa.

b. *Homo habilis*, vissuto fra 2 e 1,5 milioni di anni fa. Si sovrappone in parte alla fase degli Australopiteci. Era dotato di capacità cranica superiore a quella degli Australopiteci e fabbricava utensili, come choppers e chopping-tools (industria olduvana).

c. *Homo erectus*, rappresentato dall'umanità fossile vissuta nel Pleistocene inferiore e medio (tra 1,7 e 0,2-0,15 milioni di anni fa). Le forme «erectus», diffuse in tutto l'Antico Continente, appaiono decisamente più evolute, anche nella cultura che realizzano (Paleolitico inferiore).

d. *Homo sapiens* arcaico (o *antiquus*), vissuto fra 150.000 e 40.000 anni fa e rappresentato sia da forme che si vanno evolvendo verso l'uomo neandertaliano e moderno, sia da quelle tipicamente neandertaliane, che si sono estinte a metà della glaciazione wurmiana. Sono accompagnate da culture del Paleolitico medio (musteriano).

e. *Homo sapiens sapiens* (o forma moderna): si è affermato ovunque negli ultimi 40-35.000 anni, ma le sue origini sembrano più antiche, in larga parte africane. Ad esso si attribuiscono le culture del Paleolitico superiore (fino a 10.000 anni fa circa), per le quali vengono indicati i seguenti periodi per le regioni europee: Perigordiano (Castelperroniano, Aurignaziano, Gravettiano), Solutreano, Maddaleniano, Aziliano.

2. La documentazione

Ciò premesso, osserveremo che gli studi preistorici dispongono di una documentazione abbastanza ricca sul simbolismo e sul senso religioso per gli ultimi 100.000 anni. In questo periodo, fino a 35.000 anni fa, sono diffusi in Europa e nel vicino Oriente i Neandertaliani che conoscono la pratica della sepoltura; successivamente si afferma la forma moderna (*Homo sapiens sapiens*). Essa, presente già 100.000 anni or sono nell'Africa, si era diffusa nel continente euroasiatico. Con la forma moderna le manifestazioni di concettualità e di arte si fanno decisamente più ricche.

Ciò significa che la religiosità, come l'arte e la capacità astrattiva, incominciano con *Homo sapiens sapiens* o al massimo con i Neandertaliani? Alcuni studiosi lo pensano. Ad esempio, secondo Marcozzi (1978) l'uomo in senso pieno si avrebbe solo a partire dai Neandertaliani o dalle forme più evolute di *Homo erectus*. Anati (1988) ritiene che la piena concettualità, con l'arte e la religione, si sia avuta con *Homo sapiens* di 40.000 anni fa; in precedenza ci sarebbe stata una tendenza alla concettualizzazione (con i Neandertaliani) o forme di concettualità primordiale.

A nostro modo di vedere bisogna tenere presente che la capacità simbolica dell'uomo può esserci anche quando i segni appaiono soltanto indiretti. Anche oggi, molte espressioni simboliche e religiose non lasciano tracce specifiche. Ma soprattutto occorre intendersi sulla definizione di uomo. A questo riguardo si incorre talvolta in due estremi che dovrebbero invece essere evitati. Ciò avviene quando l'uomo viene definito soltanto su base morfologica o biologica oppure soltanto dal punto di vista culturale, sulla base cioè delle manifestazioni della cultura.

3. Una definizione globale di uomo per scoprire l'uomo

Una definizione di uomo deve includere, a nostro modo di vedere, i diversi aspetti dell'uomo. Oltre a una base essenzialmente biologica, quale noi riconosciamo in caratteristiche tipiche dell'uomo (un'adeguata organizzazione cerebrale, la riduzione della dentatura, la perfetta opponibilità del pollice alle altre dita, l'apparato di fonazione, adatto al linguaggio articolato, ecc.), occorre considerare anche le manifestazioni della *cultura* che lo contraddistinguono. La cultura infatti è un elemento integrante ed essenziale per l'uomo anche come specie biologica, perché entra nei processi di adattamento all'ambiente ed è stata comunque determinante per il successo evolutivo della specie umana, proprio per la sua possibilità di innovazione, di crescita, di accumulazione, di trasmissione rapida, per via non genetica e non solo parentale.

Certamente per l'umanità attuale gli elementi della cultura, espressi nella tecnologia, nell'organizzazione familiare e sociale, nel linguaggio simbolico, nell'arte, nella religione, sono facilmente identificabili. Più difficile l'approccio all'uomo preistorico, sulla base dei documenti che si ritrovano per le origini dell'umanità. La discontinuità biologica e culturale che oggi riconosciamo tra uomo e scimmie antropomorfe è più difficile da riconoscere agli inizi dell'umanità tra forme umane e non umane.

Il Sacro, le origini, l'uomo arcaico, la morte

Nel corso dell'evoluzione l'uomo, la cui presenza è sicuramente documentata nell'Africa Orientale a partire da circa 2 milioni di anni fa, emerge senza rumore, nel silenzio, quasi in punta di piedi, come ha osservato *Teilhard de Chardin*.

La discontinuità biologica e culturale rispetto all'Australopiteco appare soprattutto a distanza, in uno spessore di tempo, e non è sempre facilmente riconoscibile nella documentazione fossile delle origini[1]. Tuttavia è proprio assumendo come parametri quelli che oggi contraddistinguono l'uomo dal punto di vista *biologico* e *culturale* che noi possiamo risalire indietro nel cammino evolutivo e ricercare la più antica presenza dell'uomo e ciò che lo caratterizza.

La risposta alla domanda: «quando c'è l'uomo?» si lega a un'altra: «chi è l'uomo?» ed è possibile solo in un approccio globale. Occorre cioè un sistema nervoso che renda possibile uno psichismo umano, ma occorrono anche comportamenti che denotino progettualità, creatività, rappresentazione e comunicazione simbolica, vita sociale varia e intensa. È in questo contesto che si sviluppa il senso religioso o del sacro, quali che possano essere le sue manifestazioni.

4. Dalla capacità astrattiva al simbolismo e al senso religioso

A nostro modo di vedere i presupposti essenziali per il simbolismo e il senso religioso sono presenti dove ci sono segni di un'attività astrattiva, di uno psichismo riflesso. Anche la lavorazione tecnologica, quando non si presenta in modo ripetitivo e stereotipato, ma è un frutto di un progetto e si evolve, implica già un'attività astrattiva e rappresenta un elemento di discontinuità rispetto alle attività manuali di forme non ancora umanizzate. C'è un atteggiamento creativo nei diversi tipi di manufatto, nelle varietà di industrie litiche fabbricate dall'uomo preistorico. Molti manufatti, la stessa industria su ciottolo, i choppers, presentano una certa genericità dello strumento, nel senso che esso poteva servire non per un unico scopo, ma per più usi. Ciò lascia intendere che l'intelligenza non era incorporata all'opera (per così dire), ma stava all'inizio dell'opera, nella mente che aveva pensato lo strumento, quasi come una terza mano.

Quando poi, oltre un milione di anni fa, *Homo erectus* ha costruito i bifacciali (strumenti di selce a forma di mandorla, ritoccati su entrambe le facce), ha dimostrato di conoscere la simmetria, perchè quei ritocchi sulle due facce del manufatto non erano per la funzionalità (non rendevano lo strumento più adatto a raschiare), ma esprimevano armonia, bellezza. A Swanscombe, in Inghilterra, con indu-

---

[1] Secondo qualche studioso anche gli Australopiteci erano in grado, oltre che di usare pietre, bastoni, di scheggiare in modo rudimentale la selce, fabbricare utensili. Così *Coppens* e *Chavaillon*, sulla base di industrie litiche trovate in Etiopia (Valle di Omo) e risalenti a 2,5-3 milioni di anni fa. Ci sarebbe stata quindi una fase preumana dello strumento, così come c'è stata per l'organismo. A nostro modo di vedere si potrebbe parlare di una fase preculturale, riservando a *Homo habilis* la nozione di cultura nei suoi aspetti innovativi e progettuali.

stria acheuleana (Paleolitico inferiore), sono stati trovati bifacciali contenenti bivalvi e echinodi fossili, inclusi nella selce; essi quindi furono rispettati dall'artefice di quei bifacciali (*Oakley*, 1981).

Il senso estetico che svincola il manufatto dalla pura funzionalità del tagliare o raschiare o incidere è dunque molto più antico delle raffigurazioni artistiche del Paleolitico superiore di Altamira, di Lascaux e di Niaux; esso esprime già capacità astrattiva e fa acquistare allo strumento un possibile significato anche sul piano artistico. Al senso estetico si accompagna una capacità di rappresentazione simbolica a partire da ciò che rientra nell'orizzonte conoscitivo dell'uomo.

In ordine al simbolismo assumono particolare interesse certi segni ritrovati in oggetti preistorici molto antichi, anche se di difficile interpretazione. Così a Pech-de-l'Azé, a un livello acheuleano (Paleolitico inferiore), di epoca rissiana, è stato rinvenuto un frammento di costola di Bovide che porta incisioni ritenute intenzionali. Altrettanto può dirsi di alcune incisioni a zig-zag su un frammento osseo ritrovato a Bacho-Kiro (Bulgaria) con industrie musteriane.

Non sappiamo il significato di queste incisioni, ma il loro carattere simbolico è fuori discussione. Va anche segnalato nel glaciamento di Tata (Ungheria) un manufatto di epoca musteriana, colorato con ocra rossa, ricavato da una lamella di molare di mammuth.

A favore del simbolismo può infatti essere portato l'uso dell'ocra rossa che risale ad epoca più antica delle sepolture neandertaliane o del Paleolitico superiore. Essa viene segnalata in vari siti preistorici del Paleolitico inferiore: Gadeb (Etiopia), secondo strato di Olduvai (Tanzania), Terra Amata (Nizza), Becov (Cecoslovacchia) (cfr. *Oakley*, 1981).

Un altro elemento a sostegno della capacità simbolica dell'uomo preistorico è la domesticazione del fuoco, sicuramente documentata da mezzo milione di anni (Terra Amata, Verteszöllös, Torralba, Petralona, Chou-Kou-Tien, ecc.), ma che, secondo alcuni studiosi, sarebbe già presente oltre un milione di anni fa in Africa. Mezzo di difesa dagli animali, di protezione dal freddo e per la cottura di cibi, probabilmente il fuoco rappresentò anche un elemento di suggestione e di coesione per la famiglia e il gruppo umano.

Ha osservato P. *Schebesta* (1966): «L'uomo preistorico ci appare in ogni scoperta come un uomo completo. La sua spiritualità completa emerge sufficientemente dal fatto che egli sa creare degli strumenti» (p. 146).

E nel momento in cui ha avuto coscienza di sé, l'uomo non può non aver percepito la sua differenza rispetto agli altri esseri che gli erano attorno, non può non essersi posto domande su di sé e sulla realtà esterna. Ora, quando emerge questa coscienza, c'è già la capacità di stupirsi di fronte alla volta del cielo e al movimento degli astri o a un tramonto infuocato o alle folgori che solcano il cielo o alla lava incandescente di un vulcano. E accanto allo stupore, la percezione di qualcosa che sovrasta e trascende l'uomo, di fronte alla quale egli si sente impotente o di cui ignora la natura. Sono questi sentimenti che ispirano il senso del sacro, cioè il riconoscimento e l'appello a forze superiori, comunque possano identificarsi, anche in forme mitiche o magiche.

È stato giustamente osservato che l'esperienza del sacro è intrinseca all'esperienza umana, costituisce un elemento fondamentale della struttura della coscienza. «Di conseguenza, dal momento in cui le «opere» dell'uomo preistorico ce lo rivelano come un essere che possiamo definire «umano», siamo costretti a riconoscergli anche una certa religiosità» (*Boné* 1988).

Bergounioux (1961) ha tentato di ricostruire le fasi dello sviluppo del senso religioso postulando una fase iniziale in cui l'uomo si sentiva talmente parte del mondo da vedere nel mondo animato e inanimato quasi delle espressioni umanizzate (cosmomorfismo); a questa fase potrebbe esserne succeduta un'altra in cui la conoscenza si fa più obiettiva e l'uomo si riconosce nella sua soggettività ben distinta dalle cose (antropomorfismo). Analogamente a quanto si osserva nella società primitiva, le manifestazioni di fenomeni naturali inesplicabili diventano in primo luogo oggetto di timori religiosi. Secondo lo stesso Autore (1958), «il sole, la luna, le stelle, il fuoco, l'acqua, il vento, tutti elementi contro i quali essi (i primi uomini, n.d.r.) non potevano lottare con armi uguali e di cui erano così spesso le vittime, apparivano a loro, per riprendere le parole di Mircea Eliade, come «ierofanie». Questa percezione del sacro ci sembra avere la sua origine molto più in una sorta di apprendimento diretto con un atto unico e indivisibile che a seguito di un procedere dell'intelligenza primitiva che si elevava lentamente a una conoscenza di altro ordine» (p.188)[2].

L'idea di «ierofanie», proposta da *Mircea Eliade* e ripresa da *Julien Ries* per descrivere lo sviluppo del senso del sacro nell'uomo preistorico, ha una sua plausibilità, oltre che indubbia efficacia. Ciò dovrebbe valere per l'uomo fin dalle origini, anche per la fase di *Homo habilis*, non solo per l'*Homo erectus* del Paleolitico inferiore, con il quale vengono segnalate, come si vedrà, alcune attività a carattere simbolico che possono essere di ordine cultuale o magico-religioso. La continuità culturale oltre che somatica che si osserva tra *habilis* e *erectus* depone per un livello concettuale comune, quali che possano essere le espressioni.

L'uomo si rivela dunque *sapiens* già in quello stadio in cui viene definito *faber* per la sua tecnologia. In realtà è *faber* perché *sapiens*, fin dalle origini, perché fa emergere la coscienza riflessa e la capacità simbolica che ispirano anche il senso religioso e del sacro.

5. Trattamento di ossa umane e culto dei crani

Il trattamento di ossa umane, specialmente di crani, che è stato osservato in vari reperti preistorici, può esprimere attività simboliche, attinenti forse la sfera

---

[2]   Queste ultime considerazioni sono fatte dall'Autore nel contesto di un discorso sugli Arcantropi (*Homo erectus*).

del sacro. Il caso più noto è quello di crani mancanti della base o che presentano comunque un allargamento del foro occipitale per mutilazione intenzionale. Ciò appare abbastanza evidente, quando, come nei Pitecantropi di Giava e nel Sinantropo di Pechino, i reperti sono praticamente costituiti da ossa craniche e quelle postcraniali sono assenti o molto scarse.

A Chou-Kou-Tien i reperti sono riferibili a una quarantina di individui, rappresentati da calotte e mandibole; pochissime le ossa relative agli arti, assenti le vertebre. È probabile che tali resti siano stati portati intenzionalmente nella grotta. Non però a scopo alimentare, come invece dovette avvenire per gli animali i cui resti sono stati ritrovati nella grotta stessa. Forse crani e mandibole umane furono portati in quel luogo dopo che si erano già perdute le parti molli del cadavere, nell'intento di conservarli. Così hanno pensato *Breuil* e *Lantier* (1951) i quali parlano di «culto di crani» e ritengono che l'allargamento del foro occipitale nel Sinantropo non implica necessariamente pratiche di antropofagia, ma soltanto due momenti successivi nel trattamento del cadavere. Essi riconoscono operazioni simili in altri crani di vari periodi (Steinheim, Ehringsdorf, La Quina, La Naulette, Ngandong, ecc.). Secondo altri studiosi, tra cui *Weidenreich* (1941), le fratture che si osservano nella base cranica del Sinantropo potrebbero essere state praticate allo scopo di estrarre il cervello. A sostegno di questa interpretazione vengono portate, per analogia, forme di cannibalismo rituale in uso presso alcuni gruppi umani (Melanesia, Borneo, Celebes, ecc.) allo scopo di procurarsi le virtù del defunto. Le finalità e la ricostruzione delle diverse operazioni intercorse tra la morte (uccisione?) e il trasferimento delle ossa nella grotta di Chou-Kou-Tien restano però piuttosto oscure. Recentemente è stata anche contestata l'ipotesi del cannibalismo o di culto dei crani e l'accumulo delle ossa umane nella grotta sarebbe dovuto ad animali come iene o volpi (*Binford* e *Kun ho*, 1985).

Secondo *Weidenreich* (1928), anche per l'uomo di Ehringsdorf la mutilazione della base del cranio potrebbe essere stata praticata allo stesso scopo; altrettanto può dirsi per il cranio di Steinheim, secondo *Berckhmer* (1934). La pratica pare anche più evidente nelle undici calotte scoperte a Ngandong, nell'isola di Giava, accompagnate soltanto da due tibie, mentre resti di animali erano ben rappresentati nelle diverse parti dello scheletro.

Ci troviamo di fronte a una selezione di crani che doveva avere qualche significato, come per i cacciatori di teste di epoca attuale? La notevole somiglianza tra le fratture della base dei crani di Ngandong e quelle praticate dai cacciatori di teste del Borneo allo scopo di estrarre il cervello, indusse *Von Koenigswald* (1937) ad attribuire un carattere rituale alle mutilazioni osservate, tanto più che i crani apparivano disposti a formare come una sorta di altare.

Anche per il cranio neandertaliano del Monte Circeo, trovato nella Grotta Guattari, non vi sono dubbi, secondo *Blanc* (1971), sul carattere rituale della mutilazione che si osserva alla base cranica e si accompagna ad altra mutilazione nella regione temporale destra, riferita dall'Autore stesso a una violenza subita. La mutilazione della base è stata ritenuta dal Blanc identica a quella praticata dai cacciatori di teste del Borneo e della Melanesia allo scopo di estrarre il cervello onde cibarsene a fini rituali e sociali, uno dei quali è la necessità di assegnare un nome ai neonati. La posizione del cranio, che appariva rovesciato, con la base rivolta in alto, sul pavimento della grotta, al centro di una camera semicircolare, circondato da un cerchio di pietre, suggerirebbe, secondo lo stesso Autore, un carattere rituale per tutto il complesso.

Forme di cannibalismo sono chiaramente riconosciute nei resti di un gruppo di Neandertaliani, ritrovati a Krapina, in Jugoslavia, all'inizio del secolo, rappresentati da ossa craniche e da numerosi resti di ossa postcraniali, in cui si osservano elementi sia degli arti, sia della colonna vertebrale. Le ossa presentano striature varie, dovute a strumenti litici impiegati per la scarnificazione e la disarticolazione delle diverse membra del corpo. Le ossa degli arti, specialmente il femore e la tibia in cui il midollo è più abbondante, risultano assai fratturate. Ciò induce a ritenere le ossa di Krapina resti di pasti cannibaleschi (*Leroi-Gourham*, 1970; *Ulrich*, 1982). Rimane problematico stabilire la natura di tali pasti, se cioè avvenivano a scopo alimentare o anche con qualche significato rituale.

In vari reperti del Paleolitico superiore sono stati riconosciuti segni di manipolazione intenzionale (strie da strumenti di taglio) praticati dopo la morte (o l'uccisione) per disarticolare e scarnificare le parti del corpo (Balla in Ungheria, Brno, Culna, Mladec in Cecoslovacchia, ecc.).

Secondo *Ulrich* (1982) occorre andare cauti nel parlare di cannibalismo per queste manipolazioni. «Il cannibalismo, nel senso antropologico ed etnologico, significa la pratica di nutrirsi di carne umana durante qualche cerimonia o rituale. Non vi sono dirette indicazioni in molti casi per questo uso. Il cannibalismo può ritenersi un caso speciale di manipolazione del cadavere praticato nel paleolitico, ma le evidenze vi sarebbero soltanto per poche località. Più frequente la separazione della carne dalle ossa e lo smembramento del cadavere il quale poteva forse essere connesso con qualche rituale funerario».

Secondo *Breuil* e *Lantier* (1951), le pratiche più antiche sarebbero espressione di un culto pacifico del cranio, come la parte più nobile e rappresentativa del corpo. Ciò supporrebbe la nozione di continuità tra la comunità dei viventi e quella dei defunti. Con l'uomo di Neandertal (Monte Circeo, Krapina) sarebbe più fondata l'ipotesi di antropofagia rituale.

Quello che sembra emergere con buon fondamento è l'interesse per il defunto, quale si osserva già nei lontani tempi del paleolitico inferiore con pratiche che evidenziano intendimenti di carattere simbolico. Questo interesse andava oltre il bisogno materiale di cibo. La conservazione di crani, anche mutilati alla base, appare infatti in molti casi successiva a un primo trattamento o all'abbandono del cadavere. In altri casi il cannibalismo pare evidente, talvolta forse a carattere culturale, con significato magico-religioso. Ma non è il caso di generalizzare in questa interpretazione, né di estendere tali pratiche funerarie a tutti i tempi della Preistoria.

6. Le sepolture

Anche l'uomo preistorico, come quello moderno, deve essersi posto il problema della morte, come destino ineluttabile. Ciò in forza della sua capacità astrattiva e progettuale, di proiettarsi cioè nel futuro. L'istinto di autoconservazione diventa allora nell'uomo bisogno di protezione, desiderio di sopravvivenza. Non si deve pensare che la coscienza della morte sia sorta con le prime sepolture più antiche che noi conosciamo e vengono fatte risalire a circa 100.000 anni fa. Già certi rituali funerari delle epoche precedenti, più sopra ricordati, lasciano intendere che l'uomo non è rimasto indifferente di fronte alla morte e ha sviluppato le sue capacità di simbolizzazione attraverso gesti e operazioni che non si collegano a necessità immediate della specie.

La mancanza di vere sepolture per lunghissimi periodi del Paleolitico ha indotto a pensare che l'uomo abbandonasse sul posto i cadaveri, all'aperto, come del resto viene segnalato anche per qualche gruppo umano attuale. Non si può però neppure escludere che ci fosse qualche attenzione per il defunto, di cui non si è conservata traccia. In realtà sono le sepolture in grotta quelle che ci hanno lasciato testimonianze e per lungo tempo pare non fosse praticata l'inumazione in grotta.

Comunque, quando l'uomo comincia la pratica della sepoltura, si può dire che la morte ha cambiato di significato per lui. È difficile immaginare le ragioni che hanno indotto a sotterrare i cadaveri. Preoccupazioni di igiene? Protezione del cadavere dalle fiere in segno di affetto? Precauzioni per un ritorno del defunto? Allestimento di una dimora ed equipaggiamento per una vita oltre la morte? Propiziazione e desiderio di protezione da parte del defunto?

Forse non è possibile una risposta unica, valida per tutti i casi, anche perché le sepolture dell'uomo preistorico non seguono tutte un medesimo rituale, pur rispondendo a una evidente intenzionalità. Alcuni esempi potranno essere opportunamente richiamati.

Le sepolture più antiche che attualmente si conoscono sono quelle della Grotta di Qafzeh (Israele), per le quali è stata indicata un'età di 90.000 anni. Vi sono stati trovati i resti scheletrici di 16 individui accompagnati da industria musteriana. Fra gli altri viene segnalato lo scheletro di un adolescente, accanto a quello di una donna, con le braccia flesse e le mani ai lati della testa che tenevano le corna di un grande cervo. Sul petto frammenti di uova di anitra e tracce di fuoco e un blocco calcareo sulla regione addominale; le gambe erano ripiegate. Ci troviamo di fronte a un'offerta fatta al morto perché il morto la porti con sè? Alcuni attribuiscono al corredo di questa tomba una particolare importanza dal punto di vista simbolico e spirituale in ordine alla vita futura: il cervo che perde le corna a primavera e le rigenera potrebbe avere avuto, come presso alcuni popoli di epoca storica, un significato di fertilità e immortalità.

Sempre in Palestina, una decina di sepolture sono state segnalate nella Grotta di Skhul, riferibili a 60-50.000 anni fa. A Kebara (Monte Carmelo) è stata ritrovata una sepoltura risalente a 60.000 anni fa, nella quale però era conservato lo scheletro privo di cranio (forse perché prelevato in un secondo tempo).

Anche in altri depositi neandertaliani sono state ritrovate sepolture accompagnate da corredo. A Tesik-Tash, nell'Uzbekistan, sono stati ritrovati resti di un fanciullo neandertaliano che giacevano accanto a cinque trofei di corna di stambecco. A Shanidar, in Irak, sono stati ritrovati resti di vari individui, tra cui un bambino, riferibili a diversi livelli cronologici, il più antico dei quali risale a 70.000 anni fa, il più recente a 45.000 anni fa. I resti presentano caratteristiche neandertaliane e sono accompagnati da industria musteriana. In Shanidar IV l'inumato era stato deposto in un letto di fiori e circondato da fiori, come è dimostrato dall'analisi pollinica. È quindi ben documentata l'attenzione e il culto del defunto.

Per l'Europa la documentazione sulle sepolture neandertaliane è assai ricca e significativa, sebbene, soprattutto per i primi ritrovamenti dell'inizio del secolo, il rilevamento planimetrico non sia sempre stato effettuato.

Nella Grotta di La Chapelle (Corrèze, in Francia) fu scoperto nel 1908 lo scheletro di un anziano con la testa a ovest e i piedi a est, il braccio sinistro steso, il destro sollevato verso la testa, protetta da grandi ossa di animali, e accanto ad essa le ossa della zampa di un bisonte. A La Ferrassie sono stati ritrovati due scheletri di adulti e resti di vari infanti, questi ultimi in fosse tronco-coniche. Sulla testa e sulle spalle di un adulto erano poste delle pietre piatte. La pietra di copertura di una tomba portava incisioni di piccole coppe, il cui significato rimane incerto. Si tratta comunque di sepolture intenzionali, forse di un cimitero di Neandertaliani.

La pratica della sepoltura continua con *Homo sapiens sapiens* nel Paleolitico superiore, arricchendosi di nuovi elementi, soprattutto nel corredo. Si possono ricordare i vari reperti di Cromagnon, di Combe Capelle, di Cueva Morin, di Grimaldi, della Moravia.

A Cromagnon, sulla superficie di focolari aurignaziani giacevano cinque scheletri, accompagnati da abbondanti conchiglie e denti perforati. A Combe Capelle lo scheletro era adagiato in una fossa, la testa, circondata da numerose conchiglie, era orientata a Nord, mentre altre conchiglie si trovavano sulla tibia e all'altezza della terza vertebra dorsale; ai piedi erano poste selci di tipo musteriano e micocchiano. Nella Grotta di Grimaldi sono state ritrovate varie sepolture, alcune delle quali con corredo molto abbondante (collane di conchiglie, selci, bastoni del comando, ecc.). A Cueva Morin sono state segnalate tre sepolture. In un caso sembra che il cadavere fosse stato decapitato e mutilato delle estremità dei piedi; sopra e accanto sono stati trovati resti di un giovane ungulato e parti del torace di un grosso mammifero.

In Moravia varie sepolture sono state segnalate (Brno, Predmost, ecc.), accompagnate da resti di mammuth, specialmente scapole.

La posizione dell'inumato varia da sepoltura a sepoltura. Può essere di riposo; spesso è rannicchiata (Grimaldi, Predmost) o con gli arti più o meno flessi (La Chapelle, La Ferrassie, Chancelade, ecc.). Le interpretazioni di queste posizioni sono varie: dall'intento di impedire il ritorno fra i vivi, all'idea di restituirlo alla terra nella posizione fetale, alla imitazione della posizione dormiente. Si tratta forse di costumanze locali non prive di qualche simbolismo. Altrettanto dicasi per l'orientamente verso i punti cardinali: a volte verso il Nord (Barma Grande) o l'Ovest (Grotta dei Fanciulli di Grimaldi) o verso il Sud (Arene Candide). Può essere ricordata una singolare inumazione di tre individui in una tomba trovata recentemente a Dolni Vestonice, riferibile a 25.000 anni fa. Gli scheletri erano affiancati e distesi: quello al centro (17-20 anni), in posizione supina, presenta vari segni di patologia nelle ossa lunghe (femore destro curvato e più corto, gli altri segmenti più corti di quelli controlaterali); lo scheletro a destra (17-20 anni) raggiunge con le braccia la regione pubica dell'individuo al centro; lo scheletro di sinistra (15-17 anni) è disteso in posizione ventrale con la testa che guarda all'esterno. Incerta è l'interpretazione di tale sepoltura (*Jelinek*, 1987).

In varie sepolture musteriane e del Paleolitico superiore è documentato l'uso dell'ocra rossa, in cui viene riconosciuto un simbolismo con possibile riferimento al sangue e quindi alla vita.

In generale si può affermare che il culto dei morti è largamente presente nell'umanità del Paleolitico medio e superiore. Alcuni ritengono che siano stati i Neandertaliani a introdurlo, ma le forme di Qafzeh, pur essendo antiche e accompagnate da industria musteriana, sono già di tipo moderno. Anche in questo caso si dimostra infondato legare una cultura a un particolare tipo umano.

Le sepolture del Paleolitico superiore sono indubbiamente più ricche di corredo, ma rituali funerari sono presenti nel musteriano con i Neandertaliani, presso i quali si assiste già a una complessità di riti. Basti ricordare in proposito il cranio del Circeo. In ogni caso la più antica sepoltura, Qafzeh, si presenta già ricca e complessa (cfr. *Vandermeersch*).

Sull'interpretazione della pratica della sepoltura esistono varie opinioni. Esse non esprimono solo la coscienza della morte. Forse, come è stato accennato, intendimenti e simbolismi molteplici sottendono le diverse pratiche: la pietà verso il defunto di cui si protegge il cadavere, l'infossamento quasi per tenerlo imprigionato e lontano, il pensiero della sopravvivenza e il desiderio di trascendere la morte, sono alcune delle interpretazioni proposte.

Probabilmente non ogni seppellimento aveva un effettivo contenuto mistico-religioso, così come non ogni sepoltura moderna può indicarlo. La necessità di questa distinzione è stata richiamata da vari Autori (*Leroi-Gourhan*, 1970; *Boné*, 1978). Ma il sentimento religioso può ritenersi presente quando, oltre all'attenzione verso il defunto, ci troviamo in presenza di documenti che hanno evidente contenuto simbolico, come trofei e parti di animali, selci, conchiglie, sostanze colorate, ecc., e rimandano a credenze in forze ed entità che trascendono i bisogni vitali immediati.

Anche se non si può parlare ancora di religione strutturata, la documentazione lasciataci dai Neandertaliani è rivelatrice di concetti e di credenze (*Anati*, 1988).

Leroi-Gourhan (1970) è piuttosto scettico nel riconoscere un senso religioso nelle sepolture dei Neandertaliani prima di *Homo sapiens* della forma moderna, mentre non dubita che l'uomo dell'età della renna (*Homo sapiens sapiens*) abbia avuto credenze religiose (1983, p. 142).

A noi sembra che, se anche non possiamo stabilire a quali convinzioni religiose fosse legata la fede nell'«aldilà», già con i Neandertaliani si osserva un comportamento che ha attinenza con il sacro e rimanda a una sfera soprannaturale.

7. Depositi di ossa di animali

L'esplorazione di vari siti preistorici ha messo in evidenza cumuli di ossa di animali, specialmente per il Musteriano (con l'umanità neandertaliana) e per il Paleolitico superiore (con l'umanità di tipo moderno). A volte gli ossami danno l'impressione di essere stati ammucchiati come rifiuti, a volte, specialmente quando sono selezionate alcune parti (crani o corna), fanno pensare a un deposito intenzionale con qualche riferimento simbolico.

Ad Arcy-sur-Cure, in Francia, nella Grotta della Iena, a un livello musteriano recente, *Leroi-Gourhan* (1970) segnala verso il fondo della grotta stessa, riservato ad abitazione, una dozzina di sferoidi di calcare, frammisti a grossi frammenti di ossa di mammuth spezzate a colpi di percussore.

Sempre ad Arcy-sur-Cure nella Grotta della Renna, a un livello gravettiano, lungo una parete è stata trovata una nicchia, profonda circa 50 cm., ricolma di ossami, non mescolati con detriti di origine domestica, rappresentati da frammenti di ossa spezzate, quasi tutte di renna. Le ossa erano state frantumate per estrarre il midollo, ma la loro conservazione in una nicchia quale significato poteva avere? Anche l'accumulo di crani e ossa di orso, ritrovati in varie caverne, raccolti in «casse» di pietra come a Drochenloch (Svizzera) o allineati lungo pareti o disposti in nicchie, come a Salzhofen (Austria) o su una grande piattaforma, come a Petersholh (Baviera), rivelerebbero una intenzionalità e un interesse particolare da parte dell'uomo, misto forse a un senso di rispetto o di timore, tanto che alcuni hanno parlato di «culto dell'orso».

A Meiendorf, nel fondo di una caverna, erano stati intenzionalmente portati più cadaveri di giovani renne femmine, i cui visceri erano stati sostituiti con grosse pietre. Altri depositi di crani sono segnalati per varie stazioni del Paleolitico superiore (Predmost, Grimaldi, ecc.). *Breuil* e *Lantier* (1951) hanno collegato questi depositi all'usanza di Eschimesi dell'Alaska di nascondere sotto le pietre le ossa non spezzate delle loro vittime animali (fra cui le renne) per impedire ai cani di mangiarle e facilitare la reincarnazione delle anime della selvaggina indispensabile per la loro sussistenza.

Né vanno dimenticate le corna di ruminanti (bisonte, uro) segnalate in vari depositi del Musteriano e del Paleolitico superiore: la loro posizione in luoghi abitati dall'uomo nel Paleolitico superiore suggerirebbe trattarsi di trofei, forse di caccia o a scopo ornamentale oppure con qualche significato a carattere simbolico. Altrettanto dicasi per i denti di animali (volpe, cervo, ruminanti, ecc.), a volte scanalati o forati, che sono stati reperiti in diversi depositi del Paleolitico superiore. La preferenza verso alcuni animali è stata variamente interpretata, non escluso un riferimento sessuale maschile per i trofei di cervo.

Di fronte a questi documenti è difficile sostenere un vero «culto delle ossa». Certamente in alcuni casi pare evidente un interesse, un'attenzione particolare da parte dell'uomo preistorico. È probabile che questi accumuli intenzionali esprimano qualche intendimento simbolico e cioè che la conservazione di tali ossa rispondesse a delle rappresentazioni mentali che potevano avere attinenza con la vita o la sfera affettiva dell'uomo, compresi i sentimenti di timore e di bellezza. Ma oltre è difficile andare.

III. L'ARTE PALEOLITICA

L'animo religioso dell'uomo preistorico si esprime in modo particolare nelle raffigurazioni di arte mobiliare e parietale che nel Paleolitico superiore accompagnano gli uomini fossili di forma ormai moderna. Neppure per questo periodo è però possibile riconoscere una religione, come sistema di credenze. Sembra infatti che il simbolismo piuttosto vario e complesso di tante rappresentazioni rimandi a contenuti che appartengono alla sfera religiosa e sociale dell'uomo preistorico, senza però che si riesca a cogliere un sistema religioso in quanto tale.

L'apogeo dell'arte del Paleolitico superiore viene riconosciuto nelle raffigurazioni parietali del periodo maddaleniano (intorno a 15.000 anni fa), ma l'arte figurativa non compare in questa epoca, perché già intorno a 40-30.000 anni fa si ritrovano in varie regioni di Europa statuette di animali, come mammuth e renna (es. a Vogelherd in Germania), con incise figure e simboli non decifrabili, e in Africa (Tanzania) si hanno raffigurazioni rupestri che esprimono indiscusse capacità artistiche. La raffinatezza delle forme induce a ritenere che non si tratti delle prime rappresentazioni artistiche.

Il Sacro, le origini, l'uomo arcaico, la morte

1. Importanza dell'arte paleolitica

Sull'arte del Paleolitico superiore si è sviluppata un'ampia letteratura (*Breuil, Graziosi, Nougier*, ecc.), ma non è questa la sede per riprenderla.

Soltanto ci pare importante accennare ai principali temi figurativi e alle interpretazioni che sono state proposte in riferimento ai possibili contenuti religiosi, anche se rimane ardua l'esplorazione del mondo interiore dell'uomo preistorico, attraverso oggetti, incisioni o pitture. Non si tratta di riunire insieme tanti elementi come le tessere di un mosaico, quanto di cogliere, soltanto attraverso alcuni segni che ci sono stati lasciati, una struttura complessa, come la spiritualità, il mondo interiore e la vita sociale dell'uomo preistorico.

Si è cercato aiuto o ispirazione nel mondo dei «primitivi» attuali, in possibili analogie di comportamento. Certamente qualche suggestione può venirci anche da questi riferimenti, ma sono piccole luci in una notte oscura. In ogni caso occorre guardarsi da semplificazioni eccessive, perché i segni che ci sono pervenuti dovevano far parte di un sistema di concezioni e di credenze religiose.

2. L'arte mobiliare

L'*arte mobiliare*, documentata da incisioni su placchette di osso o di pietra o da statuette o bassorilievi, si sviluppò in Europa prima dell'arte parietale e risale al Perigordiano (Paleolitico superiore). Strumenti di vario genere, fabbricati dall'uomo a scopo utilitario con corna di renne o zanne di elefante, come arpioni, zagaglie, propulsori, bastoni perforati, e inoltre oggetti che non sembrano avere avuto un particolare uso, come dischetti, ciondoli, denti, portano frequentemente incisioni o bassorilievi a carattere decorativo.

I temi figurativi sono spesso costituiti da animali che l'uomo caccia o che vivono nel suo ambiente (cavallo, bisonte, mammuth, lepre, ecc.), i medesimi che si ritroveranno nelle pitture rupestri del periodo successivo maddaleniano. Alcune figure hanno un evidente riferimento sessuale (es. impugnature falloidi di strumenti). Sono frequenti soprattutto le statuette femminili, in pietra, osso o avorio, note come Veneri, a partire dall'Aurignaziano (Perigordiano medio). Esse sono state ritrovate in varie località europee, quali Savignano sul Panaro, Trasimeno (Italia), Willendorf (Germania), Grimaldi (Principato di Monaco), Lespugue, Brassenpouy (Francia), Vestonice (Cecoslovacchia). In queste figure femminili sono accentuate le parti connesse con la maternità (seni, natiche, anche), mentre la testa e gli arti sono appena abbozzati. Per la forma delle natiche esse richiamano la steatopigia, caratteristica degli attuali Boscimani e Ottentotti, per cui vengono anche chiamate «Veneri steatopigie». Pare però da escludere una rappresentazione dal vero, quasi che le donne dell'epoca avessero questa caratteristica anatomica; non sarebbe comprensibile la quasi mutilazione delle estremità, se si trattasse di rappresentazioni dal vero. È più fondata l'interpretazione che vede in questi oggetti i segni di un culto della fertilità o un possibile valore magico-religioso, specialmente in ordine alla maternità. *Begouin* e *Mainage* (cit. da Graziosi) li hanno considerati come idoli legati al culto della fecondità e della maternità.

Secondo *Graziosi* (1956), l'esaltazione dei caratteri connessi con la sessualità e la procreazione e il costante ripetersi in ogni parte d'Europa di tali manifestazioni fanno pensare a particolari credenze magico-religiose. Piuttosto scettico nel riconoscere nelle Veneri aurignaziane e solutreane delle divinità femminili della fecondità si dimostra *Leroi-Gourhan* (1970), secondo il quale è la figura femminile in quanto tale che viene presentata in modo stilizzato, analogamente a certe rappresentazioni femminili dell'arte moderna.

3. L'arte parietale

Non meno complessa è l'interpretazione dell'*arte parietale* che presenta già in qualche rappresentazione del Perigordiano impronte di mani, rosse e nere, a volte con le dita mozzate, segni claviformi, figure o disegni lineari, specialmente in grotte della Spagna. Tale arte esplode nelle bicromie e policromie del Solutreano e del Maddaleniano, quali si osservano nelle pitture rupestri delle Grotte di Altamira, Les Combarelles, Les Trois Frères, Laugerie-Haute, Lascaux e anche in ripari o caverne comunicanti direttamente con l'esterno (Laussel, Cap Blanc, Fourneau-des-Diables) o ancora su pareti all'aperto, come a Monte Span e Tuch d'Audoubert.

Le raffigurazioni sono per lo più zoomorfe e si riferiscono a scene di caccia. I grandi attori rappresentati sono gli animali di cui l'uomo va in cerca, specialmente il bisonte, l'uro, il cavallo, il cervo, il mammuth, lo stambecco, il megacero. Scarsamente rappresentati gli altri animali, come il rinoceronte, i felini, l'orso. Pure la renna è scarsamente rappresentata ed è del tutto assente a Niaux, Lascaux, Roussignac (forse perché facilmente catturabile, come ha osservato Breuil?).

La diversa frequenza degli animali raffigurati (i più rappresentati sono il cavallo e i grandi bovini con il 30%, il cervo e la cerva con l'11%, il mammuth con il 9%, lo stambecco con l'8%, la renna con il 3,5%, secondo uno studio di *Leroi-Gourhan*) induce a pensare che le raffigurazioni non si riferissero soltanto ad animali utili all'uomo per il suo sostentamento, ma avessero un valore simbolico, sia di carattere religioso che in relazione alla vita sociale.

Si aggiungono segni di vario genere (punti, bastoncini, cerchi, frecce, ecc.), alcuni dei quali con evidente riferimento sessuale, disposti non casualmente nelle pareti, ma all'ingresso di sale o accanto a figure di animali.

Le caratteristiche sopra ricordate fanno escludere l'interpretazione che fu data in un primo tempo e cioè la lettura di questi documenti della preistoria esclusivamente in chiave artistica (l'arte per l'arte), un'interpretazione che è stata recentemente riproposta (*Halverson*, 1987). In questa lettura non sarebbero neppure comprensibili le ferite di zagaglie che si osservano frequentemente negli animali o le frecce che vi stanno sopra o sotto. Inoltre non si capirebbe perché gli artisti andassero ad eseguire le loro opere all'interno di caverne dopo percorsi anche di centinaia di metri.

È stata proposta l'interpretazione magica: le raffigurazioni dovevano propiziare la caccia, così come viene segnalato per alcuni gruppi umani attuali (es. Pigmei, Australiani) che raffigurano l'animale preferito per la caccia nell'atto in cui viene colpito con l'arma. Si tratta di pratiche propiziatorie con simbolismo magico-religioso. La raffigurazione dell'animale conferisce un potere sulla cosa rappresentata, per cui acquista un valore propiziatorio per la caccia. Tale interpretazione è stata sostenuta da *Breuil, Lantier, Graziosi* e altri studiosi. *Anati* (1988) parla di una relazione esistenziale ambivalente tra l'uomo e l'animale cacciato: «L'animale cacciato era identificato con la sopravvivenza» (p. 163).

Alcune rappresentazioni dovevano però avere qualche riferimento con la fertilità naturale della selvaggina. Non era importante solo procurarsela, ma anche assicurarsi che essa non venisse meno nei cicli biologici che certamente erano ben conosciuti dall'uomo preistorico. Così si spiegherebbero le rappresentazioni di giumente gravide o particolari scene connesse con la riproduzione di animali.

Altrettanto potrebbe pensarsi per la fertilità umana, che doveva rientrare nella preoccupazione di un gruppo per la sua sopravvivenza. Inoltre, nel quadro di un simbolismo complesso, hanno attirato l'attenzione raffigurazioni di individui mascherati oppure metà animali, metà umani, come lo «stregone» di Les Trois Frères, che ha la testa di cervo e la coda di lupo, oppure anche altre figure composite (testa di lupo e coda di bisonte, oppure individui metà bisonte e metà uomo in atto di danzare nella medesima grotta). Alcuni studiosi hanno voluto vedere in tali rappresentazioni travestimenti religiosi di danzatori, la cui azione poteva legarsi con l'efficacia della caccia.

Il riferimento a riti magici e religiosi troverebbe supporto in particolari cerimonie (costumi, maschere, danze) che si osservano in alcuni gruppi di primitivi al fine di propiziare gli esseri mitici.

Su questa interpretazione magico-religiosa e in particolare sulla possibilità di analogie con il totemico e lo sciamanismo si è dimostrato piuttosto scettico *Leroi-Gourhan* (1970), il quale, pur riconoscendo simbolismi di carattere religioso, almeno in senso generale, vede piuttosto dei riferimenti alla vita sessuale e alla fertilità del gruppo. L'Autore ha richiamato l'attenzione particolarmente sul simbolismo sessuale di particolari segni, che può far pensare anche a culti della fertilità o a pratiche di iniziazione. E insiste sia sulla selezione delle figure rappresentate, sia sulla posizione che esse occupano nella parete, sia sul fatto che le raffigurazioni appaiono in particolari anfratti o sale, magari in fondo a cunicoli; tutto ciò a dimostrare una organizzazione dello spazio interno della grotta che poteva essere utilizzato anche per riti e cerimonie connesse con la vita sociale. La frequente associazione fra bisonte e cavallo, sottolineata particolarmente da *Leroi-Gourhan*, avrebbe un significato sessuale, essendo simboleggiata nel primo la donna, nel secondo l'uomo. E le ferite di zagaglia che si osservano frequentemente nel fianco del bisonte potrebbero essere un simbolo sessuale. In questa linea interpretativa si è mossa in un primo tempo *Laming-Emperaire* (1962) riconoscendo nell'arte della grotta anche un riflesso di grandi temi religiosi o mitologici. In seguito la studiosa ha sottolineato di più la connessione con la vita e l'organizzazione sociale («la gente del bisonte» e «la gente del cavallo»).

Circa l'interpretazione che in generale può essere data intorno alle raffigurazioni dell'arte parietale, *Leroi-Gourhan* (1970) rileva che noi conosciamo del Paleolitico «soltanto lo scenario, mentre rarissime e per lo più incomprensibili sono le tracce degli atti, sicché oggetto della nostra indagine è null'altro che una scena vuota, ed è come se ci si chiedesse di ricostruire la rappresentazione teatrale senza averla vista, sulla sola scorta di scene rappresentanti un palazzo, un lago e una foresta come fondale» (p. 178). E aggiunge: «la religione paleolitica, noi la vediamo solo profilarsi in una vaga penombra. La sola cosa che si possa affermare, a parte il principio generale di complementarietà tra figure di valore sessuale diverso, è che le raffigurazioni si organizzano in un sistema estremamente complesso e ricco» (p. 180). Lo stesso Autore recentemente ha sottolineato in modo particolare la connessione tra grotta e segni di vario genere che essa racchiude e potrebbero anche essere simboli di differenti popolazioni: «La caverna che viene considerata presso tutti i popoli un simbolo di maternità, porterebbe, nel suo segreto, i segni simbolici del gruppo» (1983, p. 140).

A noi sembra che si debba andare cauti nelle interpretazioni generalizzate. Non è detto che tutte le rappresentazioni debbano avere simbolismi dello stesso genere. Probabilmente ci troviamo di fronte a un simbolismo complesso. Ciò si può dire sia per l'arte mobiliare che per l'arte parietale. Certamente, pur nell'evidente significato artistico di tante rappresentazioni, non si tratta di arte per l'arte. Come è stato osservato da *Cassirer* (1942), «nelle sue origini e nei suoi primi inizi l'arte appare connessa con il mito ed anche nella sua successiva evoluzione non sfugge mai interamente al dominio e al potere del pensiero mitico e religioso».

Nell'arte del Paleolitico superiore si possono riconoscere sia il carattere magico che il simbolismo sessuale, elevati a una dimensione sacrale o sociale, anche se non è facile stabilire dove finisce la magia e dove comincia il senso religioso, collegato forse anche a rituali di vario genere, tra cui quelli di iniziazione. La vita e gli interessi dell'uomo preistorico vengono interiorizzati nell'arte preistorica in un sistema di credenze che noi non conosciamo, ma non doveva essere unico e forse neppure organico, come si troverà nelle epoche successive.

Nella mentalità dell'uomo preistorico i bisogni vitali venivano fortemente umanizzati e si intrecciavano con la vita sociale, per cui non è improbabile che le diverse attività e sfere dell'uomo (dalla caccia all'iniziazione, alla procreazione, alla organizzazione del clan) potessero avere una dimensione religiosa. La propiziazione delle forze e degli elementi della natura, per tanti aspetti ancora arcani e in competizione con l'uomo, si mescolava con le esigenze di successo e di sicurezza del gruppo. Le grotte possono ben considerarsi i «santuari» della preistoria nei quali i grandi artisti dell'epoca ci hanno lasciato soltanto alcuni frammenti della loro vita interiore e sociale. Alla religiosità cosmica, che l'uomo aveva ereditato dalle epoche precedenti, si aggiunge forse una nota più naturalistica e anche sociale, che idealizza e trascende le immediate esigenze biologiche.

Non dobbiamo dimenticare che l'uomo che ha affrescato le caverne del Paleolitico superiore è quello che seppellisce i suoi morti e guarda all'oltretomba con timore misto forse a speranza.

CONCLUSIONI

Gli elementi e le considerazioni presentate suggeriscono alcune conclusioni di ordine generale.

1. L'approccio paleoantropologico e preistorico alle origini del senso religioso, pur non consentendo di riconoscere nel Paleolitico delle religioni intese come sistemi globali di credenze, offre elementi che, a volte in modo esplicito, altre volte in modo implicito, esprimono simbolismi con contenuti anche a carattere sacrale e religioso. Ciò viene espresso in particolari comportamenti o in rappresentazioni che rimandano a concezioni e forse rituali che trascendono bisogni materiali immediati e corrispondono piuttosto a intendimenti a carattere propiziatorio. Come ha osservato *Cassirer* (1931), «attraverso il simbolo l'uomo riconosce ed esprime in forma sacrale o rituale le potenti forze che sente intorno a sé, in questo modo le domina e le conduce al controllo sociale».

2. L'*homo religiosus* non nasce improvvisamente nel Paleolitico superiore, quando le espressioni simboliche si fanno più ricche e vicine alla nostra mentalità, ma affonda le sue radici nell'esperienza originaria dell'uomo paleolitico. A suggerire questa interpretazione, che vede nel simbolismo e nel senso del sacro un aspetto della struttura stessa dell'uomo fin dalle sue lontane origini, stanno considerazioni sulla continuità somatica e culturale che va riconosciuta alla forma umana nella sua evoluzione. Tale continuità, pur con qualche discontinuità, che potrebbe essere vista dal punto di vista culturale in alcune innovazioni di carattere tecnologico (es. domesticazione del fuoco, tecnica levalloisiana) o, in epoca più recente, nei simbolismi legati alle sepolture e all'arte, porta ad escludere «livelli umani» sostanzialmente diversi, anche se le manifestazioni presentano un progressivo sviluppo nel tempo.

Già a partire dalle manifestazioni culturali di *Homo habilis* e dalle forme più antiche di *erectus*, la cultura che l'uomo esprime può essere ricondotta ad un'attività di tipo progettuale che comporta quindi un'intelligenza astrattiva, essenziale per rappresentazioni e comunicazioni di carattere simbolico, fra cui il linguaggio. Queste rappresentazioni, che stanno alla base del senso del sacro, ci pare siano in qualche modo documentate nel trattamento particolare di ossa umane, già nel

Paleolitico inferiore; tuttavia non si vede perché debbano essere negate a forme umane più antiche, che tali vengono appunto ritenute, in forza di un'adeguata organizzazione cerebrale e della capacità di cultura. Del resto, alcuni segni di attività simbolica possono ritrovarsi già in fasi precedenti il Musteriano, come già ricordato.

3. Negli ultimi 100.000 anni (Paleolitico medio e superiore) a partire dalle sepolture dei Neandertaliani, le manifestazioni del simbolismo e del senso religioso si fanno più chiare. Le pratiche funerarie denotano una varietà di rituali che si accresce nel Paleolitico superiore ed esprime simbolismi anche diversi, ma con evidenti riferimenti a una vita ultraterrena.

Ancor più evidente il simbolismo nelle raffigurazioni artistiche del Paleolitico superiore. Esso non è riconducibile ad un'unica matrice e neppure ha contenuti comuni, ma appare piuttosto come un sistema complesso e ancora oscuro di credenze e di significati, legati alla vita e alla organizzazione del gruppo, particolarmente alle esigenze della caccia, alla fertilità e alla iniziazione, con contenuti e riferimenti a carattere propiziatorio e quindi anche religioso. È molto probabile che nell'uomo del Paleolitico superiore i bisogni complessi e i vari aspetti della vita individuale, familiare e sociale, fortemente intrecciati con i cicli e gli eventi della natura, fossero vissuti in una maggiore unità di quanto non sia per l'uomo moderno, e che la dimensione religiosa rappresentasse l'elemento unificante, analogamente a quanto si osserva ancora per alcuni gruppi umani attuali.

4. Il grande impulso che nel Paleolitico superiore prendono le attività mentali dell'uomo segna indubbiamente un momento di forte accelerazione sul piano culturale, ma non deve fare pensare che soltanto negli ultimi 15-20 mila anni, con il «grande risveglio» della conoscenza, sia iniziata la tradizione specificamente «umana», quella cioè della nostra specie, come prospettato da *Halverson* (1987). Ancora meno convincente ci pare l'opinione secondo la quale la discontinuità fra il Paleolitico e il Neolitico nella capacità di rappresentazione simbolica del mondo sarebbe tale da far ritenere che il «vero» uomo sarebbe nato o «rinato» nel Neolitico, grazie alla sua capacità simbolica infinitamente accresciuta (*Boitel*, 1988).

Certamente dal punto di vista culturale il Neolitico rappresenta una grande svolta, in cui il mondo simbolico religioso viene a configurarsi in modo più complesso e organico. In questo periodo, del resto, anche i documenti di cui si dispone sono sicuramente più numerosi e significativi, ma non possono mettersi in dubbio manifestazioni di carattere simbolico e religioso nelle epoche precedenti. È stato osservato che nelle prime scritture ideografiche di 5.000 anni fa si ritrovano gli stessi ideogrammi usati dall'uomo per gli oltre 30.000 anni precedenti (*Anati*, 1988, p. 157).

L'evoluzione culturale, come anche quella fisica dell'uomo, ha conosciuto momenti di discontinuità e di accelerazione, pur nella continuità. L'attitudine dell'uomo al pensiero simbolico deve ritenersi connaturale all'uomo, anche se i

Il Sacro, le origini, l'uomo arcaico, la morte

segni dell'attività simbolica che egli ci ha lasciato nei lunghi tempi del Paleolitico inferiore sembrano meno ricchi rispetto ai periodi successivi.

L'emergenza dell'*homo religiosus* non è un evento tardivo nella preistoria. Il senso del sacro appare piuttosto una dimensione costitutiva dell'essere umano nel suo atteggiamento di fronte a realtà e forze più grandi di lui e si ricollega alla capacità di pensiero e comunicazione simbolica, antica quanto l'uomo.

BIBLIOGRAFIA

Alciati G., Drusini A., Tommaseo M., *Ritualità dell'umanità preistorica nei riguardi della morte*. Valcamonica Symposium III, 1979, Prehistoric art and religion. Proceeding, Centro Camuno di Studi preistorici e Jaca Book, 1983, pp. 121-26.

Anati E., *Origini dell'arte e della concettualità*, Jaca Book, Milano 1988.

Berckhmer F., *Der Steinheimer Urmensch und die Tierwelt seines Lebensgebietes*, in «Naturwiss. Monatschr. d. Deutschen Naturkundever», 47, 4, Stuttgart (1934).

Bergounioux F.M., *Note sulla mentalità dell'uomo preistorico*, in Washburn, *Vita sociale dell'uomo preistorico*, cit., pp. 173-192.

Bergounioux F.M., Goetz J., *La Religione dei preistorici e dei primitivi*, Ed. Paoline, Catania 1963.

Binford L.R., Chuan Kun Ho, *Taphonomy at a Distance: Zhoukoudian, The Cave Home of Beijing Man?*, in «Current Anthropology», 26, 4 (1985), pp. 413-42.

Blanc A.C., *Origini e sviluppo dei popoli cacciatori e raccoglitori*, Ed. Ateneo, Roma 1956.

Blanc A.C., *Documenti sulla ideologia dell'uomo preistorico*, in Washburn, *Vita sociale dell'uomo preistorico*, cit., pp. 193-216.

Boitel F., *Le problème de la definition de l'homme*, in «Revue des questions scientifiques», Bruxelles, 159, 1 (1988), pp. 147-66.

Boné E., *Les sépoltures néanderthaliennes*, in Les origines humaines et les époques de l'intelligence, Masson, Paris 1978, pp. 239-50.

Boné E., *La religione dell'uomo preistorico*, in «Synesis», 5,1 (1988), pp. 27-42.

Breuil H., Lantier R., *Les Hommes de la pierre ancienne*, Payot, Paris 1951.

Broglio A., Kozlowski J., *Il Paleolitico*, Jaca Book, Milano 1987.

Caillois R., *L'homme et le sacré*, Paris 1963.

Cassirer E., *Mytischer, ästetischer und theoretischer Raum*, 1931, cit. da Forni G., *op. cit.*

Cassirer E., *Simbolo, mito, cultura*, 1942, cit. da G. Forni, *op. cit.*

Coppens Y., *La scimmia, l'Africa e l'uomo*, Jaca Book, Milano 1985.

Durkheim E., *Les formes élémentaires de la vie religieuse*, 5ª ed., Paris 1968.

Eliade M., *Le sacré et le profane*, Paris 1965, (trad. it. *Il sacro e il profano*, Boringhieri, Torino 1976).

Facchini F., *Il cammino della evoluzione umana*, Jaca Book, Milano 1985.

Forni G., *Studi di ermeneutica. Schleiermacher, Dilthey, Cassirer*, Clueb, Bologna 1985.

Frazer J.G., *The Golden Bough*, London 1917.

Halverson J., *Art for Art's Sake in the Paleolithic*, in «Current Anthropology», 28, 1 (1987), pp. 63-89.

Jelinek J., *New Upper Palaeolithic Human Remains in Dolni Vestonice (Czechoslovakia)*, in «Riv. di Antropologia» 65 (1987), pp. 420-22.

Jensen Ad. E., *Das religiöse Weltbild einer frühen Kultur*, Stuttgart 1948.

Koenigswald G.H.R. von, *A Review of the Stratigraphy of Giava and its relations to Early Man*, in Early Man, Philadelphia 1937.

Laming-Empereur A., *La signification de l'art rupestre paleolithique*, Picard, Paris 1962.

L'emergenza dell'*homo religiosus*

Laming-Empereur A., *Système de pensée et organisation sociale dans l'art rupestre prehistorique*, in *L'Homme de Cro-magnon*, Ed. G. Camps et G. Olivier, Arts et metiers graphiques, Paris 1970.

Lang A., *The making of Religion*, London 1909.

Leeuw G. van der, cit da Ries, *op. cit.*

Leroi-Gourhan A., *Les religions de la Prehistoire*, Presses Universitaires, Paris 1964 (trad. it. *Le religioni della Preistoria*, Rizzoli, Milano 1970).

Leroi-Gourhan A., *Le radici del mondo*, Jaca Book, Milano 1983.

Leroi-Gourhan A., *Les chasseurs de la Préhistoire*, Ed. Metailié, Paris 1983.

Lévy-Bruhl L., *Les fonctions mentales dans les societés inferieures*, Paris 1910.

Lévy-Bruhl L., *L'experience mystique et les symboles chez les primitifs*, Paris 1938.

Lubbock J., *I tempi preistorici e l'origine dell'incivilimento*, Società Anonima L'Unione tipografico-editrice, Torino 1875.

Malinowski B., *Teoria scientifica della cultura e altri saggi*, Milano 1962.

Marcozzi V., *I problemi delle origini dell'Uomo e la Paleontologia*, in «Gregorianum», 59/3, Pont. Univ. Gregoriana, Roma (1978), pp. 511-35.

Marcozzi V., *Però l'uomo è diverso*, Rusconi, Milano 1981.

Nougier L.R., *Preistoria* in *Enciclopedia Universale dell'arte*, vol. x, Ist. Geografico De Agostini, Novara 1988, pp. 874-906.

Oakley K.P., *Emergence of Higher thought 3,0-0,2 Ma B.P.*, in «Phil. Trans. R. Soc. London», 292 (1981), pp. 205-11.

Otto R., *Le sacré*, Payot, Paris 1926.

Pettazzoni R., *Dio, formazione e sviluppo del Monoteismo nella Storia delle Religioni*, Vol.1, *L'Essere celeste nelle credenze dei popoli primitivi*, Soc. Ed. Athenaeum, Roma 1922.

Pettazzoni R., *L'Essere Supremo nelle religioni primitive*, Torino 1957.

Preuss K. Th., *Der Ursprung der Religion und Kunst*, Globus, 1904, (cit. da M. Eliade, 1972).

Ries J., *Il sacro nella storia religiosa dell'umanità*, Jaca Book, Milano 1982.

Schebesta P., *Origine della Religione*, Ed. Paoline, Roma 1966.

Schmidt W., *Manuale di Storia Comparata delle religioni*, 4ª ed., Morcelliana, Brescia 1949.

Thurnwald R., *Des Menschengeistes Erwachen, Wachsen und Irren*, Berlin 1951.

Tylor E.B., *Primitive culture*, London 1871.

Ulrich H., *Artificial Injurees on Fossil Human Bones and the Problem of Cannibalism, Skull-cult, and Burial-rites*, in *Man and his Origins*, «Anthropos» (Brno), 21 (1982), pp. 253-62.

Vandermeersch B., *Les sépultures néanderthaliennes*, in: *La Préhistoire française*, vol. I (di AA.VV.), H. De Lumley (ed.), Ed. C.N.R.S., Paris 1976, pp. 725-27.

Vandermeersch B., *Les Hommes fossiles de Qafzeh (Israél)*, Cahiers de Paléontologie, 1981.

Washburn S.L., *Social Life of Early Man*, Wenner Gren Foundation, Aldine Publishing Company, Chicago 1961 (trad. it. *Vita sociale dell'uomo preistorico*, Rizzoli, Milano 1971).

Weidenreich, *Der Schädelfunden Weimar-Ehringsdorf*, Jena 1928.

SIMBOLIZZAZIONE, CONCETTUALITÀ E RITUALISMO DELL'*HOMO SAPIENS*

di
Emmanuel Anati

I. I PRIMORDI DELLA CONCETTUALITÀ

L'arte visuale, con figure rappresentative o pittogrammi, e segni o ideogrammi, volutamente combinati in associazioni, è un fenomeno che, per quanto ne sappiamo oggi, si manifesta con l'emergere dell'Homo sapiens (o *Sapiens sapiens* come nominato nella letteratura scientifica) circa 40.000 anni fa.

Il grafismo implica la presenza di capacità analitiche, associative e di astrazione che sembrano essere già presenti, almeno in parte, nell'uomo di Neandertal; ma il problema degli antecedenti è ancora tutto aperto. Per il momento non si conoscono reperti che si possano definire come arte, databili con certezza al Paleolitico medio o inferiore.

Ci si è sovente chiesto cosa potesse significare, in termini di concettualità, la simmetria che i cacciatori dell'Acheuleano davano alle proprie amigdale. Sono, questi, strumenti appuntiti, con ritocco bifacciale ed una lama sinuosa che si forma sul perimetro all'incontro delle due facce. Secondo il nostro modo di vedere del XX secolo, molti di questi artefatti sono esteticamente assai eleganti. Malgrado diverse ipotesi, non si è potuto chiarire, per il momento, come venissero usati, ma dovevano avere usi molteplici. Si è ipotizzato che potessero essere immanicati, oppure che fossero tenuti e usati impugnandoli, oppure anche che fossero legati ad una corda e lanciati come bolas. Ma, di fatto, non si è ancora chiarito se quella che oggi consideriamo forma slanciata ed elegante fosse dettata da esigenze di funzionalità, o se invece non avesse avuto anche motivazioni di carattere estetico. Alcuni studiosi hanno portato la forma dell'amigdala a riprova delle facoltà intellettuali dei suoi creatori. Certo, tali facoltà sarebbero di livello ben più elevato se, oltre a ricercare obbiettivi di funzionalità, tale simmetria dimostrasse esigenze estetiche. La cosa non è impossibile, ma resta ancora da provare.

Il Sacro, le origini, l'uomo arcaico, la morte

In vari casi si è tentato di attribuire reperti d'arte ad epoche assai remote, soprattutto da parte di due studiosi, François Bordes e Piero Leonardi. Presunte figure animali su di un frammento osseo di Pech de l'Aze in Dordogna, che Bordes fa risalire al periodo Acheuleano, a circa duecentomila anni fa, sono dei segni, non chiari e forse neppure intenzionali. Si conoscono del Paleolitico inferiore alcuni altri frammenti incisi di tacche che, se intenzionali e motivate da fattori cognitivi, testimonierebbero la presenza di tentativi, non grafici o estetici, ma di esecuzione di segni, forse di valore numerico, per cui già indicherebbero la presenza di simbolismo e concettualità.

Quanto al Paleolitico Medio, si conoscono alcuni sporadici reperti con segni di strofinatura o di utilizzo, coperti da striature e da altre incisioni non figurative, e in qualche caso, da tacche o linee parallele. Tuttavia le datazioni e le argomentazioni riguardo questi reperti non sempre permettono di dare loro un collocamento preciso. Per il momento, l'unica istoriazione di proporzioni consistenti che si possa sicuramente attribuire al Paleolitico medio è una serie di coppelle su una tavola di pietra a La Ferrassie, in Dordogna, di cui parleremo più avanti.

La maggior parte di ciò che sappiamo sul Paleolitico medio proviene da quanto scoperto nel continente europeo e nel Vicino Oriente, dove, già da quattro generazioni, sono state condotte ricerche sulla preistoria ben più intense che in tutti gli altri continenti. A questo è probabilmente dovuto il fatto che si sa di più del comportamento rituale e delle credenze dell'uomo che visse in Europa e nel levante mediterraneo tra 100.000 e 40.000 anni fa, di quanto non si sappia degli uomini che nello stesso periodo vissero altrove. Il che ha sovente formato la convinzione, probabilmente inesatta, che l'uomo di Neandertal possedesse caratteristiche intellettuali più elevate rispetto ai suoi contemporanei di altre parti del mondo. L'uomo di Neandertal è classificato da alcuni studiosi come *Homo sapiens neanderthalensis*. Noi ci riferiamo ad esso come Neandertaliano, riservando il termine di *Sapiens* agli individui che in Europa sono arrivati con il Paleolitico superiore.

L'uomo di Neandertal ha lasciato, nei suoi livelli abitativi, sporadici frammenti ossei con incisioni di segni, parte di questi sono segni di lavorazione, tentativi di taglio con l'ausilio di una selce, ma altri sono intenzionali; alcuni forse hanno un valore numerico. Sulla lastra di copertura di una tomba a La Ferrassie vi sono incise delle coppelle, incavi a forma di coppe a cui i ricercatori hanno dato interpretazioni diverse. Per taluni esse avrebbero avuto finalità funzionali, per altri sarebbero un primordiale tentativo figurativo, e sono state emesse ipotesi discordanti su cosa si volesse rappresentare.

Frammenti di materie coloranti naturali, quali ocra rossa o ossido di manganese, sono sovente stati ritrovati negli strati musteriani; alcuni di essi avevano chiare tracce di utilizzazione, affilature sulla punta, segni di strofinamento; certamente furono usati per colorare qualcosa, e si presume che si trattasse del corpo umano e forse delle pelli e delle fibre che l'uomo usava per farne indumenti e per fabbricare oggetti. Ma le materie organiche non si sono conservate, per cui dobbiamo limitarci alle deduzioni. Comunque, le materie coloranti servivano a colorare qualcosa, il che è indice di una ricerca estetica o simbolica, la quale cosa, già di per sé, costituisce un fatto intellettuale.

Si può affermare dunque che l'uomo di Neandertal ha lasciato qualche frammento osseo con delle tacchette incise. Si può parlare anche di uso di coloranti. Ma non si hanno per ora elementi sufficienti per parlare di linguaggio visuale e quindi di arte visuale.

In Africa, in particolare in Tanzania e Namibia, si sono trovate materie coloranti con segni di utilizzo in strati archeologici, all'interno di grotte con arte rupestre, in molti livelli che coprono praticamente gli ultimi 50.000 anni. Anche qui non è possibile dire per il momento cosa precisamente venisse colorato e quando l'uomo abbia iniziato a produrre arte.

Mentre l'uomo di Neandertal viveva in Europa e nel Vicino Oriente, tra 100.000 e 35.000 anni or sono, producendo un'industria litica su scheggia di tipo musteriano, in Africa Orientale vivevano uomini già molto simili, fisicamente, all'Homo sapiens che giunse in Europa all'inizio del Paleolitico Superiore. Oltre 50.000 anni fa essi avevano industrie litiche cosiddette «su lama», con utensili assai specializzati e diversificati: lame, punte, bulini, grattatoi e microliti dei tipi che in Europa e nel Vicino Oriente entravano in uso solo 32-34.000 anni fa, appunto con l'inizio del Paleolitico superiore.

Con l'avvento dell'Homo sapiens si rivela nella specie la presenza di alcuni attributi che oggi consideriamo essenziali per l'essere «uomo». Questo essere, comunque, mostrava di avere ormai acquistato molte delle caratteristiche che noi chiamano «umane», e tra l'altro possedeva già alcune delle capacità di comunicare e di programmare le proprie azioni, che abbiamo conosciuto da allora ad oggi.

In quanto alle capacità di concettualizzare, si possono fare alcune considerazioni generali. La creatività e l'immaginazione conducono di pari passo sia verso il razionale, sia verso l'irrazionale. La scoperta di se stessi e della relazione tra l'io e ciò che lo circonda, ha sempre stimolato la ricerca di fattori «soprannaturali»; certamente essi hanno avuto un ruolo importante nel periodo formativo dell'uomo. Ogni acquisizione dell'uomo, ogni situazione nuova, ogni problema irrisolto, può avere costituito motivo di attribuzione sacrale.

Oltre al ritrovamento di sepolture con elementi che rivelano il cerimoniale funerario e che costituiscono una fonte fondamentale d'informazioni riguardo all'ideologia, si hanno altri aspetti che potrebbero essere interpretati come espressioni di concettualità. Innumerevoli ritrovamenti archeologici sono stati interpretati come attinenti al comportamento religioso. Ma raramente essi forniscono prove che giustifichino tale attribuzione. Allo stato attuale delle ricerche, vi sono migliaia di dati cui a vari livelli sono state date interpretazioni religiose, ma nella grande maggioranza non costituiscono fattori determinanti o sufficientemente attendibili.

Il Sacro, le origini, l'uomo arcaico, la morte

Come si è elaborato in un'altra pubblicazione (E. Anati, 1983: *Elementi fondamentali della cultura*), diversi ritrovamenti sembrano tuttavia indicare atteggiamenti specificamente rituali che sono definiti come il culto delle ossa, il culto degli animali aggressivi quali l'orso e il lupo, il culto degli oggetti, riti di passaggio e riti propiziatori. I pochi ritrovamenti attendibili hanno portato alla produzione di una ingente letteratura ed hanno stimolato l'intelletto e l'immaginazione dei ricercatori e dei compilatori.

La più antica documentazione sicura che implichi una credenza dell'uomo nel soprannaturale è connessa con uno dei fenomeni che non ha cessato, da allora, di stimolare il pensiero umano, con una realtà che incombe su tutti noi: quella che la fine della vita ci confronta con la morte; ed è contestualmente connessa con l'esigenza dell'uomo di spiegare a se stesso, non solo in cosa consista la morte e cosa vi sia dopo la morte, ma anche cosa sia la vita.

L'atteggiamento rituale verso il morto non discende direttamente da una logica razionale, basata sui tre istinti fondamentali della ricerca del cibo, dell'autodifesa e della riproduzione della specie. Ma irrazionalmente è forse connesso a tutti e tre questi fattori. Il morto era sepolto in aree sepolcrali e con una prassi costante comune a diverse località dell'area euro-asiatica della cultura musteriana. Ciò mostra l'esistenza di una tradizione diffusa e uniforme. Nel Vicino Oriente, nella grotta di Skhul del Monte Carmelo, in Asia Centrale a Teshik-Tash, in Europa a Le Moustier e a La Chapelle-aux-Saints in Francia, si hanno interessanti analogie riguardo al trattamento che i vivi riservavano ai morti.

Nel Paleolitico medio già si hanno i primi casi di «grave goods» o corredi funerari. A Le Moustier, in una tomba che risveglia parecchi interrogativi, lo scopritore, Denis Peyrony, ha trovato delle ossa animali ancora in posizione di articolazione, se pure da una parte e dall'altra erano tagliate. Ha potuto dedurre che nella tomba, accanto al defunto, era stato deposto un pezzo di carne.

Ma forse il luogo di sepoltura più interessante che si conosca in Europa per il Paleolitico medio è La Ferrassie. Vi sono diverse sepolture, e anche lì, a quanto pare, fu deposto del cibo accanto al morto. Le ossa animali sono quanto resta della carne offerta.

L'uomo neandertaliano mostrava un comportamento singolare: l'atto di seppellire implica la presa di coscienza del fatto che il defunto non era più vivo, che la sua vita era giunta al termine. Eppure gli deponeva accanto del cibo perché avesse qualcosa da mangiare. Quindi il morto non era completamente «morto»? Il cibo che gli procurava e che seppelliva accanto a lui, doveva servirgli per il pasto che avrebbe consumato prima di giungere a destinazione? In tale semplice atto vi è forse il simbolo della convinzione di una esistenza oltre la tomba. La speranza di una vita nell'aldilà da allora non ha cessato di motivare il comportamento dei viventi. Comunque, l'atteggiamento rituale verso il defunto indica la credenza che l'essere esanime continuasse a possedere forze vitali e che meritasse cura e considerazione. Se vi era ancora in esso qualche energia presente, questa poteva essere usata per il bene e per il male. Sicuramente, anche fattori affettivi spingevano il vivente ad aver cura dei propri morti.

Come vedremo più avanti, nel Paleolitico superiore l'arte ci rivela un atteggiamento simile anche verso gli animali. È ipotizzabile che i sogni ed altri fenomeni del subconscio contribuivano alle formulazioni di una ideologia che determinò le basi della concettualità.

L'uomo del Paleolitico medio che viveva in Eurasia aveva una ideologia precisa rispetto alla vita d'oltre tomba; probabilmente essa includeva la credenza in un passaggio o in un viaggio da questa a un'altra vita. Ciò implicherebbe anche la credenza in un mondo soprannaturale, o meglio extraterreno. In altre parole, possiamo forse affermare che questi esseri credevano nella sopravvivenza dell'«anima» al corpo. I morti transitavano da un mondo all'altro, portando seco la memoria delle relazioni, buone e cattive, intrattenute con i vivi i quali, a loro volta, sarebbero un giorno arrivati alla stessa destinazione.

Tali speculazioni sull'irrazionale si sviluppano nello stesso periodo in cui si manifestano indicazioni della presenza di un pensiero «razionale». Oltre che dall'arte, dal comportamento nei riguardi dei defunti, dalla presenza di oggetti di probabile uso rituale, tale complessità del pensiero umano ci è rivelata dall'apparire di una nuova tecnologia nella produzione degli utensili litici di uso quotidiano e dalla loro tipologia che si fa assai più complessa e articolata ed implica l'uso razionale della materia prima e la programmazione razionale nella fabbricazione di manufatti.

Come già esposto altrove (E. Anati, *Elementi fondamentali della cultura*, Jaca Book, Milano 1983), vi sono anche altri dati che indicano la presenza di una concettualità articolata e complessa, già prima dell'avvento dell'Homo sapiens. Certo è legittimo parlare di antecedenti, della presenza di una concettualità primordiale, già prima dell'apparizione dell'Homo sapiens. Il Neandertaliano, e forse qualche gruppo di antropoidi ancor prima di esso, già mostrava una tendenza a concettualizzare, vizio questo che doveva divenire una delle principali caratteristiche della specie.

Esistono dunque elementi che forniscono informazioni riguardanti vari aspetti del comportamento concettuale dell'uomo, con un particolare riferimento al Paleolitico medio. Vi sarebbero testimonianze che egli professasse il cannibalismo rituale, il culto dei crani e il culto degli animali. I dati disponibili possono essere interpretati in diverse maniere e, pur essendovi indicazioni di atteggiamenti rituali, non sempre è chiaro fino a che punto si possa parlare di comportamento religioso. Ma si può sicuramente parlare di concettualità almeno fin dall'inizio del Paleolitico medio, ossia per gli ultimi 100.000 anni. In particolare, per quanto riguarda l'atteggiamento nei riguardi dei defunti, possiamo affermare anche che esistono concetti concernenti la visione di una vita extra-terrena, la credenza nella sopravvivenza dopo la morte e valutazioni di carattere intellettuale nei riguardi dell'esistenza.

Il Sacro, le origini, l'uomo arcaico, la morte

Per la massima parte, i dati concernenti l'intellettualità prima dell'apparizione dell'Homo sapiens provengono dall'area dove maggiormente si sono effettuate ricerche, ossia dall'Europa. Molto meno si sa sugli altri due continenti dove uomini e ominidi precedenti hanno lasciato tracce. L'Africa e l'Asia (a parte l'area siro-palestinese) sono pressoché sconosciute sotto questo aspetto e indubbiamente ci riserveranno non poche sorprese nel futuro. Quanto all'America e all'Oceania, malgrado alcune asserzioni contrarie e periodici annunci di «scoperte» rivoluzionarie, non si conoscono per ora elementi attendibili che dimostrino la presenza dell'uomo prima della grande espansione dell'Homo sapiens. La cosa non sarebbe impossibile, ma finora non è provata.

In conclusione quindi, le più antiche documentazioni chiare riguardanti la concettualità per il momento vengono dall'Europa e dal Vicino Oriente, sono attinenti al culto dei morti; esse rivelano la preoccupazione dell'uomo per la sua mortalità e cercano indizi di una vita dell'oltre tomba. Non si può per ora parlare di questi fenomeni in termini di religione strutturata, ma vi erano sicuramente credenze, concetti e anche regole da seguire, riti consuetudinari riguardanti le modalità della sepoltura e la scelta del luogo. Gli artefici erano rappresentanti della stirpe dell'uomo di Neandertal, una stirpe che pare si sia completamente e misteriosamente estinta con l'arrivo dell'Homo sapiens.

I primi indizi di strutturazione del concetto religioso, con canoni precisi, sembrano essere evidenziati dal fenomeno di creatività artistica dell'uomo del Paleolitico superiore. Nelle grotte-santuario, nel ventre della terra, già oltre 30.000 anni or sono l'Homo sapiens creava oggetti per usi rituali, produceva meravigliose opere d'arte ispirate al mito e ad altri aspetti della concettualità, praticava riti connessi con le proprie credenze. L'arte parietale e quella mobiliare, i ritrovamenti venuti alla luce in questi «santuari», ci rivelano l'esistenza di credenze già molto più complesse ed evolute di quelle che conosciamo del Paleolitico medio, essi ci mostrano anche la presenza di pratiche abituali e diffuse, e di luoghi riservati ad attività di carattere intellettuale come la creatività artistica ed il culto.

Ma l'Homo sapiens non sembra sia nato in Europa. Egli deve esserci pervenuto con un suo ricco bagaglio di tradizioni che già aveva sviluppato nel suo luogo di origine. Per cui ci si domanda fino a che punto possano esservi elementi di continuità tra Uomo di Neandertal e Sapiens.

II. ESIGENZE ESPRESSIVE DELL'HOMO SAPIENS

La specie umana esiste sulla terra da oltre quattro milioni di anni. Nel corso della sua esistenza, si sono sviluppate le capacità dell'uomo di esprimersi e di operare, in diversi modi. Con l'apparizione dell'Homo sapiens è avvenuta una rivoluzione nel meccanismo della logica, nel modo di pensare, nella capacità di astrazione e sintesi, rivoluzione che non ha paralleli, per quanto ci è dato sapere, né nelle precedenti tappe dell'uomo, né in alcun'altra specie animale. Il linguaggio visuale è espressione di tali nuove acquisizioni ed è nato da questa rivoluzione.

Una serie di dati, che approfondiremo più avanti, sembra proporre una soluzione della controversia tra evoluzionisti di tendenze diverse in merito al meccanismo di origine della specie. L'ipotesi secondo la quale l'Homo sapiens sarebbe il risultato di una linea evolutiva che ha avuto manifestazioni parallele in varie parti del globo appare in contraddizione con alcune caratteristiche universali dell'umanità «sapiens», che la indicherebbero invece come prodotto di una serie di coincidenze difficilmente ripetibili. Le stesse coincidenze, di cui parleremo in seguito, sembrano invece indicare che questo nuovo uomo, emerso circa 40.000 anni fa, abbia avuto un'origine unica, ossia che sia nato in un luogo ben determinato, probabilmente in conseguenza di un connubio particolare. A partire da tale luogo di nascita, che si presume in Africa, egli si sarebbe poi moltiplicato ed i suoi discendenti avrebbero raggiunto gli altri continenti. Recenti ritrovamenti sembrano anche indicare che, mentre in Europa e nel Vicino Oriente viveva il Neandertaliano, nell'Africa orientale ed australe si sviluppassero individui già molto simili come capacità mentali, e come metodologia nella creazione e nell'uso dei propri utensili, all'Homo sapiens che giunse in Europa nel Paleolitico superiore. Qui volutamente riduciamo ai minimi termini un problema assai più complesso, per evidenziare gli estremi del quesito.

Di fatto, se pur la seconda ipotesi è più plausibile della prima, essa a sua volta solleva altri problemi non ancora risolti. Fu una fuga o una espansione, quella che portò l'uomo su tutti i continenti? Si è parlato sovente di pestilenze che avrebbero costretto il nostro diretto antenato a lasciare il luogo d'origine. Ma queste da sole non bastano a spiegare la diffusione della specie.

Cosa avvenne precisamente in qualche angolo dell'Africa tropicale o australe non è dato per ora saperlo, ma è in quel contesto, di ambiente rigoglioso esuberante, sui margini della foresta tropicale, in zona ricca in frutti spontanei ed in grande fauna, che vanno ricercate le origini dell'Homo sapiens.

L'idea degli antenati primordiali ci riporta alla memoria collettiva del mito. Torniamo all'epos di Adamo ed Eva, magnifica allegoria del mito di origine. Cosa precisamente sia avvenuto non è molto chiaro. Si ipotizza il connubio di un «padre» e una «madre» primordiali che avrebbero messo al mondo la nostra specie. Due individui, o piuttosto due gruppi di individui, sarebbero i capostipiti dell'Homo sapiens: un nuovo tipo di uomo, con una capacità di accumulazione d'informazioni molto superiore ai suoi predecessori, con un periodo d'infanzia più prolungato, con un particolare insieme di dati somatici, ma soprattutto, con capacità cerebrali molto particolari che gli hanno dato nuova dimensione emotiva e nuova disposizione intellettuale.

Da allora l'uomo è diventato anche artista; e forse quella di produrre arte non è solo una capacità, ma piuttosto una esigenza della natura stessa dell'uomo. Da quel momento in poi l'uomo acquisisce una determinata dimensione visuale, concettuale e comunicativa, che rientra nel quadro di un nuovo tipo di reazione al mondo circostante e di relazione con esso. Senza queste qualità non esisterebbero le relazioni umane che ci caratterizzano, relazioni emotive ed affettive vere e profonde, il tipo di comunicazione che ci permette di dialogare con il prossimo e di avvicinarci ad esso con intensità e coscienza, ed il tipo di quesiti che la nostra mente si pone, senza il quale non potrebbe esservi un pensiero religioso.

L'uomo già a quell'epoca aveva un complesso di meccanismi mentali di associazioni, simbolizzazioni, astrazioni e sublimazioni, che ancor oggi costituisce una delle caratteristiche universali dell'Homo sapiens. I dati a nostra disposizione sembrano escludere che tale livello intellettuale possa essere stato raggiunto attraverso una lenta evoluzione avvenuta contemporaneamente in vari punti del globo. Assai più probabilmente si tratta non solo di evoluzione, ma anche di una vera e propria rivoluzione, di un netto gradino, salito il quale siamo divenuti diversi. Malgrado l'opinione discorde di alcuni colleghi, la formazione della nostra identità di Homo sapiens implica l'acquisizione d'un complesso pacchetto di specifici attributi e specializzazioni, e l'adozione di meccanismi cerebrali molto particolari, effetto di tali e tante coincidenze, che può essersi verificata una volta sola.

Fin quando l'arte preistorica era studiata e vista nei vari continenti come una serie di fenomeni locali e isolati, ad ogni più antica manifestazione locale scoperta si attribuiva volentieri il primato mondiale. Gli europei ritenevano che l'arte fosse nata in Europa all'inizio del Paleolitico superiore, i colleghi indiani pensavano che l'arte fosse nata in India pressappoco alla stessa epoca, e lo stesso può dirsi degli studiosi sovietici, che avevano trovato attorno al lago Baikal, in Siberia, il nucleo primario e a parere di taluni il più antico, tra tutte le espressioni artistiche. Inoltre, le scoperte di W.E. Wendt in Namibia avevano fornito datazioni attendibili molto antiche, per cui alcuni studiosi già negli anni '70 avevano espresso l'ipotesi che l'arte potesse essere nata in Africa suscitando non poche polemiche. Ma il problema doveva essere affrontato globalmente.

Tra le manifestazioni artistiche note, le più antiche in assoluto, per quanto ne sappiamo oggi, si trovano nell'Africa australe (Tanzania, Namibia); sono state scoperte infatti pitture rupestri in Tanzania e Namibia, e placchette dipinte in Namibia, che sono ritenute più antiche di qualsiasi altro ritrovamento.

In Namibia gli scavi di W.E. Wendt nella grotta Apollo 11 hanno riportato alla luce diverse tavolette in pietra con pitture di animali, alcune delle quali policrome, in un livello archeologico che tre esami al Carbonio 14 hanno riconosciuto antico rispettivamente circa 28.400, 26.700 e 26.300 anni (W.E. Wendt, 1976). Le date C.14, come dimostrato dalla dendrocronologia, tendono a ringiovanire e vanno calibrate. Per ottenere la loro età reale, le date al C.14 andrebbero maggiorate del 20% circa il che porterebbe la datazione dai 31.500 ai 34.000 anni fa. Il fatto è che sono opere anche policrome, raffinate e molto evolute che sicuramente implicano già una lunga tradizione alle spalle. Per ora non si sono identificati gli elementi più antichi, ma resti di gessetti di ocra ed altre materie coloranti sono presenti nella stratigrafia della stessa grotta anche in fasi molto più antiche. È sorprendente notare la similitudine stilistica e tematica delle pitture, con talune creazioni artistiche, in Europa e in altri continenti.

In Tanzania si è rivelata una serie di pitture rupestri molto arcaiche, una delle cui fasi più recenti corrisponde come stile a quello delle placchette di Apollo 11. La data d'inizio della serie di Tanzania non è nota, ma, ai piedi di una parete dipinta in una grotticella, si sono trovati resti di sostanze coloranti con segni di utilizzazione, in livelli archeologici datati con il metodo del C.14 ad oltre 40.000 anni (E. Anati, 1986).

L'Africa australe sicuramente riserva molte altre sorprese. Ricerche sistematiche sulle sequenze stratigrafiche di pitture rupestri note da tempo, già da sole porterebbero un contributo notevole alla conoscenza delle fasi di evoluzione della più lunga sequenza di arte rupestre che si conosca.

Nel Nord Africa le opere d'arte più antiche attualmente datate si trovano nell'Acacus in Libia e risalgono alla fine del Pleistocene, secondo Fabrizio Mori, cioè a circa 12.000 anni or sono (F. Mori, 1979). Si tratta di arte rupestre tipica dei cacciatori arcaici evoluti, eseguita in uno stile diffuso nell'area sahariana anche nel Tassili-n-Agger in Algeria e nell'Ennedi Tchadiano.

In Europa i primi grafici, fatti risalire a circa 30.000 a 34.000 anni fa, si collocano come epoca all'inizio del Paleolitico superiore, ossia corrispondono alla più antica presenza dell'Homo sapiens nel continente. Ma le meravigliose pitture note a tutti, delle grotte di Lascaux ed Altamira, raffinate e policrome, di alto livello grafico, si sviluppano nel periodo Maddaleniano, a partire da 15-16.000 anni fa.

Per quanto riguarda l'Asia, le più antiche datazioni di opere d'arte che si hanno per ora risalirebbero a circa 32.000 anni (datazione al C.14), in Siberia, presso le sponde del lago Baikal (Abramova, 1987); e 25.000 anni (C.14) in India, e Bhimbekta, una località nei pressi di Bhopal, nello stato del Madhya Pradesh (Wakankar, 1982).

Nel Vicino Oriente, le opere più antiche note sono probabilmente delle incisioni rupestri a tratti fini, in Arabia centrale, che rappresentano figure animali, ideogrammi e figurazioni antropomorfe, in particolare femminili, ritrovate presso i pozzi di Dahathami ed in altre località limitrofe. Sono riconoscibili in stratigrafia tre fasi distinte di incisioni di cacciatori arcaici, che probabilmente illustrano il perdurare di una lunga tradizione iconografica nel tardo Pleistocene e fino all'inizio dell'olocene. Mancano per il momento datazioni precise (E. Anati, 1972).

In Australia, nella grotta Koonalda, vicino ad Adelaide, ed in altre località, le incisioni rupestri più antiche sono databili intorno ai 22.000 anni C.14 (R.G. Bednarik, 1985); ma si tratta di segni non rappresentativi. Le più antiche date per opere d'arte figurativa in Australia provengono da Laura, nella penisola di York. Sono su una parete che era coperta da strati archeologici dai quali si sono ottenute date C.14 di circa 17.000 anni. Le figure sono dunque anteriori a questa data.

Sono in prevalenza segni vulvari ed altri ideogrammi dello stesso tipo di quelli trovati in Francia nella fasi aurignaziane e perigordiane.

In America, per ora, la data più antica che conosciamo è di circa 17.000 anni (C.14), nello Stato di Piuni, in Brasile (N. Guidon, 1984). Nella stessa zona si sarebbero trovati resti di gessetti di ocra, con segni di utilizzo, in strati ancora più antichi. È presumibile l'esistenza di opere più antiche sia in America del Nord, sia nel Sud America.

Si è tentato più volte di ipotizzare la nascita di diverse sorgenti primarie di produzione artistica. Con il progredire della ricerca e l'aggiungersi di nuove scoperte, sembra invece di dovere tornare all'ipotesi, che era stata messa in disparte, di un'origine unica. Le date finora disponibili sembrano indicarci comunque un processo di diffusione dell'arte, ma come ciò sia avvenuto resta ancora da chiarire, pur prendendo sempre più piede l'ipotesi di una connessione tra la diffusione dell'arte e quella dell'Homo sapiens.

Precedenti episodi dell'evoluzione dei primati antropoidi hanno mostrato che l'Africa orientale ed australe ha avuto il ruolo di grande laboratorio di genetica in cui la natura faceva esperimenti; qui infatti si sono scoperti in gran numero resti fossili che ci mostrano l'evoluzione fisica della specie e qui probabilmente ha avuto il suo periodo formativo quel Sapiens, nostro diretto antenato, responsabile tra l'altro della creatività artistica.

Riguardo ai primordi dell'Homo sapiens i ritrovamenti disseminati nei vari continenti sembrano indicarci che, dal suo luogo di origine in Africa, questi ebbe una formidabile espansione. Nell'arco di meno di 10.000 anni ha conquistato il mondo arrivando ovunque, tanto che sembra lecito ipotizzare che in ogni luogo dove si è spinto abbia portato seco le sue capacità ed esigenze, ed abbia lasciato le impronte.

Ogni altra specie animale ha la tendenza ad adattarsi ad ambienti circoscritti, a difenderli ed a volerci restare, per quella regola degli imperativi territoriali che è stata descritta così elegantemente da Robert Ardrey (1967).

Pare che l'Homo sapiens abbia avuto in tal senso una caratteristica molto particolare. L'Homo sapiens è stato, da quando è nato, un irrequieto esploratore, che non poteva sopportare di non conoscere cosa vi fosse al di là della collina, e che era spinto dalla sua natura ad indagare ed a porsi domande; e questo probabilmente è stato l'incentivo principale di tale espansione senza precedenti. Comunque sia, l'Homo sapiens primordiale è stato un conquistatore che ha superato di gran lunga Alessandro il Macedone, Giulio Cesare e Carlo Magno, raggiungendo territori dei quali questi illustri condottieri non conoscevano nemmeno l'esistenza.

L'Homo sapiens si è portato appresso come bagaglio, tra l'altro, la capacità e l'esigenza di esprimersi con un linguaggio visuale. Forse esistono analogie tra l'esigenza dell'uomo di esplorare il territorio e quella di esplorare dento di sé, di farsi domande, e anche di proporre risposte ai quesiti dell'essere e dell'esistere.

Così, insieme alla sua diffusione fisica, si avrebbe una diffusione di questa nuova capacità dell'uomo. La distribuzione pare stranamente omogenea su tutta la Terra, tanto che si può dire che dove è arrivato l'Homo sapiens vi sono tracce della sua creatività artistica.

Le ultime ricerche ci mostrano che le varie espressioni artistiche delle fasi più antiche, nel mondo intero, illustrano una tipologia estremamente simile, la medesima scelta tematica, lo stesso tipo di associazioni ed anche uno stile che fondamentalmente ha una gamma limitata di varianti. Riteniamo perciò giustificato parlare di un unico linguaggio visivo, e di un simbolismo universale, che costituiscono l'essenza mentale stessa dell'Homo sapiens le cui impronte sono impresse sulle superfici rocciose di tutti i continenti.

III. SINTASSI ELEMENTARE ED ELEMENTI RIPETITIVI

In base all'economia riflessa, si distinguono quattro categorie di arte preistorica che si riferiscono rispettivamente a 1. Cacciatori arcaici; 2. Cacciatori evoluti; 3. Pastori e allevatori; 4. Popolazioni ad economia mista. In queste diverse categorie l'arte preistorica, a livello mondiale, nel corso di 40.000 anni, presenta in tutto quattro tipi di pittogrammi: 1. antropomorfi; 2. zoomorfi; 3. topografici e tettiformi; 4. oggetti. Oltre ai pittogrammi, vi sono ideogrammi e psicogrammi. Questi ultimi sono presenti soprattutto nell'arte dei cacciatori arcaici e se ne conoscono ancora troppo pochi per stabilire una tipologia. Gli ideogrammi si dividono in tre tipi: 1. anatomici; 2. numerici; 3. concettuali. Questi tipi comprendono la quasi totalità dei soggetti che si trovano sia nell'arte rupestre, sia nell'arte mobiliare.

L'arte dei primordi ci mostra che le preoccupazioni erano focalizzate a quesiti specifici, che avevano caratteristiche esistenziali e filosofiche, atti a cercare soluzioni di grosse domande che l'uomo si poneva, sulla sua identità e sulle manifestazioni del mondo circostante. La relazione fondamentale era quella con il mondo animale dal quale traeva la sussistenza quotidiana.

I paesaggi sono molto rari, come lo sono le figure di vegetali ed i ritratti personalizzati. Per quanto ne sappiamo, i paesaggi sono pressoché inesistenti presso i popoli cacciatori arcaici ed i cacciatori evoluti. Presso i popoli allevatori vi sono, anche se rari, dei paesaggi antropici, quasi sempre senza piante e senza orizzonte; se veramente si può parlare di paesaggi, questi sono composti da figurazioni di gruppi di capanne con scene aneddotiche di vita quotidiana o di culto, come appaiono nelle fasi pastorali di varie località sahariane, o dell'India centrale. Vi sono figure in pianta di recinti per il bestiame e di grandi trappole per la caccia delle gazzelle nelle incisioni rupestri di epoca pastorale nel Negev e nel Sinai; vi sono figure di recinti per il bestiame nelle incisioni rupestri di allevatori di bovini sul Monte Bego, nelle Alpi marittime francesi.

Il Sacro, le origini, l'uomo arcaico, la morte

Paesaggi con definizioni topografiche sono presenti in sporadici gruppi ad economia complessa. Troviamo un affresco, con la «pianta» del villaggio e la montagna situata in prossimità di questo, nel sito neolitico di Çatal Hüyük in Anatolia, e troviamo piante di villaggi, di abitazioni e di campi, nell'arte rupestre delle popolazioni ad economia complessa della Valcamonica.

Quanto alle figurazioni vegetali, piante, fiori, frutti, foglie, nella grande maggioranza dei complessi di arte preistorica sono totalmente assenti, e quando il tema è presente, è indicativo per alcuni caratteri specifici. Ad esempio in Tanzania abbiamo riscontrato una sequenza lunga millenni; tutte le figure vegetali che conosciamo sono concentrate in un'unica fase, che risale alla fine del Pleistocene o all'inizio dell'Olocene (tra 12.000 e 8.000 anni fa). Dai dati raccolti, tale manifestazione risulta rappresentare un orizzonte di raccoglitori, non di cacciatori, anche se ci troviamo in un'epoca definita dei Cacciatori Arcaici. Si tratta di una popolazione la cui alimentazione era in larga prevalenza vegetariana e la cui dieta comprendeva ampio uso di stupefacenti (BCSP, vol. 23). Tali eccezioni sono rare, tuttavia esistono, e sono estremamente interessanti e significative.

In ciascuna delle quattro categorie menzionate, vi sono degli elementi che chiamiamo *paradigmi*. Sono modelli ricorrenti, elementi caratterizzanti che si ripetono nell'insieme della categoria in tutte le parti del mondo. Vi sono anche scelte preferenziali della superficie da decorare: grotte, ripari, superfici rocciose all'aria aperta. All'interno della grotta stessa o all'aria aperta, la preferenza può riferirsi a superfici orizzontali, oblique, verticali o al plafond o soffitto.

In ogni categoria pare sia stata fatta una scelta precisa della superficie sulla quale eseguire la pittura o l'incisione, che è ripetitiva così che in tutti i quattro casi sono identificabili le scelte caratteristiche preferenziali di forme e di colore delle superfici. Da una analisi preliminare risulta che una percentuale altissima, fino all'85% delle pitture e delle incisioni, risponde a tali criteri. Ma vi sono sempre delle eccezioni e sia le regole, sia le eccezioni, richiedono delle spiegazioni. Sembra tuttavia che vi sia sempre un legame concettuale tra l'opera d'arte ed il supporto che è stato scelto per essa.

In un'alta percentuale dei casi sembra siano state fatte scelte ben precise delle tecniche di realizzazione, sia nella pittura, sia nell'incisione, sia nei graffiti a martellina, sia nei diversi metodi di levigatura. Vi sono elementi che si ripetono ma che, da quello che possiamo vedere, non sembrano sempre riflettere fattori di acculturazione o di diffusione. In alcuni casi il tipo di esecuzione pare semplicemente il risultato di un certo livello tecnologico o di un certo modo di pensare: sembra possibile dedurre che anche se le popolazioni non si comunicavano le loro tecniche, arrivavano a conclusioni simili anche in luoghi molto distanti e diversi tra di loro. Tale parallelismo di sviluppo non può dipendere sempre da influenze esterne. Anche in epoche assai posteriori a quella dell'espansione primaria dell'Homo sapiens, dobbiamo ipotizzare la presenza di primordiali matrici comuni.

Lo studio di tali paradigmi è affascinante perché ci riporta a caratteristiche universali della nostra memoria sommersa.

La tematica, come si è detto, è molto ristretta ed è ripetitiva. Presso i cacciatori arcaici e i cacciatori evoluti, in Europa, in Asia, in Africa, in America e in Australia si ritrova la stessa gamma di figure. Le proporzioni relative dei quattro tipi di pittogrammi sono variabili, mentre a livello globale le associazioni sembrano seguire sintassi associative estremamente simili.

Nella mentalità di queste popolazioni vi sono aspetti dell'ambiente, dell'economia e della vita sociale che semplicemente non sembrano rientrare nelle preoccupazioni e negli interessi espressi dalla gamma figurativa. Gli artisti, sia tra i cacciatori, sia negli altri gruppi, hanno fatto scelte molto precise nella raffigurazione dei soggetti. I gruppi che riflettono società ad economia mista sono quelli dove più frequentemente si riscontrano tematiche di carattere regionale o locale che permettono di definire caratteristiche geograficamente circoscritte.

Oltre alla scelta della superficie, delle tecniche di realizzazione, della tematica e della tipologia, anche le dimensioni hanno una notevole importanza ai fini di riconoscere caratteristiche ricorrenti.

In certi orizzonti si riscontra la presenza di dimensioni preferenziali. Ad esempio le grandi raffigurazioni di animali in grandezza naturale o che comunque superano 1,5 o 2 metri di altezza, si trovano quasi esclusivamente presso popolazioni di cacciatori. Presso i pastori si trovano solo in certi gruppi e sempre in zone oggi desertiche, specie in Arabia e nell'area sahariana, mentre nell'arte rupestre di popoli ad economia complessa tali figurazioni sono molto rare e in molte zone sono totalmente assenti. D'altra parte vi sono alcune fasi, negli orizzonti dei cacciatori arcaici e dei cacciatori evoluti, in cui si trovano figure animali di dimensioni modeste e perfino in miniatura.

A tal proposito si è notato un altro fenomeno curioso: nei gruppi in cui le figure animali sono di grandi dimensioni, le figure umane sono rarissime; in quelli dove le figure animali sono più piccole, la percentuale delle figure antropomorfe è nettamente superiore. Anche questo fenomeno ricorrente manca ancora di una spiegazione plausibile.

In tutti i complessi si trovano soggetti preferenziali e soggetti secondari. Si riscontra cioè una specie di scelta primaria che è fondamentale, all'interno della quale è stata operata una ulteriore scelta. Accanto al tema dominante vi sono temi minori. Vi sono inoltre elementi ripetitivi, ideogrammi o altri grafemi, che compaiono come accompagnatori delle figurazioni dominanti. Dire, come molti hanno detto, che nell'arte paleolitica europea le figure animali costituiscono la raffigurazione dominante, è una constatazione semplicistica, e dire che nel mondo intero presso i cacciatori arcaici gli animali sono la raffigurazione dominante è anche molto semplice; ma contrariamente a quanto si è soliti pensare, raramente esistono figure animali isolate, sono quasi sempre accompagnate da ideogrammi.

Ovviamente la figura animale isolata non era sufficiente ad esprimere ciò che si voleva esprimere.

Le figurazioni di animali risultano sicuramente dominanti per quanto riguarda gli spazi occupati, a causa delle loro dimensioni. Ma i simboli variano quantitativamente e spesso possono superare in numero quello degli animali con i quali sono associati. Comunque, in tutti i gruppi noti di opere e di cacciatori arcaici, esistono costanti associative tra pittogrammi e ideogrammi, ossia tra temi figurativi e grafemi ripetitivi il cui segno non è immediatamente traducibile in immagine. Appare abbastanza ovvio che la comprensione dei messaggi che contengono dipende dalla comprensione delle associazioni e che essa dipende a sua volta dalla comprensione degli ideogrammi.

Nelle grandi raffigurazioni del Paleolitico in Europa emergono in modo particolare due specie di animali, il bisonte e il cavallo, che spesso sono raffigurati l'uno di fronte o accanto all'altro e sono accompagnati da vari ideogrammi ricorrenti. All'interno del tema preferenziale, quello degli animali selvatici di grossa taglia, essi sono a loro volta preferenziali, si ripetono più frequentemente degli altri e sembra che significhino qualcosa di particolare nella dialettica delle associazioni.

Si possono avere differenze tra una zona e l'altra, ma nell'insieme dell'arte parietale franco-cantabrica si riscontrano tali dati generali. Più avanti accenniamo al loro possibile significato concettuale.

In Tanzania, nell'arte rupestre dei cacciatori arcaici, l'elefante e la giraffa giocano nelle associazioni un ruolo simile a quello svolto dal cavallo e dal bisonte in Europa. Infatti sono sovente associati e sono di gran lunga gli animali più rappresentati. È probabile che ricoprano, anche nella concettualità dei cacciatori arcaici di Tanzania, lo stesso ruolo che il cavallo e il bisonte ricoprono nella concettualità franco-cantabrica europea.

Abbiamo qui le premesse per un altro paradigma: la presenza, in vari contesti dei cacciatori arcaici, di specie animali predominanti con una relazione dialettica tra loro. Lo stesso modello si ripete in almeno due regioni, l'Europa occidentale e la Tanzania, tra le quali all'epoca in cui il fenomeno si verifica non sono ipotizzabili relazioni dirette ma è ipotizzabile una matrice comune. Per passare dalla semplice constatazione dei fatti alla scoperta del loro significato occorre che siano disponibili dati anche su tutto il rimanente contesto, in particolare sulle associazioni con gli ideogrammi, oltre ad una verifica sistematica dei possibili significati degli ideogrammi stessi. E per ora, malgrado diverse ipotesi, non ci siamo ancora arrivati.

Dunque si delineano dei paradigmi. È prevedibile che un'analisi dettagliata permetta di arrivare più lontano di quanto si possa attualmente immaginare. Soprattutto consideriamo molto promettente lo sviluppo di un'analisi sistematica che possa definire le associazioni, le composizioni e le scene, cioè i tipi di relazioni tra una figura e l'altra nel medesimo contesto, che costituiscono il riflesso visuale della dinamica concettuale delle associazioni. Il primo intento è quello di pervenire ad individuare modelli e costanti.

Vediamo ad esempio che presso i cacciatori evoluti la scena è comune, che sia scena di caccia, di attività quotidiane, di culti, di danza o altro; la loro tematica è limitata. Presso i cacciatori arcaici non sembra siano rappresentate vere scene descrittive di episodi, né nel Paleolitico europeo né in altri insiemi di arte rupestre (oppure, se ve ne sono, non si riesce per ora a comprenderle come tali). Compaiono associazioni, composizioni, dal contenuto simbolico, ma non sono state ritrovate, salvo forse qualche rarissima eccezione, scene descrittive e narrative e questo potrebbe rivelare un elemento psicologico di primaria importanza.

Abbiamo tipi di associazione che si assomigliano. Presso i cacciatori arcaici la collocazione spaziale di un animale nel contesto delle altre figure associate non riflette la realtà naturalistica come vorrebbe vederla la nostra immaginazione oggi; le figurazioni animali si ubicano nello spazio della parete in modo ripetitivo, in base ad impostazioni che dovevano certamente avere un senso nel loro insieme, ma che non riflettono il tipo di composizione e il tipo di visione comune nella nostra cultura contemporanea. Sembra, ad esempio, che nell'arte dei cacciatori arcaici non esistesse il concetto di «base», o di piano di calpestio. Salvo qualche rara eccezione, i grandi animali sono raffigurati sulle pareti delle grotte come se levitassero o fossero sospesi per aria. Lo stesso avviene in Europa come in Tanzania, come in Australia e altrove. Ci si è sovente domandati se le figure rappresentassero gli animali stessi oppure i loro «spiriti».

L'associazione tra animali e ideogrammi si ripete con specifiche analogie presso tutti i popoli cacciatori arcaici. La figura animale si pone in qualità di soggetto, mentre gli ideogrammi, quelli che l'abate Henri Breuil e André Leroi-Gourhan chiamavano «simboli», sono il ragionamento attorno ad esso. Presso i cacciatori evoluti abbiamo invece degli elementi di scena che mostrano una mentalità completamente differente; secondo il nostro modo di pensare, le associazioni dei cacciatori evoluti sono più narrative, veristiche, meno «astratte». Talvolta la transizione tra le due forme è piuttosto imprevedibile, e magari a un certo momento viene abbandonata la prassi consueta e comincia qualcosa di nuovo; talvolta invece, in altri contesti, pare vi sia un'evoluzione graduale e allora possiamo individuare le fasi di transizione. In tale processo s'intravedono mutamenti del meccanismo cognitivo.

Dall'analisi tematica emergono tipologie di figure, di segni, di grafemi che sono come il «vocabolario» dell'arte. Appaiono come le parole di una frase. Ma segni isolati sono estremamente rari, come nel discorso sono rare le parole isolate. Nell'arte si hanno insiemi che riflettono i sistemi di associazione, che sono la sintassi. Sono le «frasi» composte dall'aggruppamento o dalla sequenza dei grafemi. E qui si cela la chiave di lettura dell'arte preistorica, cioè di una ideografia che rivela caratteri universali, o comunque una serie di associazioni costanti che superano o precedono i confini etnici e linguistici. Sembra dunque possibile postulare la presenza di modelli archetipici di logica, ed è questa una ipotesi che offre avvincenti prospettive per penetrare alle radici dello spirito umano. Questa è essenzialmente la base per arrivare a decifrare i codici, non solo dell'arte preistorica ma, attraverso questa, degli elementi fondamentali della dinamica cognitiva della nostra specie.

Se si continuano invece ad analizzare le figure isolate senza vederle nel contesto, senza vedere le associazioni, si ottiene soltanto un catalogo sragionato dove, separata dal resto, la figura perde buona parte del suo significato e si entra in un vicolo cieco senza speranza di uscirne. Il fatto è che, poi, questi elementi iconografici vengono sottoposti ad esegesi, con conseguenti interpretazioni che non si basano sugli insiemi, bensì su alcuni particolari, magari appariscenti, ma avulsi dal contesto e, conseguentemente, con interpretazioni che non possono essere che lacunose. Sarebbe come se nella nostra lingua insistessimo a leggere ogni parola separatamente, rifiutando di vedere che ci sono delle proposizioni, e che le parole, oltre ad avere un senso grammaticale, costituiscono insieme frasi e periodi secondo la logica della sintassi.

Si notano sovente anche associazioni composite, ed accumulazioni cognitive che si sono formate nel tempo. Talvolta il processo appare di grande complessività. Sulla parete di una grotta si vede, ad esempio, che all'inizio c'erano solo tre figure, due animali l'uno di fronte all'altro ed un ideogramma accanto ad essi; dopo qualche generazione si è aggiunta un'altra figura, e dopo molto tempo, forse 2000 anni, si sono aggiunti ancora quattro segni. Il pannello ci offre il risultato finale dove tutte queste fasi appaiono come parte di un unico insieme. Bisogna individuare l'associazione primaria, verificare gli elementi ripetitivi, confrontare poi le analogie ed i raffronti per valutare se si tratta di sovrapposizioni fortuite o intenzionali.

Vediamo in molti casi che alcune accumulazioni di segni hanno delle costanti e sono necessariamente intenzionali, anche se sono state eseguite in periodi differenti. Altre non lo sono oppure, semplicemente, non ne comprendiamo il senso. Dunque bisogna tener conto dell'accumulazione di segni e di figure su una medesima superficie.

In molti casi i grafemi eseguiti dall'uomo completano le forme e i colori naturali che esistevano già nel fondo. È presumibile che, per un processo cognitivo analogo, chi ha aggiunto segni sopra o accanto a quelli pre-esistenti, lo abbia fatto talvolta con finalità simili.

Scopriamo spesso che con queste figure si esprime un linguaggio vero e proprio, poiché vi sono degli elementi ripetitivi molto diffusi che dovevano essere leggibili in tutti i luoghi dove sono stati fatti. Al di là dei caratteri specifici locali in Tanzania, nelle grotte ornate paleolitiche della Francia e della Spagna, nell'arte dei cacciatori dell'Australia o della Patagonia, si scoprono le tracce di questo linguaggio che ha le sue radici nei prototipi.

Tra tali ideogrammi archetipici ve ne sono di molto semplici, alcuni dei quali diffusi universalmente, in tutte le epoche: il cerchio con il puntino centrale, la croce, il bastoncino, la linea e il punto, il segno a «V», il dardo, il tettiforme, il triangolo, il quadrato, il segno fallico, il segno vulvare, le cinque dita di una mano, la serie di linee parallele, la serie di punti, la coppia di circoli. Già in questa categoria primaria vi sono abbastanza segni per un «alfabeto». Molti di questi segni sono gli stessi che, dopo essere stati usati per millenni come ideogrammi nell'arte rupestre, vengono a far parte delle prime scritture ideografiche; e sono anche gli stessi che furono poi ripresi ad emblemi di concetti religiosi, filosofici o ideologici, in varie parti del mondo.

Si delineano dunque i principi di una nuova metodologia per gli studi comparativi e per un'ampia analisi contestuale dell'arte preistorica. È ora fondamentale trasporre le nostre frammentarie conoscenze in un sistema, e controllare fino a che punto questo sistema sia valido, verificando quali elementi ripetitivi abbiano un valore universale, e quali riflettano invece fattori contingenti o vernacolari che sono significativi solamente per la loro provincia.

Come già si è notato, gli elementi locali diventano sempre più frequenti quanto più le cose si complicano, soprattutto negli orizzonti ad economia diversificata o complessa. Presso l'arte dei popoli cacciatori prevalgono invece i paradigmi universali, naturalmente con delle varianti, e con elementi che ancora bisogna comprendere. Certo, nei periodi preistorici, in Europa non ci saranno figure di lama e in Argentina non ci saranno figure di cavalli, ma a livello universale l'oggetto animale è visto secondo un criterio generale e non considerato in quanto specie, poiché le specie animali variano da zona a zona.

Scopriamo quindi che esistono orizzonti culturali a livello mondiale. La riprova ne sono gli ideogrammi, che si ripetono pressoché identici nel mondo intero. Ad esempio, le impronte di mano, sia in negativo, sia in positivo, o gli stessi simboli vulvari, fallici, cruciformi, a bastone, arboriformi, che troviamo nell'arte paleolitica in Europa, li ritroviamo anche in Tanzania, in Australia e in America, in associazioni e contesti simili. Non è pensabile che tali fenomeni ricorrenti siano effetto di contatti diretti, ma possiamo ipotizzare, come già si è detto, che derivino da una matrice concettuale comune.

Ricapitolando, l'arte dei cacciatori arcaici ha un carattere che possiamo ben definire universale. Quella dei cacciatori evoluti ha già caratteristiche locali molto più frequenti anche se conserva numerosi paradigmi a diffusione mondiale. La vera torre di Babele comincia quando termina l'età della caccia e della raccolta. Dopo questa svolta storica l'arte, come probabilmente altri aspetti della cultura, si fa sempre più provinciale, sempre più condizionata dal contingente. Diventano allora più comprensibili i gruppi d'arte rupestre vicini alla nostra cultura odierna, mentre sempre più esotici ci appaiono quelli di altre regioni del mondo. Però, nel fondo, persistono innumerevoli comuni denominatori, primi fra tutti, e più evidenti, il fatto stesso di produrre arte rupestre e quello delle analoghe tipologie, nelle scelte di soggetti e nei tipi di associazione. A tali elementi di base, nati e sviluppati già all'epoca dei clan di cacciatori, si sovrappongono le mode, gli stili, gli abbellimenti, le caratteristiche delle varie tribù in epoche più recenti.

Il linguaggio visuale dell'arte preistorica può forse definirsi un linguaggio elementare. Tanto semplice che veniva usato già nelle bande di cacciatori alcune decine di migliaia di anni fa nel mondo intero. È demoralizzante il fatto che noi, con la nostra sofisticata concettualità del XX secolo, non riusciamo a comprenderlo altrettanto chiaramente di quanto dovevano comprenderlo i nostri lontani antenati che lo praticavano quotidianamente.

Si può postulare che il linguaggio universale dei primordi è necessariamente lo stesso linguaggio universale che abbiamo ancor oggi in noi e che, una volta trovatane la chiave, possiamo riattivare coscientemente. Infatti, pur senza averne piena coscienza, lo usiamo costantemente. Esso ha in sé le caratteristiche elementari della logica e del sistema di associazione, che costituiscono fattori fondamentali dei meccanismi di intuizione, simbolizzazione, concettualità e ritualismo dell'Homo sapiens. La riappropriazione cosciente di tale linguaggio ci permetterebbe di comprenderci senza più barriere linguistiche perché si basa su una logica primaria, precedente alle separazioni e alle specializzazioni glottologiche e, in teoria, dovrebbe essere contenuto in tutte le lingue e in tutte le lingue essere ugualmente comprensibile. Esso ci ricondurrebbe anche, con immediatezza, alla comprensione degli elementi fondamentali del pensiero religioso, comune a tutti i popoli della Terra.

IV. MITOLOGIA E RITUALISMO

Le opere d'arte dei primi artisti ci aiutano a ricostruire le radici intellettuali della nostra specie; conosciamo anche resti di strutture che ci dimostrano le esigenze di socializzazione dei nostri avi «sapienti»: loro tramite si riscoprono le abitazioni, i luoghi di riunione, le abitudini e le esigenze quotidiane. Gran parte dei dati oggi a nostra disposizione proviene dall'Europa dove il più antico tempio che si conosca, ad El-Juyo (una grotta della Spagna cantabrica), da quanto ci dicono gli archeologi che l'hanno scoperto, Freeman e Barandiaran, risale a circa quattordicimila anni orsono; vi hanno trovato una sala con un altare e una figura dalle duplici parvenze: una faccia che da un lato è antropomorfa e dall'altra è animale.

Nella concezione religiosa e filosofica dell'uomo del Paleolitico superiore scopriamo ciò che si può definire come una visione dualistica dell'universo, che, come essa appare in questo santuario, si rivela anche in numerose altre manifestazioni della creatività artistica.

Alcuni aspetti di tale concettualità erano già emersi dalle analisi svolte da André Leroi-Gourhan e dai suoi allievi una ventina di anni or sono (A. Laming

Simbolizzazione, concettualità e ritualismo dell'*homo sapiens*

Emperaire, 1963; A. Leroi-Gourhan, 1968). Si è parlato di attribuzione, da parte degli artisti paleolitici, di valenze maschili e valenze femminili, ai vari animali, oggetti e simboli che rappresentavano. Di fatto, oggi sembra che i fenomeni osservati stiano ad indicare non tanto una determinazione sessuale, quanto una concettualità dualistica.

Nel mondo raffigurato dell'uomo delle caverne sembra che tutto l'esistente avesse la sua controparte, che ogni cosa fosse fatta in due metà che si completavano, nello stesso senso ancora oggi usato quando un coniuge parla della sua «metà» riferendosi all'altro coniuge. La metà femminile aveva bisogno dell'altra metà maschile per funzionare biologicamente e per essere se stessa e viceversa. L'uomo e la donna, il mondo animale e il mondo umano, il cielo e la terra, la luce e le tenebre, il giorno e la notte, la grotta oscura e il mondo esterno: tutto era diviso in due e la completezza era formata dall'accoppiamento dei due complementari. Ci si domanda come si sia sviluppata questa che possiamo definire, a giusto titolo, una vera e propria filosofia. Il problema è estremamente complesso e cercheremo di semplificarlo, anche se ciò comporta il rischio di fornire spiegazioni parziali e necessariamente schematiche.

Molti dei ritrovamenti archeologici, che oltre alle opere d'arte includono sepolture, luoghi di culto, resti di abitato e di bivacco e numerosi utensili di uso quotidiano, sembrano indicare che, da quando l'uomo ha sviluppato capacità di astrazione, di sintesi e di associazione complessa, le sue due preoccupazioni principali sono state la vita e la morte. Una massima orientale, probabilmente molto antica, dice che «La morte è il completamento della vita». Senza vita non vi è morte e senza morte non vi è vita.

La morte di un proprio simile è un'esperienza traumatica anche per molti animali. La consapevolezza della propria mortalità è sopravvenuta molto più tardi, e ancor oggi è rifiutata da taluni. Il culto dei morti, come si è visto, sembra sia stato un'invenzione dell'uomo di Neandertal, artefice della cultura materiale musteriana, che ha vissuto tra circa 100.000 e 35.000 anni fa. È poi stato concepito in maniera molto più elaborata dall'Homo sapiens. Non sembra vi sia soluzione di continuità tra le abitudini delle due etnie.

In Europa fin dall'inizio del Paleolitico superiore, circa 32-34.000 anni or sono, il culto dei morti è sovente stato, prima di tutto, una esaltazione della vita. Dipingere (spalmare) il defunto con ocra rossa, dandogli il colore del sangue, e servirgli il cibo, sono atti che parlano di vita più che di morte. Si scopre che, nella concettualità primordiale dell'uomo, vita e morte erano viste come una coppia di complementari. Emblematiche in tal senso sono le figurazioni vulvari (simboli di vita) sul corpo di figure di prede animali (ossia di animali che venivano uccisi e consumati come cibo) a Tito Bustillo ed in altre caverne dell'area franco-cantabrica (A. Beltran, 1974).

La sopravvivenza era assicurata principalmente attraverso la caccia, per cui si era instaurata una relazione esistenziale tra uomo ed animale. Per l'uomo la vita rispondeva ad un concetto assai simile a quello che oggi si ha dell'«anima» nella concettualità occidentale. La vita animale nutriva la vita umana. Noi oggi siamo soddisfatti nel sapere quante proteine ingeriamo o, più semplicemente, nel sentirci «sazi». Allora come oggi gli uomini, dopo aver mangiato, si sentivano soddisfatti. Ciò che per l'uomo di oggi è soddisfazione fisica, per i nostri antenati doveva essere la sensazione di aver acquisito la forza dell'animale del quale avevano consumato la carne. Il pasto era l'atto tramite il quale si realizzava la simbiosi degli spiriti, che costituiva la completezza, veniva a concretizzarsi con l'integrazione dello spirito dell'animale nel corpo dell'uomo. Ancor oggi alcuni popoli cacciatori conservano simili credenze spesso definite impropriamente «animistiche» (Mountford, 1956). I numerosi casi di raffigurazioni di antropomorfi mascherati da animali, o di esseri ibridi antropozoomorfi, nell'arte dei cacciatori arcaici, ci mostra in maniera drammatica questa ricerca di simbiosi.

Presso i popoli cacciatori si era sviluppata una relazione ambivalente tra uomo ed animale: l'animale cacciato era identificato con la sopravvivenza. Riaffiora il concetto di relazione tra vita e morte. Tramite l'assimilazione fisica della carne dell'animale si acquisiva anche la sua forza, la sua vitalità e le sue capacità reali o immaginarie. I cacciatori si sentivano rivitalizzati, ben più che in senso corporeo, da questo loro atto consuetudinale di cibarsi, che aveva un senso che oggi definiremmo «mistico». Il pasto era un atto di comunione che si praticava quotidianamente o quasi, tra mondo animale e mondo dell'uomo o, più genericamente, tra il mondo umano e quello circostante, tra chi riceve e chi dà. In alcune religioni contemporanee tuttora permangono residui di concetti assai simili, specie nei pasti rituali, reali o simbolici, che si consumano.

La caccia era pianificata e razionalizzata. Dovevano esservi regole molto precise in merito, forse non molto dissimili da quelle che conosciamo presso i Lapponi, gli Eschimesi, i Boscimani, i Sandawe, gli Hazda, gli Aranta ed altri popoli cacciatori dei cinque continenti. Alcune di tali regole, con varianti minori, sono tuttora diffuse a livello mondiale presso questi.

Il fine di tali regole è quello di non compromettere la continuità delle specie cacciate, che costituivano la riserva, la sicurezza e quindi il patrimonio del territorio e del clan. Le femmine e gli esemplari giovani non venivano abbattuti. Si selezionavano gli animali che ormai avevano compiuto il loro ciclo vitale e la cui estinzione non turbava perciò l'ulteriore sviluppo del mondo animale. Si ha qui dunque un altro aspetto dell'atteggiamento ambivalente dell'uomo verso l'animale, in certi casi visto come preda da abbattere, in altri da non toccare, per mantenere l'equilibrio necessario a garantire che le risorse non si esaurissero.

Il secondo elemento fondamentale della sopravvivenza era la relazione uomo-donna, che assicurava il soddisfacimento delle esigenze biologiche naturali, oltre alla continuità della specie. L'atto di comunione sessuale aveva anch'esso un ruolo rivitalizzante e corroborante che contribuiva alla stabilità della struttura sociale, al senso di armonia e di conforto. Non sappiamo fino a che punto questi popoli avessero coscienza della paternità. Ancor oggi esistono tribù dove non ci si rende conto della relazione tra unione sessuale e gravidanza. Ma l'esigenza biologica di accoppiarsi non è certo una invenzione dell'uomo.

Di fronte ad esempi così lampanti dell'accoppiamento di complementari come fattori di completezza e di unità, non è difficile comprendere come il concetto di dualismo o di bipolarità si sia sviluppato estendendosi ad altri aspetti delle credenze e della visione dell'universo. Secondo tale concezione, ognuno dei due poli aveva bisogno dell'altro per realizzarsi, come se si trattasse di cariche elettriche di segno opposto le quali, facendo contatto, emettono scintille. Una concettualità assai simile persisteva ancora presso alcune popolazioni australiane quando Louis Mountford le studiò una cinquantina di anni or sono (Mountford, 1937).

Di fatto, l'arte paleolitica sembra riflettere questo dualismo in forme di sconcertante complessità. Vi sono rappresentati animali che hanno valenza «maschile», altri che hanno valenza «femminile». Nelle grotte ornate della Francia e della Spagna vengono associate ad esempio figure di cavallo e di bisonte. Secondo l'interpretazione di A. Leroi-Gourhan, il cavallo davanti al bisonte sarebbe l'espressione di questo concetto di dualità. Per i clan di cacciatori della prateria o della savana, il cavallo agile, snello e veloce, sarebbe simbolo maschile, il bisonte pasciuto, lento e riflessivo, sarebbe simbolo femminile (A. Leroi-Gourhan, 1983). Come si è visto, in Tanzania, ruoli analoghi, con simili abbinamenti, sono ricoperti dalla giraffa e dall'elefante. Cambia la fauna ma non cambiano i concetti (E. Anati, 1986).

Nella visione cosmogonica che poi si è conservata in filosofie di epoche successive, la terra e il cielo erano considerati come una coppia formata da due metà, l'una femminile e l'altra maschile. Lo stesso può dirsi forse per il mare e la terra, il sole e la luna. Molti elementi della concettualità paleolitica sono non soltanto tuttora presenti presso alcuni popoli cacciatori contemporanei, ma sono ancora latenti nel nostro subcosciente, li riscopriamo quando riemergono. È inutile ricordare che il genere maschile o femminile attribuito agli elementi che la logica della nostra epoca considera neutri, si è trasmesso in alcune lingue moderne, ed è forse l'ultimo residuo della concezione «animistica» secondo la quale venivano considerati.

L'uomo cacciatore del Paleolitico si era creata un'immagine dell'universo influenzata dalla sua relazione funzionale con il mondo animale: la magnifica arte delle grotte-santuario esalta questi aspetti di concettualità e di spiritualità. L'incontro del bisonte con il cavallo nelle pitture parietali, come nell'ambiente della prateria, nascondeva i messaggi di una profonda realtà che simboleggiava l'universo.

Il sistema ripetitivo di pittogrammi, ideogrammi e psicogrammi, che l'uomo ha applicato nelle sue associazioni concettuali, usa il dettaglio dandogli valore di simbolo per il generale, e il contingente, trasformandolo in emblema per l'universale. Così, il cavallo e il bisonte avevano significati ben più ampi del valore puramente figurativo che diamo loro. La loro associazione, nell'arte parietale, aggiungeva ulteriori significati all'insieme. Gli ideogrammi che li accompagnavano contenevano, ognuno, i suoi messaggi.

Tutte queste espressioni grafiche derivano dai dettagli assimilati dall'osservazione del loro mondo. Dalla realtà quotidiana l'uomo traeva un arricchimento del proprio intelletto. La lotta con animali enormi, mammuth, bisonti, cavalli, tori, rinoceronti, da esso raffigurati, era esaltante. La concezione cosmologica si associava ad una mitologia stupenda, piena d'immaginazione e d'inventiva, che ha ispirato eccelse opere d'arte. Da queste, che costituiscono l'effetto, oggi l'archeologo cerca di risalire alle cause.

Affiora il problema della dialettica tra il reperto, il suo studio, e l'acquisizione del suo significato da parte della cultura. Non basta che un reperto susciti un apprezzamento estetico per essere accettato come parte della cultura. L'uomo di oggi, come quello di ieri, esige dei contenuti. Posto di fronte a un messaggio, può recepirlo come può non recepirlo. Ma se il messaggio non c'è, non vi è nulla da recepire. Una figura di bisonte o di mammuth dipinta sulla parete di una grotta può sembrare bella o brutta. Ma solo scoprendone il significato, la figura diventa un fatto di cultura. Negli ultimi anni l'archeologia ha fatto grandi passi verso la comprensione dei contenuti ed è probabile che ci si trovi ad una svolta, che la ricerca ci porti verso la riscoperta di processi universali dell'intelletto umano.

La riscoperta dei significati ci fa meditare profondamente. La concezione dualistica dei popoli cacciatori, di fatto è ancora nel nostro modo di pensare. Fa parte della nostra «logica» e, a migliaia di anni di distanza, possiamo definire i principi della concettualità paleolitica come «verità». È per noi «ovvio» che la morte sia il completamento della vita, che l'uomo sia il completamento della donna e viceversa, e che la notte sia il completamento del giorno. Non si pone il problema di credervi o non credervi perché riflette il nostro naturale modo di pensare. Ciò vale per il buddista come per il cristiano e continua ad essere un elemento universale della concettualità umana. In più oggi sappiamo che vi sono protoni e neutroni, e poli impropriamente chiamati positivi e negativi, i quali sprigionano la loro energia quando entrano in contatto.

Quanto ci viene tramandato dal linguaggio visuale primordiale, è un modo concettuale che riflette una determinata *forma mentis*. In esso appaiono speculazioni intellettuali, credenze, miti e si scoprono consuetudini e riti che hanno marcato l'esistenza dell'uomo per molti millenni. Dal persistere delle stesse associazioni nel corso di centinaia di generazioni si può dedurre che vi fosse una fede assoluta e totale in questa visione cosmologica, fede che ha retto l'umanità da 40.000 fino a 10.000 anni fa circa. Per un periodo di 30.000 anni si è conservata una ideologia che si basava sulla esaltazione epica del dualismo, che trovava espressione nel confronto quotidiano tra uomo e animale, divenuto criterio di analogie per altri confronti: tra uomo e donna, tra giorno e notte, tra luce e tenebre, tra cielo e terra, tra vita e morte, tra realtà della veglia e realtà del sogno. Tale ricchissimo mondo intellettuale-religioso sta tornando a livello cosciente tramite lo studio comparativo dell'arte e dei concetti analoghi che persistono presso popoli cacciatori ancora viventi in alcuni reconditi angoli della terra. Esso ci rivela la magia meravigliosa dell'intelletto umano, che ha caratterizzato la specie fin dalle origini.

V. EPILOGO

Alla fine del Paleolitico, nelle regioni euro-asiatiche è intervenuto un fenomeno inatteso. Si è verificato un rapido cambiamento climatico. Non se ne conosce esattamente la causa, se pur vi sono diverse teorie in proposito. Ma il cataclisma ecologico, che mitologie varie hanno denominato «diluvio universale», ha creato sconvolgimenti radicali.

Con lo scioglimento dei ghiacciai, le grandi pianure sono state invase dall'acqua, milioni di tonnellate di ghiaccio che erano tra le montagne si sono sciolte ed hanno trasformato le pianure in laghi e paludi; il livello marino si è alzato di circa 120 metri, sommergendo immensi territori e probabilmente travolgendo migliaia di gruppi umani. Tanto per dare un'idea, il golfo Persico era un mare chiuso assai più piccolo delle sue attuali dimensioni. La salita del livello marino ha invaso le pianure dove i fiumi Tigri ed Eufrate proseguivano a sud ancora per molti chilometri. La metà settentrionale del mare Adriatico era una grande pianura, luogo di vita ideale per i clan di cacciatori e le loro prede. L'arcipelago maltese era una appendice della Sicilia. Le coste del Mediterraneo, in certe zone, si sono ritirate di oltre 100 chilometri e il mare ha coperto le praterie.

Nell'Europa temperata gli animali vivevano in tale integrazione con il loro ambiente, erano dipendenti da una dieta animale e vegetale di tundra e basso bosco, costituivano una catena alimentare ed erano adattati al clima freddo e secco.

Quando, a seguito di questo cataclisma, è scomparsa la vegetazione di tipo tundra, alcuni animali, come il mammuth, erano troppo adattati e integrati per modificare le proprie abitudini, e si sono estinti. Invece altri, come il cervo e il camoscio, hanno abbandonato le pianure, si sono facilmente adattati all'ambiente montano e si sono conservati fino ad oggi.

I gruppi umani che non sono stati sterminati da questo «diluvio universale» si sono trovati a dover cambiare dieta per la propria sopravvivenza, a doversi mettere a caccia dei piccoli animali, come le lepri, gli animali acquatici, le anitre selvatiche. Ciò ha causato moltissime modificazioni nella vita, nella struttura sociale e nei concetti intellettuali. In primo luogo, quando ci si nutre di carne di mammuth, è poco economico vivere in piccoli nuclei familiari; si caccia in gruppi consistenti, in grado anche di trasportare i quintali di carne al campo, e si consuma la carne in molti. Quando si vive di anitre o di conigli, il sistema di caccia si trasforma e muta l'economia e la dimensione del gruppo stesso. Ancor oggi l'uomo conserva associazioni d'idee diverse, quando pensa al mammuth e quando pensa ad una lepre. Anche presso i piccoli cacciatori contemporanei vi sono modelli sociali e di comportamento diversi, tra cacciatori di grande fauna (o fauna di grossa taglia) e cacciatori di piccola fauna.

Quando è cambiata la fauna, a seguito delle modificazioni climatiche, alla fine del Pleistocene, il gruppo umano si è adeguato. Gli scavi archeologici ci mostrano caratteristiche diverse, degli abitati precedenti, di età paleolitica, e di quelli successivi, di età mesolitica. Per quanto riguarda il Mesolitico in Europa si trovano di solito resti di insediamenti antropici in piccole grotticelle, con un focolare, con resti di molluschi e ossa di animali di piccola e di media taglia. L'accampamento paleolitico è invece sovente caratterizzato da resti di parecchi fuochi e da numerose ossa di grandi animali. Da una serie di osservazioni sui ritrovamenti si può dedurre che, alla fine del Paleolitico, si verificò in alcuni casi una trasformazione della struttura sociale; il clan si scisse in nuclei familiari, che si insediarono in zone distanziate l'una dall'altra; ognuno doveva avere il proprio territorio di caccia. Precedentemente, un nutrito gruppo di adulti cacciava grossi animali, la cui carne andava poi trasportata al campo e spartita. Ma i cacciatori mesolitici non dovevano andare in trenta a cacciare trenta conigli nello stesso territorio: ogni nucleo si arrangiava per conto suo. Sembra infatti che proprio nel Mesolitico sia nata la particolare struttura familiare della nostra società. E con essa è nata anche una nuova concezione dell'aggregazione sociale.

Un altro aspetto del trauma intervenuto a seguito del cambiamento climatico è di carattere ideologico. Quella verità assoluta sintetizzata nella concettualità dualistica, la fede in quella filosofia che aveva retto per trentamila anni e che sembrava eterna e indistruttibile, venendo a mancare l'elemento essenziale, cioè, l'epos della lotta dell'uomo con i grandi animali, d'improvviso non ha avuto più senso. E così è crollata di colpo una fede che aveva persistito per un periodo di quindici volte più lungo del tempo che ci separa dall'inizio dell'era cristiana.

Le grotte santuario, con le loro meravigliose pitture, sono state abbandonate. Pur restando le stesse, pur mantenendo le proprie caratteristiche, non avevano più ragion d'essere. Non a caso le riscopriamo e riprendiamo ad apprezzarle oggi, nella nostra epoca, dopo oltre 10.000 anni di oblio. Ciò sembra indicare qualcosa anche nei riguardi della nostra epoca.

Per una causa esterna, di carattere ambientale, la verità assoluta, la religione universale, si è sgonfiata di colpo e l'uomo si è trovato nel vuoto spirituale. Ha impiegato poi circa 3.000 anni per ricostruire una propria ideologia, attraversando nel Mesolitico un periodo con pochissime e scadenti espressioni di religiosità. Sono rare e di carattere schematico anche le espressioni del linguaggio visuale, salvo in alcune zone dove l'uomo ha conservato una tradizione paleolitica decadente, cosiddetta epipaleolitica, presumibilmente con persistenze di una religione arcaica che però, nel nuovo contesto, non aveva più molto senso.

In Valcamonica il periodo Protocamuno, con grandi figure di animali (le alci che si trovano a Luine), è un'espressione epipaleolitica, ossia un'espressione di tipo paleolitico attardato e decadente di un gruppo marginale che ha continuato quasi per forza d'inerzia, nel periodo Mesolitico, le tradizioni del Paleolitico, in modo disorganico, senza più la stessa dovizia di associazioni ideografiche, senza i profondi contenuti filosofici che avevano caratterizzato l'arte delle caverne (E. Anati, 1979).

Solo nel VII e VI millennio a.C., a seguito di sviluppi tecnologici notevoli, l'invenzione di nuovi strumenti, le prime esperienze della lavorazione della terra, l'inizio dell'allevamento degli animali, l'uomo d'Europa e del Vicino Oriente è entrato in una nuova fase di «rinascimento» che lo ha reso capace di creare anche una nuova ideologia e di dare avvio alla propria ricostruzione intellettuale. Dal Neolitico in poi si può seguire passo per passo l'evoluzione concettuale del mondo europeo e mediorientale che ci ha portato ai nostri giorni. Le formule primarie sono state in gran parte sommerse da sovrapposizioni più complesse. Talvolta la capacità di sintesi non si è dimostrata adeguata a far fronte ai nuovi contenuti concettuali, ed è in tali periodi che si nota la tendenza a sviluppare il gusto dell'effimero.

Abbiamo, in queste vicende, una serie di dati che ci permette di meditare sull'anatomia di una crisi. La storia non si ripete mai identica, ma il passato è dentro di noi, ed è con le esperienze, le conquiste ed anche le ferite, che il nostro patrimonio concettuale si arricchisce. Che lo vogliamo o no, le deduzioni che ne derivano fanno parte del nostro inalienabile retaggio.

IL SACRO E LA MORTE

di
Louis-Vincent Thomas

«Sacré!
A l'avance, les syllabes de ce mot
sont chargées d'angoisse, le poids qui les charge
est celui de la mort dans le sacrifice ...»
G. Bataille

La morte continua ad essere il dramma per eccellenza del limite e della finitezza. Provocando l'assenza, la distruzione e la putrefazione, essa rivela l'ignoto nei suoi aspetti angoscianti e insostenibili. Ma è appunto a questo riguardo che interviene l'immaginario, con i suoi meccanismi di spiegazione e con i suoi comportamenti tranquillizzanti.

Per questo, come dimostra l'archeologia, la morte è sempre stata in stretta relazione con il sacro. I riti funebri, che fanno sospettare una qualche speranza nell'aldilà, coincidono con l'imporsi dell'*homo sapiens*. Nel concetto della morte, negli atteggiamenti di fronte al morire e al defunto, così come nelle eventuali credenze in una vita dopo la vita, si ritrovano tutti i caratteri solitamente attribuiti al sacro: mistero e trascendenza, *fascinans et tremendum*, superamento dei suoi limiti da parte del soggetto (unità dell'essere, corporeità, contaminazione o conflitto tra puro e impuro, inevitabile ambivalenza...).

Il sacro, in effetti, esercita una funzione di mediazione nei confronti di un immaginario che oltrepassa la realtà empirica attraverso il triplice meccanismo del simbolo, del mito e del rito. «Nell'esistenza e nella vita dell'*homo religiosus*», ci dice J. Ries, «il simbolo religioso ha una funzione di rivelazione. Il mondo parla attraverso il simbolo, rivelando modalità del reale che non sono evidenti per se stesse. Il simbolo è il linguaggio della ierofania: esso permette di entrare in contatto con il sacro. Il mito è una storia sacra ed esemplare che fornisce agli uomini alcuni modelli di condotta. L'esperienza del mito coincide con una esperienza del sacro, poiché mette l'uomo religioso in contatto col mondo soprannaturale. L'effetto del rito è quello di conferire una dimensione sacrale a esseri, oggetti, frammenti temporali, spazi o uomini»[1].

I. IL SACRO, LA MORTE, IL MORIRE

La concezione della morte e la ritualizzazione del morire costituiranno il primo momento della nostra analisi che, almeno in questa prima fase, riguarderà solamente il mondo cristiano e quello ebraico.

1. La morte «cristiana»

a. Il senso della morte

Nella tradizione cristiana il termine «morte» rinvia ad almeno tre diverse concezioni. 1) *La morte come separazione*, tra l'anima spirituale e il corpo corruttibile, secondo la classica definizione. L'anima dovrà un giorno abbandonare questo corpo in cui le è stato dato di schiudersi e di maturare, poiché esso finirà per logorarsi e per corrompersi. Questa idea della morte come separazione, che è legata ad una concezione dualistica della persona, continua a comparire nei catechismi e ad alimentare i sermoni. 2) *La morte come rottura*, che proviene dal peccato e che l'uomo non avrebbe conosciuto se fosse vissuto nella grazia. Il Concilio di Trento ricorda che, «avendo trasgredito ai comandamenti di Dio, Adamo... perdette la santità e la giustizia originali; incorse perciò in quella morte che Dio gli aveva precedentemente minacciato». La Scrittura riferisce soprattutto questo significato: lungi dall'essere voluta da Dio, la morte viene rappresentata come una forza del male. 3) *La morte come trasformazione*. Così l'ha descritta Paolo nel 55, nella Prima lettera ai Corinzi: «Noi non morremo tutti, ma tutti saremo trasformati. In un momento, in un batter d'occhio, al suono dell'ultima tromba». Poiché «né la carne, né il sangue possono ereditare il Regno di Dio, e la corruzione non potrà ereditare l'incorruttibilità... così quando suonerà la tromba e i morti risorgeranno incorrotti, anche noi (i viventi) saremo trasformati. Perché

---

[1]   *Sacro*, in *Grande Dizionario delle Religioni*. Più recentemente J. Ries afferma che «il sacro appare come una mediazione significativa ed espressiva della relazione tra l'uomo e il divino». Esso sarebbe «la parte del mondo legata all'esperienza mediata che l'uomo ha del divino» (*Le sacré et l'histoire des religions*, in *Les chemins du sacré dans l'histoire*). Il sacro implica dunque l'idea di mistero e di potenza; rinvia al mito e ai suoi simboli; ha sempre una risonanza cosmica; si esprime con un discorso che dà senso ai nostri comportamenti, mentre si sforza di calmare le nostre angosce.

è necessario che questo corpo corruttibile si rivesta d'incorruttibilità, che questo corpo mortale si rivesta d'immortalità» (1 Cor 15,51s.). L'idea è chiara e senza ambiguità: «Il Cristo resuscitato dai morti non muore più: la morte non ha più potere sopra di lui» (Rm 6,9). Ma perché noi possiamo vivere con lui una vita nuova (6,4) occorre che «il nostro uomo vecchio sia crocifisso con lui, affinché sia distrutto questo corpo di peccato e affinché noi non siamo più schiavi del peccato» (6,6). Il passaggio dalla schiavitù del peccato al servizio della giustizia equivale dunque ad una morte. Così si passa dalla morte spirituale, lo stato di peccato, alla morte con Cristo: solo la morte alla morte porta alla vera vita. In un senso più particolare si parla anche di *morte spirituale*, quella dell'anima privata del principio della vita soprannaturale: «Voi eravate morti in seguito alle colpe e ai peccati che commettevate» scrive Paolo agli Efesini. E la morte spirituale può diventare definitiva: è la *seconda morte*, l'Inferno annunciato dall'Apocalisse[2].

La morte riveste dunque un carattere sacro nella misura in cui consente di accedere a Dio e alla vita eterna. A tale scopo il comportamento più nobile che si possa immaginare è quello di chi subisce il martirio o sacrifica una vittima (animale, umana o addirittura divina) per la gloria di Dio. L'uccisione del dio, che ritroviamo in parecchie civiltà «pagane» dell'Africa e delle Americhe[3], culmina in modo del tutto particolare nel mistero cristiano della Redenzione. «Padre, disse Gesù, è giunta l'ora. Glorifica il tuo figlio, affinché anche il tuo figlio glorifichi te; e per il potere che gli hai dato su ogni mortale, egli doni la vita eterna a coloro che gli hai affidato... Io ti ho glorificato sulla terra, compiendo l'opera che mi hai affidato. Ed ora, Padre, glorificami presso di te con la gloria che io avevo accanto a te prima che il mondo esistesse» (Gv 17,1-5). Se la vita eterna comunicata agli uomini non è altro che la vita stessa del Padre, allora la gloria del Padre, secondo il linguaggio molto concreto dell'Antico Testamento, designa la pienezza del suo essere, incomparabilmente superiore all'essere delle sue creature. Lo stesso Giovanni la definisce «Vita, Luce e Amore» (1 Gv 1,2-5; 5,16)[4].

Morte, trascendenza, sacro: questa è dunque la trilogia suggerita dal sacro.

b. Evoluzione del modello

I tempi moderni hanno in qualche misura sovvertito questo modello. Tentiamo di cogliere rapidamente alcuni tratti caratteristici dei mutamenti che sono sopravvenuti.

---

[2]   Il teologo distingue ancora: 1) *la morte di natura biologica*, quella di ogni essere vivente, uomo, animale, vegetale; 2) *la morte spirituale del peccatore*, dall'angelo decaduto all'uomo. Per quest'ultimo essa ha origine con la colpa di Adamo ed è simile ad una punizione; 3) infine *la morte redentrice* di Gesù risorto fonte di vita.

[3]   Cfr. su questo punto R. Bastide, *Les dieux assassinés*, in «Lumière et vie», 101, 1971.

[4]   Cfr. più specialmente P. Grelot, *Le mond à venir*; e P. Martelet, *Libre réponse à un scandale*.

Il Sacro, le origini, l'uomo arcaico, la morte

Una rimessa in questione della definizione della morte

Sembra che i tradizionali temi cristiani siano ora trattati con un certo distacco. La *morte come trasformazione*, per esempio, riguarda ormai quasi soltanto i teologi. Alcuni di essi, come K. Rahner che chiama la morte un «sacramento»[5], insistono sulla sua dimensione di redenzione e di santificazione. Ma non è sicuro che la loro interpretazione vada sempre nel senso della tradizione. Le masse popolari, per parte loro, non sono più sensibili a questo senso della morte. Per la maggioranza dei cristiani, del resto, come per i non credenti, l'aspetto più consolante e positivo della morte è la speranza di ritrovare i propri amati, non trascesi o sublimati, ma esattamente come li si è conosciuti. Su questo punto ritorneremo ancora. Anche la nozione di una *morte come punizione*, che appare in qualche misura contraddittoria con quella di morte come trasformazione, si va facendo sempre più rara[6]. È finita in disuso, infatti, la nozione del male, così come il sacramento della penitenza e la confessione, ad essa legati. La nostra società è repressiva dal punto di vista politico, ma non è mai stata tanto permissiva sul piano dei valori morali (in particolare quelli relativi alla sessualità) e rifiuta sia l'idea del peccato che, ancora di più, quella di sanzione e di punizione. Questo peraltro non elimina affatto il senso di colpa che, almeno in modo sotterraneo e inconscio, continua a tormentare i nostri contemporanei. Anche tra i teologi non si ritrova più l'ampio spazio riservato un tempo al peccato e alla morte come punizione. Se X. Léon-Dufour (*Jésus et la mort violente*) insiste sull'aspetto doloroso della *lacerazione*, dello *strappo* connesso alla morte, lo fa per mostrare che questa è la condizione stessa del «perfetto realizzarsi dell'essere che sale al Padre». La morte equivale a un passaggio dall'esistenza limitata «alla coestensione con quell'universo nuovo che è il Corpo di Cristo». In una prospettiva assai simile, G. Martelet giudica insopportabile l'idea della morte come punizione. Per lui il morire è un dato naturale che fa parte della creazione: si tratta di un artificio escogitato da Dio per accrescere il numero degli esseri giunti fino a Lui. L'umanità è «questo flusso di viventi che va a fondersi in Dio come l'acqua del fiume si getta nell'oceano... Dio ha scelto il rischio di creare qualcosa di *totalmente altro da sé*, affinché, dal cuore di questo *totalmente altro da Dio*, possano sorgere esseri umani destinati a diventare suoi figli, prendendo lentamente coscienza della loro realtà e portando a compimento tutto ciò che è concesso realizzare nello spazio e nel tempo. Ma con tutti i limiti che caratterizzano questo *totalmente altro da Dio*: l'affaticarsi del

---

[5]   «Mi immergo nel sacramento della morte, in cui tutti i sacramenti sono raccolti. Qui tutto è acqua purificatrice, limpidezza cristallina, sorgente di vita ed eccomi sommerso da questa fonte di vita...»: F. Gaboriau, *Interview sur la mort avec Rahner*.

[6]   La preoccupazione di non opprimere l'uomo rimane il tratto dominante della nostra civiltà, come vedremo anche a proposito del sacramento degli infermi, delle condoglianze e del lutto.

mondo materiale, la finitezza della vita, la morte di ogni vivente» (*Pourquoi Dieu nous laisse-t-il mourir?*).

Anche la *morte come separazione*, che implica il dualismo dell'anima e del corpo, non ha più molti sostenitori. In compenso vengono proposte nuove definizioni dell'anima e del corpo. L'anima (la *psyché*), per esempio, sempre secondo Léon-Dufour, è «l'uomo esistente, quello che, avendo ricevuto il soffio creatore, partecipa all'esistenza di Dio ed è, di conseguenza, un essere vivente». Questo essere vivente si esprime attraverso il corpo, «mediante il quale entra in relazione con l'universo e con gli altri», proprio come «mediante l'anima entra in relazione con Dio». In questa visione l'eternità si inscrive nel tempo e noi siamo già risorti: «grazie allo Spirito, che è la sorgente del soffio, per un cristiano la vita eterna è già cominciata». E allora al momento della celebrazione eucaristica non si dovrebbe dire che «il corpo di Cristo vi dà la vita eterna», ma piuttosto che «nutre in voi la vita eterna»[7].

Infine, *la concezione cristiana della morte deve necessariamente confrontarsi con i risultati della scienza*. Oggi ad esempio va imponendosi l'idea che la morte sia in primo luogo la morte cerebrale, quella indicata da un encefalogramma che si mantiene piatto per una durata che varia dalle 36 alle 72 ore. È noto inoltre che la morte non è un evento puntuale o istantaneo (il momento in cui l'anima abbandona il corpo), ma un processo più o meno lento di cui è possibile valutare scientificamente le diverse tappe. E purché si intervenga in tempo, prima cioè che si verifichi l'anossia cerebrale, è possibile addirittura invertire (rianimazione) questo processo. Ma allora, di fronte all'accanimento terapeutico, che senso rimane alla classica frase «Dio lo ha richiamato a sé»? Infine l'idea della morte come «ricompensa del peccato» deve oramai lasciare il passo all'idea della «morte come malattia» o addirittura all'idea della «morte genetica», già inscritta nel patrimonio ereditario del neonato e capace di stabilire ancor prima della nascita il numero di anni concessi a lui dalla natura. La scienza non ha rivali nello scalzare il sacro dalle sue posizioni abituali, anche se l'ignoto provvisorio della scienza non ha nulla a che vedere con il mistero religioso, che per sua natura è invece definitivo.

2. Il morire

a. La buona morte di un tempo

Il modello tradizionale della buona morte implicava per il cristiano tre condizioni. In primo luogo la fede nel mistero pasquale, mistero di morte e resurrezione, condizione fondamentale di adesione: «Se Cristo non è risorto—affermava Paolo—vana è la nostra fede». In secondo luogo la perfetta coerenza della vita

---

[7]   Cfr. ancora dello stesso autore, *Résurrection de Jésus et mystère pascal.*

dell'individuo con le esigenze della carità: in questo modo l'uomo è sicuro di morire testimoniando il Vangelo e con la ferma speranza di incontrare Dio. Da ultimo l'aiuto di Dio, che concede all'agonizzante dignità e capacità nel distacco. È importante perciò che il trapasso sia cosciente e ben preparato: «A subitanea et improvisa morte libera nos Domine» si cantava un tempo.

Due aspetti importanti qualificano questa buona morte. In primo luogo il *ruolo redentore della sofferenza*. È necessario passare attraverso la croce per giungere alla gloria: questa è la strada aperta dal Cristo (Mt 16,24-26). Giovanni Paolo II ritorna su questo argomento nella *Salvifici doloris*: «Ciò che noi esprimiamo con la parola dolore», afferma il Vescovo di Roma, «sembra particolarmente essenziale alla natura dell'uomo... Per questo la Chiesa ha il dovere di cercare, in modo particolare, l'incontro con l'uomo sul cammino della sofferenza». Sarebbe interessante rileggere gli otto capitoli del testo pontificio. Nella sua conclusione il Papa insiste sul «significato soprannaturale della sofferenza che si radica nel mistero divino della redenzione del mondo»; significato che è anche «profondamente umano perché in esso l'uomo si riconosce nella propria umanità, dignità e missione». Ci sarebbe allora nella dottrina ufficiale della Chiesa una legittimazione della sofferenza, un po' sfumata ma perfettamente in linea con l'atteggiamento tradizionale sul dolore. In questa medesima prospettiva il celebre teologo R. Troisfontaines (*Je ne meurs pas*, Namur 1984) legittima ugualmente la fondatezza del dolore e della sofferenza sulla base di una duplice serie di motivi. Si tratta innanzi tutto di *motivi metafisici*: il dolore è la coscienza del disordine che è profondamente legato al peccato. Cancellare le conseguenze di tale disordine senza che il peccatore lo voglia o senza che collabori equivarrebbe a privarlo della sua libertà. In secondo luogo Troisfontaines richiama *motivi di ordine etico*: la sofferenza e il dolore non sono il male, ma soltanto suoi sintomi; soltanto essi producono il pentimento e perciò portano alla salvezza.

Quanto all'*aiuto di Dio*, esso prende la forma del sacramento della Riconciliazione, dell'Unzione degli infermi e dell'Eucarestia: essi sono un dono di Dio e l'assicurazione che egli non abbandona l'uomo posto di fronte alla prova della morte.

b. La bella morte dei tempi moderni

Il nuovo ideale della morte sminuisce e rimuove il carattere sacro del modello tradizionale. Ormai l'uomo si augura una morte immediata, decorosa, incosciente, senza sofferenza, una morte di cui egli può essere il padrone. A questo proposito rivolgeremo la nostra attenzione su tre aspetti.

Il Sacro e la morte

Il rifiuto della sofferenza redentrice

Molti ormai non esitano a contestare il valore redentivo del dolore e della sofferenza. Già Pio XII nel 1957 riconosceva che la sofferenza «può aggravare lo stato del malato, ostacolare lo slancio dell'anima e minare le sue forze morali». Ai medici che lo interrogavano sull'uso di narcotici che, per lenire dolori insopportabili, possono anche abbreviare la vita, egli rispose affermativamente: «Sì, se non c'è altro mezzo e se ciò non impedisce altri doveri religiosi e morali». Alcuni autorevoli ecclesiastici hanno adottato, in questo campo, atteggiamenti che sarebbero stati giudicati scandalosi dieci o quindici anni fa. Ecco qualche testimonianza tra le molte. Mons. Etchegaray ha dichiarato pubblicamente che «la sofferenza non ha alcun valore in sé. Essa per molti è una sconfitta e solo per alcuni, quelli che Claudel chiama anime grandi dentro a corpi impediti, è l'occasione per un balzo in avanti» (citato nei «Cahiers d'Action religieuse et sociale» 164, 1-6-78, p. 241). Il Padre P. Verspieren, che ha dedicato la sua vita all'ospedale, ritiene egualmente (nella sua ultima opera *Face à celui qui meurt*, DDB, Paris 1984) che spesso la sofferenza sia «un puro fatto che annienta l'uomo e gli impedisce di vivere». Occorre perciò che «siano messi in opera tutti i mezzi per evitare al malato la sofferenza». Se ciò non è possibile, si deve saper «convivere col dolore, cercando di vivere tale situazione in rapporto con Dio». Un simile modo di pensare ha raggiunto il carattere dell'ufficialità, come per esempio nel celebre manuale *Initiation à la pratique de la théologie* (Cerf, Paris 1962) dei due illustri teologi canadesi F. Dumond e B. Lacroix. «C'è una spiegazione cristiana della sofferenza? A nostro parere bisogna rispondere negativamente, e senza reticenze. La sofferenza, come la morte, è uno scandalo, soprattutto quando è palesemente innocente e immeritata».

Dall'estrema unzione al sacramento degli infermi

Il rito tradizionale poneva l'accento sull'imminenza della morte, sulla necessità di purificarsi dai propri peccati per affrontare il giudizio e sfuggire al demonio. Il momento del trapasso era considerato il momento cruciale, in cui si giocava la salvezza o la dannazione. Il nuovo rituale segna invece un netto spostamento verso la vita e rinvia anche alla speranza della guarigione. La nozione di colpa è respinta in secondo piano e soprattutto viene allontanata l'idea della morte. Ciò conferma in pieno l'atteggiamento di fiducia che caratterizza la società moderna. La «medicalizzazione» della morte, ritenuta al limite una malattia come le altre, viene qui nettamente confermata. F.A. Isambert (in uno studio notevole: *La transformation du rituel catholique du mourant*, in ASSR 39, 1955) insiste sulla «psicologizzazione» del rito: «la malattia viene affrontata non solamente come limitazione dell'essere e obiettivo avvicinarsi alla morte, ma anche come sofferenza e come angoscia». Lo scopo del sacramento degli infermi sarebbe allora quello di lenire quell'indebolimento della fede in Cristo che potrebbe essere causato da un tale stato di angoscia. Breve è il passo che porta a pensare che la pace ritrovata possa anche migliorare la salute del corpo, soprattutto se si ammette l'unità delle componenti somatiche e di quelle psichiche.

Tutto avviene, dunque, come se fossimo di fronte a una deritualizzazione e a una desacralizzazione della morte in relazione a tre punti fondamentali: allontanamento dell'idea della morte; diminuzione del ruolo del peccato (la morte è un processo biologico cominciato ben presto nella vita); scomparsa del demonio (rifiuto del male). Ancora una volta la buona morte è quella in cui il moribondo non sa, non ha la percezione di morire. In questa prospettiva dobbiamo segnalare come il ruolo del sacerdote o del religioso sia sempre più spesso quello di un semplice *accompagnatore* dei morenti, che li aiuta a varcare la soglia nella pace e nella riconciliazione. Non più, come un tempo, per garantire loro la salvezza in una prospettiva apostolica o apologetica[8], ma solo per rendere più dolce e più dignitosa la fase finale della loro vita. Spesso, infatti, istanze di tipo religioso hanno creato e sviluppato alcuni «centri di cure palliative» (come San Christopher a Londra, o N.D. du Lac, gestito dalle Suore Oblate dell'Eucarestia e Rueil-Malmaison). In tali centri l'attenzione è rivolta soprattutto alle terapie del dolore e, insieme, al conforto psicologico ai malati che bisogna liberare dall'angoscia e dalla solitudine. Dopo le cure del corpo, l'essenziale non è tanto portare la parola evangelica, quanto ottenere un rapporto con chi soffre e presto morirà. Non è il momento di fare teologia o attività catechetica. Ciò che conta in quei luoghi è la capacità di ascolto, la disponibilità, la sollecitudine: rispondere alle domande del morente, essere pronto a parlare con lui della morte, saperlo rassicurare, in una parola *facilitare il travaglio della morte*. L'esigenza della salvezza cede di buon grado il passo alla preoccupazione di una bella morte. Se un tempo il sacerdote preparava alla morte, ora egli aiuta in primo luogo il moribondo a *vivere umanamente i suoi ultimi istanti*. E questo è un modo di esistere ancora, se è vero che l'agonizzante conosce momenti di «espansione della libido» e di «esaltazione del desiderio di relazione» (M. de M'Uzan, *De l'art à la mort*, Gallimard, Paris 1977).

L'appropriazione della morte da parte dell'uomo

Il Vaticano ha sempre (o quasi) condannato severamente l'aborto e il suicidio, così come oggi condanna l'eutanasia. Secondo la tradizione, Dio affida agli uomi-

---

[8]   Ch. Biot, cappellano d'ospedale, lo afferma con chiarezza: «ciò che conta di più non è il sacramento. Certo, per il cristiano esso manifesta la presenza di Cristo accanto a colui che è provato dalla malattia e dalla prospettiva della morte. Però non dobbiamo confondere questo mezzo con lo scopo auspicato in relazione al malato: un po' di *verità*... Amministro sempre meno il sacramento degli infermi... Nel celebrarlo non uso l'olio santo consacrato dal vescovo, ma una pomata lieve e odorosa utilizzata come medicamento, e pronuncio parole di benedizione che ricolleghino le cure terapeutiche a quelle spirituali» (*Les mots de la fin*).

ni il compito di regolare la loro esistenza, ma fa eccezione per il concepimento e la morte, a causa, si dice, della particolare importanza di questi due eventi. La posizione ufficiale della Chiesa non è mutata a questo proposito[9], come dimostrano una *Nota del Consiglio permanente dell'Episcopato sull'eutanasia* (agosto 1976) e una *Dichiarazione della Congregazione per la Dottrina della Fede* (n° 1790, 1980). Il medesimo atteggiamento è stato assunto, senza alcuna ambiguità, anche da Mons. Saint-Macary, in occasione del Congresso internazionale dell'ADMD («Association pour la défense de la mort dans la dignité»), tenutosi a Nizza nel settembre 1984: il titolo del suo intervento era *Dieu est le maître de la vie et de la mort.*

Ma ormai una nuova tendenza, per ora ancora minoritaria, comincia a farsi avanti, sconvolgendo le idee tradizionali e scuotendo le convinzioni più solide. J. Pohier, teologo famoso, militante nell'ADMD[10], insiste per esempio sulla necessità di una riflessione molto più attenta ai bisogni dell'uomo di quella risolutamente conservatrice della Curia romana. Il nuovo linguaggio cristiano fa allora nascere due idee assolutamente inaccettabili un tempo.

In primo luogo non è più indiscutibile che «quanto più una realtà o un evento è importante per gli uomini e per Dio, tanto più Dio se ne riserva la gestione esclusiva». Un tale principio diventa ai giorni nostri «contrario all'economia della Rivelazione di Dio in Gesù Cristo». In realtà nessuno dona più e meglio di Dio e soprattutto «quanto più Dio ispira e suscita, tanto meno impone. Perfino nel campo delle relazioni trinitarie».

In secondo luogo, di fronte all'assenza di una spiegazione sicura, si ricorreva spesso alla «volontà di Dio». Ma oggi la tipica espressione «è piaciuto a Dio richiamarlo a sé» ha sempre meno successo, oggi che numerose malattie sono state sconfitte ed è possibile strappare molte guarigioni. Anche in questo caso i riferimenti sono cambiati. J. Pohier parla apertamente: «non vedo perché, di fronte a Dio, gli uomini non avrebbero il diritto di intervenire nel concepimento e nella morte, dato che tali realtà sarebbero, in modo del tutto speciale, espressione della volontà di Dio» (*Un don de Dieu?*). Che approvi o meno il diritto di morire nella dignità (espressione che sostituisce sempre più il termine eutanasia volontaria), la teologia moderna non ha più il diritto di evitare la questione. Essa infatti si trova davanti a un problema nuovo e «senza dubbio è meglio esaminarlo e riflet-

---

[9]   L'Episcopato francese: 1) accetta l'uso di analgesici anche quando diminuiscono la resistenza del malato e presentano rischi per la sua vita; 2) condanna l'accanimento terapeutico, inutile tentativo di ritardare la morte naturale nei casi senza speranza; 3) condanna senza riserve l'eutanasia attiva. L'eutanasia risulta dall'incontro delle ragioni del sentimento con quelle della tecnica e rischia di portarci a un processo di disumanizzazione e a un mondo presto invivibile (*Dichiarazione del novembre 1984*).

[10]   Se il 74% degli aderenti all'ADMD sono di origine cattolica, il 3% soltanto afferma di praticare la propria religione; il 7% si dichiara protestante, il 2% di religione ebraica e il 2% buddista, induista o musulmano. Infine il 15% si dichiara ateo. Cfr. *L'ADMD*, Paris 1984.

tervi piuttosto che sfoderare immediatamente alcune risposte precostituite, elaborate in un contesto diverso e di fronte a diversi problemi» (J. Pohier e D. Mieth, *La mort revisitée*).

In questo modo il sacro tradizionale è messo a dura prova. «Scientifizzazione» e naturalizzazione della morte; deritualizzazione del morire; perdita del senso della sofferenza e della morte come redenzione o mezzo di salvezza; attenzione al benessere fisico e mentale del morente e dei suoi familiari; conquista del diritto di morire...: questi sono dunque i tratti essenziali di tale profondo mutamento desacralizzante.

II. IL SACRO DEL POST MORTEM: LE SPOGLIE MORTALI.

Il sacro del post mortem riguarda tre diversi ambiti e si esprime attraverso tre figure, a seconda che si prendano in esame i resti mortali (dal cadavere alla reliquia), il rituale o lo sviluppo delle credenze escatologiche.

Esaminiamo dapprima ciò che riguarda i resti mortali. Di fatto la morte è in primo luogo una salma, oggetto di cure rispettose (a parte il caso di cattiva morte). Essa subirà gli assalti della decomposizione, oppure la putrefazione le verrà risparmiata, in modo naturale (ma si tratta di casi eccezionali) o grazie all'intervento dell'uomo (imbalsamazione). In ogni caso le spoglie mortali sono di solito oggetto privilegiato di comportamenti sociali e di riti ricchi di simboli.

1. Dal cadavere purificato alle «tecniche di conservazione»

a. Il cadavere abbellito e purificato

L'uso di lavare e abbellire il cadavere si rivela assai antico. In Omero la morte ideale è quella dell'eroe ucciso in combattimento, fissato nello splendore della giovinezza e dell'azione valorosa. Per completare «la bellezza della morte eroica», il cadavere viene abbellito: con l'aiuto di unguenti si cancellano le ferite. Dopo averlo lavato con cura, lo si unge d'olio lucente e lo si profuma con le essenze più rare, mentre i suoi amici lo ricoprono con i loro capelli. Infine, adorno delle stoffe più ricche, il cadavere viene esposto sul letto funebre per il rituale di lamentazione, prima che le fiamme del rogo gli evitino l'ingiuria della putrefazione (J.-P. Vernant, *La belle mort et le cadavre outragé*). Al contrario, sporcare un cadavere illustre equivale a profanarlo, a desacralizzarlo, come fece Achille quando trascinò nella polvere le spoglie di Ettore attaccate al suo carro.

Nel *rituale ebraico* la pulizia della salma è propriamente un atto di pietà, affidato di solito alla *Hevra Kadicha*, una istituzione che si incarica della purificazione, del trasporto e della sepoltura. Dopo un lavacro con acqua e sapone o con piante aromatiche (il *Talmud* nomina il mirto), si procede al rito di purificazione:

sul corpo, collocato in posizione eretta, vengono versate nove misure di acqua tiepida. Il recipiente utilizzato verrà poi ritualmente spezzato. Il sudario di lino è obbligatorio.

Lo stesso accade nella religione islamica, nella quale il defunto deve presentarsi ad Allah pulito e purificato. Prima viene lavato il viso e poi le membra, procedendo da destra a sinistra, usando acqua pura, bollita o filtrata. Poi il busto viene insaponato e sciacquato tre volte, cominciando sempre da destra. Nel frattempo un parente gira con l'incensiere intorno al letto, prima tre volte, poi cinque e infine sette volte. Alla fine vengono profumate le parti del corpo che al momento della preghiera toccano il suolo: la fronte, il naso, il palmo delle mani, le ginocchia, la pianta dei piedi. Infine il corpo viene avvolto in uno o più lenzuoli mortuari di cotone, bianchi e fatti di cinque pezzi per l'uomo e di sette per la donna. Questo rivestimento ha tre funzioni: rendere tutti i defunti uguali, dal momento che il tessuto è identico per tutti; simbolizzare col colore bianco la purezza della salma così preparata; e infine preservare questa purezza, evitando il contatto col mondo: soltanto il cadavere puro, entrato nella sacralità, può vedere Dio.

Anche il rito cristiano del lavacro della salma attribuisce notevole importanza al colore bianco del lenzuolo funebre, del drappo e della cera della candela al capezzale: si tratta di una «operazione di "sbiancamento" che ha lo scopo di aiutare l'anima a "sbiancarsi", a lavarsi dei suoi peccati»[11].

b. La tanatoprassi

Alla preparazione tradizionale si va sostituendo, nel mondo occidentale, la pratica laica della tanatoprassi[12]. Si tratta di tecniche funerarie che, dando al defunto l'aspetto di un dormiente, facilitano la sua esposizione nel quadro stilizzato dei saloni funebri. Ricreando intorno al cadavere uno *spazio sacrale*, la tanatoprassi ricostruisce intorno alla salma anche un universo di significati, con lo scopo di guadagnare una legittimazione alle sue pratiche. In questo modo essa non svaluta più il corpo a beneficio del divino, del cielo e dell'anima, come invece faceva l'uso religioso tradizionale. La salma non appare così soltanto un volgare rifiuto, di cui bisogna disfarsi come si fa con la spazzatura domestica. Il corpo che ha custodito un'anima merita gli stessi riguardi di un vaso sacro ormai fuori uso

---

[11]   Y. Verdier, *Façon de dire, façon de faire*, Gallimard, Paris 1979. Lo stesso autore ricorda che in Bretagna il grande bucato che seguiva il decesso e durava tre giorni evocava il Purgatorio, l'Inferno e il Paradiso. La vasca dove si effettuava questa «alchimia purificatrice» era detta *charrier*, nome che ricorda l'idea di purificazione e anche di espiazione (dal greco *kathairein*).
[12]   In Francia nel 1963 furono trattate 300 salme; 10 anni più tardi si arrivò a 25.000, per superare le 100.000 nel 1985. Il 20% dei defunti beneficia di questo trattamento; probabilmente alle soglie del 2000 la percentuale salirà al 35%. Negli USA la quasi totalità delle salme è sottoposta a tanatoprassi; i paesi dell'Europa settentrionale hanno percentuali oscillanti tra il 60% e l'80%.

Il Sacro, le origini, l'uomo arcaico, la morte

(*Corporation des thanatologues du Québec*, 1977). Il mutamento risulta di notevole importanza. Infatti: «mentre il linguaggio religioso rappresentava la morte sullo sfondo immaginario costituito dall'anima, dal cielo e dall'eterno, la rappresentazione della tanatoprassi affronta invece la morte dal suo lato simbolico, alimentando in questo modo una certa idea di perdita e di ferita. Lo scomparso non è un *disfunctus* (non ha perduto ogni funzione), poiché esercita ancora una funzione psicologica e, attraverso questa, rende immediatamente possibile una cura, una terapia. Passando dal sacerdote al tanatologo, l'illusione si è in qualche modo spostata. Prima essa poggiava su un corpo che è apparentemente inanimato ma che vive altrove, ingannevole nella sua apparenza. Ora invece l'illusione si concentra su questo altrove, mentre l'unica realtà è il cadavere e la ferita sociale che occorre sanare. La tanatoprassi, trattando il corpo in senso estetico e dandogli l'apparenza del bello, vuole controllare tutto l'immaginario che può provenire dal cadavere, proprio come la figura femminile, congelata nelle regole della teatralità, finisce con lo svuotare tutto lo slancio immaginario ed erotico che il corpo femminile può suscitare. Il corpo imprigionato sulla scena per conferirgli l'apparenza di un vivente finisce necessariamente per svuotare l'immaginario, per eliminare la possibilità di negare il reale e si preoccupa invece di sanare la malattia introdotta dalla morte nel tessuto sociale. Non potendo immaginare l'altrove e fare *l'elogio della fuga*, non rimane allora che tentare di resuscitare il cadavere per qualche giorno e di rendere la scomparsa più "disfunzionale"» (R. Richard, *De la dépouille mortelle à la sacralisation du corps: de la religion à la thanatologie*, in *Survivre. La religion et la mort*). In questo modo il salone funebre, malgrado la presenza di una sala onniculto, rimane in primo luogo la sede obbligata, autentica o meno, della socialità funebre e dell'espressione del dolore. «In questo si potrebbe vedere un segno della forte dissociazione tra il simbolico e l'immaginario che colpisce la nostra società nel suo rapporto con la realtà della morte. Un sacro *tremendum* e un sacro *fascinans* circondano forse la morte, entrambi con frontiere ben delimitate, come doganieri schierati in una ossessiva difesa dei confini? La morte rivelata dalla religione rinvia ad un immaginario lontano dal linguaggio di questa società; la morte rappresentata dalla tanatologia rimane invece rinchiusa nella ferita, nell'incapacità di evasione e di sogno. Rimane il problema di come supporre un altrove al di là della morte, che permetta la distanza necessaria a farne emergere i contorni. Questo altrove può in qualche modo essere qualcosa di diverso dall'immaginario?» (Richard, *Op. cit.*). Si assiste così a un sensibile spostamento del sacro verso il corpo del defunto: non si venera più la reliquia perenne perché appartenne a un santo, ma si imbelletta provvisoriamente una salma qualunque per dominare il dolore dei sopravvissuti e per preparare il loro lutto. La morte restituita ai vivi aiuta a superare la tristezza dell'assenza. Risulta chiaro il lungo cammino che è stato percorso. Alla purificazione di un tempo si è sostituito il pretesto dell'igiene, che forse non è altro che l'equivalente razionalizzato del divino. Al rispetto e alla salvezza di un cadavere-soggetto è subentrata la conservazione di un cadavere-oggetto; agli onori familiari, l'anonimato rassicurante; all'accettazione di una morte sicura, il rifiuto della morte. E tuttavia questa salma preparata produce a suo modo una certa sacralità, una sacralità *laica* questa volta, cadavere abbellito di cui ci si deve liberare ma che, comunque, si deve onorare.

2. Reliquie e cadaveri ben conservati

a. Le reliquie

Ciò che resta di un essere particolarmente sacro o semplicemente venerabile, amato e, per estensione, ciò che con lui ha avuto legami, anche se incerti o aleatori, come una semplice traccia lasciata involontariamente, tutto ciò partecipa della sua essenza sacrale e diventa un sostituto simbolico. Oltre alla *magia per partecipazione* (in cui la parte per metonimia rappresenta il tutto) agisce anche la *magia per contatto*: da qui l'usanza di toccare i corpi dei martiri cristiani con un lembo di tessuto, per caricarlo di sacralità (*brandea, pignora*).

La cura religiosa per le reliquie sembra essere una pratica universale.

Le ceneri del corpo del Buddha calcinato nella cremazione che ha fatto seguito al suo *pari-nirvanâ*, la sua ciotola per le elemosine, la colonna di Asoka elevata sul luogo della sua nascita, persino l'impronta dei suoi piedi sul terreno, tutto ciò è oggetto di pellegrinaggio. Ricordiamo anche l'esempio del sacerdote tibetano che officia con calici e usa altri oggetti lavorati nei crani dei monaci defunti.

Anche se rifiuta ogni intermediario tra l'uomo e Dio, l'Islam permette una certa venerazione per la tomba di Maometto nella Grande moschea di Medina; per le tombe degli imam (in Iran) o dei fondatori di confraternite (nel Senegal); oppure per alcune reliquie particolari, come la testa dell'imam Husayn, venerata in un santuario del Cairo, o come certi oggetti più o meno storicamente labili come l'arco del profeta a Istambul o l'impronta del suo piede al Cairo.

L'«animista» dell'Africa nera conserva religiosamente il cranio, le tibie e i femori dei suoi antenati dentro il «paniere degli avi» o su altari particolari: lo svolgimento di questi riti obbedisce talora a regole assai complicate (come per esempio l'eredità dei teschi presso i Bamileke del Camerun).

Il culto delle reliquie svolge anche una funzione sociale. Il *resto sacro* molto spesso costituisce un segno di riconoscimento che legittima una appartenenza e favorisce il consenso. Non sempre, infatti, si può distinguere nettamente il sociale dal religioso, che spesso si presentano contaminati. Così per esempio i primi cristiani raccoglievano le spoglie dei martiri per dar loro decorosa sepoltura, ma anche e soprattutto per sentirsi più intensamente in unità di comunione con loro. Questo avvenne per le reliquie di Policarpo di Smirne: «Riuscimmo a raccogliere le sue ossa, più preziose delle pietre di gran prezzo, più preziose dell'oro, e le deponemmo in un luogo adatto. Là, se sarà possibile, il Signore ci concederà di riunirci, nella letizia e nella gioia, per celebrare l'anniversario del suo martirio, della sua nascita, in memoria di coloro che hanno combattuto prima di noi e per preparare quelli che in futuro dovranno combattere» (*Martirio di Policarpo*, 18,2s.). Non si tralascia mai, comunque, di celebrare l'Eucarestia sulla tomba dei martiri nel giorno anniversario della loro morte.

Il più delle volte le reliquie sono quelle parti del corpo che resistono alla distruzione: capelli, denti, ma soprattutto lo scheletro, immagine dell'immortalità o piuttosto del desiderio di immortalità. Il teschio[13] possiede, da questo punto di vista, una sopradeterminazione di senso: non soltanto significa la persistenza, ma anche ricorda il volto e la vita. Inoltre il culto dei teschi risale molto addietro nel passato dell'umanità, dato che le prime attestazioni si datano all'epoca paleolitica. In tempi più vicini a noi conosciamo l'usanza di certe tribù dell'antica Gallia che conservavano la testa dei loro capi imbalsamata nell'olio di cedro. Anche nel corso della storia del Cristianesimo la conservazione dei crani è stata spesso praticata. Talora essi sono stati conservati a parte negli ossari e spesso appositi reliquiari, contenenti il cranio di un santo, fanno parte del tesoro delle chiese. È stata appunto la scoperta, nell'813, di un teschio attribuito a S. Giacomo che diede origine alle interminabili migrazioni religiose verso la cittadina spagnola di Santiago di Compostela. E fino a poco tempo fa i teschi erano ancora oggetto di un culto familiare nelle nostre campagne. Questa «domesticazione» dei teschi, che passa attraverso un sovraccarico di segni sociali, può essere interpretata come l'intenzione di celebrare il defunto e di manifestargli la devozione di cui è oggetto[14].

Le reliquie hanno conosciuto nel passato dell'Occidente cristiano alcuni momenti di vera esaltazione. Il loro culto era ancora vivo in epoca carolingia e durante le Crociate. Il Concilio di Lione (1274) fu perfino costretto a intervenire

---

[13] I teschi-reliquie spesso mostrano la collusione del potere e del sacro. Presso i Fon del Benin e i Bamileke del Camerun, il possesso del teschio dell'antenato è garanzia di potere. Diciamo anche che, in genere, il clan si consulta con l'antenato ogniqualvolta deve prendere una decisione importante. In certe tribù del Gabon (i Fang in particolare), periodicamente le ossa dell'antenato vengono estratte dal magnifico reliquiario che le contiene, per rivivificarle col sangue di un sacrificio e interrogarle sul da farsi. In modo analogo, per gli Aztechi (Messico) i teschi garantivano il potere del Re-Capo: si credeva che questi crani, ornati di turchesi e ossidiana, rappresentassero il dio Tezeatlipoca, che vedeva dispiegarsi tutti gli elementi del mondo attraverso uno specchio di ossidiana. Per quanto riguarda le *teste trofeo* abbiamo già ricordato, accanto al loro ruolo importante nei riti di passaggio e nella divinazione, la loro funzione capitale nell'acquisizione del potere. Comunque, nelle società arcaiche, tutti i riti che ruotano attorno al morto, al teschio dell'antenato o alla testa trofeo, sono il pretesto per feste in cui la comunità riafferma la propria identità, e quindi il suo sacro è molto spesso al servizio del politico, anche se non ne parla il linguaggio.

[14] Quando non vengono venerate come oggetti sacri, le ossa, pure, dure e durevoli (in opposizione alle carni putrescenti ed effimere), sono a volte alla base di un culto familiare: Ph. Ariès segnala l'uso di ossarii personalizzati, le «scatole dei teschi», che i Bretoni, come altri, conservavano religiosamente nel secolo scorso.

per mettere un freno alla «scoperta» di nuove reliquie. In questo campo imperversò una autentica follia. Non si esitò, per esempio, a smembrare senza scrupoli il corpo dei martiri, affinché il maggior numero di devoti potesse trar profitto dai benefici provenienti dalla salma. Si moltiplicarono così le basiliche e le mete di pellegrinaggio laddove i resti mortali erano sepolti o racchiusi in reliquiari. E nell'entusiasmo, nella fretta e forse con un po' di malafede, furono ritrovati più volte il legno della Santa Croce, la lancia che trafisse il costato di Gesù, la corona di spine, la colonna della flagellazione, la roccia dell'Ascensione, la pietra sotto la quale fu sepolto Cristo...

Per il credente la reliquia occupa un posto importante: «essa usa il linguaggio rassicurante o violento che è necessario a colmare le crepe del discorso, ma non è certo l'affetto dei sopravvissuti verso il defunto a imporre questa venerazione di una parte delle sue spoglie mortali» (J.-Th. Maertens, *Le jeu du mort*). Già i resti che vengono temporaneamente conservati in vista di una seconda sepoltura riguardano il destino del morto soltanto nella misura in cui il defunto, una volta integrato nell'aldilà attraverso il rito definitivo, lascerà in pace i viventi. È ancora un ruolo di conforto, di acquietamento, quello che si attribuisce al morto attraverso la mediazione della reliquia: esorcizzando temporaneamente l'angoscia della morte, la reliquia attesta l'origine e la continuità di una stirpe, dà fondamento al potere in atto e parla il linguaggio dell'ordine e della stabilità. La persona del defunto, in tutto ciò, è soltanto uno strumento, sfuocato e lontano, diluito sotto i simboli di cui lo si carica.

Ancora un'ultima osservazione. Il mondo moderno ormai non si affida soltanto alla fede per accertarsi della validità storica delle reliquie. È quello che sta accadendo con la Sacra Sindone di Torino, che avrebbe avvolto il corpo di Gesù: questo lenzuolo presenta una doppia impronta umana che sarebbe, si crede, quella del Crocefisso. È possibile accertarsi della sua origine? Sembra di sì, grazie ad un acceleratore di particelle abbinato a uno spettrometro di massa. Questo apparecchio offre due vantaggi (il primo dei quali riguarda direttamente il nostro problema): esso ha bisogno solamente di un pezzetto di stoffa grande come un francobollo e inoltre può contare gli atomi di carbonio 14 presenti in una sostanza organica risalente fino a 40.000 anni fa. Perciò il Vaticano, per precisare la datazione della Sindone, ha deciso di rivolgersi ad alcuni Centri di ricerca scientifica e a studiosi svizzeri, americani e britannici. I quali tuttavia non potranno dirci se il corpo che in essa fu avvolto era veramente quello di Cristo. In ogni caso, la lezione che se ne ricava è che ormai la fede reclama in una certa misura la garanzia fornita dalla scienza.

b. Mummie e cadaveri incorruttibili

La storia delle religioni e l'antropologia, con rara costanza, sottolineano come il sacro del post mortem si fondi sulla realtà del cadavere ben conservato, artificialmente o naturalmente, che può diventare oggetto di culto. Due tipi di fatti meritano la nostra attenzione.

Le mummie

Il rapporto tra le spoglie e il sacro trova forse il suo culmine nella realtà storica delle mummie, soprattutto quelle di persone illustri. Nell'Egitto dei faraoni, in particolare, questi corpi imbalsamati, religiosamente conservati, dovevano rimanere intatti, così da permettere ancora al Ka (particella di natura divina che conferisce al soggetto la sua personalità), unito al ba (la coscienza individuale), di reincarnarsi. Le diverse operazioni materiali, che potevano durare da 40 a 70 giorni, avevano infatti un senso soltanto nel quadro del *rituale di osirificazione*, che trasformava il morto in un essere divino. Prima, durante e dopo le manipolazioni di carattere tecnico si svolge un cerimoniale estremamente complesso, che spiega senza dubbio la lunga durata del trattamento e il gran numero di persone che vi sono impegnate. Invocazioni, letture e preghiere accompagnano tutti i gesti degli operatori, le cui azioni sono rigidamente regolate. La sopravvivenza è possibile soltanto se la liturgia viene rispettata nei minimi dettagli. «Tu non smetti di essere vivo, tu non cessi di ringiovanire, ora e sempre»: questo è il grido del sacerdote al termine dell'imbalsamazione. Allora si può svolgere l'ultima cerimonia, quella dell'apertura della bocca. Nella Tenda della purificazione o all'ingresso della tomba, tra aspersioni, offerte, sacrifici, fumi d'incenso, formule magico-religiose, l'officiante tocca con la punta della piccola ascia rituale il volto del morto per reintrodurvi l'energia vitale.

L'incontro delle reliquie con il sacro ha assunto una forma eccezionale in estremo Oriente. Alludiamo ai *Shokusin Butsu* (Buddha dal corpo presente) e ai *Nikushin Butsu* (Buddha dal corpo di carne), mummie di bonzi religiosamente venerate. La tradizione afferma che questi monaci sono entrati vivi nella mummificazione. Per i fedeli che li onorano, questi saggi prendono parte al *samadhi*, cioè li si ritiene immortali. La loro anima, immobilizzata in un corpo disseccato, s'immerge, dicono, nella contemplazione dell'assoluto. Alcune mummie, vecchie di una decina di secoli, presentano uno stato di conservazione stupefacente. Ancora oggi, all'interno di alcune sette giapponesi come Maitreya e Shingon, perdurano pratiche simili. I saggi si mortificano, digiunano nella posizione del loto (*nyûjo*) sull'esempio del Buddha, immobili trattengono il respiro, rallentano i battiti del cuore e giungono ad uno stato di «spirito religioso stabilizzato». Ciò avviene in un luogo sacro dal nome rivelatore: «la palude degli immortali» (cfr. E. Georges, *Voyages de la mort*). Quando aspirano un po' di tannino o di lacca finiscono per assumere l'aspetto di un cadavere imbalsamato. Alcuni di questi mistici, in stato di disseccamento avanzato, nella fretta di raggiungere l'avvento di Maitreya, che si verificherà tra cinque miliardi e settecento milioni di anni, si fanno seppellire ancora vivi. Tre anni dopo l'inumazione, un fuoco di paglia e di incenso completa, se occorre, l'essiccamento. Ornato di splendide vesti, con il rosario buddista tra le dita della mano destra, il «Buddha dal corpo di carne» è collocato dentro un'urna nel tempio.

Cadaveri incorruttibili

Il sacro viene rafforzato dall'insolito e dal miracoloso, anche se si introduce il rischio inevitabile di produrre ambivalenza, in particolare quella che deriva dall'incontro inquietante tra il puro e l'impuro. Ricordiamo il caso di Teresa d'Avila, morta nel 1582, sepolta senza essere imbalsamata in una fossa riempita di pietre, di calce e di terra umida. Il suo corpo, esaminato nove volte a distanza di tempo (l'ultima volta nell'ottobre 1760, 178 anni dopo la morte), rimaneva in uno stato di conservazione eccezionale: le carni ancora morbide si risollevavano sotto la pressione delle dita e sangue rosso usciva ogni volta che si prelevava una reliquia. Inoltre, mentre le vesti erano del tutto corrotte, il corpo esalava odore di violette e di gigli. «Cadaveri squisiti» come quelli dei santi attribuiscono un significato realistico all'espressione «morire in odore di santità».

Fatti così eccezionali non potevano che giovare allo slancio verso il sacro, sempre presente negli uomini. Ma nel corso del tempo, a causa dell'inevitabile inserzione del sacro nello spazio sociale, l'interpretazione dei fatti non è sempre stata costante.

In un primo momento i casi di conservazione furono equiparati a una condanna, dato che l'insolito rimanda spesso al maligno. Per i cristiani era infatti il diavolo che impediva la putrefazione delle spoglie dei maghi, dei non battezzati, degli apostati. «Dopo la morte, il tuo corpo resterà per sempre incorrotto come pietra e ferro», minacciava la formula di scomunica. Se questi cadaveri proscritti si mantengono intatti, è perché possano tornare tra i vivi a commettere i loro misfatti. Ancora nel XVII e nel XVIII secolo molti autori sostengono, a proposito degli scomunicati, che i loro muscoli rimangono morbidi e capaci di contrarsi nella tomba e che il loro sangue può ancora zampillare. Essi tornano polvere soltanto se la scomunica viene tolta.

Lentamente la Chiesa ha cambiato opinione e l'assenza di corruzione è divenuta un segno di santità. Nel *Dictionnaire philosophique* Voltaire segnalava: «Noi crediamo che i corpi che non si corrompono siano segnati dal sigillo della beatitudine eterna». E aggiungeva non senza ironia: «dopo il pagamento di 100.000 scudi a Roma, per acquistare un attestato di santità, idolatriamo tali corpi con la nostra venerazione». Nel XVIII secolo era dunque diffusa una duplice dottrina riguardo ai corpi non corrotti, che venivano considerati opera di Satana oppure opera di Dio. Un breve pontificio dichiarava ad esempio che il corpo di Teresa d'Avila era «tempio dello Spirito Santo»[15].

---

[15] Ricordiamo anche il sangue che trasudava da Yussef Makhluf, monaco maronita, meglio conosciuto come R.P. Charbel, morto nel 1890 ad Annaya (Libano). Un anno dopo il suo decesso il corpo, immerso in acqua fangosa, era ancora perfettamente conservato, «tenero, fresco e morbido».

c. Quali reliquie per il futuro? Sopravvivenza e metamorfosi

Sopravvivenza

Il culto delle reliquie conserva ancora una certa attualità nel mondo moderno.

Nel Senegal islamico, per esempio, il pellegrinaggio annuale a Tuba, luogo santo del muridismo (setta qadryia), sulla tomba del fondatore della confraternita Amadu Bamba, costituisce un atto di grande fervore popolare, segnato da episodi di isterismo collettivo.

E la devozione per le tombe dei santi, soprattutto se si tratta di luoghi di possibile guarigione, attira ancora i cristiani ferventi, anche se ormai questi pellegrinaggi non ritrovano più lo splendore di un tempo.

Metamorfosi

Esse agiscono su diversi piani. In primo luogo incontriamo la realtà innegabile di un *sacro laico*, attivo singolarmente soprattutto nei paesi a regime socialista. Il corpo imbalsamato di Lenin, per esempio, riceve ogni giorno la visita di migliaia di Sovietici, in una atmosfera di indiscutibile raccoglimento e di profondo silenzio.

Si pensi, in secondo luogo, alle tecniche di cremazione, che distruggono cadaveri anche preziosi e miniaturizzano i resti, facendoli infine scomparire quando si verifica lo spargimento delle ceneri, nei *Giardini del Ricordo* o in altri luoghi. Noi sappiamo che il sacro richiede spesso un luogo preciso in cui concentrare simbolicamente il divino. Eppure questo nuovo modo di agire comporta talora un autentico slancio mistico, carico di commozione, come ci insegna per esempio la bellissima testimonianza di R. e V. Zorba (*Que notre joie demeure*). Gli autori, a proposito della dispersione delle ceneri della figlia nel loro giardino, scrivono: «Ne spargemmo sulle aiuole fiorite, sotto i vecchi tassi, sull'acqua. Il vento sollevava le ceneri sottili in un gran cerchio prima di lasciarle cadere... La polvere indugiò infine sulla superficie dello stagno, vicino al salice che Jane ci aveva aiutato a piantare. Poi sprofondò lentamente e tutto fu finito». A parte simili casi particolari, ricordiamo l'usanza, assai diffusa in Inghilterra, di piantare una rosa nei Giardini del Ricordo, sul luogo in cui vengono sparse le ceneri del defunto. Questo gesto ricorda quello degli induisti, che spargono le ceneri dei loro morti sulle acque sacre del Gange.

Osserviamo infine che i corpi-reliquia sono destinati a scomparire, o almeno, in un avvenire ormai prossimo, rischiano di mantenere soltanto la forma del ricordo e dell'informazione. Pensiamo agli Israeliani, che il 9 novembre 1977, anniversario della Notte dei Cristalli (inizio delle violenze antisemite), hanno inaugurato sulla Collina del Ricordo una «Sala dei nomi». In questa sala sono raccolte tutte le informazioni disponibili sui tre milioni di vittime del nazismo: in questo modo esse vivranno per sempre nella memoria del loro popolo. Un altro esempio di «memorizzazione» dei morti di straordinaria ampiezza è quello della Società Genealogica dell'Utah, fondata nel 1894 dalla Chiesa di Gesù Cristo e dei Santi degli Ultimi Giorni. I circa quattro milioni di aderenti a questa setta (due milioni dei quali negli Stati Uniti) sono conosciuti come Mormoni, dal nome del loro fondatore. Il loro progetto è grandioso: convertire e salvare in retrospettiva tutti i defunti. Per ottenere questo risultato essi hanno cominciato a registrarli tutti in una sorta di «genealogia dell'umanità», costruita sui documenti di stato civile di tutti i paesi. Un edificio monumentale a Salt Lake City, loro capitale, custodisce già decine di milioni di schede, preparate e classificate secondo le tecniche più moderne. Ma in questo caso la memorizzazione è soltanto una forma intermedia di sopravvivenza. I defunti, infatti, vengono poi simbolicamente resuscitati, affinché possano essere battezzati a titolo postumo: così si permette loro di accedere alla salvezza eterna. Periodicamente, nei trenta templi mormoni distribuiti nel mondo, si impartiscono battesimi per procura: un vivo riceve il battesimo a nome di quindici defunti. Il solo fatto di essere schedati, di essere cioè memorizzati, conferisce loro una realtà di cui la persona che li rappresenta è il segno.

Tutti questi esempi lasciano intravvedere l'importanza del culto del ricordo come strategia di conforto. La forza della memoria (sostenuta dalle risorse della tecnica) contribuisce, con l'aiuto del simbolico, a mitigare l'angoscia del non essere e la frattura della perdita. Anche se, dopo l'abbandono delle metafisiche classiche, non si riesce a trovare una risposta appagante, nulla impedisce di pensare che una qualche forma misteriosa di immagazzinamento dei dati possa esprimere, sotto forma di tracce indelebili, gli eoni, l'unità del Tutto, la «coscienza escatologica», la perennità degli uomini[16].

È forse questa la sacralità della morte nel prossimo futuro? Il sacro laico e quello religioso resteranno distinti o saranno irrimediabilmente confusi?

III. IL SACRO E IL POST MORTEM: I RITI

1. I riti funebri

a. L'antichità del rituale funebre

«Le più antiche tracce lasciate dall'uomo sono le sue ossa. La sua prima attività creativa, la sepoltura, dimostra che egli conosceva i suoi limiti temporali e insieme tentava di prolungare lo spazio ristretto dell'esistenza biologica, di superarne la durata, percepita come troppo breve. La morte, in origine, è già e sempre

---

[16] I cadaveri criogenizzati che, negli Stati Uniti, attendono dentro a capsule riempite di azoto liquido l'eventualità di una resurrezione, non sono oggetto di alcuna azione religiosa: il gesto, unicamente tecnico, distrugge totalmente il sacro.

riconoscimento e rifiuto. L'uomo è l'unico animale che seppellisca i suoi morti; in questo collegamento tra i vivi e i morti, in questo legame di continuità, risiede il fondamento della religione. Per questo, divenire *homo sapiens* significa essere *homo religiosus*, emergere oltre la coscienza strumentale verso la certezza di una realtà diversa dalla percezione immediata, significa dare un senso alle energie fenomeniche» (Bianu Zeno, *Les religions et la mort*). È come se il rito funebre, implicando la fede in qualche cosa che oltrepassa la morte, confermasse in qualche modo l'accesso all'umano: questo fatto è stato chiamato la *breccia antropologica* (E. Morin).

Già nel Musteriano (70.000-50.000 anni fa) si trovano resti di sepolture: la più antica è stata individuata nella grotta di Shanidar (in Irak), dove furono scoperti otto scheletri di Neanderthaliani. Tali scheletri erano sistemati in mezzo a un cerchio di ciottoli. L'analisi dei pollini e dei sedimenti ha fatto pensare che uno dei defunti fosse stato deposto su un letto di fiori. Il culto dei crani è invece documentato da una scoperta fatta al Monte Circeo, nel 1939: un cranio di Neanderthaliano con l'orbita destra sfondata e con il foro occipitale allargato (manducazione rituale del cervello?), deposto al centro di un cerchio di pietre. L'uso funerario dell'ocra rossa (sostituto rituale del sangue, e dunque della vita?) sembra frequente nel Paleolitico Superiore (35.000-10.000 anni fa). L'esempio più celebre è quello di uno scheletro di circa 55 anni, scoperto a Sunguir (URSS), che portava come ornamento 20 braccialetti, 1500 perle di denti di mammuth e alcuni pendenti ricavati dai denti della volpe azzurra. E ormai è ben noto che, a partire da 4.000 anni fa, menhir, cromlech e dolmen sono costruzioni funerarie destinate a oltrepassare il tempo.

Se il sacro è, in senso lato, un movimento che aspira ad elevare l'uomo al di là delle apparenze e della precarietà, bisogna ammettere che il rito funebre ne è la figura più arcaica e, forse, il fondamento più sicuro: «dal letto di fiori ai megaliti, i primi cadaveri umani hanno suscitato un'emozione che è stata socializzata in pratiche funerarie. La realtà biologica della morte, di questo buco nero dell'essere, è sempre e ovunque smentita, rifiutata, superata. Cosciente del suo crepuscolo, l'uomo afferma la sua aurora. Con le armi dell'immaginario e del simbolico, egli raccoglie la sfida del tempo» (Bianu Zeno, *Op. cit.*).

I riti funebri (cfr. L.V. Thomas, *Rites pour la paix des vivants*) implicano di solito la mobilitazione della comunità per mettere in scena l'ultima relazione dei sopravvissuti con i loro defunti[17]. Tali riti presuppongono sempre alcune *operazioni materiali*: pulizia del cadavere, scavo della tomba, allestimento del rogo, trasporto della salma, allestimento del banchetto comune. Occorrono poi dei *luoghi speciali*, sacri o profani, per esporre il defunto, per sacrificare in suo onore, per

---

[17]   O con i morti degli altri, soprattutto quando sono abbandonati. Vedere a questo proposito il bellissimo film di Truffaut, realizzato a partire da una novella di James, *La chambre verte*.

seppellirlo, per cibarsene, per affidarlo alle acque o per conservarne le reliquie. Infine occorrono alcune *persone che agiscano* (banditori, preparatori del cadavere, trasportatori, seppellitori, sacerdoti e sacrificatori). Secondo la fantasia popolare, tutto ciò ha tre scopi: 1) assicurare la coesione del gruppo, turbata dal decesso; 2) facilitare nei congiunti l'espressione del dolore, che spesso è vissuto come una espiazione: da qui il rigore di certi lutti; 3) aiutare infine il defunto a compiere, nelle condizioni migliori e con le maggiori probabilità di successo, il suo destino post-mortem: raggiungere gli avi, accedere al nirvana dopo reincarnazioni ripetute, acquistarsi un posto in Paradiso, godere della vista di Dio, ecc. Il rito funebre è dunque per prima cosa una *liturgia sacra*, talvolta in relazione mistica con il *fuoco purificatore* e liberatore (cremazione), oppure con l'*acqua feconda* (immersione), con l'*aria* (Torri del silenzio dei Parsi), con la *Terra Madre* (sarcofago, con la sua dialettica dell'avvolgimento: lenzuolo — bara — tomba — cimitero, anch'esso circondato da un muro, a segnare una strategia della conservazione e della dissimulazione dei resti), e naturalmente con il *corpo umano* (manducazione rituale del corpo o delle ceneri). I riti funebri *comprendono così quasi tutte le pratiche rituali del sacro*: divinazione, confessione-purificazione, consacrazione e procedura sacrificale, comunione. Assai spesso nel loro simbolismo si constata una certa analogia con la liturgia della nascita[18]: la cosa è facilmente comprensibile se si pensa che la morte è una rinascita (possibile reincarnazione o accesso a un nuovo stato), condizione necessaria per la nuova vita, in un altro luogo o in un altro modo. Tali riti, infine, si svolgono *in un tempo più o meno sacralizzato*: rituale d'agonia, preparazione della salma, preghiera e veglia, inumazione o incinerazione, inizio del lutto e suo termine attraverso riti di purificazione o atti di comunione (soprattutto nell'Africa nera), collocazione delle reliquie, celebrazione degli anniversari, ecc. Senza dubbio ogni grande sistema religioso possiede un suo proprio rituale e un suo sacro specifico (animismo, religioni del libro, ecc.), e non dobbiamo dimenticare che anche nei riti massonici è presente una parte di «sacro laico».

b. L'evoluzione dei riti funebri in Occidente

Il mondo occidentale ebraico e cristiano—è il solo caso che esamineremo— sta attraversando una fase di profonda mutazione del rituale funebre, che viene contemporaneamente professionalizzato e desacralizzato, anche se vi sono alcuni tentativi di ripristinare una nuova sacralità.

---

[18]   Giovanni Crisostomo, parlando della multivalenza simbolica del battesimo, scrive: «esso rappresenta la morte e la sepoltura, la vita e la resurrezione... Quando immergiamo la testa nell'acqua come in un sepolcro, l'uomo vecchio è sommerso, sepolto completamente; quando usciamo dall'acqua, ecco che appare l'uomo nuovo». Citato da M. Eliade, *Il sacro e il profano*, p. 113.

Professionalizzazione, secolarizzazione, desocializzazione

La *professionalizzazione del rito*, già evidente in Francia, ha assunto proporzioni sorprendenti negli Stati Uniti. Per assistere i morenti ci si rivolge meno spesso al sacerdote che al «tanatologo», uno psicologo stipendiato e preparato per questo compito, mentre la preparazione della salma non è più affidata alle anime pie che aiutano il defunto a presentarsi pulito, cioè puro, davanti a Dio, ma ai già ricordati tecnici della tanatoprassi, più preoccupati dell'igiene che della purificazione. Si assiste, inoltre, ad una concentrazione e ad un autentico monopolio delle imprese funebri specializzate. I grandi complessi funerari (come quello di Joncherolles, alla periferia nord di Parigi, o quello di Robermont, vicino a Liegi) posseggono di solito un «funerarium», delle sale di accoglienza, un cimitero (a volte un luogo per lo spargimento delle ceneri) e una sala onniculto, che può entrare in concorrenza con la chiesa parrocchiale o con il tempio. È disponibile un personale altamente specializzato e il sacerdote stesso, quando c'è, è poco più che un impiegato tra i tanti. Alcuni vescovi hanno protestato contro questa intrusione delle imprese funebri, di cui non vogliono essere semplicemente i funzionari, e alcuni sacerdoti rifiutano talora di celebrare nelle sale onniculto.

L'*aumento dei funerali civili* è egualmente un fatto evidente, anche se risulta difficile fornire delle cifre. Un'inchiesta realizzata nel 1970 ha accertato che il 20% dei francesi sceglie funerali non religiosi (forse bisognerebbe dire non cristiani, visto che il rito ebraico e quello musulmano si svolgono solo al cimitero o in casa). Pare che la percentuale sia salita al 30% nel 1983 e che esistano delle «zone dure», come la periferia rossa di Parigi, e delle «zone morbide», come Lione o Bordeaux. Ma anche nel caso dei funerali religiosi ci si può chiedere se la gente non vi ricorra più per bisogno di un rito che per convinzione religiosa, dal momento che da noi il cristianesimo è la sola istituzione che proponga un rituale funebre.

È come se assistessimo ad una *triplice mutazione: desocializzazione, neutralizzazione dell'affettività, desimbolizzazione*, laddove tradizionalmente il fervore collettivo, l'espressione codificata delle emozioni profonde e l'uso dei simboli erano i principali supporti del sacro. La *desocializzazione* si esprime con la scomparsa dalle vie della città dei cortei funebri, ormai incompatibili con il traffico intenso e con i ritmi della vita urbana. E anche con la scarsa presenza di pubblico ai funerali, se si fa eccezione per gli eroi resi celebri dai mezzi di comunicazione. Si pensi agli anziani morti all'ospizio, accompagnati alla loro ultima dimora solo dal sacerdote e da un paio di vecchi compagni (come nel film di Visconti *Lo straniero*). Da questo deriva la privatizzazione del lutto, i cui segni sociali diventano antiquati o indecenti.

A proposito della *neutralizzazione dell'affettività*, si è detto a buon diritto che «l'attuale evoluzione della civiltà produce in molti una notevole timidezza e spesso l'incapacità di esprimere in pubblico, o perfino in privato, emozioni violente...

L'esagerazione del tabu culturale che impedisce di esprimere sentimenti violenti e spontanei penalizza assai spesso la lingua e la mano» (N. Elias, *La solitude des mourants*). Questo è sufficiente a spiegare la caduta in disuso delle condoglianze: ci si limita a firmare un registro. Lo stesso meccanismo provoca la soppressione del lutto, dato che appare indecoroso esprimere in pubblico il proprio dolore. Avviene come per la masturbazione, è stato detto, che si pratica liberamente soltanto nel segreto della propria stanza (G. Gorer, *Death Grief and Mourning in Contemporary Britain*).

C'è infine la *desimbolizzazione*, provocata dal fatto che il segno onnipresente ha ucciso il simbolo, peraltro già logorato dalla routine e dal formalismo. Gesti e comportamenti del passato, legati al superamento di sé, inseparabili da un certo mistero e produttori di emozioni, non hanno ormai più senso. Il valore profondo dei suoni (la campana a morto è ormai rara), dei colori (si evitano quelli che possono intristire), dei fiori (si preferiscono quelli di plastica, che non seccano e non marciscono) è in via di estinzione. Vengono così a mancare al sacro quei supporti materiali di cui esso ha assoluta necessità. E bisogna vedere l'aria imbarazzata dei presenti ai funerali quando, in chiesa, devono benedire la bara: dopo un gesto appena accennato si sbarazzano in fretta dell'aspersorio. Per la maggior parte dei nostri contemporanei la croce sulla tomba non simboleggia più la morte e resurrezione di Cristo, ma indica soltanto che *lì c'è un morto*. J.D. Urbain (*La mort là*) ne ha dato una brillante dimostrazione. E chi ancora sa, a parte gli specialisti e gli interessati, che la colonna spezzata vuole indicare che la loggia massonica ha perduto, con la morte di uno dei suoi fratelli, uno dei pilastri che reggeva il tempio? Si potrà parlare dunque, senza timore di sbagliare, di un *sacro malato* e di un *rito sottratto*, di volta in volta *semplificato, accelerato* (il furgone mortuario a motore che ha sostituito il carro funebre tirato dai cavalli, che non avevano mai fretta), o addirittura *soppresso* (corteo, condoglianze, ecc.). Ed è proprio il mondo che occulta la morte (tabu), che imbelletta i cadaveri (tanatoprassi), che nasconde i suoi cimiteri (dando loro la forma di parchi, di luoghi da gita turistica), lo stesso mondo che rifiuta di dare risalto al lutto. L'*occultamento pragmatico* sostituisce ormai il *mistero* che è legato al sacro. E questo deriva da un profondo mutamento: il significato del rituale ha subito uno spostamento. Un tempo lo scopo principale era quello di aiutare il defunto a compiere il passaggio all'aldilà nel migliore modo possibile. Per questo il cristiano faceva dire le Messe di suffragio. Oggi nessuno crede più al purgatorio, e soprattutto si vuole risparmiare, per quanto possibile, il dolore a chi rimane. In questa desacralizzazione il rito ha conservato soltanto la sua *funzione terapeutica*: perciò il lutto non è più una forma normale e necessaria di espiazione, ma un comportamento patologico che richiede l'intervento dello psicoanalista o dello psichiatra.

Il Sacro, le origini, l'uomo arcaico, la morte

2. Verso un rinnovamento del rito e della sacralità

a. La posizione della Chiesa

Per rallentare la decristianizzazione e la desacralizzazione della morte, la Chiesa si è impegnata su vari fronti. Il nuovo rituale funebre in qualche modo ripristina i rapporti con il sacro, ma con un sacro personalizzato, più attento all'equilibrio affettivo di chi rimane che al destino del defunto e, al di là del codice liturgico, più aperto all'iniziativa individuale, che acquista uno spazio sempre maggiore. In primo luogo la Chiesa dà prova di essere abbastanza flessibile. Essa innanzi tutto *sdrammatizza* il funerale con l'eliminazione dello sfarzo e dell'atmosfera macabra: vengono così soppressi i candelabri monumentali e i catafalchi ingombranti, e inoltre i canti pieni di *pathos*, come il *Dies Irae*, sono sostituiti da canti più sereni, che evocano la misericordia divina e il futuro ritrovarsi insieme. La Chiesa inoltre *democratizza* il rito con l'istituzione di un'unica classe di funerali (a Parigi una decisione di mons. Feltin ha uniformato il cerimoniale nel 1962). Infine la Chiesa *attenua il suo rigore* accettando anche coloro che un tempo rifiutava: i non battezzati, i suicidi, i divorziati risposati e i massoni. È stato anche preparato un rituale per la cremazione, ammessa dopo che Giovanni XXIII ha abolito l'interdetto. Si continua comunque a richiamare «la preferenza tradizionale della Chiesa per il modo in cui il Signore stesso è stato sepolto».

Ma soprattutto la Chiesa si sforza di dare al rito un senso più conforme alle esigenze dei nostri tempi. Ciò equivale ad abbandonare ciò che è superfluo, per salvare una causa che, altrimenti, rischierebbe di essere perduta. O, se preferite, significa concedere qualcosa a un'idea che ripugnava al teologo classico, che cioè il sacro è più inerente all'uomo che a Dio. Bisogna segnalare quattro punti.

Il farsi carico dei sopravvissuti: «i sacerdoti procureranno di partecipare alla sofferenza dei parenti, spesso sconvolti dalla morte. A partire da questa partecipazione potranno aiutarli ad affrontare gradualmente questa prova nella fede», evitando comunque di ferire coloro che non credono. Una tale tendenza, che è ancora più forte tra i Protestanti, non mette più in cima alle preoccupazioni liturgiche il pensiero del divenire spirituale del defunto.

La personalizzazione: «preparando e organizzando la celebrazione del funerale, i sacerdoti saranno attenti alla personalità del defunto e alle circostanze della sua morte». Si tratta di proporre un tema di meditazione o di preghiera che prenda spunto dall'opera o dalla personalità del defunto, per mostrare che una vita è sempre fonte di riflessione e di nuova fioritura, il che conferma la permanenza dell'essere. Tale scelta implica il rispetto delle credenze del defunto e dei suoi familiari: per questo alcune celebrazioni in Chiesa non nominano neppure Dio o la vita eterna, e anche chi non è credente può prendere la parola.

La partecipazione: chi assiste non è più «spettatore passivo»: «una parte di responsabilità ricade sui congiunti e sugli amici del defunto che a lui sono più vicini. Si farà in modo di decidere insieme con loro, ogni volta che sarà possibile, gli elementi da scegliere per la celebrazione». Essi potranno intervenire nel corso dell'ufficio funebre: anche ai laici viene così offerta la possibilità di evocare, attraverso i loro ricordi, la relazione che essi hanno intrattenuto con il defunto.

Il *dispiegarsi di una simbologia di rinascita*: «nei funerali dei suoi figli la Chiesa celebra il mistero pasquale di Cristo. Mediante il loro battesimo essi sono diventati le membra di Cristo morto e risuscitato». Ciò produce una simbologia di rinascita, in relazione con quella del battesimo, simbologia espressa dalla luce e dal calore (cero), fonti di vita e di conoscenza, dall'acqua (aspersione) che purifica e dall'incenso (insieme fumo e profumo), che ricorda l'ascesa dell'anima a Dio. Anche le preghiere e i canti esprimono a loro modo questa rinascita[19].

La *luce*:

Dio, Padre mio,
la morte di N. (nostro amico),
ci ricorda (brutalmente) la nostra condizione di uomini
e la brevità della nostra vita;
ma per coloro che credono nel tuo amore
la morte non è la fine di tutto:
c'è la speranza dei figli di Dio
e, per noi, brilla la luce
della resurrezione di Cristo, vincitore della morte.

La *croce*:

Il Signore Gesù ci ha amati
fino a morire per noi,
questa croce ce lo ricorda;
che essa sia quindi ai nostri occhi
il segno del suo amore per N.
e per ciascuno di noi.

---

[19] L'assimilazione così consolante della morte alla nascita richiama l'illusione universale della morte-passaggio. Morire per rinascere è la consolazione suprema su cui sono fondati i riti arcaici, la cui efficacia io stesso ho verificato nelle culture africane. Le belle preghiere del nuovo rituale cristiano, che ricordano inoltre il mistero della resurrezione, sono soffuse di serenità. Così la Chiesa si sforza di mettere a punto un discorso adeguato alle attese; una inchiesta recente del CPL (Centro di Pastorale Liturgica) tra i cristiani e i sacerdoti testimonia questa preoccupazione. Vedi in particolare *La célébration des obsèques*.

L'*incenso*:

In segno di rispetto per te, N.,
ecco questo incenso.
Salga esso a Dio
insieme alla nostra preghiera.

L'*acqua* (per chi è battezzato):

Quest'acqua, ricordo del tuo battesimo,
ci rammenta che Dio ha fatto di te un suo figlio;
ti accolga oggi nella sua pace.

(per chi non è battezzato):

Quest'acqua, segno del battesimo a cui eri chiamato,
ci ricorda l'amore di Dio per te:
ti accolga oggi nella sua pace.

b. Alcune invenzioni laiche

La Chiesa non è la sola ad essere coinvolta in questa ondata di rinnovamento. È possibile inventare alcuni gesti espressivi non religiosi, come lasciar cadere dei petali di rosa sulla bara, mangiare un dolce lasciandone una parte per il defunto o recitare delle poesie, quelle che lo scomparso maggiormente preferiva. Un libro molto bello, *Vers Dieu en fête. Célébration de la mort*, ci propone alcuni esempi commoventi di creazioni non canoniche. Io stesso ho assistito al magnifico funerale di una signora di 85 anni, che riassumeva in sé tutte le prerogative per avere questo privilegio. Fervente cristiana, abitava da oltre 50 anni nel suo comune, madre di 7 figli, nonna di 25 nipoti e di 6 pronipoti, i suoi funerali furono preparati dal figlio maggiore, cappuccino e sacerdote della parrocchia. La cerimonia religiosa, celebrata con grande sfarzo, fu segnata non solo dalle preghiere e dai canti, ma anche dagli interventi-testimonianze di familiari, parenti o amici. Nelle frasi semplici e nei discorsi più lunghi la defunta sembrava rivivere e mi ha colpito l'atmosfera calda e serena che si diffondeva nella chiesa gremita di gente; era, da un certo punto di vista, una versione ebraica e cristiana dei funerali dell'Africa tradizionale. Cerimonie di questo genere rimangono senza dubbio ai margini del discorso istituzionale. Esse comunque hanno un carattere autenticamente sacro perché emanano un certo calore di comunione, lo stesso che esprime il nuovo orientamento del linguaggio cristiano a proposito del conforto ai sopravvissuti. Oggi, inoltre, si organizzano incontri di amici e parenti del defunto, in particolare nei suoi anniversari (di nascita o di morte): ci si ricorda come egli era, si ascoltano i suoi dischi preferiti, si guardano le foto che egli amava, si mangia e si beve, e così via. Queste celebrazioni laiche, alle quali ho avuto più volte occasione di assistere, instaurano a modo loro una certa sacralità, da cui si esce consolati. Simili invenzioni più o meno spontanee di riti di commemorazione a forte valenza laica compensano forse la scomparsa dei riti di lutto e il calo vertiginoso delle Messe in suffragio delle anime del Purgatorio. È facile individuare il cammino percorso: inserimento forzato nel gioco della concorrenza con le esigenze della tanatologia, democratizzazione e sdrammatizzazione del rito, possibilità di innovazione, di partecipazione e di laicizzazione, insistenza sull'umano e sul personale, rispetto per il non credente. In una parola: apertura. «Non può esserci rigidità nel rito, tale da soffocare ogni discorso, ogni voce personale. È opportuno invece valorizzare questa voce personale, in modo da andare incontro ad altre voci e provocarle, per aprire una comunicazione, condividere emozioni, sofferenze e speranza» (*Vers Dieu en fête*, cit.).

II. IL SACRO. SOPRAVVIVENZA E IMMORTALITÀ

1. Il repertorio delle credenze

Le diverse correnti religiose hanno sempre affermato che la morte è soglia, passaggio, metamorfosi. Il grande mistero della morte, per cui essa sfocia nel sacro, è la certezza che esiste qualche cosa oltre ad essa (trascendenza) e, nello stesso tempo, l'incertezza sulla natura esatta di questo qualcosa e sul nostro possibile accesso a questo aldilà (mistero).

M. Hulin (*La face cachée du temps*) ha saputo cogliere assai bene le idee-forza di questo divenire post mortem, elaborando una tipologia a quattro fasi.

1. L'*aldilà prossimo* pone i defunti in un universo prossimo a quello dei sopravvissuti, offrendo loro la possibilità di reincarnazione: è ciò che avviene nel mondo dello sciamanismo dell'Asia centrale, della Siberia e dell'America settentrionale, e nel mondo delle credenze tradizionali dell'Africa nera.

2. L'*aldilà senza ritorno* colloca il paese dei morti in un mondo diverso e lontano: questo avviene nelle grandi regioni a potere centralizzato dell'antica Mesopotamia e dell'Egitto faraonico.

3. La *resurrezione della carne* rende possibile la riunione e perfino la fusione del mondo dei vivi con quello dei morti, fino al ritorno collettivo dei risuscitati, legato alla sostituzione del mito del tempo ciclico con quello di un tempo orientato e non reversibile. Ciò avviene nelle religioni dell'antico Iran (Zoroastrismo, Mazdeismo) e nelle religioni del libro o della stirpe di Abramo (Ebraismo, Islamismo, Cristianesimo). Il Cristianesimo viene analizzato, nel libro di Hulin, in modo molto approfondito, secondo una duplice prospettiva: l'aldilà viene esaminato nelle sue forme di espressione (visioni, letteratura edificante, sermoni) e nelle sue

principali posizioni escatologiche, da Agostino a Tommaso, «i due pilastri della dogmatica cristiana».

4. C'è infine il caso dell'India, che per la sua specificità merita un posto particolare: questa volta l'aldilà non si manifesta più «essenzialmente sotto la forma di uno spazio, di un altro mondo in cui l'uomo entra alla sua morte per non uscirne più. Si tratta invece di una realtà di ordine temporale. Esso si presenta come la serie di intervalli che separano tra loro le successive reincarnazioni del medesimo principio spirituale». Hulin esamina a questo proposito le concezioni dell'aldilà presenti nei Veda e nelle Upanisad, l'idea della rinascita nel Vedanta e i problemi etici e religiosi sollevati dalla *trasmigrazione delle anime*.

Tutti questi diversi sistemi si articolano intorno a quattro assi logici fondamentali. La prima alternativa rinvia alla distinzione tra *vicino e lontano*: l'aldilà è un mondo prossimo, simile al nostro, oppure è un universo distante, una sorta di «assoluto indicibile»? La seconda alternativa riguarda le modalità dell'esistenza degli abitanti del regno dei morti. Essi hanno un (o il loro stesso) corpo, oppure sono puri spiriti? La terza alternativa è più difficile da delineare. Contrappone da una parte l'idea di inizio unico e assoluto (concepimento o nascita), associato al destino escatologico, fissato una volta per tutte al momento della morte; e dall'altra il tema orientale delle nascite (e delle morti) ripetute: l'esistenza attuale deriva da un'esistenza precedente, non necessariamente umana, e conduce a una esistenza ulteriore che forse non comporterà più questa forma. La quarta alternativa è di ordine etico o religioso. Le ingiustizie di questo mondo vengono o non vengono riparate nell'aldilà?

Secondo Hulin tutte le infinite risposte diverse che nel corso del tempo sono state proposte sono insieme legittime e insufficienti. Ciascuna posizione e il suo contrario, infatti, risponde ad aspirazioni profonde ma, pur essendo tutte vere, esse contengono tutte una parte di errore. È giusto per esempio pensare che l'aldilà debba essere un giudizio della nostra vita, ma è anche opportuno credere che l'onnipotenza divina non debba sottostare a una morale e ad una contabilità espressa in forma umana e centrata sull'uomo. Per maggiore chiarezza l'autore propone un'ipotesi originale. La nozione dell'aldilà potrebbe non essere altro che la deformazione, l'adattamento e la trasposizione immaginaria di una esperienza reale, quella della non morte. Appena l'uomo riuscisse a superare i limiti della propria individualità, del proprio ego temporale e rumoroso, egli troverebbe il presente immobile dell'eternità. L'aldilà cesserebbe allora di essere l'altrove per diventare il qui; non sarebbe più il futuro ma il presente. I racconti di incidenti o i casi di coma dati per morti e l'esame di esperienze extra corporee (O.B.E. per gli anglofoni) potrebbero comprovare questa interpretazione. Il pensiero tecnico-scientifico conferma e anzi rafforza il senso della nostra individualità, separa e volta le spalle all'esperienza spirituale: «al contrario il pensiero magico dell'emozione, il pensiero selvaggio dello sgomento, del disadattamento e della dissoluzione dell'io ci dà la possibilità fuggevole di ritrovare l'esperienza spirituale». Si tratta in fondo di ciò che, sotto certi aspetti, propongono il pensiero buddhista, il sufismo islamico, il cristianesimo di Meister Eckhart, insomma le grandi seduzioni mistiche. Per esse l'atto essenziale del vivere consiste nel morire «per passare all'aldilà», col rischio di intendere che l'altro mondo sognato non è in nessun luogo: è qui e ora, senza speranza né desiderio. Questa è *la faccia nascosta del tempo*, inaccessibile alla ragione e vissuta come pienezza. Come ci insegna il principe Andrea colpito a morte sul campo di battaglia di Austerlitz: l'improvvisa «rivelazione estatica di una pace che oltrepassa l'intelletto» (Tolstoi, *Guerra e pace*).

2. L'aldilà e l'Occidente

a. L'escatologia tradizionale

La dottrina cristiana (che sola sarà qui presa in esame) è ben nota. Paolo ne ha detto l'essenziale (1Cor 2,9): «ma, come è scritto, noi vi annunciamo ciò che occhio non ha visto e orecchio non ha inteso, ciò che non è mai entrato nel cuore dell'uomo: ecco ciò che Dio ha preparato per quelli che lo amano».

Tre temi sottendono questo discorso: i primi due rimandano alla trascendenza, l'ultimo al mistero; tutti e tre esprimono il sacro nella sua perfezione.

La *Rivelazione* in primo luogo, cioè una parola che, in risposta ai nostri desideri, rinvia all'Altro: «c'è un desiderio in noi che non proviene da noi» (J. Le Du, *Les croyances face à la mort*), ma da Dio che ce l'ha insegnato[20].

Poi la *fede* o «virtù soprannaturale», attraverso la quale sotto l'impulso e con l'aiuto della grazia di Dio il credente afferma «che ciò che Dio ha rivelato è veritiero, non perché ha colto con la luce intellettuale della ragione la verità intrinseca delle cose rivelate, ma in base all'autorità di Dio, rivelatore in persona, che non può ingannarsi né ingannare» (K. Rahner e H. Vorgrimler, *Dizionario di teologia*).

Da ultimo, nella tradizione della religione di Abramo e soprattutto nel cattolicesimo, l'immortalità dell'uomo non riguarda solo la sua anima, ma il suo essere totale: anima e corpo. Essa quindi esige la *resurrezione dei corpi* e questa ha come condizione prima la resurrezione di Gesù morto in croce per la salvezza degli uomini. Atteggiamento, detto per inciso, che contrasta con la mistica orientale

---

[20]   J. Le Du precisa molto bene il suo punto di vista. C'è una Rivelazione: ciò significa anche, quasi inevitabilmente, che la Rivelazione comporta un *aspetto disillusorio nei riguardi del nostro proprio immaginario*, a causa dell'intervento di un *altrove*. Il contenuto della nostra speranza non si forma più soltanto a partire dalla nostra sfortunata condizione che, proprio in quanto alienata, non è in grado di produrre rappresentazioni che non siano contaminate dalla sua situazione, *ma a partire da una parola venuta da altrove, che non può fare altro che rimodellare le nostre speranze* (*Les croyances face à la mort*).

che, lungi da implicare la riunificazione dell'anima e del corpo, suppone la liberazione progressiva e totale di quella da questo.

b. Le credenze odierne

Che ne è oggi di queste credenze essenziali? Si crede ancora alla topografia dell'aldilà (Paradiso, Purgatorio, Limbo, Inferno), alla cronologia post mortem con i suoi scenari drammatici (giudizio particolare, giudizio universale) e a quella apoteosi che è la Resurrezione universale?

La crisi popolare delle credenze

In un testo del 1979 (*Documentation Catholique*, n° 1769) il Sacro Collegio riconosce il movimento di dubbio e di contestazione che oggi suscitano queste credenze: «Si vuole discutere l'esistenza dell'anima, il senso della sopravvivenza, ci si chiede che cosa accadrà tra la morte del cristiano e la Resurrezione generale. Il popolo cristiano è disorientato perché non ritrova più il suo vocabolario e le sue conoscenze familiari ... Tutti possono vedere il dubbio che si insinua sottilmente fino nel profondo degli animi. Anche se, fortunatamente, nella maggior parte dei casi il cristiano non è ancora arrivato al dubbio positivo, spesso evita di pensare a ciò che segue la morte, poiché comincia a sentir sorgere in lui alcune domande che gli fanno paura: c'è qualcosa oltre la morte? rimane qualcosa di noi dopo la morte, oppure ci attende il nulla?»

Questa lunga citazione era necessaria: essa mostra fino a che punto il discorso cristiano popolare stia vivendo un momento di crisi e come la Chiesa, di fronte ad esso, sia perfettamente cosciente, ma appaia piuttosto impotente. Alcune inchieste condotte negli Stati Uniti e in Europa occidentale, soprattutto a partire dal 1968, facevano capire che la credenza nel Purgatorio e nel Limbo era quasi dimenticata e che solo un minoranza credeva ancora nell'Inferno. Solo la fede nel Paradiso raccoglieva quasi la metà dei suffragi (in Francia: 22% per l'Inferno e 52% per il Paradiso). Un sondaggio più recente (quello del 1982 organizzato dall'IFOP su richiesta della Società di Tanatologia) rivela inoltre una dissociazione tra la fede in Dio e la fede nell'aldilà[21].

***

[21] Già alcune inchieste realizzate nel 1968 avevano mostrato che la fede nell'aldilà è ovunque meno estesa che la fede in Dio. E ciò è confermato ancora da un'altra inchiesta svolta dieci anni dopo. Tali dati statistici risultano ancor più chiari tra i Protestanti che fra i Cattolici. Vedi su questo punto P. Delooz, *Qui croit à l'au-delà*, in A. Godin, *Mort et Présence*; e *Les Français et la mort*, IFOP, Société de Thanatologie, Inedito.

Voci discordanti

A fianco dei teologi tradizionali e ufficiali si levano alcune voci dissenzienti, ricche di innovazioni, che suscitano un crescente interesse in una parte degli intellettuali cristiani.

La *reincarnazione*. Questa credenza, condannata fin dal 543 dal Concilio ecumenico di Costantinopoli, ritorna ai giorni nostri. In Francia è difesa addirittura da certi ambienti ecclesiastici, che sostengono che non solo la reincarnazione non è incompatibile con il Credo di Nicea e con la tematica, cristiana per eccellenza, del perfezionamento spirituale dell'essere, ma anche che vi sarebbero nella Sacra Scrittura alcune prove a suo sostegno. Si cita il passo di Gv 3,3: «se un uomo non nasce di nuovo non può vedere il Regno di Dio», anche se qui si tratta soprattutto di nascita mistica e anche se il termine *anothen* significa in realtà «in alto» piuttosto che «di nuovo». Secondo Mt 11,14 Giovanni Battista sarebbe la reincarnazione di Elia: «se voi volete comprendere, egli è l'Elia che doveva venire» dice Gesù. E ancora Gesù afferma dopo la trasfigurazione: «ma io vi dico che Elia è già venuto e non l'hanno riconosciuto e l'hanno trattato come hanno voluto. Allora i discepoli compresero che egli parlava di Giovanni Battista» (Mt 17,12).

Questo improvviso e sorprendente favore incontrato dalla reincarnazione anche tra i cristiani rappresenta di fatto un ritorno. Questa idea, infatti, non era del tutto estranea alla Chiesa primitiva. Origene, Gregorio di Nissa, San Bonaventura l'ammettevano di buon grado; Giustino parla di un'anima «che abita più di una volta in un corpo umano». Il fatto stesso che sia stato necessario condannarla dimostra che la credenza nella reincarnazione godeva di una certa diffusione.

L'*immortalità* e la *resurrezione*. Le interpretazioni dei teologi contemporanei non mancano di audacia speculativa. Sappiamo in quale modo, per X. Léon-Dufour, l'eternità è iscritta nel tempo: per mezzo dello Spirito, che è la sorgente dell'anima, noi siamo in qualche modo già resuscitati e la vita eterna, per il cristiano, è già iniziata. Certo, la resurrezione esiste, ma non corrisponde all'immagine tradizionale che ci viene fornita: «Lungi dal voler ricondurre la resurrezione alla rianimazione del cadavere, è opportuno affermare che il corpo storico tutto intero, compreso il cadavere, viene trasformato insieme all'universo che, secondo la fede cristiana, è anch'esso trasformato nel Cristo». La continuità uomo/defunto-resuscitato si conserva perché l'azione divina non ha come suo termine «un'anima spirituale e un corpo materiale disposti in successione, ma un essere che fu corpo vivente, persona che si è conservata attraverso una continua trasformazione degli elementi che ha assunto» (*Résurrection de Jésus et message pascal*). Il corpo di Gesù è la comunità dei suoi discepoli, cioè la Chiesa, l'insieme degli uomini che si amano perché in loro è vivo il Risorto. La Chiesa è quindi più terrena che celeste e la sua incarnazione umana contiene in sé la carta vincente, poiché essa si fonda per prima cosa sull'amore tra gli uomini: «Riconosco il volto di Cristo in quello di ogni mio fratello diseredato e perseguitato dall'ingiustizia degli uomini».

Il Sacro, le origini, l'uomo arcaico, la morte

Da Marx a Freud e anche fino a Ed. Morin si tendeva a vedere nella fede nell'immortalità e nelle mitologie della morte soltanto dei prodotti della psiche, «semplici negazioni immaginarie della condizione mortale». Il sacro era allora ridotto a un puro epifenomeno, a una illusione collegata ai nostri fantasmi. Ma tra gli stessi credenti, o almeno presso certi teologi d'avanguardia, il dibattito si è sviluppato al punto di interrogarsi sul senso stesso della fede. Come fa ad esempio J. Pohier (*Dénégation de la mort et foi en la résurrection*): «Per conoscere il contenuto di questa fede nella resurrezione degli uomini non è affatto necessario sapere chi è Dio, chi è Gesù Cristo e se il primo ha resuscitato il secondo. Basta conoscere le sofferenze dell'uomo, basta sapere ciò che egli sopporta nella sua condizione e cambiare di segno tutto ciò che facciamo passare al di là della morte, come in algebra si trasforma il segno meno (−) in segno più (+) passando al di là del segno uguale (=)». Il campo del sacro si trova così limitato, dato che la fede si riduce a credere che Dio esaudirà quelle speranze che l'uomo racchiude. Questo porta J. Le Du, che peraltro non condivide questo punto di vista, a sostenere che al limite la speranza cristiana non si fonderebbe sui contenuti della speranza, ma semplicemente sull'enunciazione «È lui che lo farà, io lo credo».

L'evoluzione porta quasi alle frontiere dell'eresia, almeno per la Chiesa tradizionale. Circa 15 anni fa Padre Charbonnel, militante maoista, fece scandalo sostenendo che la lotta del proletariato rivoluzionario è l'attualizzazione del messaggio di Cristo sulla liberazione dell'uomo e l'essenza stessa della lotta della Chiesa militante.

Da ultimo *l'immagine del Paradiso*, almeno per coloro che ancora vi credono, sta trasformandosi. Tradizionalmente il cristiano contrapponeva lo *status patriae*, la visione di Dio che caratterizza la dimora celeste, allo *status viae*, «il tempo del non ancora» (1Gv 3,2), quello dell'incompiutezza di quaggiù, dell'incapacità di cogliersi nella verità piena di sé e della propria relazione con Dio (cfr. S. Tommaso, *Summa Theologica*, I, 82, 2, C). Ma ai giorni nostri, come Ph. Ariès ha ben mostrato, il Paradiso si caratterizza più per la presenza degli esseri amati che per la visione della parusia: «non esito a dire che la maggior parte dei nostri contemporanei, anche non coscientemente o perfino loro malgrado, non possono fare a meno di immaginare, come in filigrana, dentro o fuori della Chiesa, un luogo dove un giorno ritroveranno coloro che hanno amato. Esseri che ritroveranno con tutta la loro personalità passata». Ariès aggiunge che il cristiano ammette a stento o non riesce ad ammettere... «che Dio abbia suscitato e benedetto sulla terra degli affetti come quelli che egli ha vissuto perché poi essi si dissolvano, sia pure nel fulgore della trascendenza e della gloria» (*L'histoire de l'au-de-là dans la chrétienté latine*).

Il discorso cristiano sui novissimi pare dunque rimesso in discussione. Più che una perdita noi dobbiamo scorgere in questo la prova che gli obiettivi si sono spostati. Ecco la novità: il vivente conta più del defunto, la vita più della morte e l'uomo più dell'angelo... La Chiesa, effettivamente, malgrado la fede nel carattere universale del suo messaggio, deve seguire l'onda e adattarsi alle esigenze dei tempi. Il linguaggio cristiano della morte, innegabilmente, è prova irrefutabile dell'incarnazione storica della Chiesa. La Chiesa di Dio, per sopravvivere, è in procinto di diventare la Chiesa degli uomini. Ancora una volta assistiamo ad uno spostamento del sacro verso il laico. Ma la questione non è così semplice.

Tra la scienza e l'irrazionale

Due tendenze contraddittorie e a volte complementari si dividono il territorio da cui il sacro tradizionale è stato scacciato: la scienza e l'irrazionale.

La *scienza* ricopre diverse funzioni. Essa è tutta tesa a lottare contro la malattia e la morte; per prima cosa prolungando la speranza di vita (migliore politica sanitaria e sociale) e poi cercando di rendere impossibili la vecchiaia e la morte. Nell'attesa di quel felice (?) momento alcuni aspettano nell'azoto liquido (criogenizzazione) che il progresso della biologia possa un giorno resuscitarli e guarirli da ciò di cui sono morti. In breve, riuscire a realizzare domani ciò che fino ad oggi solo Dio poteva fare!

Inoltre la scienza mostra che la fede da sola non basta più a convincerci dell'immortalità, che si vorrebbe fondata su basi scientifiche. J.E. Charon (*L'Esprit cet inconnu*; *Mort, voici ta défaite*) ritiene di aver trovato in ciò che egli chiama *eoni* (elettroni costitutivi della nostra persona) la garanzia della nostra permanenza nella dimensione temporale. Non è più nell'estremamente complesso che lo Spirito si nasconde: «è, al contrario, nell'estremamente semplice, nella più piccola particella di materia, in quella conosciuta da più tempo, l'elettrone».

Secondo un'altra prospettiva le conclusioni a cui giungono alcuni psicologi transpersonali (A. Deikman, R. Walsh e F.E. Waugham) o alcuni fisici (F. Capra) si avvicinano in modo sorprendente alla mistica orientale, per la quale il destino post mortem è oggetto di esperienza vissuta e non di fede come nel Cristianesimo. E si difende la teoria che l'ideale non è la riunificazione anima/corpo, ma la totale liberazione dello spirito; che, al di là delle apparenze, la realtà è perfettamente una; che si può accedere al senso dell'eternità soltanto attraverso un'intenzione specifica, dato che in questo campo il pensiero deduttivo e razionale si rivela del tutto impotente. Occorre allora, con I. Prigogine e I. Stenghers, esaltare la *nuova alleanza* dell'uomo unito all'intero universo; essa contiene la promessa di una sopravvivenza e della continuità del soggetto con il sé, il Tao, la Verità, Dio, Brahman (poco importa il nome che si sceglie per designare questa realtà, che è insieme immanente e trascendente).

Ma allora breve è il passaggio dal *transrazionale* (o soprarazionale) all'*irrazionale* delle illusioni o delle pulsioni. Niente può essere maggiormente scientifico, a questo proposito, delle esperienze vissute al limite dalla morte (NDE): esperienze naturali, come i casi di coma, o esperienze provocate in modi diversi, come le tecniche Yoga, di «sonno-veglia», come i procedimenti di regressione temporale sotto ipnosi, o con l'uso di droga come l'LSD. Le testimonianze raccolte sono molteplici e spesso assai simili nel loro vissuto narrativo, qualunque sia l'origine dei soggetti. Il loro contenuto evoca certe tematiche di spiritualità antichissima come il *Libro egiziano dei Morti*, il celebre *Bardo Thödol* e perfino i testi sui grandi riti classici di iniziazione. Coloro che si sono spinti molto avanti nel NDE stranamente descrivono cori celesti e città di luce o di cristallo; alcuni si sentono «fusi nella luce in uno spasmo erotico profondo», altri parlano di «amore assoluto» o di «amore totale», mentre ogni domanda trova risposta «come se essi fossero a conoscenza di tutto». Quindi, afferma P. van Eersel (*La source noire*), la morte «nasconderebbe una luce di abbagliante bellezza, piena di vita. La sorgente nera». Di nuovo la morte ci conduce alle porte del sacro.

Se tutte le esperienze accennate ci interrogano e ci inducono a porre chiari limiti a un razionale troppo decisamente positivo, d'altro canto la sovrabbondante letteratura loro dedicata crea dei problemi. In particolare l'incredibile e inquietante sincretismo di cui tale letteratura dà prova; vi si mescolano in un amalgama indistinto la meccanica quantistica e la fisica nucleare, le teorie olografiche e la parapsicologia, il lessico romantico e il misticismo induista. Quanto poi a pretendere che otto milioni di Americani abbiano vissuto questa «entrata nella grande luce» e che in ciò si debba vedere il segno di un mutamento dell'umanità, come sostiene P. van Eersel, è un'altra cosa! Queste irruzioni dell'irrazionale provano fino a che punto noi abbiamo bisogno, quando il sacro è in crisi, di procurarci alla meglio qualche soluzione di ricambio[22].

E PER CONCLUDERE?

Proprio perché sa di essere destinato a morire, l'animale-uomo accede dunque a ciò che è propriamente umano e, insieme, incontra il sacro nella concezione della morte, del morire, dei riti e dei novissimi.

Oggi, sotto la spinta dell'*individualizzazione*, con lo sviluppo della *civiltà urbana* e il *progredire delle tecniche*, con l'aumentato *potere della scienza*, ecc., si sta verificando un autentico mutamento: i valori di un tempo sono oggetto di revisioni, tormentose per alcuni e di nessun interesse per altri.

Il tratto essenziale di tale metamorfosi potrebbe essere proprio questo: *ormai l'uomo, maltrattato dalla civiltà tecnico-industriale imperniata su redditività e pro-*

---

[22]   Un punto interessante è da notare. Una parte del sacro dei tempi passati si nutriva di apparizioni: in particolare apparizioni della Vergine, all'origine di molti santuari. Oggi sono i contatti con i defunti a moltiplicarsi: comunicazioni dirette (scrittura telepatica sotto dettatura, impulsi materiali sulla mano o sulla penna) o comunicazioni indirette (ricorso a medium o veggenti). Y. Chavognac, per esempio, dedica il suo libro *L'homme est immortel* all'analisi di 650 comunicazioni sulla vita nell'aldilà. Anche qui non si risparmiano i richiami alla psicotronica, alla parapsicologia, alla fisica quantistica.

fitto, si impone come unico suo oggetto tutta una serie di preoccupazioni. Per questo occorre risparmiargli almeno la sofferenza. Non deve portare il lutto né imporre il suo dolore agli altri; l'assistenza al moribondo diventa un farsi carico del suo corpo più che del suo spirito; il rito funebre assume soprattutto lo scopo di confortare chi resta e perciò trascura un po' il defunto; l'uomo, infine, diventa l'unico signore della sua vita e della sua morte, che prima invece appartenevano soltanto a Dio. La morte stessa, malattia tra le tante che forse un giorno sapremo sconfiggere, si riduce a un dato naturale che occorre demistificare: «forse si dovrebbe parlare più apertamente della morte, per esempio smettendo di presentarla come un mistero. La morte non presenta alcun mistero. Non apre nessuna porta. È solo la fine di un essere umano» (N. Elias, *La solitude des mourants*).

Si tratta di una crisi della sacralità della morte. Ma non è la prima che risulta documentata dalla storia delle religioni, come hanno fatto notare M. Vovelle e Ph. Ariès. Il fatto che questa crisi sia la più grave per la sua ampiezza e per la sua risonanza non significa affatto che essa segni la fine definitiva dei valori del passato.

In realtà la sacralità della morte non è completamente scomparsa. E l'ondata di irrazionale[23] in cui viviamo potrebbe appunto essere soltanto la tentazione drammatica di colmare il vuoto lasciato dalla morte di Dio. Di questo Dio che nella nostra stupida vanità pensiamo davvero di avere ucciso.

BIBLIOGRAFIA

Ariès, Ph., *Essai sur l'histoire de la mort en Occident du Moyen Age à nos jours*, Seuil, Paris 1977; trad. it. *L'uomo e la morte dal Medio Evo a oggi*, Laterza, Bari 1980; *L'histoire de l'au-delà dans la chrétienté latine*, in *En face de la mort*, Privat, Paris 1983.

Bianu, Z., *Les religions et la mort*, Ramsay, Paris 1981.

Biot, Ch., *Le mots de la fin*, in *La mort à vivre*, Autrement 87, 1987.

Caillois, R., *L'homme et le sacré*, Gallimard, Paris 1939, 1963.

Capra, F., *The Tao of Physics*, Wildwood House, London 1975; trad. it. *Il Tao della fisica*, Adelphi, Milano 1984.

Charon, J.E., *L'Esprit, cet inconnu*, A. Michel, Paris 1971; trad. it. *Lo Spirito, questo sconosciuto*, Armenia, Milano 1978; *Mort, voici ta défaite*, A. Michel, Paris 1979; trad. it. *Morte, ecco la tua sconfitta*, Ed. Mediterranee, Roma 1982.

Chavagnac, Y., *L'homme est immortel*, Laffont, Paris 1986.

Cousin, H., *Le prophète assassiné*, Delarge, Paris 1977; trad. it. *Il profeta assassinato*, Borla, Roma 1977.

Deikman, A.J., *The observing self. Mysticisme and Psychotherapy*, Beacon, Boston 1982.

Déonna, W., *Croyances antiques et modernes. L'odeur suave des dieux et des élus*, Kundig, Genève 1939.

---

[23]   Una ricerca sull'arte funeraria al giorno d'oggi sarebbe molto interessante: semplicità e sobrietà dei cimiteri-parco; look design delle architetture funebri, molteplicità di aggeggi più o meno funzionali, introduzione della musica profana («Non, je ne regrette rien», cantata da Edith Piaf, che ha accompagnato e espresso in chiesa l'ultimo saluto alla salma di M. De Certau).

Il Sacro, le origini, l'uomo arcaico, la morte

Dumont, F., e Lacroix, B., *Initiation à la pratique de la théologie*, Cerf, Paris 1982.

Elias, N., *La solitude des mourants*, Bourgeois, Paris 1987; trad. it. *La solitudine del morente*, Mulino, Bologna 1985.

Freud, S., *Das Unbehagen in der Kultur*, 1930; trad. it. *Il disagio della civiltà e altri saggi*, Boringhieri, Torino 1971.

Gaboriau, F., *Interview sur la mort avec Rahner*, Lathielleux, Paris 1967; *Hans Küng. Problèmes posés*, FAC, Paris 1980.

Georges, E., *Voyages de la mort*, Berger-Levrault, Paris 1982.

Giovanni Paolo II, *Le sens chrétien de la souffrance. Lettre apostolique «Salvifici doloris»*, En directe du Vatican, 14, 1984; *Salvifici doloris*, Dehoniane, Bologna 1984; *Il valore salvifico del dolore*, ElleDiCi-Leumann, Torino 1984.

Godin, A., *Mort et présence*, Lumen Vitae, Bruxelles 1971.

Gorer, G., *Death, Grief and Mourning in Contemporary Britain*, Doubleday, New York 1985.

Grelot, P., *De la mort à la vie éternelle*, Cerf, Paris 1972; trad. it. *Dalla morte alla vita*, Marietti, Torino 1975; *Le monde à venir*, Le Centurion, Paris 1977.

Head, J., e Cranston, S.L., *Le livre de la réincarnation*, De Fanvak, Paris 1984; trad. it. *Il libro della reincarnazione*, Armenia, Milano 1980.

Hulin, M., *La face cachée du temps*, Fayard, Paris 1985.

Isambert, F.A., *La transformation du rituel catholique du mourant*, in *La sociologie de la mort*, ASSR 39, CNRS, Paris 1975; *Rite et efficacité symbolique*, Cerf, Paris 1980.

Kastenbaum, R., *La vie après la mort*, Garancière, Paris 1984.

Lauret, B., e Refoule, F., *Initiation à la pratique de la théologie*, I-V, Cerf, Paris 1983.

Le Du, J., *Les croyances face à la mort*, in «Approches», 14, 1971.

Léon-Dufour, X., *Résurrection de Jésus et message pascal*, Seuil, Paris 1971; *Jésus et la mort violente*, in «Bulletin de la Societé de Thanatologie», 44, 1979.

Lorimer, D., *L'énigme de la survie*, Laffont, Paris 1984.

Maertens, J.-Th., *Le jeu du mort*, Aubier, Paris 1979.

Martelet, G., *L'au-delà retrouvé*, Desclée, Paris 1974; trad. it. *L'aldilà ritrovato*, Queriniana, Brescia 1977; *Libre réponse à un scandale*, Cerf, Paris 1987; *Pourquoi Dieu nous laisse-t-il mourir ?*, in *La mort et après*, Panorama, Hors série, 6, Paris 1987.

Messori, V., *Scommessa sulla morte. La proposta cristiana: illusione o speranza ?*, SEI, Torino 1982.

Morin, Ed., *L'homme et la mort*, Seuil, Paris 1970; trad. it. *L'uomo e la morte*, Newton Compton, Roma 1980.

Otto, R., *Das Heilige*, Beck, München 1917; trad. it. *Il Sacro*, Zanichelli, Bologna 1926.

Pohier, J., *Dénégation de la mort et foi en la résurrection*, in «Etudes freudiennes», 11.12, 1976; *Un don de Dieu*, in «La Réforme», 24-11-1984; *Dieu fractures*, Seuil, Paris 1985.

Pohier, J., e Mieth, D., *La mort revisitée*, in *Suicide et droit à la mort*, «Concilium», 199, 1985.

Prigogine I., e Stenghers, I., *La nouvelle alliance*, Gallimard, Paris 1979; trad. it. *La Nuova Alleanza. Metamorfosi della scienza*, Einaudi, Torino 1981.

Queré, F., *Mon Dieu pourquoi m'as-tu abandonné*, in *La mort à vivre*, Autrement 87, 1987.

Rahner, K., *Zur Theologie des Todes*, Herder, Freiburg-Basel 1963; trad. it. *Sulla teologia della morte*, Morcelliana, Brescia 1966.

Rahner, K., e Vorgrimler, H., *Petit Dictionnaire de Théologie Catholique*, Seuil, Paris 1970; trad. it. *Dizionario di Teologia*, Morcelliana, Brescia 1968.

Richard, R., *De la dépouille mortelle à la sacralisation du corps. De la religion à la thanatopraxie*, in *Survivre. La religion et la mort*, Bellarmin, Montréal 1985.

Ries, J., *Le sacré et l'histoire des religions. Les diverses approches*, in *Les chemins du sacré dans l'histoire*, Aubier, Paris 1985.

Ring, K., *Life and Death*, Coward McCann, New York 1980.

Il Sacro e la morte

Sabom, M.B., *Recollection of Death. A Medical Investigation*, Harper & Row, New York 1982; trad. it. *Dai confini della vita*, Longanesi, Milano 1983.

Saint-Macary, Mons., *Dieu est le maître de la vie et de la mort*, in «La Documentation Catholique», 1883, 4-11-1984.

Savard, D., *Croyances en l'immortalité et sentiment d'éternité*, in *Survivre. La religion et la mort*, Bellarmin, Montréal 1985.

Siemons, J.L., *Mourir pour renaître*, A. Michel, Paris 1987.

Steiner, R., *La mort métamorphose de la vie*, Triades, Paris 1984.

Thomas, L.V., *Le cadavre*, Complexe, Bruxelles 1980; *La mort africaine*, Payot, Paris 1982; *Rites de mort pour la paix des vivants*, Fayard, Paris 1985.

Troisfontaines, R., *Je ne meurs pas*, Presses Univ., Namur 1984.

Urbain, J.P., *La mort là*, Dissert. di Dottorato, Sorbona, 1987.

Van Eersel, P., *La source noire*, Grasset, Paris 1986.

Varone, F., *Ce Dieu censé aimer la souffrance*, Cerf, Paris 1984.

Vernant, J.-P., *La belle mort et le cadavre outragé*, in Gh. Gnoli e J.-P. Vernant (curr.), *La mort, les morts dans les sociétés anciennes*, Cambridge-Paris 1982, pp. 45-76.

Verspieren, P., *Face à celui qui meurt*, DDB, Paris 1984; *Biologie, médecine et éthique*, Centurion, Paris 1987.

Vovelle, M., *La mort et l'Occident de 1300 à nos jours*, Gallimard, Paris 1983; trad. it. *La morte e l'Occidente*, Laterza, Bari 1986.

Walsh, R.N., e Vaughan, F.E., *Beyond the Ego. Toward Transpersonal Models of the Person and Psychotherapy*, in «Journal of Humanistic Psychology», 20, 1980.

Whytehead, L., e Chidwick, P., *L'acte de la mort*, Bellarmin, Montréal 1983.

Zaehner, R.L., *Inde, Israël, Islam*, DDB, Bruges 1965.

Zorba, R. e V., *Que notre joie demeure*, Acropoles, Paris 1981.

Rapporti, documenti, lavori collettivi

Célébrer la mort et les funérailles, DDB, Paris 1980.

L'homme d'aujourd'hui face à la mort, Bulletin du Secrétariat de la Conférence Episcopale française, N° 10, Maggio 1982.

Fédération mondiale des Associations pour le Droit de Mourir dans la dignité, Actes du Cinquième Congrès Internat., Nice, 20-23 sept. 1984.

La célébration des obsèques, I, *Nouvel rituel des funérailles*, DDB-Mame, 1972 (2° ed.).

Note du Conseil Permanent de l'Episcopat sur l'euthanasie. La documentation catholique, 1763, 1-15 agosto 1976.

Les Français et la mort, Enquête IFOP-Société de Thanatologie, Paris 1979.

Les funérailles aujourd'hui. Célébrer. Notes de pastorale liturgique, Cerf-CNPL, 174, febbraio 1985.

Vers Dieu en fête. Célébration de la mort, DDB, Paris 1982.

La mort du Christ, «Lumière et Vie», 101, Paris 1971: spec. gli articoli di Bastide, R., *Les dieux assassiné*; e di George, A., *Comment Jésus a-t-il perçu sa propre mort. Dictionnaire des Religions*, PUF, Paris 1984; trad. it. *Grande Dizionario delle Religioni*, I-II, Marietti, Assisi 1988.

Suicide et droit à la mort, «Concilium», 199, 1985.

Parte terza

IL SACRO
E I POPOLI AFRICANI

L'UOMO AFRICANO E IL SACRO

di
V. Mulago Gwa Cikala

INTRODUZIONE

Questo studio si limiterà all'Africa nera e, nell'ambito della «negritudine», si occuperà più particolarmente del mondo Bantu.

Partendo da ricerche svolte presso rappresentanti del gruppo Bantu, si potrebbe descrivere la religione come l'insieme culturale delle idee, dei sentimenti e dei riti, basato su:

1. la credenza in due mondi, visibile e invisibile;
2. la credenza nel carattere comunitario e gerarchico di questi due mondi;
3. l'interazione fra i due mondi, senza che la trascendenza del mondo invisibile pregiudichi la sua immanenza;
4. la credenza in Dio, Creatore e Padre di tutto ciò che esiste[1].

Questa sola descrizione della religione dei Bantu fa già supporre come il sacro impregni tutta la loro vita. Ma quali termini vengono usati per significare il sacro?

In uno studio risalente al 1958, il compianto A. Kagame faceva rilevare l'assenza, nella sua cultura, di un termine generico per esprimere il sacro[2]. Sorvoliamo sulla lingua ruandese di Kagame e sulle lingue vicine alla regione interlacustre, come il kirundi (lingua dei Barundi), il mashi (lingua dei Bashi), il kihavu (lingua dei Bahavu), ecc., che usano il termine *u(o)muziro* (tabu, interdizione), «che copre tutti gli atti vietati sotto pena di sanzioni immanenti e automatiche, che minacciano il colpevole nei beni..., nella persona..., nella discendenza..., o che fanno di lui un suscitatore di calamità per tutta la società»[3]. Interroghiamo piutto-

---

[1] Mulago, *La religion traditionelle des Bantu et leur vision du monde*, p. 12.
[2] Kagame, *Le Sacré païen et le Sacré chrétien*, p. 127.
[3] Kagame, *Op. cit.*, p. 127.

sto la lingua bantu più diffusa, il kiswahili, parlato da più di cinquanta milioni di Africani (Tanzania, Kenia, Zaire, Uganda, Burundi, Ruanda).

In kiswahili il *sacro negativo* si traduce col termine *mwiko*, ciò che è interdetto, o *haramu* (interdetto, tabu), quest'ultimo entrato nel vocabolario swahili col tramite dell'Islam[4].

Kajika Balihuta precisa il significato di *haramu* come segue: illecito, proibito, vietato, illegittimo, illegale, anatemizzato, scomunicato...; proibito come santo, sacro o riservato, inviolabile; che è proibito profanare o alienare[5]. Opposto a *mwiko* e ad *haramu*, il termine *halali* significa: lecito, permesso, legittimo[6]. Anche questo vocabolo è un prestito dell'Islam al kiswahili[7].

Il *sacro positivo* è reso dal termine *takatifu*, dal verbo *kutakata*: essere pulito, netto, senza macchia; essere innocente, essere santo, e dal suo derivato: *kutakasa*: rendere pulito...; santificare, purificare[8].

In kiswahili quindi è *takatifu* il termine che traduce meglio il *sacro*, il *santo* (*sacer*, *sanctus*), il *qadosh* ebraico, che i Settanta hanno reso con *hágios*, preferendo quest'ultima voce a *hierós*, il sacro cultuale greco[9].

Confessiamo che, a parte questo vocabolo *takatifu*, adottato dalla maggior parte delle lingue bantu interlacustri per significare il sacro cristiano, non conosciamo alcun termine che possa tradurre esattamente *sacer* o *sanctus* latini o *hierós* e *hágios* greci.

Tuttavia, questa lacuna di vocabolario non impedisce affatto al sacro di penetrare e d'impregnare tutta la vita del Nero-africano e tutte le sue manifestazioni. Per inquadrare il sacro presso l'uomo africano, divideremo questa esposizione in quattro capitoli:

I. La visione nero-africana del mondo, basata sulla partecipazione-comunione;
II. Il Trascendente, Sacro per natura e fonte di ogni sacralità;
III. L'uomo, centro della creazione, e la vita umana, primo sacro creato;
IV. Differenti forme di manifestazione del sacro.

I. LA VISIONE AFRICANA DEL MONDO E LA PARTECIPAZIONE-COMUNIONE

Per meglio inquadrare il sacro africano e il suo ruolo nella vita, dobbiamo evidenziare gli elementi fondamentali sui quali si basano la visione del mondo e la

---

[4]   Circa il termine *harâm*, cfr. L. Gardet, *Notion et sens du sacré en Islam*, in E. Castelli, *Le sacré. Etudes et recherches*, Paris 1974, pp. 317-31.

[5]   Kajika Balihuta, *Dictionnaire de la langue swahili*, Goma (Zaïre) 1975, p. 502.

[6]   *Ibid.*, p. 500.

[7]   Cfr. Gardet, *Op. cit.*, p. 326.

[8]   Kajika Balihuta, *Op. cit.*, p. 627.

[9]   Cfr. H. Cazelles, C.B. Costecalde e P. Grélot, *Sacré et sainteté*, in *Supplément au Dictionnaire de la Bible*, Paris 1985, x 59, coll. 1342-1483.

religione tradizionale dei Nero-africani. Questi elementi possono ridursi a quattro[10]:

1. L'unità di vita e la partecipazione;
2. La credenza nell'accrescimento, nella decrescita e nell'interazione degli esseri;
3. Il simbolo, mezzo principale di contatto e d'unione;
4. Un'etica derivante dall'ontologia.

1. L'unità di vita e la partecipazione

Per unità di vita o unione vitale intendiamo:

a. una relazione d'essere e di vita di ciascuno con i propri discendenti, la famiglia, i fratelli e sorelle del clan, con la propria ascendenza e con Dio, fonte ultima di ogni vita: *Nyamuzinda* (colui che è la fine di tutto) presso i Bashi dello Zaire, *Imana* (fonte di ogni felicità) presso i Banyarwanda e i Burundi;

b. una relazione ontica analoga di ciascuno col proprio patrimonio, i propri fondi; con ciò che contiene o produce, con ciò che vi cresce e ci vive.

Se vogliamo, l'unione vitale è il vincolo che unisce fra loro, verticalmente e orizzontalmente, esseri viventi e trapassati; è il principio vivificante presente in tutti loro. È il risultato di una comunione, d'una partecipazione a una stessa realtà, a uno stesso principio vitale, che unisce fra loro numerosi esseri.

La vita che è oggetto della preoccupazione degli Africani non è soltanto la vita empirica, ma anche la vita *sovraempirica* (la vita dell'oltretomba), dal momento che per loro le due vite sono inseparabili, interdipendenti. Il culto dei trapassati si fonda su due credenze: la sopravvivenza dell'individuo dopo la morte e lo scambio di rapporti fra i vivi e i morti. Questa doppia credenza, che ha valore d'assioma, non conosce scetticismo alcuno.

La vita dell'individuo è vissuta in quanto partecipata. Il membro della tribù, del clan, della famiglia sa di non vivere della propria vita, ma di quella della comunità. Sa che, staccato dalla comunità, non avrebbe più mezzi di sostentamento; soprattutto sa che la sua vita è partecipazione a quella degli ascendenti e da quella continuamente dipendono la sua conservazione e il suo rafforzamento.

Per il Nero-africano, vivere è esistere in seno a una comunità, è partecipare alla vita sacra—e ogni vita è sacra—degli antenati; è prolungare la vita degli ascendenti e preparare il prolungamento della propria nei discendenti.

C'è una vera continuazione della famiglia e dell'individuo dopo la morte. I morti rappresentano l'elemento invisibile della famiglia, del clan, della tribù; e questo elemento invisibile è il più importante. In tutte le cerimonie di qualche importanza, in occasione di nascita, matrimonio, morte, funerali, investitura, chi presiede sono gli antenati e la loro volontà non cede che a quella del Creatore.

---

[10]   Cfr. Mulago, *Op. cit.*, pp. 133-63.

Il Sacro e i popoli africani

Gli Africani credono fermamente che esista comunione vitale o vincolo di vita che rende solidali i membri di una stessa famiglia, di uno stesso clan. Il fatto di nascere in una famiglia, in un clan o in una tribu ci immerge in una corrente vitale specifica, ci «incorpora» nella medesima, ci plasma al modo di quella comunità, modifica «onticamente» tutto il nostro essere, orientandolo a vivere e a comportarsi come quella comunità. Così, la famiglia, il clan, la tribu sono un tutto in cui ciascun membro non è che una parte. Lo stesso sangue, la stessa vita partecipata da tutti e ricevuta dal primo antenato, fondatore del clan, circola in tutte le vene. Per la salvaguardia, la conservazione, l'accrescimento, la perennità di questo tesoro comune, bisogna lavorare con tutte le proprie energie; eliminare senza pietà tutto ciò che vi si oppone, favorire ad ogni costo ciò che lo agevola: ecco l'ultima parola dei costumi e delle istituzioni, della saggezza, della filosofia e della religione degli Africani.

Abbiamo definito l'unione vitale, in primo luogo, come una relazione d'essere o di vita che unisce tutti i membri di una stessa comunità e, secondariamente, come una relazione ontica analoga che unisce tutti i suoi membri a tutto ciò che riguarda il mantenimento e l'ornamento della vita: patrimonio e fondi. Entra in gioco anche questo secondo elemento: tutto ciò che è appartenuto agli antenati è strettamente connesso col loro essere, tanto che oggetti come lance, tamburi, diademi, ecc. potrebbero chiamarsi *gli strumenti dell'unione vitale*.

La vita può dunque considerarsi presso i Nero-africani sotto una duplice forma:

a. come comunità di *sangue*: è l'elemento principale e primordiale;
b. come comunità di *proprietà*: è l'elemento concomitante e che rende possibile la vita.

Tutta la società: famiglia, clan, tribu, nazione, può considerarsi dal punto di vista della partecipazione. La misura stessa della partecipazione vitale è la norma della gerarchia degli esseri e del rango sociale. L'Africano non conta ai propri occhi e agli occhi della società se non in quanto partecipa alla vita e la trasmette. C'è una logica rigorosa a questo riguardo: chi ha dato la vita o un mezzo vitale ad altri gli diventa superiore.

2. La credenza nella crescita, nella decrescita e interazione degli esseri

Se domandate a qualcuno come si diventa capo di una comunità, vi risponderà probabilmente che lo si diventa per via residuale, cioè per la morte degli anziani, che avevano la precedenza, o perché si rimane il più vecchio dei superstiti del clan o per designazione del predecessore o degli anziani del clan. Ma questa risposta è insufficiente ed anzi inesatta. «Si diventa capo di clan... per un accrescimento interno della potenza vitale, che eleva il *muntu* del patriarca al livello d'intermediario e di canale delle forze, fra gli antenati da una parte e la discendenza col suo patrimonio dall'altra»[11].

---

[11] Tempels, *La Philosophie bantoue*, pp. 69s.

Nella concezione dei Bantu si tratta di un cambiamento ritenuto ontico, di una trasformazione profonda, di un nuovo modo d'essere. Questo nuovo modo d'essere modifica, o meglio, adatta l'essere intimo a vivere e ad agire secondo la sua nuova situazione, cioè a comportarsi come gli antenati, a prolungarli degnamente. L'investitura che consegna all'erede le proprietà dei suoi predecessori è il rito che vuol produrre questa modificazione interna.

«Il Re non è un uomo...
È un uomo che è stato designato al trono;
Ma una volta eletto, si separa dalla nobiltà ordinaria
E ottiene un posto a parte...»[12].

Sì, prima della designazione, prima dell'investitura che lo consacra e lo trasforma, il re non è che un semplice mortale, un uomo come gli altri. Il dito di Dio e quello degli antenati lo hanno designato a prendere il governo del suo popolo; con questa designazione stessa, che consacra l'investitura, si produce in lui un cambiamento totale, un cambiamento del *cuore*—nel senso ebraico del termine.

Che cosa è accaduto? Tutte le energie vitali, tutte le correnti del sangue degli antenati, tutta la vita deposta in essi dal Creatore, perché la perpetuino e la facciano fruttificare, hanno fatto irruzione in questo mortale ed hanno talmente rafforzato il suo essere, il suo *ntu*, che egli è divenuto come la sintesi degli antenati e l'espressione vivente di Dio e della sua divina munificenza.

Tutto ciò si verifica anche, fatte le debite proporzioni, per i capi e sottocapi subalterni, fino ai semplici capi di clan e ai padri di famiglia. La successione viene sempre concepita come una modificazione, un rafforzamento vitale, un «passaggio» di qualche cosa dei parenti morti nei loro successori.

Così come può aversi un accrescimento dell'essere, può accadere che l'essere subisca una diminuzione vitale. Se il re non è più un uomo dopo la designazione, ritorna ad essere un semplice mortale quando gli antenati, rappresentati dai discendenti—il popolo—tenendo unicamente conto degli interessi e del benessere di questi ultimi, gli ritirano la loro fiducia. Per sottolineare questo carattere rappresentativo del potere, i Bashi hanno istituito una festa annuale del rinnovo dell'investitura reale, *omubande*.

Essendo l'unione vitale un rapporto di essere di vita con Dio, con gli antenati e i discendenti, e dal momento che una simile relazione ontologica con gli appartenenti alla comunità rende possibile la vita, la decrescenza vitale non sarà altro che la conseguenza dell'impedimento di questo va e vieni della corrente vitale.

Diminuire vitalmente un defunto sarebbe come tagliargli le relazioni con i viventi, membri della famiglia o del clan. Proprio perché queste relazioni non abbiano mai a rompersi, ci si tiene a sopravvivere a se stessi nei propri discendenti.

---

[12]   Kagame, *La poésie dynastique au Rwanda*, p. 53.

Da parte loro, i vivi debbono continuare a ricevere l'influsso vitale degli antenati e dei parenti defunti, pena il deperimento della vita. La forza e la vita sono lo scopo principale di tutte le preghiere rivolte agli antenati, ai parenti defunti, agli spiriti degli eroi protettori, e sono lo scopo degli auguri in cui si menzionano il nome e l'intervento di Dio.

La vita diminuisce anche per tutti i malefici: perciò gli stregoni sono odiati da tutti. Viene anche diminuita da ogni violazione del diritto altrui. Ogni peccato spirituale o materiale ha una ripercussione e un'influenza sulla vita.

Il primo dei mali, l'ingiustizia più grande, è quella di attentare al rango vitale di qualcuno. Ciò accade «quando un minore prende una decisione autonoma, dispone di un bene del clan, senza riconoscere i maggiori di età»[13].

Così pure, «ogni beneficio, ogni aiuto e assistenza valgono anzitutto come sostegno, un accrescimento di vita per colui che ne beneficia» e inoltre «il loro valore si misura direttamente in base al valore di questa vita rafforzata, così che ogni ingiustizia, per minima che sia, anche semplicemente volta al bene materiale, verrà considerata anzitutto come attentato all'integrità dell'essere, all'intensità della vita. Ogni ingiustizia è, in primo luogo, un attentato alla vita (si legga: alla forma vitale), alla persona lesa e la sua malizia risulta evidente dal grande rispetto dovuto alla vita umana, supremo dono di Dio... Non sarà dunque tanto l'importanza del danno subito, bensì la misura della violazione della vita, che servirà come base di valutazione per la riparazione o per il risarcimento»[14].

Per gli Africani gli esseri conservano fra loro un rapporto ontico intimo ed è estranea alla loro mente la concezione di esseri distinti che vivono fianco a fianco, completamente indipendenti gli uni dagli altri.

Tutte le manifestazioni della vita mettono in rilievo questo elemento dell'interazione degli esseri fra loro.

Così, la comunità nero-africana è un circuito vitale, i cui membri vivono gli uni alle dipendenze e al profitto degli altri. Uscire da questo circuito, sottrarsi all'influenza vitale dei membri vitalmente superiori, sarebbe voler cessare di vivere.

3. Il simbolo, mezzo principale di contatto e di unione

Se il vincolo che unisce i membri di una comunità nero-africana non è altro che la partecipazione, «ossia una solidarietà di fatto, che si presenta sotto due aspetti inseparabili, l'uno personale, l'altro reale»[15], il mezzo principale, spesso l'unico, a portata dei membri, di entrare reciprocamente in contatto e di rinsaldare l'unione, è il simbolo.

---

[13] Tempels, *Op. cit.*, p. 95.
[14] *Ibid.*, pp. 95s.
[15] J. Przyluski, *La participation*, Paris 1949, p. 148.

L'uomo africano e il Sacro

Per poter scoprire la posizione e il ruolo del simbolismo nella vita e nella religione del Nero-africano, dovremmo seguire le manifestazioni della sua vita dalla nascita alla morte e all'oltretomba. Ci soffermeremo su qualche tappa della sua vita e in particolare su:

– l'iniziazione clanica;
– l'iniziazione spiritica;
– la comunione alimentare e il patto di sangue;
– i riti di purificazione, di confessione e di riconciliazione;
– le cerimonie del matrimonio;
– i riti riguardanti la morte;
– i riti dell'investitura.

Sotto qualsiasi aspetto lo si consideri, il simbolismo[16] ci appare come lo sforzo dello spirito umano che cerca un contatto con la potenza, col mondo invisibile; sembra anche infrangere i limiti del «frammento che è l'uomo in seno alla società e in mezzo al Cosmo»: è uno sforzo di unificazione.

Il simbolismo si presenta come un «linguaggio» alla portata di tutti i membri di una comunità e inaccessibile agli estranei, un linguaggio che esprime i rapporti della persona che porta il simbolo con la società e il cosmo, un linguaggio che «rende solidale la persona umana da un lato col cosmo, e dall'altro con la comunità di cui fa parte, proclamando direttamente davanti a ciascun membro della comunità la sua identità profonda»[17].

L'espressione simbolica significa dunque «non tanto io *e* il mondo, quanto io *nel* mondo». Essa opera l'abolizione della dualità fra l'uomo e il mondo, per tendere all'unificazione. Tutto il creato è un dono del Creatore all'uomo per assicurare la sua esistenza, per contribuire all'accrescimento e alla salvaguardia della sua vita[18].

4. Un'etica derivante dall'ontologia

Presso i Nero-africani, e in particolare presso i Bantu, l'ordine sociale è fondato sull'unione vitale, sull'accrescimento dell'essere intimo e sull'interdipendenza dell'influenza vitale. L'etica e il diritto derivano logicamente dalla concezione che ci si fa degli esseri e della loro connessione ontica. Perciò, ogni organizzazione che urtasse questo principio non potrebbe ritenersi ordinata e normale. Ne riparleremo al capitolo III.

---

[16]   Cfr. D. Sartore, *Segno-simbolo*, in *Dizionario Teologico Interdisciplinare*, Marietti, Torino 1977, III, pp. 231-42.

[17]   Eliade, *Traité d'histoire des religions*, p. 385.

[18]   Per maggiori sviluppi, cfr. in questo volume il capitolo di C. Faïk-Nzuji, *L'homo religiosus africano e i suoi simboli*, e inoltre, dello stesso autore, *Parole et geste dans les médiations du sacré*, in *Médiations africaines du sacré*, pp. 73-94. Vedi anche il nostro lavoro *Simbolismo religioso africano. Estudio comparativo con el sacramentalismo cristiano*.

Il Sacro e i popoli africani

1. Quando si affronta lo studio di Dio nella filosofia e nella religione nero-africana, di primo acchito si resta colpiti dalla *trascendenza* divina. Con A. Kagame, mettiamo in rilievo il fatto che Dio, «principio non-principiato», non è incluso nelle categorie degli esseri o *ntu*. «Questi ultimi sono concepiti come principiati a priori»[19]. L'«Essere» impartecipato, non-principiato, non è *ntu*, benché sia la fonte, il padre degli uomini e di tutti gli esseri[20].

Questa trascendenza di Dio è sottolineata dalla letteratura orale dei Bantu e particolarmente dai proverbi. Per esprimere che Dio è al di sopra di ogni bisogno i Bashi dicono che «Nyamuzinda (Dio) uccide una vitella, ma non la mangia»[21]. Egli non ha alcun bisogno delle nostre offerte materiali, poiché «per colui che reca viveri a Nyamuzinda, versare per terra equivale a far arrivare»[22]. I Banyarwanda segnalano che l'«l'amuleto non prevale contro Immana (Dio)»[23]. Dio è veramente trascendente, e i Mongo ne sono ben coscienti: «Colui che aleggia al di sopra di noi è Nyakomba»[24] e «nessuno supera Nyakomba»[25]. Il *Kimpa* (canto ritmato) dei Bakongo canta questa realtà: «Il vecchio prende tutto ciò che può, il giovane anche. Ma al di sopra di tutto regna Nzambi Mpungu»[26].

Dio non è un *Essere*. Quando il tale etnologo lo chiama l'*Essere* supremo, per i Bantu è un eretico, poiché afferma che il Pre-esistente ha avuto origine dall'esistere, afferma che non era l'Eterno, che è soggetto al moto. I Bantu l'hanno escluso dalle categorie *Esseri* (o *ntu*) che, quando passano dal grado dell'essenza a quello dell'esistenza, sono *principianti-a-esistere*, i quali si caratterizzano, così, per il fatto di non includere nella propria *essenza=ntu* il grado dell'esistere. Perciò, anche quando passano al grado dell'esistere, questo grado, ai loro occhi, non è dello stesso ordine di quello del Pre-esistente: c'è fra i due una semplice analogia. Per conseguenza, dato che egli è «il *Necessariamente-esistente*, egli è il *tutt'altro* di fronte agli altri esistenti»[27].

2. Benché trascenda tutte le categorie degli esseri (*ntu*), Dio è concepito come la *fonte prima* di tutti gli esseri, di ogni vita e di ogni mezzo vitale. È il Principio non-principiato di ogni esistente e di ogni vita. Nel linguaggio scolastico si dirà che Dio è la prima causa efficiente dell'essere. Spieghiamoci.

---

[19] Kagame, *La Philosophie bantu-rwandaise de l'Etre*, p. 319.

[20] *Ibid.*, pp. 99-120; Mulago, *La religion traditionnelle...*, pp. 126s.

[21] A. Kagaragu Ntabaza, *Emigani bali batu. Proverbes et maximes des Bashi*, Bukavu 1976 (3° ed.), n. 1681.

[22] Mulago, *Op. cit.*, p. 105 (n. 27).

[23] *Ibid.*, p. 111 (n. 5).

[24] *Ibid.*, p. 120.

[25] *Ibid.*, p. 120.

[26] *Ibid.*, p. 99.

[27] Kagame, *La Philosophie bantu comparée*, p. 151.

Bisogna distinguere nettamente la causalità risultante dalla comunicazione-partecipazione di vita e la causalità efficiente basata sulla comunicazione-partecipazione di mezzi vitali.

In quanto alla comunicazione-partecipazione vitale, l'uomo, lo *ntu* umano, ha come causa immediata trasmettitrice di vita, in linea verticale, i propri genitori. Anche i genitori hanno ricevuto il loro *ntu* dagli ascendenti, fino all'antenato fondatore del clan che, invece, ha ricevuto la vita direttamente dalla Vita increata, dalla *Felicità essenziale* (= *Immana* dei Banyarwanda e dei Barundi), dal *Principium et Finis* di ogni vita e di ogni essere (=Nyamuzinda dei Bashi)[28].

In linea orizzontale, tutti coloro che partecipano della vita emanata da una stessa fonte, immediatamente o mediatamente, pienamente o parzialmente, divengono intercause ed esercitano gli uni sugli altri una causalità ritenuta reale, secondo un certo ordine gerarchico: è il caso dei membri di una stessa famiglia, d'una stessa stirpe, d'uno stesso clan e delle famiglie, stirpi e clan imparentati.

In quanto alla comunicazione-partecipazione di mezzi esistenziali, non si tratta più di una causalità produttrice di vita, ma di una causalità efficiente produttrice di mezzi vitali. Questi mezzi sono tutte le operazioni, tutti gli oggetti che mettono in contatto col mondo invisibile; sono tutti i mezzi naturali e «sovra-naturali» di conservazione e di rafforzamento della vita. Tutti questi mezzi, in fin dei conti, non attingono la loro efficacia che nell'Efficiente primo, la sorgente prima di ogni vita e di ogni essere. Su questo punto i Nero-africani, e in particolare i Bantu, sono categorici[29].

3. Con la *creazione* Dio fa partecipare gli *ntu* al suo esistere e alla sua vita. Senza soffermarci sui racconti e sulle leggende che parlano di Dio come di un Creatore, basti passare in rassegna i principali attributi e nomi divini[30].

Trattandosi degli attributi di Dio, ecco alcuni esempi:

– I Banyarwanda chiamano Dio: *Rurema* (Plasmatore), *Rugira* (il Grande-Attivo, l'Efficiente per eccellenza), *Nyamurungu* (il Salvatore per eccellenza).

– I Banyamwezi (Tanzania) gli assegnano gli attributi di *Katonda* (il Creatore) e *Katabi* (il Plasmatore).

– Per i Bashi (Kivu, a Est dello Zaire), Dio è *Lungwe* (colui che congiunge, che unisce), *Kabumba* (il Plasmatore).

– Presso gli Nkundo-Mongo (Equatore, nello Zaire), si può ricordare *Wangi* (l'Architetto, il Creatore), *Wanganjambe* (il Dio-Creatore), *Wanganjale* (il Creatore-del-fiume), *Anganko* (il Creatore-degli-antenati).

Quanto ai nomi divini, rileviamo fra gli altri:

– *Mulungu* (Colui-che-congiunge). Questa denominazione copre un'area di notevole vastità. «Dal grande territorio bantu del Kenia (giKuyu, kiKamba, kiMeru,

---

28   Cfr. Mulago, *Un visage africain du christianisme*, pp. 150s.
29   Mulago, *La Religion traditionnelle...*, p. 126.
30   Kagame, *Op. cit.*, pp. 130-52.

ecc.), corre lungo l'Oceano Indiano e dal Sud del lago Nyanza (Victoria) include il Malawi, una fascia dello Zambia e gran parte del Mozambico settentrionale fino alla foce dello Zambesi. Un'area che occupa un territorio relativamente vasto»[31].

– *Katonda* (Colui-che-organizza-per-eccellenza). Nome di Dio nella lingua dei Baganda (in Uganda), dei Kabwari (Zaire, a ovest del lago Tanganica), e attributo divino presso i Banyamwezi[32].

– *Kalunga* (Colui-che-per-eccellenza-congiunge). «Questa denominazione di Dio è in uso nella Nabidia settentrionale, presso gli Herero, poi presso gli Ndonga a cavallo del confine Namibia-Angola, presso i Nyaneka, gli uMbundu e i baLuvale in Angola, presso gli aLunda del Sud e, a cavallo del confine Angola-Zaire, presso gli aLunda del Nord e gli atuChokwe, ove tale denominazione si sovrappone a quella dei Nzambi, sicché là viene chiamato Nzambi-Kalunga e Kalunga-Nzambi»[33].

– *Ruhanga* o *Nyamuhanga* (il Creatore). Denominazione che si estende dall'Uganda occidentale (presso i ba-Hima dello Nkole e del Bunyoro) verso Nord e verso Ovest fino a Kisangani, sotto altre forme derivate. *Ruhanga* (*Nyamuhanga*) riunisce il significato etimologico di *Mulungu* e di *Katonda*[34].

Se esaminiamo i temini usati per esprimere l'azione creatrice di Dio, constatiamo che assai spesso si tratta di termini tecnici, riservati a certe azioni artigianali o artistiche. In ogni caso, Dio è il Creatore di tutto ciò che esiste.

Tutti i Bantu e i Nero-africani in generale sottoscriverebbero questa professione di fede dei Baluba dello Shaba: «Esiste lo Spirito, il Creatore che creò le montagne e le valli»[35]. «O Spirito, Padre-Creatore, Dio che crei da Te stesso, che hai creato la terra e gli animali che vi abitano»[36]. Dio è dunque riconosciuto come creatore, «ma inoltre egli crea da se stesso; nessun altro interviene; crea come e quando vuole, non deve render conto a nessuno»[37]. Perciò, come dice una sentenza dei Baluba del Kasai: «Ogni cosa appartiene a Dio, Colui che dall'alto l'ha creata»[38].

Dio non è soltanto il Creatore di tutti gli uomini e di tutte le cose, ma, nella sua *provvidenza*, continua ad occuparsi delle sue creature. S'interessa alla vita dell'uomo e al processo generale del mondo, è lui che decide del corso degli eventi. È lui che genera, alleva, fa crescere uomini e bestie, che fa germinare il

---

[31]   *Ibid.*, p. 140. In Kinswahili: *Muungu (Mungu)*: *Ibid.*, pp. 140s.

[32]   *Ibid.*, p. 141.

[33]   *Ibid.*, p. 142.

[34]   *Ibid.*, p. 149.

[35]   Theuws, *Textes luba*, p. 113.

[36]   *Ibid.*, p. 92.

[37]   F.M. Lufuluabo, *Vers une Théodicée bantoue*, Casterman 1962, p. 21.

[38]   Van Caeneghem, *La notion de Dieu chez les Baluba du Kasai*, citato da Mulago, in *La Religion traditionnelle...*, pp. 113s.

grano, germogliare le piante e gli alberi. È lui che, per bocca degli indovini, suoi ministri, parla agli uomini, svela ciò che è occulto e fa presagi[39].

4. Potremmo ulteriormente dilungarci sugli attributi di Dio. Questo Dio, unico, immateriale, onnipotente, al di sopra di tutti gli esseri e quindi fonte di ogni vita e di ogni mezzo vitale, creatore di tutte le cose e la cui provvidenza copre tutte le sue creature, i Bantu amano considerarlo soprattutto come *Padre*. «Le relazioni di Dio con l'uomo sono d'ordine strettamente personale. Egli mi conosce, mi sente, mi comprende, si occupa di me e della mia vita personale»[40].

L'atteggiamento di fronte a Dio dei Baluba dello Shaba si ritrova in tutte le loro preghiere a Dio stesso. «Il tono e lo stile sono affatto diversi nelle invocazioni rivolte agli spiriti tutelari, soprattutto agli spiriti della caccia, che sono importati, quindi, in definitiva, stranieri»[41]. Dio non è solo il Padre degli uomini, ma anche il Padre di tutte le cose.

I Banyarwanda lo chiamano *Sebantu*: il Padre degli uomini; i Biashi, *Ishe w'abantu n'ebintu*: il Padre degli dei e delle cose. E i Baluba dello Shaba gli rivolgono questa bella preghiera, che rivela quanto sia fondamentale per i Bantu l'idea di paternità: «O Kaleba (Dio) che distribuisci i doni agli uomini, fai che anch'io possa mangiare della carne... Kaleba, Padre degli uomini, Padre delle cose, Padre degli insetti... Oggi, io Ti supplico, spero in Te per ottenere ciò che ti chiedo, o Spirito... che hai creato la terra e gli animali che ci vivono»[42].

In realtà è Dio il vero *Genitor*, poiché, ci dicono i Banyarwanda: «Solo Dio genera veramente, gli uomini non fanno altro che educare»[43]. La paternità di Dio si comunica agli uomini con la creazione, che è una partecipazione alla vita di Dio e alla sua paternità.

III. L'UOMO COME CENTRO DELLA CREAZIONE
E LA VITA UMANA COME PRIMO SACRO CREATO

Il Nero-africano colloca l'origine di ogni sacralità nel Preesistente, che trascende tutti gli esseri, Principio-non-principiato, e perciò origine di tutto il creato, di ogni vita e di ogni mezzo vitale, Creatore e Padre di tutti gli uomini e di tutte le cose. E al centro degli esseri creati pone l'uomo, la cui vita considera come il primo sacro creato.

---

[39]   *Ibid.*, p. 128.
[40]   Th. Theuws, *Croyance et culte chez les Baluba*, in «Présence Africaine», 18-19 (1958), p. 30.
[41]   *Ibid.*, p. 31.
[42]   *Ibid.*, p. 29. Cfr. F.M. Lufuluabo, *Orientation préchrétienne de la conception bantoue*, Leopoldville 1964, p. 20.
[43]   «Habyara Immana, abantu bakarera». Cfr. Kagame, *La Philosophie bantu-rwandaise de l'Être*, p. 351.

È dunque nell'Esistente eterno «che si colloca l'idea centrale del *sacro*. Questo Essere onnipotente da cui dipendono la vita e la morte, non è dello stesso ordine delle sue creature. Queste costituiscono un ordine diverso dal suo: si evolvono sul piano normale, quello della natura. In quanto a Lui, è di un ordine al di sopra del naturale: è *soprannaturale*. Ne deriva che le relazioni fra gli esseri creati sono di ordine naturale, mentre quelle fra l'essere creato e il Creatore sono di ordine soprannaturale. Ed ecco radicalmente stabilita la distinzione fra il profano (il naturale) e il *sacro* (il soprannaturale).

La ragione fondamentale di questa distinzione sembra sia il problema *della vita e della morte*. «L'uomo sa che la vita è il bene più prezioso di cui si possa godere, quello la cui perdita fa svanire tutti gli altri. Per lo stesso motivo si rende conto che la morte è la sciagura più terribile che possa immaginarsi, dal momento che ci priva del bene più prezioso. Questo spiega come il *sacro* della religione naturale venga considerato una realtà paurosa»[44].

Notiamo che per i Nero-africani, e per i Bantu in particolare, la vita umana, e quindi l'uomo, è il criterio del bene e del male; che la base della loro coscienza morale si riallaccia alla loro filosofia; che essi attribuiscono il bene e il male a varie origini.

La vita umana, l'uomo, centro della creazione, è il criterio del bene e del male. L'etica nero-africana è un'etica antropocentrica e vitale. «Nel mondo *ntu*—scrive E.N. Mujynya—gli atti ritenuti suscettibili di favorire lo schiudersi della vita, di conservarla, di proteggerla, di illuminarla o di accrescere il potenziale vitale della comunità, vengono perciò considerati *buoni*... Per contro ogni atto ritenuto pregiudizievole alla vita degli individui o della comunità passa per *cattivo*, anche quando non contrasta con gli interessi materiali delle persone fisiche o morali... Per capire questo atteggiamento, occorre mettersi in mente che i Bantu considerano la vita umana il bene più prezioso e che l'ideale del Muntu consiste non solo nel vivere al riparo dalle preoccupazioni fino alla vecchiaia, ma soprattutto nel restare, anche dopo la morte, una forza vitale continuamente rafforzata e vivificata nella e dalla sua progenitura... In funzione della vita e della sopravvivenza, questo ideale del Muntu viene giudicato atto assolutamente umano»[45].

La base della coscienza morale si ricollega alla concezione nero-africana dell'essere, concezione essenzialmente sintetica, unificatrice. «L'essere è fondamentalmente uno e tutti gli esistenti sono ontologicamente collegati fra loro»[46]. In questa concezione sintetica, l'uomo, lo *ntu* umano, si trova al centro: «Al di sopra, trascendente, si colloca Dio... Intermediari fra Dio e l'uomo, tutti gli ascendenti,

[44]   Kagame, *Le Sacré païen et le Sacré chrétien*, pp. 132s.

[45]   E.N. Mujynya, *Le mal et le fondement dernier de la morale chez les Bantu interlacustres*, pp. 63s.

[46]   Th. Theuws, *Philosophie bantoue et philosophie occidentale*, in «Civilisation», 1 (1951), p. 59.

gli antenati, i membri trapassati della famiglia e gli antichi eroi nazionali, tutte le falangi delle anime disincarnate. Al di sotto dell'uomo tutti gli altri esseri, che, in fondo, non sono che mezzi messi a disposizione per accrescere il suo *ntu*, il suo essere, la sua vita. Il mondo del Muntu è molto ampio, ma resta unito grazie alle relazioni e alle interferenze che gli *ntu* hanno fra loro. In questo senso si potrebbe parlare di filosofia *globale*, cosmica. Il vincolo è la vita del Muntu, al cui mantenimento e accrescimento è chiamato a contribuire tutto l'universo, visibile e invisibile. Dappertutto e in tutto esistono mezzi capaci di influenzare la vita: si tratta di captarli e di rendere benefica la loro influenza»[47].

Così, il mondo appare come una pluralità di forze coordinate. «Quest'ordine è la condizione essenziale dell'integrità degli esseri. I Bantu soggiungono che quest'ordine viene da Dio e deve essere rispettato... La morale oggettiva è per i Neri una morale ontologica, immanente e intrinseca. La morale bantu ama l'essenza delle cose intese secondo la loro ontologia. Ne possiamo concludere che un atto, un'usanza saranno anzitutto qualificati dai Bantu come *ontologicamente* buoni e perciò saranno stimati *moralmente* buoni e, infine, per deduzione, saranno apprezzati come *giuridicamente giusti*... Abbiamo esposto le norme del bene; al contrario, le norme del male sono evidentemente parallele. Ogni atto, ogni comportamento, ogni atteggiamento e ogni usanza umana che attenti alla forza vitale o all'accrescimento e alla gerarchia del *muntu* sono cattivi. La distruzione della vita è un attentato al disegno divino. Il *muntu* sa che una simile distruzione è prima di tutto un sacrilegio ontologico, che appunto per questo è immorale e, per conseguenza, ingiusta»[48]. L'etica bantu è un'etica di partecipazione e di comunione con gli altri.

Affermare che l'etica bantu è un'etica antropocentrica è riconoscere che Dio non è concepito come il fine ultimo dell'uomo. «Per identificare questo fine ultimo dell'uomo, dal momento che tutte le sanzioni si limitano all'esistenza terrena, occorre trovare quella specie di beni la cui privazione costituirebbe il male supremo dell'uomo. Ora, esistono tre categorie di beni, nel quadro di questo esistere terreno, che l'uomo vivente potrebbe ricevere in ricompensa o di cui potrebbe venir privato come punizione dei suoi atti: 1. i beni della fortuna; 2. i beni della persona (salute, ricchezza, onori, longevità); 3. i beni della progenie (morire lasciando la discendenza assicurata)»[49].

Dopo aver dimostrato che per l'Africano «la disgrazia più grande è quella di morire senza lasciare una discendenza»[50], A. Kagame spiega: «Gli iniziatori della civiltà bantu... constatavano che l'uomo era stato realizzato in *due sessi*, evidentemente in vista di assicurare la procreazione. Ne avevano concluso che il Preesi-

47   Mulago, *Un visage africain du christianisme*, p. 155.
48   Tempels, *La Philosophie bantoue*, pp. 80s.
49   Kagame, *La Philosophie bantu comparée*, pp. 283s.
50   *Ibid.*, pp. 284-86.

stente aveva creato l'uomo allo scopo di perpetuare il genere umano. Ne consegue logicamente che chiunque fosse incapace di generare aveva mancato il suo fine ultimo, era colpito dalla sciagura più grande che possa immaginarsi.

Questa concezione si articolava del resto con un'altra già acquisita, per formare insieme un dittico armonizzato. Era acquisito, infatti, che il principio vitale dell'intelligenza è immortale. Ogni individuo era stato realizzato in modo da esistere eviternamente (con un principio, ma senza fine). Ora, perché questo potesse pienamente realizzarsi, bisognava trovare una soluzione per quanto riguarda l'eviternità del corpo. Trasmettendola ad altri, da una generazione all'altra, col mezzo della procreazione, non se ne assicurava forse l'immortalità? Certo l'individuo morrà, ma il suo corpo continuerà a perpetuarsi fra i viventi. In questo modo la vera morte, il distacco definitivo dai viventi non può essere che l'estinzione della stirpe. La sventura più grande che possa colpire un uomo sarebbe quella che il suo spirito immortale non esistesse in parallelo col suo corpo, trasmesso da una generazione all'altra. Così il fine ultimo dell'uomo è principalmente la perpetuazione, collettivamente realizzata, del genere umano attraverso la procreazione. Secondariamente, con lo stesso mezzo, è la perpetuazione del suo esistere individuale nei suoi due componenti»[51].

IV. FORME DI MANIFESTAZIONE DEL SACRO

Per determinare le forze di manifestazione del sacro bisogna ricordare che il sacro può essere considerato positivamente o negativamente. Il *sacro positivo* è quello la cui osservanza procura benedizioni divine in modo automatico, mentre il *sacro negativo* è quello la cui violazione comporta sanzioni automatiche. «Ora, c'è questo di particolare e di molto importante: ci si può esporre a queste sanzioni... anche a propria insaputa. L'ordine del *sacro* pagano non richiede completa conoscenza né pieno consenso per essere trasgredito. È sufficiente che il colpevole abbia commesso un atto fisico per provocare automaticamente le terribili sanzioni che lo minacciano, come lo sfortunato passante che tocca un filo elettrico»[52].

Le forme di manifestazione del sacro sono sempre determinate in rapporto alla vita e a ciò che alla vita si riferisce e con riferimento alla divinità e al mondo invisibile. L'uomo in cerca di mezzi di rafforzamento vitale urta contro il mondo e contro le «cose», che in realtà non sono «cose». Perché, in realtà, di «cose» non ce ne sono; «vi sono soltanto dei condotti e dei serbatoi che, al caso, possono contenere la potenza. L'alternativa dunque si presenta così: o le "cose" che l'Uomo

[51]   Ibid., pp. 286s. Cfr. Y.K. Bamunoba e B. Adoukonou, *La mort dans la vie africaine*, Paris 1979, pp. 100-103; Mbiti, *African Religions and Philosophy*, pp. 26, 133-48; Thomas e Luneau, *La terre africaine et ses religions*, pp. 100s.

[52]   Kagame, *Le Sacré païen et le Sacré chrétien*, p. 135.

incontra sono recipienti che egli deve riempire di potenza... ; in questo caso si esercita un'azione magica, in cui l'uomo figura in qualche modo come creatore se non delle cose, almeno di potenze che alle cose danno vita. Oppure le cose sono *creaturae*, ossia dipendono direttamente da Dio e ad ogni istante Dio può infondere a loro nuova vita, munirle di una potenzialità nuova; delle "cose" egli fa gli strumenti della sua potenza, le trasforma e le ricrea. Così un atto, una parola, una persona possono sempre diventare "potenti", sia per il pieno potere dell'uomo che a viva forza vi introduce la potenza, sia per il pieno potere di Dio, il creatore»[53].

Siccome l'idea di vita è centrale nella concezione africana del mondo, questo è visto come «un insieme di esseri partecipanti alla *stessa sorgente di vita*. Questa partecipazione si realizza attraverso intermediari situati fra l'Universo-sorgente e il Cosmo, cioè tutto l'Universo visibile, sensibile, che è organizzato intorno all'uomo»[54].

Vediamo qualcuno di questi intermediari, con i quali si manifesta e si trasmette il dono sacro della vita.

Nel mondo invisibile occupano il primo posto dopo Dio, che è la sorgente della vita, i primi partecipanti, i fondatori del clan; vengono al secondo posto gli spiriti degli antichi eroi, come Lyangombe-Kiranga[55], il cui culto è recente, secondo la testimonianza dei vecchi, e non universale; seguono poi i parenti e i membri del clan defunti. I geni e le forze telluriche hanno un ruolo importante per molti gruppi, visto che le forze telluriche appartengono piuttosto al mondo visibile che al mondo invisibile[56].

Circa il mondo visibile, parleremo di certe persone umane, di oggetti e luoghi sacri.

1. Persone sacre

a. In cima alla gerarchia africana si pone il re o il grande capo, concepito come la personificazione della divinità. Ascoltiamo in proposito il Poeta ruandese:
«Il Re non è un uomo...
Oh, sì, è certo:
Colui che diventa Re cessa d'essere un uomo !

[53]   G. Van Der Leeuw, *La Religion dans son essence et ses manifestations*, p. 353.
[54]   T. Tshibangu, *Le propos d'une Théologie africaine*, Kinshasa 1974, p. 17.
[55]   Cfr. *Lyangombe—Mythes et rites*. Atti del II Simposio del CERUKI, Bakavu, 10-14 maggio 1976, Kinshasa 1979; P.P. Gossiaux, *Mythe et pouvoir. Le culte de Lyangombe-Kiranga (Afrique équatoriale de l'Est)*, in *Le mythe, son language et son message*, Louvain-la-Neuve 1983, pp. 337-72; A. Ntabona, *Une approche du culte du Kubandwa au Burundi et pistes pour l'exploitation de ses languages*, in *Médiations africaines du sacré*, pp. 343-75.
[56]   Mulago, *La Religion traditionnelle...*, pp. 135s., 138.

Il Re, lui, è Dio
E domina sugli umani!»[57].

Il potere supremo africano è dunque sacro. Il sovrano, per la sua carica, ha un posto privilegiato nell'universo delle forze del mondo. Vi partecipa più degli uomini ordinari, poiché rappresenta il suo popolo, si identifica in lui, è misticamente la sua comunità. Dovunque il potere politico è considerato secondo il suo significato vitale, ossia in relazione con la concezione filosofica del mondo. Il capo ideale, *per le sue funzioni*, è un intermediario indispensabile fra la vita del mondo e la sua comunità. È un canale della corrente vitale che, quando non è più in grado di adempiere l'ufficio di intermediario, deve farsi da parte. «Anche per i re, la collettività degli uomini, essa stessa inserita nella natura, premia l'individuo»[58].

Si diventa monarca per eredità. Capi e re si richiamano alla loro genealogia per affermare la loro legittimità. E la genealogia ideale è quella che permette di risalire in linea diretta fino al fondatore della dinastia[59].

Per governare il regno viene associata al re la regina madre. Così pure partecipano al potere reale tutti coloro che coadiuvano il monarca nell'amministrazione del paese. Così il monarca è circondato da varie persone, senza le quali non potrebbe esercitare le sue prerogative sovrumane. Dal punto di vista dell'analisi sociologica è sempre un gruppo che governa.

b. Quanto si è detto per il re si può applicare, nelle debite proporzioni, anche ai patriarchi di clan e ai padri di famiglia. Ogni paternità è una partecipazione all'attributo di Dio Padre. «Nell'ambiente familiare, poi, merita d'essere rilevato il rispetto dimostrato alla funzione e all'*autorità del padre di famiglia*... Da questo stesso concetto deriva anche il fatto che, in un certo numero di civiltà africane, il padre di famiglia si vede attribuire una funzione tipicamente sacerdotale, in virtù della quale agisce come mediatore, non soltanto fra gli antenati e la sua famiglia, ma anche fra Dio e la sua famiglia, compiendo gli atti di culto prescritti dalla tradizione»[60].

Fra i capi di clan, una funzione particolare è assegnata ai rappresentanti dei fondatori dei clan primitivi (*bajinji* presso i Bashi) e ai primi occupanti del suolo (Pigmei). L'intervento di queste due classi è richiesto per l'investitura del re. Ricevendo l'investitura dai rappresentanti dei primi fondatori dei clan e dai primi occupanti del suolo, il re diventa il rappresentante, non solo dei suoi propri antenati, ma di tutti gli antenati. Siccome la sua autorità è l'estensione dell'autorità patriarcale, egli è per tutta la tribù, per tutta la nazione, ciò che è il patriarca per la sua famiglia, il capo del ramo primogenito per tutto il clan[61].

[57]   Kagame, *La Poésie dynastique au Rwanda*, p. 53.
[58]   J.J. Maquet, *Africanité traditionnelle et moderne*, pp. 90s.
[59]   *Ibid.*, pp. 91s.
[60]   Paolo VI, *Messaggio Africae terrarum*, in «Acta Apostolicae Sedis», 59 (1967), pp. 1078s.; cfr. anche «La Documentation Catholique», 64 (1967), col. 1942.
[61]   Mulago, *Op. cit.*, p 137.

c. Con una simile visione del mondo, si può capire il posto occupato dal capo di famiglia nel culto. Se «ogni uomo, compiendo un sacrificio, può eventualmente esercitare funzioni sacerdotali», «dev'essere chiamato prete soltanto colui che è abilitato a presiedere una cerimonia, a pregare una divinità in nome di un gruppo, a eseguire i riti di un culto istituito»[62].

Il più modesto dei preti è il capofamiglia, che le sue responsabilità fanno servitore del culto degli antenati. Quando si tratta di gruppi di parenti più estesi, di clan, «la funzione è più importante e spesso vi si aggiungono altre responsabilità: quella di sacerdote della terra, per esempio, erede del fondatore che ha concluso un patto con la terra stessa. In un quadro ancor più ampio, officiando talvolta a nome di tutta la società, il sacerdote capo dei popoli senza potere politico specifico è già altrettanto personaggio divino, che agisce per sua propria natura, in quanto sacerdote, che agisce mediante i riti... Fra questo sacerdote e i capi politici o i re, che hanno sempre un aspetto divino e sacerdotale, ci sono tutte le gradazioni... In certe regioni esisteva un vero e proprio clero, più o meno gerarchizzato, per ciascuna grande divinità... »[63].

d. Non è sempre facile distinguere il sacerdote dal mago, dal guaritore o dall'indovino. Altrove abbiamo mostrato la distinzione che va fatta fra il mestiere del mago, del guaritore e dell'indovino, benché in pratica le tre funzioni si confondano spesso in uno stesso individuo, ciò che spiega la confusione di vari autori[64]. La magia (così come la funzione del guaritore e dell'indovino) altro non è che uno scontro risultante dalla cattura da parte dell'uomo delle potenze vitali sparse e nascoste nel mondo, uno scontro tra l'azione dell'uomo sul mondo alla ricerca del proprio rafforzamento vitale e gli elementi della natura.

«Ciò che distingue la magia dall'altra religione è che vuole, per principio, dominare, governare il mondo. Nessuna religione fa altrettanto, tuttavia ve ne sono parecchie che, senza essere magiche, cercano a loro volta di dominare il mondo, solo usando metodi diversi. Ci è, dunque, impossibile ammettere sia il contrasto fra religione e magia definito come opposizione fra sociale e antisociale o fra etico e scientifico, sia l'anteriorità della magia rispetto alla religione»[65].

È assai eloquente in proposito il caso dei Bashi, dei Banyarwanda e dei Barundi. La pratica magica non solo suppone, al di sopra delle potenze invisibili, la divinità, ma la riconosce, la professa e le tributa un culto durante l'azione magica stessa. È Dio che deve presiedere ad ogni azione magica, se può dirsi magico un culto reso—almeno indirettamente—al Creatore, che è in fondo l'unico vero guaritore[66], l'unico indovino[67], la Fonte del rafforzamento vitale.

---

[62] *Prêtre*, in *Dictionnaire des civilisations africaines*, Paris 1968, p. 347.

[63] *Ibid.*, p. 348.

[64] Mulago, *Op. cit.*, pp. 17-28.

[65] Van Der Leeuw, *Op. cit.*, p. 531.

[66] *Hakiz'Imana* (È Dio che guarisce), riconoscono i Banyarwanda e i Barundi.

[67] *Haragur'Imana* (È Dio che profetizza), affermano inoltre gli abitanti del Ruanda e del Burundi.

Il Sacro e i popoli africani

Tutto il creato è un dono del Creatore all'uomo per assicurare la sua esistenza, per rafforzare la sua vita nella comunità di cui è membro. Tutte le pratiche etichettate come superstiziose, tutti gli incantesimi magici nient'altro significano, nella concezione dei Nero-africani, che questo contributo all'accrescimento e alla salvaguardia della vita, benché, ahimé! certuni (stregoni e loro clienti) se ne servano per nuocere.

e. Fra le persone sacre citiamo, infine, il fabbro, questo «personaggio ambivalente, legato ai morti e ai vivi, mediatore fra questi e quelli. Si dice che appartenga, al tempo stesso, al mondo terrestre e a quello sotterraneo per la sua familiarità coi metalli che provengono dal ventre della terra madre». Con la sua tecnica, «che rivela una situazione particolare nell'ordine della creazione», padroneggia i quattro «elementi»: il fuoco, la terra, l'acqua, l'aria. «I suoi principali utensili—il martello e l'incudine—riportano al tempo del mito e dei primi antenati; si inscrivono nel campo del sacro e delle operazioni magiche; figurano fra i simboli reali. Peraltro, l'acqua della fucina e l'aria del mantice vengono utilizzati allo scopo di rafforzare la vitalità; a quanto si crede, "conservano la salute a lungo". Nobile lavoro, azione simbolica in quanto creazione materiale, la messa in opera dei metalli si colloca al punto di convergenza dei poteri operanti sulle forze, sugli uomini e sulle cose». In Africa Orientale, dove l'arte metallurgica ha molto contribuito all'edificazione degli Stati, il fabbro gode di uno statuto elevato: «così presso i Kikuyu del Kenia, dove il fabbro è oggetto di rispetto e di timore, egli dispone dell'arma della maledizione senza ricorso»[68].

2. Oggetti e luoghi sacri

a. Fra gli oggetti che intervengono nel culto, l'acqua lustrale e il fuoco occupano un posto importante in Africa, come altrove nel mondo[69]. Nel Bushi gli oggetti che servono per il culto vengono fabbricati da artigiani, da specialisti e cacciatori. Ciascuna famiglia possiede gli oggetti necessari al culto dei propri defunti, ma anche altri possono ugualmente servirsene. Il capofamiglia custodisce questi oggetti con cura, mettendoli dentro un paniere chiuso con un coperchio (cirhimbiri), oppure dentro un pezzo di bambu e depositandoli, poi, in un nascondiglio in fondo alla capanna. Gli adepti della setta di Lyangombe hanno oggetti usati solo da loro[70].

I Bashi offrono ai mani degli antenati qualsiasi bevanda o alimento, sotto qualsiasi forma: allo stato naturale, in farina, in pappa cotta, ecc. Si offre del vino di banane (mavu) o birra di sorgo (mushunga). Ai mani dei grandi e dei piccoli si

---

68 Forgeron, in *Dictionnaire des civilisations africaines*, pp. 181s.
69 Vedi in proposito gli studi sul simbolismo dell'acqua e del fuoco.
70 Mulago, *Op. cit.*, p. 50.

250

offrono bovini, ovini e caprini. Non si offrono in sacrificio animali da cortile[71] né animali uccisi a caccia[72].

Presso i Banyarwanda si possono distinguere due forme di culto.

La forma più comune, praticata ovunque nel Ruanda e da tutte le classi sociali, è *uguterekera* (mettere, deporre a, per). «Il culto in questione si rifà all'idea fondamentale di deporre una bevanda in presenza dello spirito di un parente defunto. Siccome la bevanda è l'offerta di base, l'insieme della cerimonia comporta anche altri elementi»[73].

L'altra forma di culto resa ai mani degli antenati è il *sacrificio*, alla cui celebrazione vengono sempre associati la preparazione e l'uso dell'acqua lustrale. «Il sacrificio è la forma del culto ruandese che si rende unicamente ai morti di morte violenta e per qualsiasi ferita che sia stata la causa principale della morte. Più dettagliatamente, si tratta quindi di caduti sui campi di battaglia, di individui giustiziati in seguito a sentenze giudiziarie o per vendetta, assassinati, divorati dal fuoco in un incendio o chi abbia posto fine alla vita col suicidio... Quei *bazimi*, quando la consultazione divinatoria li chiama in causa, si suppone mirino alla vita delle loro vittime, con una morte analoga a quella che essi trovarono. Per allontanarli, per stornare i loro malvagi propositi, si offre loro una vita in cambio di quella che vorrebbero strappare alle loro vittime»[74].

La vita offerta a questi *bazimi* è l'ombra (*gicucu*) di un animale il cui sacrificio è simboleggiato dal sangue. Così può capitare che, in mancanza di mezzi per un sacrificio reale, si simuli il sacrificio, presumendo che lo spirito resti soddisfatto dall'offerta del sangue ottenuto da una semplice emorragia[75].

Presso i Baluba, in generale, agli antenati maschi si sacrificano dei becchi o dei galli secondo che il motivo del sacrificio sia più o meno grande, mentre agli antenati femmine, specialmente allo spirito della nonna paterna del capofamiglia (*Nkambwa*), si sacrificano galline o capre, secondo l'importanza del motivo che occasiona il sacrificio[76].

b. Quanto ai luoghi del culto, essi differiscono secondo i gruppi. Così, ad esempio, presso i Bakongo il culto degli antenati ha luogo al cimitero[77], davanti alla tomba del defunto da venerare. Presso i Bashi ciascuna famiglia celebra il culto dei propri morti (offerte e sacrifici) sia nella capanna familiare, sia nelle capanne riservate agli spiriti (*rhugombe*). Il re o il grande capo sacrificano, o fanno

---

[71]   Con un'eccezione tuttavia: si offrono talvolta ai defunti un gallo o una gallina (*Ibid.*, p. 50).

[72]   *Ibid.*, p. 50.

[73]   Kagame, *Description du culte rendu aux trépassés du Rwanda*, pp. 748-50.

[74]   *Ibid.*, p. 753.

[75]   *Ibid.*, p. 754.

[76]   Cfr. Mulago, *Op. cit.*, pp. 91s.

[77]   Cfr. Van Wing, *Etudes Bakongo*, pp. 309s.

sacrificare, a proprio nome o per il bene di tutto il paese, nel *bujinji* (luogo alberato che serve da cimitero dei principi di sangue reale, o *baluzi*, e delle prime mogli dei grandi capi del paese, o *bagoli*)[78]. Nel Ruanda il luogo dove si svolge la cerimonia è la casa principale o unica di abitazione, se lo spirito da onorare è il patrono del focolare, cioè in onore del quale il focolare venne fondato (*mukuranbere*). Se si tratta di un defunto secondario, al quale non è stata dedicata una capanna particolare, gli si arrangia un pied-à-terre consistente in un simulacro di capanna[79]. Presso i Baluba del Kasai, le cerimonie cultuali si svolgono davanti alle capanne che ospitano gli antenati maschi (*bakishi*), oppure davanti all'albero sacro che alloggia la *Nkambwa*. Facciamo notare che i *bakishi* (dimore degli antenati maschi) e l'albero sacro che ospita la nonna paterna sono sempre situati in prossimità dell'abitazione della prima moglie d'un poligamo o della moglie di un monogamo. Gli spiriti degli antenati maschi si trovano sempre ad est della sua capanna e la *Nkambwa* sempre ad ovest. La facciata dei *bakishi* è orientata verso ovest, al tempo stesso verso la capanna della donna e verso la *Nkambwa*, in modo che, guardandola di fronte, si ha il viso rivolto verso il levar del sole[80].

Presso certi gruppi vengono onorati alcuni luoghi considerati sia come residenza dei geni, sia come centri di comunicazione delle forze vitali o come realtà viventi che bisogna accattivarsi, sia come simboli della trascendenza divina[81]. Così, per ottenere dei figli, i Mongo si recano alla residenza del genio (*elima*), lo pregano e gli fanno offerte di viveri, ma senza fargli sacrifici. La violazione della dimora di un genio o altre mancanze di rispetto o di generosità nei suoi confronti sono puniti con malattie, specialmente una sorta di reumatismo, chiamato, per questa ragione di origine, *bilima*[82], o addirittura con la morte[83].

A proposito delle forme di manifestazione del sacro, l'elenco degli esempi potrebbe allungarsi: la nascita gemellare, il totem, la maschera, gli oggetti appartenuti agli antenati o che siano stati a contatto con loro (lancia, tamburo, diadema, ecc.), tutto ciò che ha qualche relazione col mondo invisibile. Dappertutto e in tutto ci si può scontrare col sacro!

---

[78] Cfr. Mulago, *Op. cit.*, pp. 47s.

[79] Cfr. Kagame, *Op. cit.*, p. 750.

[80] Cfr. L. Mukenge, *Croyances religieuses et structures socio-familiales en société luba:* «Buena Muntu», «Bakishi», «Milambu», pp. 51-61.

[81] Cfr. Thomas, Luneau, Doneux, *Les Religions de l'Afrique Noire*, pp. 52s.

[82] Plurale di Elima.

[83] Cfr. Hulstaert, *Les idées religieuses des Nkundo*, pp. 670-76; *Les Mongo. Aperçu général*, pp. 48-50; *Sur les génies des Mongo*, pp. 49-54.

L'uomo africano e il Sacro

CONCLUSIONE

Alla fine di questo studio ci si può chiedere qual è la situazione del *sacro* e del *profano* nell'Africa nera. Le considerazioni precedenti ci portano alla stessa conclusione di A. Kagame: «L'attributo di sacro si addice all'Essere supremo e a tutto ciò che—persona, oggetto o luogo—manifesta o rappresenta la sua sacralità nel mondo naturale»[84]. Ciò significa che «Il *sacro* propriamente detto si limita al dominio religioso; concerne Dio, così come le persone, gli oggetti e i luoghi consacrati al suo culto, al fine di assicurare la longevità degli individui, la perennità della società e l'abbondanza dei beni materiali di cui ciascun cittadino deve godere»[85].

Tranne il Sacro per sua natura, il Preesistente, «non esiste nelle cose alcun principio oggettivo che permetta di spartirle una volta per tutte in sacre e profane. Il sacro è in origine la parte del mondo associata all'esperienza mediata che l'uomo può normalmente avere del divino. Reciprocamente, il profano, allo stato originario, non è comunque altro che ciò che resta al di fuori di tale associazione»[86].

Ora, è attraverso la religione che l'uomo fa l'esperienza del divino, e questa esperienza, per i Nero-africani, ha come centro principale d'interesse la vita umana, considerata come il primo sacro creato. «La vita è cosa sacra ed ogni attentato a questo dono supremo è il peggiore dei crimini. Anche se il culto degli antenati o degli spiriti ha praticamente rimosso questo atteggiamento puramente religioso, l'idea fondamentale rimane: l'uomo non crea la vita, ma la riceve e ne è responsabile»[87].

Esaminando la religione africana, si constata che essa impregna tutta la vita: la vita individuale, familiare e socio-politica. Nell'Africa nera, «La religione informa tutto. La sua influenza si estende alla vita politica, sociale, familiare. Generalmente lo spirito religioso prevale sullo spirito politico»[88]. La religione tradizionale svolge efficacemente il suo ruolo rassicurante e protettore. «Profondamente integrata nella vita sociale e tecnica, impregna del suo rituale tutti gli atti quotidiani e racchiude l'uomo in una rete efficace di difese e di certezze. Essa adempie efficacemente al suo ruolo nelle condizioni di vita tradizionale»[89]. È stato indubbiamente questo carattere ingombrante e impregnante della religione africana a far crede-

---

[84]   Kagame, *Le Sacré païen...*, p. 137.

[85]   *Ibid.*, p. 138.

[86]   J.P. Audet, *Le sacré et le profane: leur situation en christianisme*, in «Nouvelle Revue Théologique», 79 (1957), p. 39.

[87]   Th. Theuws, *Sacré et profane dans la société primitive*, p. 70.

[88]   *Tradition et Modernisme en Afrique Noire (Rencontres Internationales de Bouaké)*, Paris 1965, p. 94.

[89]   J.C. Froelich, *Les nouveaux dieux d'Afrique*, Paris 1969, p. 50. Cfr. Kagame, *La Philosophie Bantu comparée*, p. 304.

re che per i Neri non vi sia distinzione fra il sacro e il profano. La distinzione esiste, certo, ma l'uomo religioso africano aspira ad abolire lo iato esistente fra il mondo visibile e il mondo invisibile, dunque fra il profano e il sacro. Tutta la creazione è al servizio della vita umana ed è chiamata a contribuire al suo mantenimento, al suo accrescimento e alla sua perpetuazione. Il sacro africano ha la sua sorgente in Dio, riconduce alla divinità e al mondo invisibile e impregna tutto il reale. «L'Africano può utilizzare tutti i "materiali" offerti dal suo ambiente per esprimere le sue idee di Dio. Per lui tutto ciò che lo attornia gode di una sorta di trasparenza che gli permette di comunicare, per così dire, direttamente col cielo. Le cose e gli esseri non sono un ostacolo alla conoscenza di Dio; anzi, costituiscono dei significanti, degli indici rivelatori del divino. Così si stabilisce una specie di messaggio fra l'"alto" e il "basso" per mezzo di elementi intermediari»[90].

BIBLIOGRAFIA

Centre d'études des Religions Africaines, *Religions africaines et Christianisme*, Simposio Internazionale di Kinshasa, 9-14 gennaio 1978, I-II, (num. spec. di «Cahiers des Religions Africaines»), Facoltà di Teologia Cattolica, Kinshasa 1979; *L'Afrique et ses formes de vie spirituelle*, Atti del II Simposio Internazionale di Kinshasa, 21-27 febbraio 1983, (num. spec. di «CRA»), Kinshasa 1984; *Médiations africaines du sacré. Célébrations créatrices et langage religieux*, Atti del III Simposio Internazionale di Kishasa, 16-22 febbraio 1986 (num. spec. di «CRA»), Kinshasa 1987.

Autori vari, *Dictionnaire des civilisations africaines*, Hazan, Paris 1968.

Colle, P., *Essai de Monographie des Bashi*, (ciclost.), Bukavu 1937.

Eliade, M., *Traité d'histoire des religions*, Payot, Paris 1953 (trad. it. *Trattato di storia delle religioni*, Einaudi, Torino 1954; Boringhieri, Torino 1967); *Le sacré et le profane*, Gallimard, Paris 1965 (trad. it. *Il sacro e il profano*, Boringhieri, Torino 1967, 1973, 1979).

Hulstaert, G., *Les idées religieuses des Nkundo*, in «Congo», 2 (1936), pp. 668-78; *Les Mongo. Aperçu général*, Musée Royal de l'Afrique Centrale, Tervuren 1961; *Sur les génies des Mongo*, in «Cahiers des Religions Africaines», 3.5 (1969), pp. 49-54.

Kagame, A., *La Poésie dynastique au Rwanda*, Institut Royal Colonial Belge, Bruxelles 1951; *Les Organisations socio-familiales de l'ancien Rwanda*, I.R.C.B., Bruxelles 1954; *La Philosophie bantu-rwandaise de l'Etre*, I.R.C.B., Bruxelles 1956; *Le Sacré païen et le Sacré chrétien*, in *Aspects de la culture noire* (Recherches et Débats du Centre Catholique des Intellectuels Français, Cahier n° 24), Fayard, Paris 1958; *Description du culte rendu aux trépassés au Rwanda*, in «Bullettin des Séances de l'Académie Royale des Sciences d'Outre-Mer, 4 (1967), pp. 746-79; *La Philosophie bantu comparée*, in «Présence Africaine» 1976.

Maquet, J.J., *Africanité traditionnelle et moderne*, in «Présence Africaine», 1967.

Mbiti, J.S., *African Religions and Philosophy*, London-Ibadan-Nairobi 1969; *Concepts of God in Africa*, London 1970; *New Testament Eschatology in an African Background*, Oxford University Press, London 1971.

Mujynya, E.N., *Le mal et le fondement dernier de la morale chez les Bantu interlacustres*, in «Cahiers des Religions Africaines», 3.5 (1969), pp. 55-78; *L'homme dans l'univers des Bantu*, Presses Universitaires du Zaire, Lubumbashi 1972.

90   Zahan, *Religion, spiritualité et pensée africaines*, p. 30.

L'uomo africano e il Sacro

Mukenge, L., *Croyances et structures socio-familiales en société luba*: «Buena Muntu», «Bakishi», «Milambu», in «Cahiers Economiques et Sociaux», 5.1 (1967), pp. 51-61.

Mulago, V. (Gwa Cikala M.), *Un visage africain du christianisme. L'union vitale bantu de face à l'unité vitale ecclésiale*, in «Présence Africaine», 1965; *Simbolismo religioso africano. Estudio comparativo con el sacramentalismo cristiano*, Biblioteca de Autores Cristianos, Madrid 1979; *La Religion traditionnelle des Bantu et leur vision du monde*, Faculté de Théologie Catholique, Kinshasa 1980.

Obenga, Th., *Les bantu. Langues-Peuples-Civilisation*, in «Présence Africaine», 1985.

Ries, J., *Les chemins du sacré dans l'histoire*, Aubier, Paris 1985.

Ries, J., e Limet, H. (edd.), *Les rites d'initiation*, Actes du Colloque de Liège et de Louvain-la-Neuve, 20-21 novembre 1984, HIRE, Louvaine-la Neuve 1986 (trad. it. Jaca Book, Milano 1989).

Temples, P., *La Philosophie bantu*, in «Présence Africaine», 1961.

Theuws, Th., *Sacré et profane dans la société primitive*, in «Bulletin du Centre d'Etude des Problèmes Indigènes», 14 (1950), pp. 65-73; *Textes luba*, in «Bull. Centre Et. Probl. Indig.», 27 (1954), pp. 1-153.

Thomas, L.V., e Luneau, R., *La terre africaine et ses religions*, Larousse, Paris 1975.

Thomas, L.V., Luneau, R., e Doneux, J.L., *Les Religions d'Afrique Noire*, Fayard/Denoël, Paris 1969.

Van Caeneghem, R., *La notion de Dieu chez les Baluba du Kasai*, Institut Royal Colonial Belge, Bruxelles 1956.

Van Der Leeuw, G., *La Religion dans son essence et ses manifestations. Phénoménologie de la Religion*, Payot, Paris 1948 (trad. it. *Fenomenologia della religione*, Boringhieri, Torino 1975).

Van Wing, J., *Etudes Bakongo*, Desclée De Brouwer 1959.

Zahan, D., *Religion, spiritualité et pensée africaines*, Payot, Paris 1970.

L'*HOMO RELIGIOSUS* AFRICANO E I SUOI SIMBOLI

di
C. Faïk-Nzuji Madiya

I. NOZIONE AFRICANA DI SIMBOLO

Il pensiero africano percepisce con grande acume la nozione di simbolo e fa del simbolismo una categoria specifica nella sua visione del mondo. Partendo dal principio generale secondo cui esiste una relazione naturale fra certi nomi e le cose (in senso lato) che designano, ci è sembrato indispensabile passare anzitutto attraverso l'analisi semantica di termini che, in alcune lingue africane, significano simbolo. Dal momento che il simbolo si compone necessariamente di due facce, il simbolizzato e il simbolizzante, ci è parso che non sarebbe stato possibile inquadrare con la maggiore esattezza la nozione africana di simbolo, se ci restava sconosciuto il simbolizzato. Di qui la divisione di questo capitolo in due sezioni:
1. Denominazioni del simbolo;
2. *-dungu, la realtà manifestata attraverso i simboli.

1. Denominazioni del «simbolo»[1]

In Kiswahili, lingua parlata o compresa in una grande parte del continente (Tanzania, Kenya, Zaire, Ruanda, Burundi, Uganda, Zambia, Zimbabwe, Mozambico, Malawi, Somalia...) si designa il simbolo con molti termini: *ishara, maonyo, mfano, kifano, alama, dalili, methali* o *mithali*[2].

---

[1] Questi dati relativi alle denominazioni del «simbolo» fanno parte di una ricerca più vasta, i cui risultati verranno ulteriormente pubblicati. La maggior parte dei termini sono stati raccolti in base a una ricerca fatta sul posto. Nel caso in cui la lingua relativa sia già stata oggetto di studio, i termini stessi sono stati verificati nelle opere pubblicate, come indicato dalle note riguardanti ciascuna lingua.

[2] A. Haddad, *Contact de langues en Afrique. Cas du Kiswahili et de l'arabe*; F. Johnson, *A*

Ishara, dal verbo d'origine araba *kuashiria*: far segno a, significare con gesti, con gli occhi, col comportamento o con un segno convenuto, si traduce etimologicamente con «ciò che significa», «ciò che indica», «ciò che augura», «ciò che annuncia». *Maonyo*, derivato da *kuonya*, far vedere, mostrare, esporre, avvertire, mettere in guardia..., significa «ciò che mostra», «ciò che fa vedere», «ciò che avverte», ecc. *Mfano* e *kifano*, da *kufana*: somigliare a, essere simile a, avere il valore di, valere qualcuno o qualcosa, si traducono con «ciò che somiglia a», «immagine di qualcuno o qualche cosa», «ciò che raffigura, rappresenta...», ecc. Infine, *alama*, *dalili* e *methali*, tutti d'origine araba, contengono originariamente il significato generale di segno, contrassegno, indizio, ecc.

Nella lingua ciluba (Zaire), il simbolo è espresso da due termini generici: *cïmànyïnù* (sing.) / *bïmànyïnù* (plur.) e *cïlééjélù* (sing.) / *bïlééjélù* (plur.).

Dal verbo *kùmànyà*: sapere, conoscere, scoprire, ricevere una rivelazione, identificare, *cïmànyïnù* significa etimologicamente: «ciò che rivela», «ciò che fa conoscere», «ciò che permette di conoscere, di identificare»... *Cïlééjélù*, derivato da *kùlééjà*: mostrare, indicare, far vedere o conoscere, rivelare, far apparire, ecc., si traduce con: «ciò che indica», «ciò che significa», «ciò che mostra», «ciò che serve d'esempio, di modello», «ciò per cui si manifesta qualche cosa», «ciò per cui qualche cosa è resa visibile».

Il lomongo (Zaire) ha quattro termini per designare il simbolo: *esilé* (sing.) / *basilé* (plur.); *losilé* (sing.) / *nsilé* (plur.); *losiké* (sing.) / *nsiké* (plur.); *lotàja* (sing.) / *nàtja* (plur.)[3]. *Esilé* e *losilé* sono sinonimi derivati dal verbo *-silá*: tenersi in equilibrio, mantenere in equilibrio. Si traducono entrambi con «ciò che permette di tenere in equilibrio», «ciò che mantiene in equilibrio, in ordine», ecc. *Losiké*, dal verbo *-sika*: fermarsi, fare alt, interrompere; raggiungere la saggezza; diventare riflessivo, posato; tagliare netto; essere diritto (moralmente), ecc. significa: «ciò che fissa l'attenzione», «ciò che impedisce d'andare in là», «ciò che permette di diventare posato, saggio, riflessivo», «ciò per cui passa la saggezza», «ciò che permette d'essere conforme», ecc. In quanto a *lotàja*, dal verbo *-tàla*: guardare, contemplare, ammirare qualcosa di straordinario, può tradursi con «qualche cosa che suscita stupore o spavento», «ciò da cui la vista è abbagliata», «ciò che merita d'essere contemplato», «che è il riflesso di una cosa indicibile, inaudita».

In kikongo (Zaire), notiamo tre parole che rendono simbolo: *dimbù* (sing.) / *bïdimbù* (plur.); *fwààni* (sing.) / *bifwààni* (plur.); *kisiïnsu* (sing.) / *bisiïnsu* (plur.)[4].

Dal verbo *kudiimba*: marcare, segnare, imprimere, indicare..., *dimbù* significa «ciò che marca», «ciò che indica», «ciò che ricorda», «ciò che permette di ricordare». *Fwààni*, da *kufáána*: assomigliare, corrispondere, accordarsi, valere, convenire..., implica lo stesso significato di *mfano* e *kifano* in kiswahili. Mentre *kisiïnsu*,

Standard Swahili-English Dictionnary; A. Lanselar, *Dictionnaire Swahili-Français*.
3   G. Hulstaert, *Dictionnaire Français-Lomongo (Lonkundo)*.
4   Daeleman, *Archives et notes personnelles*; e inoltre comunicazioni orali.

derivato da *kusiínsa*, vuol dire «oggetto commemorativo», «ricordo», «vestigio», ecc.

In masaba, parlato nel Kenya e in Uganda, rileviamo che il simbolo è reso dalla parola *khabonela*, dal verbo *khubona*: vedere, guardare, contemplare..., che ha le stesse accezioni dei verbi analoghi alle altre lingue[5].

In dyola, parlato nel Mali e nel Burkina Faso, e in madare, parlato nel Burkina Faso, il termine *tagamasen*, che designa il simbolo, è composto da *taga-*: «andare» e da *-gamesen*: «modo di evolversi verso qualcosa». In senso stretto, dunque, *tagamasen* può tradursi con «ciò da cui si passa per raggiungere un'altra cosa»[6].

In dogon, parlato nel Mali e nel Burkina Faso, simbolo si dice *àduno sô*: che significa «parola del mondo»[7]. Infine, per concludere con le denominazioni, segnaliamo che nella maggior parte delle lingue studiate, i termini che stanno a significare «simbolo» designano anche segno, segnale, indizio, marca, sigillo, timbro, impronta, orma, emblema, presagio, augurio, ricordo, memoria, ecc.

La precisione e la densità semantica dei termini generici che nelle lingue africane significano simbolo consentono di vedere, da una parte, come l'Africano percepisce il simbolo e, dall'altra, ciò che il simbolo è per lui.

Infatti, in questo ambito di significati appaiono quattro tipi di relazioni, rivelate dal modo di formazione dei nomi e che definiscono la sostanza della realtà simbolica, così come viene percepita e vissuta dagli Africani.

a. Relazione di natura e di qualità

Il simbolo è
- parola;
- specchio, riflesso;
- ricordo, memoria, richiamo, testimone;
- bellezza, spettacolo;
- miracolo, prodigio;
- augurio, presagio, avvertimento;
- segno, segnale, marchio, indizio, gesto, orma, impronta;
- visibile, percettibile, tangibile, (cosa) indicibile, inaudita, ineffabile.

b. Relazione di contenuto

Il simbolo contiene
- la saggezza, l'equilibrio, l'ordine;
- il sapere, la conoscenza;

---

[5]   B. Siertsema, *Masaba Word List. English-Masaba, Masaba-English.*

[6]   Comunicazione orale di Bruno Sanou.

[7]   G. Calame-Griaule, *Ethnologie et language. La parole chez les Dogon*, p. 27.

- la grandezza, la luce, l'incognito;
- la legge delle cose, l'incomprensibile.

c. Relazione d'effetto soggettivo

Il simbolo
- provoca lo stupore, il rispetto, il timore, il dubbio;
- suscita l'ammirazione, la contemplazione, l'esaltazione;
- costringe alla sosta, all'attenzione;
- abbaglia lo sguardo...

d. Relazione di funzione

Il simbolo è
- ciò per cui si riconosce, ciò che fa riconoscere, identificare;
- ciò che fa conoscere, sapere, ciò che informa, indica, insegna, ragguaglia, inizia, rivela, spiega, introduce a un altro livello;
- ciò che rende manifesto, visibile, percettibile, apparente, tangibile;
- ciò che rappresenta, sostituisce, raffigura;
- ciò che augura, annuncia, presagisce, avverte;
- ciò per cui si accede alla conoscenza, all'ordine, alla saggezza;
- ciò che stabilisce l'equilibrio, l'ordine...

Queste relazioni si sovrappongono, si intersecano e si combinano in vari modi, tanto nei campi stessi dei significati quanto nello spirito dei locutori. Così, per esempio, il termine che sta per «spettacolo grandioso» è costruito sia sulla relazione di natura che su quella di effetto soggettivo; il termine che significa «che dà accesso alla saggezza» è costruito sulle relazioni di funzione e di contenuto, ecc.

In via generale, quali che siano la sua natura, il suo contenuto, la sua funzione o il sentimento che provoca in chi gli si accosta, il simbolo africano appare essenzialmente come *luogo di passaggio* e insieme *luogo di manifestazione*. Per l'Africano infatti il simbolo è il luogo da cui passa l'uomo per stabilire una comunicazione con quelle «realtà» situate in altre dimensioni, realtà di cui ha bisogno per la sua pienezza, per il suo totale compimento. Ma, perché la comunicazione sia possibile, quelle «realtà», di natura piuttosto inafferrabile, devono diventare accessibili a chi le ricerca, dunque essergli, in un modo o nell'altro, percettibili. Da ciò l'utilizzazione dei simboli.

Questa concezione scarta subito le molte metafore (in senso lato)—confuse spesso a torto con i simboli—delle quali si servono gli Africani per esprimere certe analogie. Allo stesso modo essa rende poco pertinente la distinzione fra simboli «profani» e simboli «religiosi», distinzione che non si accorda troppo con la percezione africana della realtà simbolica.

Infatti, dal momento che l'Africano crede fermamente nell'esistenza di due mondi, *il visibile* e *l'invisibile*, e nella loro interazione permanente[8], i simboli di cui fa uso—come molte altre realtà che motivano il suo comportamento—passano facilmente da un mondo all'altro, così che una classificazione del genere appare artificiosa e poco giustificata. Nella vita, sono le circostanze che possono essere profane, religiose, occulte, buone o cattive..., ma non i simboli in se stessi. Tuttavia, per ragioni d'ordine metodologico, chiameremo qui *simboli religiosi* i simboli che l'*homo religiosus* africano usa nelle sue relazioni con la religione e col sacro. Ma prima, una breve spiegazione su *-dungu*, questo campo delle realtà manifestate attraverso i simboli religiosi.

2. *-dungu. Il campo delle realtà manifestate per mezzo dei simboli religiosi[9]

Sotto varie forme, che rispettano le leggi fonetiche proprie a ciascuna lingua, la radice *-dung-*, come i suoi diversi derivati, è attestata in un gran numero di lingue dette bantu che praticamente coprono i due terzi del continente africano, su un territorio che si estende dal nord-est del Camerun al nord-est del Kenya, fino all'estremità meridionale del continente.

Le forme più correnti sotto le quali appare questa radice sono: *-dung-*, *-lung-*, *-rung-*, *-nung-*, *-ung-* e *-hung-*.

Etimologicamente il verbo *-dung-* comprende parecchie accezioni: legare, annodare, raccordare; articolare, allungare, prolungare. I suoi derivati (*Kalunga, Mulungu, Nyamurungu, Mpungu...*) hanno dunque il significato generale di «ciò che lega», «ciò che annoda», «ciò che allunga», ecc.

La loro analisi semantica rivela che il loro campo semantico è molto più ampio di quello assegnato da A. Kagame[10] e V. Mulago Gwa Cikala[11], che ne limitano il significato alle sole designazioni e attributi di Dio. Il campo di accezione di *-dung-* ha un ambito assai vasto, comprendendo:
– i nomi di Dio;
– la religione e il sacro nel senso africano definito in questo volume da V. Mulago Gwa Cikala: p. es. *Mungu* dei bangwana, *Mpungu* dei Manianga;
– il sacro numinoso nel senso assoluto definito da Rudolf Otto[12]: p. es. *nlungu* dei Bantandu;

[8]   Per maggiori informazioni al riguardo consultare Mulago Gwa Cikala, *L'uomo africano e il sacro*, in questo volume; e *La religion traditionnelle des Bantu et leur vision du monde*.

[9]   Il termine *dungu* (-dung-) è forma ricostruita del bantu comune, che si realizza in modo particolare secondo le leggi fonetiche proprie a ciascuna lingua. Il suo studio rientra nel quadro di un progetto più ampio, i cui risultati verranno pubblicati successivamente.

[10]   A. Kagame, *Le Sacré païen et le Sacré chrétien*.

[11]   Cfr., in questo volume: Mulago Gwa Cikala, *L'uomo africano e il sacro*.

[12]   Cfr. R. Otto, *Il Sacro*. Cfr. anche M. Eliade, *Il sacro e il profano*.

– l'esoterismo, la magia, le potenze occulte, tanto positive che negative: p. es. *kalunga* dei Bataabwa e dei Batumbwe;

– la fine dei tempi, l'aldilà e il dopo morte: p. es. *Kalunga* dei Baluba e *bilungi* dei Bantandu;

– l'origine dell'Uomo o l'Uomo primordiale: p. es. *Muntu Walunga* o *Muhungu* dei Manianga, *kyungu* dei Bataabwa;

– i luoghi misteriosi, abitati da spiriti: p. es. *kalunga* dei Bantandu, dei Baluba, dei Basongye e di molti altri;

– la comunione fra gli uomini, l'umanità: p. es. *bulungu* dei Baluba;

in breve, tutto ciò che ha del *soprannaturale*, di quelle realtà che vanno oltre la comprensione dell'uomo, ma sulle quali egli non cessa d'interrogarsi, quelle realtà verso le quali si sente attratto come da un amante e per le quali prova una nostalgia irresistibile mista a un vivo timore. Una sola lingua verrà presa come esempio per illustrare il campo di accezioni coperto da questa radice.

In kitandu, una delle parlate della zona linguistica congolese (Zaire), la radice *-dung-* compare nelle seguenti parole[13]:

bilungi: abisso degli inferi, luogo dove vanno i morti che non hanno vissuto onestamente e che attendono di venir giudicati;

kalunga: – il soggiorno dei morti, più o meno sinonimo di *bilungi*;

   – la porta che dà accesso al mondo dei defunti, la porta degli inferi;

   – formula di saluto, augurio di felicità, di vita;

   – l'oceano e, per estensione semantica, ciò che è immenso, insondabile e non sarà mai conosciuto in tutte le sue dimensioni;

luunga: campana semplice, usata nei riti di evocazione dei defunti. Si ritiene che il suo suono li risvegli ed abbia quindi il ruolo di intermediario fra il mondo visibile e il mondo invisibile.

muhungu: nella mitologia congolese l'Essere Umano primordiale, ermafrodito, la cui scissione in due parti permette l'esistenza dell'Uomo e della Donna;

ndungu: tamburo conico lungo, che nelle cerimonie rituali ha la stessa funzione della campana *luunga*;

lungi: pienezza del tempo, tempo completo, compiuto, ritrovato allo stadio iniziale;

nlungu: pienezza, totalità, perfezione, santità, sacro, purezza.

In altre lingue bantu compaiono altre parole derivate dalla stessa radice e con altre accezioni, ma che si riferiscono tutte a questa stessa, unica e misteriosa realtà **-dungu*.

Dopo aver definito il simbolo africano come luogo di passaggio che permette all'uomo di entrare in comunicazione con *dungu*, e *dungu* come la realtà le cui molteplici sfaccettature sono manifestate dai simboli, dobbiamo ora inquadrare

---

[13]   Con la collaborazione di J. Daeleman.

ciò che rappresenta per l'Africano l'insieme del simbolismo, prima di osservare l'atteggiamento dell'*homo religiosus* africano di fronte ai simboli.

II. INIZIAZIONE AL SIMBOLISMO ANCESTRALE

Il simbolismo costituisce uno dei principali modi di comunicazione e di rappresentazione nelle società africane. La sua importanza può valutarsi dalla presenza permanente dei simboli in tutte le attività, così della vita quotidiana come dei diversi riti e culti che costellano la vita umana. Esso permette il contatto con realtà che vanno oltre il mondo visibile e che danno accesso alle dimensioni non visibili dell'Universo. Ciascun simbolo è depositario di importanti messaggi e insegnamenti, la cui conoscenza si rivela una garanzia sicura di equilibrio, di ordine e di coesione per l'individuo e per l'intera comunità. Questa importanza dei simboli ha indotto le società che se ne servono ad assicurare la loro conservazione, trasmissione e circolazione, attraverso tecniche note agli specialisti. Il livello di conoscenza di costoro varia secondo il campo di utilizzazione dei simboli e secondo l'età, il sesso o la funzione di coloro che sono incaricati di iniziare al simbolismo. Per meglio comprendere questo aspetto psicoantropologico del simbolismo africano, divideremo questo capitolo in due sezioni:
1. Specialisti del simbolismo;
2. Apprendimento del linguaggio simbolico.

1. Specialisti del simbolismo ancestrale

La varietà dei campi d'intervento dei simboli implica una varietà di specialisti. In linea di massima si possono distinguere due categorie di interpreti:
– coloro che, grazie alla loro intelligenza e agli insegnamenti ricevuti all'epoca dell'iniziazione, hanno acquisito una grande conoscenza del simbolismo della loro cultura. Essi non si distinguono né per la nascita, né per la condizione sociale, ma l'elevato livello di conoscenza consente loro di imporsi e d'incutere rispetto. Diventano così, per una situazione di fatto, interpreti sicuri, in cui tutti hanno fiducia;
– coloro che, per nascita, ambiente o rango sociale, sono destinati a specializzarsi nel simbolismo della loro cultura e a detenere cognizioni alle quali gli altri non hanno accesso.
Così, fra gli interpreti più noti, possiamo citare, a titolo di esempio, l'*oniromante*, specialista dei simboli onirici; il *guaritore*, conoscitore dei segreti della natura e dei poteri che essa cela; l'*indovino*, iniziato sia al simbolismo degli oggetti divinatori che alla lettura della posizione che assumono o delle tracce che imprimono nella sabbia, sull'acqua, ecc.; l'*erudito*, detentore del potere iniziatico sotto forme diverse; il *maestro della parola*, che si destreggia con parole semplici per

farne «parole attive». In breve, ogni membro della società che non si sia in qualche modo familiarizzato coi simboli fin dalla nascita, si sforza—come dimostrano
gli esempi dati nella sezione che segue—di comprendere il senso più profondo dei
simboli che adopera, per poterli interpretare a sua volta.

2. Apprendimento del linguaggio simbolico

Presso i Madare del Burkina Faso (chiamati comunemente Bobo), il bambino
viene veramente ammesso nella comunità appena ha pronunciato le parole *ma-
da-re*, che significano: *io dico che*. Infatti, tali parole sono considerate da quel
popolo—che si designa esso stesso col nome Madare—come i primi segni di affermazione da parte del bambino, della propria personalità e della propria appartenenza etnica, e quindi come apertura del suo spirito alla riflessione[14].

Questo spiega il primo grado di apprendimento del linguaggio simbolico.
Dimostra che il bambino africano impara fin da piccolo a esprimersi, a dire le
cose, a far esistere se stesso e ciò che vede, tanto con la parola quanto col gesto.
Osserva gli elementi della natura che lo circonda, tenta di dirne il nome, di comprendere le correlazioni. A poco a poco, riesce a fare qualche analogia e a stabilire
rapporti semplici.

Fin da quella età, i genitori, e più particolarmente la madre, gli insegnano
sistematicamente o occasionalmente tutto ciò che è alla sua altezza. Badano non
solo all'esatta riproduzione delle parole, ma anche alla loro buona interpretazione
e a che vengano usate a proposito. Così, a questo livello, il bambino si è già
familiarizzato coi simboli semplici della vita quotidiana. Per esempio, un pezzo di
legno simbolizzerà per la bambina un neonato, prima che, giunta alla pubertà, le
si spieghino i misteri della fecondità; un combattimento simulato simbolizzerà per
il bambino il combattimento delle belve, prima che gli vengano rivelati i simboli
della caccia, ecc. Si tratta qui dei primi passi della conoscenza, consistenti nella
presa di coscienza che esistono analogie fra le cose, piuttosto che nella loro spiegazione.

Più tardi, quando saranno adolescenti, il bambino e la bambina dovranno
subire modificazioni corporee iniziatiche o seguire uno speciale insegnamento,
che li introdurranno al *perché* e al *come* di quelle analogie e di quei rapporti di
causalità. È il periodo detto di iniziazione ai misteri della vita, quello del secondo
grado di apprendimento del linguaggio simbolico. In questa tappa della sua vita
l'adolescente è chiamato a numerosi «riti di passaggio» per la sua integrazione
sociale e spirituale nella società. Questi riti, che hanno la funzione principale di
accogliere il giovane o la giovane nella comunità degli adulti e di ristabilire l'ordine cacciando il disordine dell'infanzia, abbondano di simboli.

[14]   Bruno Sanou, *Bobo-Madare*, p. 3.

L'*homo religiosus* africano e i suoi simboli

Ma non tutti i segreti del simbolismo ancestrale vengono rivelati in questa fase, poiché il giovane iniziato, o la giovane, devono ora farsi un posto nella comunità che li ha accolti e meritare con i propri mezzi l'accesso a questo nuovo stato. È allora che ciascuno si sforzerà, nell'attività che avrà scelto, per eccellere sia sul piano pratico sia sul piano della conoscenza teorica di tutto ciò che si riferisce al suo lavoro. Ad esempio, il giovane cacciatore si inizierà assiduamente al simbolismo cinegetico, il giovane guaritore si applicherà a dominare il simbolismo delle parole, degli elementi naturali e del mondo vegetale e animale. È il terzo grado dell'apprendimento del linguaggio simbolico: la specializzazione professionale, la vita attiva, responsabile.

Infine, il quarto e ultimo grado di apprendimento avviene nel quadro dell'*alta iniziazione*, quella praticata nelle signorie o nelle confraternite più elevate e più chiuse, e che esige dagli iniziati il segreto assoluto. I simboli che vi si rivelano sono temuti da tutti. Per il profano il loro mistero resta completo. Essi sono circondati di tabu e di giri di parole diversi, per il fatto che la semplice enunciazione del loro nome si ritiene scateni potenze temibili che l'uomo ordinario è incapace di dominare.

Da questa sommaria idea degli aspetti socio-culturali della simbolica africana risulta evidente che i simboli, per quanto familiari a tutti e alla portata di tutti, restano e resteranno per sempre un ignoto che non svelerà mai tutti i suoi segreti e di cui non si conosceranno mai tutti gli aspetti. Vediamo adesso come li organizza l'*homo religiosus* africano e ciò che significano nella sua vita.

III. IL SIMBOLISMO RELIGIOSO

I simboli religiosi sono stati definiti quelli di cui l'*homo religiosus* africano si serve nel suo tentativo di trascendere il temporale e di entrare in contatto con le potenze soprannaturali. Infatti, nel momento stesso in cui prende coscienza del proprio destino, l'uomo prende anche coscienza della propria pochezza e dell'incapacità di adempiere da solo a questo destino. Vuole perciò ricorrere a una potenza più grande, infinitamente superiore a lui, che lo aiuti a riuscirvi. Ma tale potenza gli resta per sempre misteriosa e ineffabile, così che più egli crede di avvicinarlesi, più essa gli sfugge. Perciò durante tutta la vita cercherà degli intermediari in grado di fare da mediatori fra l'oggetto a cui tende e lui stesso. Di qui il costante ricorso ai miti, alla pratica dei riti e all'uso dei simboli[15].

I simboli sono dunque un elemento di equilibrio, di ordine e di stabilità per l'*homo religiosus* africano e per la sua comunità. Lo rassicurano, collegando le sue

---

[15]   Per quanto concerne miti e riti africani, cfr., in questo volume, P.I. Lalèyê, *Mito e rito nell'esperienza religiosa africana.*

proprie esperienze alle realtà del mondo che gli è invisibile, ordinando il suo universo secondo i disegni del «cielo superiore». Certe designazioni di «simbolo» nelle lingue africane mettono particolarmente l'accento su questa funzione, mediatrice e rassicurante.

Prima di proseguire oltre, occorre ritornare un momento sul rilievo fatto in precedenza, secondo il quale la distinzione *simboli religiosi—simboli profani* è poco pertinente nel simbolismo africano. Infatti, i simboli africani non funzionano come entità isolate o su un solo piano. In una data cultura, essi si articolano in seno a riti e a cerimonie culturali complessi, dai quali deriva una moltitudine di altri fatti rituali e simbolici altrettanto complessi, che s'intrecciano e s'incrociano, facendo costantemente riferimento ai miti cosmogonici da cui sono generati[16].

Per questo fatto il simbolismo religioso africano è, a differenti livelli, in stretta correlazione con molti altri simbolismi, che a volte sembrano anzi molto lontani dal fatto religioso, nel senso in cui lo intendono le culture europee. Così, per esempio, tutto ciò che connota il sesso e più particolarmente la procreazione, ha essenzialmente implicazioni religiose e cosmiche, poiché l'Africano vede nella procreazione la replica dell'atto creatore originale, il cui solo e unico autore è l'Onnipotente Creatore, Dio del «cielo superiore», Spirito Generatore primo. Per lui dunque, il dono divino più nobile, il più completo che abbia ricevuto, è la «capacità di dare la vita», contenuta nei sessi dell'uomo e della donna. D'altronde, nelle religioni africane Dio stesso è provvisto di sesso. Egli è sia un principio attivo maschile, sia un principio attivo femminile e, quando è androgino, è allo stesso tempo maschile e femminile, il Dio padre-madre. In certe lingue, i termini che designano «Dio» significano etimologicamente «il fallo che crea» o «il sesso che partorisce».

Un altro esempio: lo stretto legame esistente fra il potere e il sacro, argomento che ha attirato l'attenzione di tanti antropologi e storici delle religioni[17].

Non tener conto di tutte queste correlazioni e della natura ambivalente dei simboli, falserebbe ogni interpetazione simbolica, modificherebbe tutta la nozione africana del simbolo e provocherebbe una pericolosa alterazione semantica dei suoi costituenti fondamentali.

Nelle due prime sezioni di questo capitolo i simboli, in base ad esempi precisi, verranno abbordati sotto due aspetti che alimentano il simbolismo religioso, uno che tiene conto delle fonti naturali, l'altro che tiene conto degli elementi di concezione umana. La terza sezione proporrà alcuni esempi d'interpretazione di simboli grafici e numerici ricorrenti nella vita e nel comportamento dell'*homo religiosus* africano.

---

[16]   Gli studi in corso sui simboli africani profondi, specialmente quelli condotti dall'autore, confermano sempre più questa tesi.

[17]   Fra gli autori che hanno citato questo argomento possiamo ricordare M. Fortes e Evans-Pritchard, G. Balandier, de Heusch, ecc.

Tuttavia, dato l'oggetto del presente approccio, verrà preso in considerazione unicamente l'aspetto religioso dei simboli dati come esempio. Questo capitolo comprenderà tre sezioni organizzate come segue:

1. Elementi della creazione originale, come fonte di simboli religiosi: l'Uomo, la Natura;
2. Elementi di concezione umana come simboli, o fonte di simboli religiosi: l'Uomo, la Natura, i Gesti e i Colori;
3. Simboli grafici e numerici religiosi.

1. *Elementi della creazione originale come fonte di simboli*

Per dare una risposta alle sue aspirazioni e ai suoi bisogni religiosi, l'*homo religiosus* si serve sia degli elementi che fanno parte della creazione originale, ai quali dà un significato simbolico, sia, partendo da questi elementi come «materia prima», di altri elementi inventati da lui stesso, ai quali attribuisce una funzione simbolica. Questa sezione si riferisce al primo caso.

a. L'uomo

Il primo elemento della creazione messo a diretta disposizione dell'uomo è il corpo umano in quanto oggetto fisico e relazionale. Dunque, prima di esplorare l'universo per trovarvi dei mediatori, l'Africano esplora il proprio corpo. Scopre che è al tempo stesso un punto di manifestazione, di simbolizzazione e di scambio di energie—di natura e di origine sia divine che cosmiche—le quali fanno di lui un campo energetico di correnti di forze diverse.

Constatando che le energie ricevute in alcuni centri privilegiati del corpo lo rendono superiore alle altre creature, attribuisce loro un significato simbolico e ne fa i suoi mediatori. Da ciò l'importanza del simbolismo corporale nella simbolica africana e nel simbolismo religioso in particolare.

Ne abbiamo un esempio nel mito cosmogonico luba, che spiega nel modo seguente l'importanza attribuita al corpo umano nel simbolismo religioso di questo popolo[18].

In origine, l'Onnipotente Dio Creatore, plasmando l'uomo, aveva lasciato aperti un certo numero di punti del suo corpo, per far sì che giungessero nell'Uomo le energie emananti da Lui stesso e dall'universo. Questi orifizi erano dodici, di cui tre di natura divina e nove ordinari.

Ciascun orifizio di natura divina rappresentava una facoltà divina specifica.

---

[18]   Dalla versione di Fourche e Morlighem pubblicata in *Une Bible noire*, pp. 99-101, arricchita dalle notizie raccolte sul posto dall'autore.

Ma quando l'Uomo decadde e fu metamorfosato, i tre orifizi si richiusero. Si tratta:

– del cavo epigastrico: punto di manifestazione delle potenze dello Spirito. Queste davano all'Uomo il dono dell'«intuizione chiara e completa delle cose invisibili e occulte, e fornivano la potenza del verbo, che comprende quelle del Soffio, della Parola (...), della Saliva e del Gesto»[19];

– del cuore: sede dello Spirito, il cuore si esprime attraverso la lingua e dà all'uomo la parola, distinguendolo così dalle altre creature animate mobili e avvicinandolo agli spiriti;

– della *fontanella* e dell'*occipite*, detti «grande e piccola fontanella». Punto di manifestazione dell'intelligenza e della saggezza dello Spirito, la fontanella e l'occipite conferiscono all'uomo la facoltà di percepire e di discernere: la fontanella per le cose e gli avvenimenti a venire, l'occipite per quelli passati. Insieme, questi due orifizi davano all'uomo il dono della doppia credenza.

Questi punti del corpo ai quali i Baluba ricorrono costantemente nelle loro celebrazioni rituali e religiose, simbolizzano ciascuno una facoltà divina che nell'uomo diventa dono e manifestazione di Dio. I simboli trovano qui il loro significato di «ciò per cui si accede alla conoscenza, alla saggezza, all'ordine», «ciò che rende assennato», ecc.

Possiamo rilevare altri esempi. Presso i Dogon del Mali, per i quali la *parola*, principio divino fondamentale (simbolo = parola del mondo), risiede nel corpo umano, il verbo attinge i principi spirituali «i cui *spostamenti* determinano le modalità d'intonazione (...) e conferiscono forza alla parola»[20]. Nello Zimbabwe le leggi iniziatiche vengono spiegate ai giovani iniziati Venda incominciando con «bambole di fertilità» e figurine di argilla. Risulta che certe parti del corpo femminile siano di natura divina. Per esempio la testa, che simbolizza il fallo, regola il compimento di ogni rituale religioso; l'ombelico, simbolo delle circonvoluzioni delle origini e dei primi movimenti della creazione, rappresenta la ragazza mestruata, che ha cioè raggiunto l'età di *procreare*[21]. Anche i Bayaka dello Zaire considerano il corpo umano particolarmente nella sua attività di unione sessuale, come fonte e punto di simbolizzazione a vari livelli[22].

L'*homo religiosus* africano, che assegna così al proprio corpo un significato simbolico, assegna questo stesso significato anche agli elementi della natura che forniscono una risposta ai suoi bisogni religiosi.

---

[19]   Fourche e Morlighem, *Op. cit.*, p. 101.
[20]   G. Calame-Griaule, *Op. cit.*, p. 58.
[21]   J. Roumeguere-Eberhardt, *Le signe du début de Zimbabwe*, pp. 102s.
[22]   R. Devisch, *Marge, marginalisation et liminalité. Le sorcier et le devin dans les cultures yaka au Zaïre*, p. 120; e comunicazione orale.

L'*homo religiosus* africano e i suoi simboli

b. La natura

La natura mette a disposizione dell'uomo una quantità infinita di elementi che gli possono servire da mediatori. Possono essere inerti, animati fissi o animati mobili. Il significato simbolico che ricevono dipende dalla loro natura originale, mitica[23]. Così, per l'*homo religiosus*, la foresta, le acque, il fuoco, gli animali, gli astri, la pioggia, il fulmine, il temporale, la tempesta, la terra stessa..., in breve, tutto ciò che si evolve nell'universo rivela l'onnipresenza, nella natura, di correnti energetiche superiori. L'uomo quindi assume come mediatori la maggior parte di questi elementi. Da ciò il posto assegnato, nel simbolismo religioso, ai simbolismi astrale, animale, vegetale, minerale, ecc. Diamone qualche esempio.

Simbolismo astrale

Il sole. Nella maggior parte dei simbolismi africani, il sole rappresenta, in qualche suo aspetto, lo Spirito superiore da cui emanano tutti gli altri, rappresenta cioè Dio. Ma il suo simbolismo si estende al di là di questa considerazione, in quanto è partecipe di molti altri simbolismi, come quello della luce, del fuoco, della vita, della pioggia, della siccità... e, all'opposto, di quello della notte, delle tenebre, della morte, ecc. In ogni caso il sole, per molti popoli africani, è simbolo della divinità.

Per i Baluba, il sole è grande lume primogenito di tutti gli astri. Apparve fin dalla creazione degli Spiriti superiori, uscendo dalla fontanella dell'Essere Supremo, dalla cui fronte riceve lo splendore. Il sole è il simbolo diurno di Dio. Gli Africani si rivolgono verso il sole nascente per pregare il mattino. Infatti a quell'ora Dio è pronto a ricevere e ad esaudire le preghiere, dal momento che sta appunto ripetendo, col tramite del sole nascente, il suo atto creatore che ridà la vita a ciò che era «morto» durante la notte. Per i Bakongo[24], il corso del sole simbolizza la transizione fra la vita e la morte e rappresenta i quattro stadi della vita dell'uomo: due sulla terra, due nel mondo dei morti. Per questo il sole, nel suo viaggio notturno, viene chiamato dai Bakongo «la piroga che trasporta le anime a *Mpemba*»[25].

Per l'*homo religiosus* africano il sole, se non è Dio stesso, ne è il simbolo più rappresentativo. La sua grandezza rivela e conferma nel migliore dei modi l'esistenza di un Dio più grande. Esso è uno dei principi dinamici essenziali. Il suo significato simbolico concorda perfettamente con la denominazione secondo la

---

[23]   Cfr. nota 16.
[24]   Cfr. Fu-Kiau, *Le Mukongo et le monde qui l'entourait*; inoltre R.F. Thompson e J. Cornet, *The Four Moments of the Sun. Kongo Art in Two World*.
[25]   Fu-Kiau, *Op. cit.*, p. 118.

quale il simbolo «suscita l'ammirazione», «abbaglia lo sguardo», «è uno spettacolo grandioso».

La luna. Formando col sole la coppia dei grandi lumi della prima creazione, la luna, sotto certi aspetti, è la faccia notturna di Dio. Matrice primordiale, essa ispira a tutti un atteggiamento religioso, in quanto simbolizza uno dei valori più importanti che Dio abbia affidato all'uomo: la fecondità, il potere di procreare. Come per il sole, il suo simbolismo va considerato in un quadro più ampio.

La cosmogonia ohendo ci rivela un esempio della luna come simbolo religioso. Per quel popolo, lo Spirito di fecondità risiede nella luna, faccia notturna del Creatore. Da lui la donna riceve l'amore, la bellezza e la fertilità. Il primo giorno di apparizione della luna lo Spirito di fecondità visita la Terra, di comune accordo con i geni della natura, e decide la sorte di ciascuna donna, per il mese che si annuncia. Una volta entrato in contatto con la donna, si identifica in lei rendendola simile a lui. Vale a dire che fa di lei un essere capace di procreare, ripetendo così a sua volta l'atto della creazione prima. Tuttavia c'è una condizione: la purezza. La donna deve avere una condotta irreprensibile, retta[26]. La luna rappresenta uno dei simboli-chiave del pensiero religioso taabwa. È l'immagine mobile delle dualità *bene/male, ordine/disordine, fertilità/sterilità...* Scomparendo ogni mese per alcune notti, essa è quel Dio che dà vita, poi si ritira, lasciando le sue creature sole, alle prese con le stregonerie e le forze malvagie di ogni genere. La sua riapparizione è celebrata in quanto ritorno della salvezza, trionfo del bene sul male, vittoria dell'intelligenza sulla confusione[27]. Il sorgere della luna nuova è accolto ovunque con gioia nell'Africa nera, perché la luna giovane viene considerata un messaggero inviato da Dio per portare agli uomini la sua protezione e una parte della sua luce. Questa luce e questa protezione si accrescono col plenilunio, periodo propizio alla lotta contro i malefici. Vengono organizzati festeggiamenti, danze, veglie. Le offerte vengono deposte ai crocicchi per farne dono agli spiriti e attirarsi il loro favore.

Simbolismo dello spazio

La foresta. I Madare del Burkina Faso distinguono due specie di spazi: il villaggio, spazio domestico, abitato, conosciuto e rassicurante per l'uomo; e la foresta, spazio incolto, dominio degli spiriti, simbolo del cosmo inesplorato. Nelle loro foreste crescono tre specie di alberi sacri: il neré, l'albero del pane e il borasso. Producendo tutti qualche cosa di commestibile, questi tre alberi sono considerati come simbolo del dono gratuito di Wuro, il Dio Creatore-Nutritore. Vi crescono anche quattro altri alberi sacri, ma segreti, che simbolizzano il carattere

---

[26]   Comunicazione personale di Ngonga-Ke-Mbembe.
[27]   Note di A.F. Roberts; cfr. anche G. Nagant, *Familles, Histoire, Religion chez le «Tumbwe» du Zaïre*.

sacro di certe specie viventi. Ogni villaggio madare ha la sua foresta sacra al di là della campagna (campi coltivati, boschetti sacri), foresta che tutti custodiscono e rispettano e di cui tutti si prendono cura. Nessuno deve toccare il suo legno. E da qui si ritiene vengano le maschere dal regno dei morti, inviate da *Do* (il sacro assoluto), per comunicare ai vivi i messaggi di cui sono incaricate[28].

I campi. Per la maggior parte delle popolazioni agricole africane il campo costituisce uno spazio sacro. Il suo simbolismo è in correlazione con quello della semente, della fertilità, della terra, del pasto, della vita e di tanti altri. Presso i kalanga del Sud Zimbabwe, vicino ai campi del capo, dove tutto è disposto in ordine, si trova un campo detto «del disordine», dove sono seminate disordinatamente tutte le specie di semi commestibili. Questo campo è destinato a *Va Nya Chava*, la Generatrice primordiale, madre del Dio organizzatore dell'universo. Fu lei a dare agli uomini «un campione di ogni seme commestibile e a insegnar loro come coltivare»[29]. I Baluba e i Bena Luluwa usano i loro campi come luogo di preghiera e di riconciliazione familiare. Perché il campo, luogo che dà nutrimento, esige grande purezza d'animo. Chiunque ne calchi il suolo in istato d'impurità è responsabile della sterilità che ne consegue. Per le popolazioni agricole il campo simbolizza il dono del Dio-Nutritore. È rispettato anche perché vengono a passeggiarvi gli antenati.

Le alture. Malgrado l'ambivalenza dei simboli, il carattere positivo legato alle alture sembra predominante nei simbolismi africani. La ricchezza e la densità simbolica di questa posizione provengono da ciò che caratterizza la posizione delle cose superiori: per l'uomo nero tutto ciò che è superiore è situato più in alto della sua testa. Da ciò l'importanza, nel simbolismo religioso africano, di termitai, colline, montagne, rupi... Presso i Bayaka, ad esempio, per intronizzare il capo, si porta un blocco di terra staccato da un termitaio. Lo si dispone in uno speciale recinto, dove rappresenta simbolicamente la collina mitica originale, quella su cui il mitico conquistatore Lunda salì per prendere possesso delle cose e degli esseri, partecipando così al loro processo generatore. Salito su questa «collina», il capo acquisisce il potere, che è insieme sociale e spirituale. Egli diviene il Ri-generatore confermato[30]. Per i Baluba e i Bena Luluwa, il termitaio simbolizza lo stato «completo» dell'Essere umano, originale, androgino, che possiede insieme il sesso maschile e il sesso femminile. In realtà il termitaio, visto dall'alto, simbolizza il fallo in erezione, e, visto da terra, è il sesso femminile sormontato dal fallo: stanno insieme nella posizione della procreazione, ricreando così l'unità originale dell'uomo. Colline, montagne, rupi... presentano un simbolismo religioso potente: esse sono il luogo dei sacrifici. Nella società mafu del Camerun, per esempio, esistono

---

[28]   Comunicazione orale di Bruno Sanou.

[29]   Cfr. Roumeguere-Eberhardt, *Op. cit.*, p. 152.

[30]   Comunicazione orale di R. Devisch; dello stesso si veda inoltre *La santé affective et sexuelle est de l'ordre de l'échange. Le cas des Yaka du Zaïre.*

«spiriti della montagna» che assicurano protezione agli abitanti del territorio sul quale regnano. Gli abitanti, a loro volta, rendono loro un culto regolare celebrando i sacrifici col tramite degli uomini religiosi, che, «muniti delle offerte necessarie, si recano alla montagna, nel punto dove è situato l'altare dello *mbolom*, mezza giara, la cui apertura è chiusa con una pietra piatta. Questa terraglia è sistemata in cima a una rupe, nel punto culminante e al centro del territorio che dipende dallo spirito del luogo»[31]. Per mezzo di spazi elevati, veri santuari naturali, le divinità superiori scendono incontro agli uomini, dall'alto vegliano su di essi.

Simbolismo animale

Il carattere mediatore degli animali compare in gradi diversi in tutte le culture dell'Africa nera. Agricoltori, cacciatori e allevatori, tutti, secondo il loro ambiente ecologico, conoscono un certo numero di animali che fanno intervenire nelle loro celebrazioni religiose. Queste sono generalmente classificate secondo le caratteristiche naturali che, d'altronde, forniscono i supporti simbolici necessari. Gli animali costituiscono l'elemento più importante del simbolismo sacrificale nelle religioni africane[32]. Nella loro classificazione simbolica, vengono considerati per coppie: *maschio/femmina*, *maggiore/minore*, ecc. Sono alla base di proibizioni alimentari rituali[33] nel totemismo, e di molti altri comportamenti religiosi. Eccone qualche esempio.

Il serpente. In molte culture africane, il serpente è veicolo del germe attivo che avrebbe ricevuto all'origine dei tempi. Il suo simbolismo è in correlazione con quelli dell'acqua, della pioggia, dell'arcobaleno, dell'origine, ecc. Ma è il *pitone*, fra tutti i serpenti conosciuti, che ha il ruolo più importante fra gli animali simbolo della divinità. Infatti, per i Venda, il pitone che, vomitando, diede luogo alla creazione di tutte le creature che aveva nel ventre, è il simbolo del creatore. A questo titolo interviene in numerose cerimonie rituali e religiose, specialmente nell'iniziazione femminile, in cui le giovani iniziate mimano i suoi movimenti danzando e ricordando così le circonvoluzioni originali[34]. I Baluba lo considerano partecipe della natura divina, in quanto fu padrone delle creature prima dell'uomo. È generatore della pioggia e detentore della fertilità. Per i Basongye e i Baluba il pitone sorge dalle acque sotto forma di arcobaleno per proteggere il mondo dalla vendetta divina in occasione del fulmine. Animale totemico per eccellenza, il pitone ispira un atteggiamento religioso in chi l'ha adottato come totem, poiché

---

[31]   Cfr. J.-F. Vincent, *Le prince et le sacrifice...*, pp. 93s.

[32]   Per maggiori notizie in proposito si veda L. De Heusch, *Le sacrifice dans les religions africaines*.

[33]   Per maggiori notizie vedi un buon esempio in W. De Mahieu, *Symboles et Structures*, pp. 18-60.

[34]   Cfr. J. Roumeguere-Eberhardt, *Pensée et société africaines...*, p 18.

rappresenta il legame fra le divinità del cielo e quelle dell'acqua, legame che manifesta attraverso la sua natura di arcobaleno.

L'aquila. In molte culture africane, tanto quelle della savana che quelle della foresta, il nome dell'aquila ricorre negli attributi o nelle designazioni del Dio-Creatore. L'aquila è ovunque il re degli uccelli e degli animali del «cielo intermedio». È il simbolo celeste delle potenze spirituali e intellettuali. È quella che reca agli uomini i messaggi del «cielo superiore» e costruisce il suo nido sulle rupi per poter meglio regnare su di loro. L'aquila, in tutta la sua potenza, è raffigurata nei famosi «uccelli di Zimbabwe» di pietra, col nome di «Re degli Uccelli» o addirittura di «Dio», di cui è il simbolo aereo[35]. I Basongye la considerano prefigurazione dell'uomo, simbolo della rottura fra le forze mentali—che la sua presenza apporta—e le forze emotive, che allontana. I capi e gli alti dignitari portano le sue penne, che simbolizzano la loro ascesa sociale e spirituale. Il simbolismo dell'aquila partecipa del simbolismo del sole, col quale condivide gli stessi attributi celesti.

Il coccodrillo. Nella maggior parte dei miti cosmogonici africani il coccodrillo fa parte degli animali primordiali che aiutarono il creatore a metter ordine nell'universo. Ha nel corpo poteri magici che ne fanno un animale reale. I Bahema, i Baluba e i Basongye utilizzano certe sue parti per fare incantesimi che proteggono dal fulmine. Lo utilizzano anche come animale tutelare, doppio dell'uomo, potendone accogliere nel proprio corpo i principi attivi vitali e proteggendolo così dalle intenzioni malvagie. I Venda vedono nel coccodrillo il simbolo dell'unione dell'uomo e della donna, unione generatrice del «fiume che feconda la terra»[36]. Il coccodrillo è per quel popolo la porta chiusa, la cui apertura fa accedere al rango reale, dunque allo stato sacro. In seguito alla morte del re, infatti, i figli pretendenti al trono vengono sottoposti alla prova detta dell'«apertura della porta» della casa reale. Quello che riesce ad aprirla viene considerato come scelto da Dio per succedere al padre. Ora, la porta reale simbolizza il coccodrillo, animale mitico che fa accedere al potere così sociale come spirituale[37]. In ciò il simbolismo del coccodrillo corrisponde alle denominazioni secondo cui il simbolo africano è «ciò secondo cui si accede alla conoscenza, all'ordine, alla saggezza», «ciò per cui si passa per raggiungere un'altra cosa»...

Simbolismo vegetale

I vegetali, sotto vari aspetti, fanno da mediatori fra l'*homo religiosus* africano e il suo Dio. Per alcuni è l'odore, per altri è il gusto, per altri ancora l'effetto che provoca il loro consumo o ancora qualsiasi altra loro virtù. Gli alberi sacri, come

---

[35]   J. Roumeguere-Eberhardt, *Le signe du début...*, pp. 86-93.

[36]   *Ibid.*, p. 84.

[37]   *Ibid.*, pp. 85s.

gli alberi degli spiriti, abbondano nell'Africa nera e intervengono in varia misura nel simbolismo religioso.

Certe piante sono simboli di passaggio dallo stato umano allo stato divino per le loro virtù allucinogene. Ad esempio, la canapa e altre piante della medesima specie, usate in occasione di certe celebrazioni rituali, il cui scopo è quello di mettere in contatto l'uomo con le forze superiori, cosmiche o divine. Certe specie di menta selvatica vengono utilizzate nella divinazione, poiché il loro aroma ha la virtù di richiamare gli spiriti evocati dal medium. Altre ancora sono usate nelle cerimonie esorcistiche, in quanto il loro aroma scaccia gli spiriti tormentatori. Fra gli alberi d'alto fusto diamo due esempi, la palma e il banano, i cui requisiti simbolici hanno una parte importante.

La palma. Nelle regioni dove cresce, la palma adempie alla funzione simbolica della vita. È classificata fra gli alberi che sono «doni gratuiti del Creatore-Nutritore», poiché si può mangiarne i frutti, berne il vino e consumarne il cuore. Le foglie, i rami sono usati in varie occasioni (iniziazione, funerali, danza delle maschere, matrimonio, ecc.), per «contrassegnare», delimitare lo spazio sacro, per separare il mondo degli uomini dal mondo degli spiriti. Il valore simbolico dei rami della palma è tale che, per i Basongye, non ci si può impiccare con una nervatura di palma, poiché ricorda la prima legge data da Dio, per la quale «nessuno deve togliersi la vita». Per la stessa ragione, un iniziato non può mentire quando la sua mano tocca una nervatura di palma. Una persona accusata di stregoneria viene sottoposta alla «prova della nervatura di palma», che consiste nel legare saldamente l'accusato con una corda intrecciata di nervature, mentre la sua mano ne tocca un'altra. Se l'accusato è colpevole, la morte seguirà nei giorni successivi. Un campo dove cresce una palma è un campo benedetto, protetto contro il furto ed il saccheggio[38].

Il simbolismo della palma partecipa del simbolismo universale dell'albero: con le sue radici tocca il mondo degli antenati, col tronco partecipa alla vita degli uomini e coi rami capta le forze cosmiche e divine per trasmetterle agli uomini. In ciò partecipa dei simbolismi delle alture e delle profondità.

Il banano. Il simbolismo del banano comprende varie dimensioni. In generale simbolizza l'eterno rinnovamento della vita. Nei numerosi miti cosmogonici, specie nei miti luba, le anime buone dopo il giudizio vanno ad abitare «il paese-dei-banani», mentre le cattive vengono precipitate nelle profondità sotterranee. Così, per ricongiungere un neonato al mondo da cui è venuto, i Balega, i Baluba e molte altre popolazioni dello Zaire, ne seppelliscono il cordone ombelicale sotto un banano. Per lo stesso motivo, i Balega fanno gustare a un neonato un po' di banana, così che si «raccordi» subito al mondo degli antenati. I Balega identifica-

---

[38] Cfr. C. Wauters, *Un exemple d'ésotérisme bantu. Le bukishi des Ben'Eki, tribu des Basonge*, p. 201.

no il banano con l'immagine del mondo, in cui gli uni muoiono e gli altri nascono, poiché non appena muore il banano-madre, compare un giovane germoglio a sostituirlo e così di seguito. Il banano simbolizza, in questo ciclo della vita, l'eterno ricominciare delle cose, la rinnovata eternità delle cose create.

Gli esempi menzionati dimostrano a qual punto tutta la natura e l'uomo stesso forniscano all'*homo religiosus* africano elementi per alimentare il suo simbolismo: tutti i campi della creazione vi prendono parte. E questo avvalora la credenza africana secondo la quale, fin dal momento in cui l'Essere Supremo, Creatore e Generatore di tutte le cose ha scelto l'uomo come padrone di tutte le creature, gli ha messo a disposizione, fra le cose create, ciò che può rispondere a tutti i suoi bisogni: spirituali, sociali, affettivi, materiali, fisiologici, ecc.

2. Elementi di concezione umana come simboli o fonte di simboli religiosi

Come è stato detto più sopra, la sua costante ricerca di mediatori fa sì che l'*homo religiosus* non si accontenti solo di utilizzare le cose create allo stato grezzo, ma se ne serva anche per inventare dalle stesse altri oggetti, ai quali attribuisce una funzione simbolica. Non è qui il caso di enumerarli, ne citiamo per esempio alcuni ottenuti partendo da elementi dello stesso corpo umano e della natura.

a. Il corpo umano

Talune parti del corpo vengono prelevate sia da un vivo, sia da un cadavere e introdotte come «ingredienti» nella confezione di incantesimi o di altri oggetti aventi una funzione simbolica nelle cerimonie rituali e religiose. Presso i Basongye, ad esempio, se un iniziato che abbia raggiunto il grado dell'«alta conoscenza» si suicida, gli iniziati della stessa confraternita prelevano dal suo cadavere queste otto parti per deporle nel «cesto della conoscenza»: l'indice destro, il braccio destro, un brano di pelle dalla fronte, il sesso, il cuore, i reni, la bile e l'occhio destro[39]. Capelli, unghie, pezzi d'osso, gocce di sangue... adempiono pure a questa funzione. Così i Dogon, che annettono particolare importanza alla funzione simbolica delle clavicole umane, conservano per analogia quelle d'animale allo scopo di usarne la polvere nelle occasioni rituali[40].

Gesti, atteggiamenti e movimenti del corpo sono immaginati come simboli o interpretati come tali: danze che mimano le circonvoluzioni delle origini, le braccia che implorano, il ventre che si stende sotto i raggi fecondatori della luna.

Più normalmente, il corpo umano serve per diverse rappresentazioni di carattere religioso: scarificazioni, tatuaggi, rivestimenti, truccature, profumi, ecc. Per

---

[39]   *Ibid.*, p. 200.
[40]   G. Calame-Griaule, *Op. cit.*, p. 59.

esempio il caolino col quale si ricopre il viso chi è colpito da un lutto, o l'oriana con la quale si truccano le madri di gemelli o di figli nati in modo particolare, quando si organizzano le feste in occasione della loro integrazione sociale.

b. La natura

Molte materie di diversa origine, natura e consistenza servono per confezionare simboli religiosi. Eccone qualche esempio.

Origine vegetale: legno di varie specie, fibre vegetali, nervature di foglie, gambi di banano, cortecce, zucche, bacche, radici... permettono di fabbricare maschere, statue, tamburi, bambole, funi, ecc.

Origine animale: conchiglie, cuoio, avorio, denti, corni e ossi di animali, penne d'uccello, lana ecc. servono per collane, braccialetti, cinture... o decorano pettinature, abbigliamenti e strumenti vari.

Origine geologica: nel tufo vulcanico e nella pietra vengono intagliate maschere, effigi, altari; con l'argilla vengono modellate bambole e recipienti; i metalli servono a fabbricare effigi, braccialetti, collane, anelli.

La natura è stata creata a colori. Pertanto, l'*homo religiosus* ne ha scelti in particolare tre, ai quali ha attribuito una funzione simbolica: il rosso, il nero e il bianco. Per i Bafende, i Baluba, i Basongye e i Bena Luluwa per esempio, il *rosso* è il colore della vita, dunque della fecondità, il *nero* è il colore della prova e del lutto, il *bianco* è il colore dei fantasmi e della morte.

Tuttavia, l'uso delle cose create, modificate o nello stato originario, non basta a soddisfare completamente l'*homo religiosus* africano. La sua nostalgia rimane. Per attenuarla, egli metterà la sua intelligenza e la sua immaginazione nella ricerca di altre forme di mediatori.

3. Simboli grafici e numerici religiosi

Oltre a quelli già menzionati, un gran numero di altri elementi sono suscettibili di interpretazione simbolica. Particolarmente i segni grafici e i numeri. Li segnaliamo di seguito.

a. I segni grafici

I segni grafici appaiono su oggetti di forma e di natura diverse: corpi umani; elementi della natura: alberi, rupi, pietre isolate, ecc.; oggetti manufatti di uso corrente o di uso religioso... Questi segni si collocano a tre diversi livelli di rappresentazione: figurativo, stilizzato e astratto. A titolo indicativo, ecco due esempi di simboli grafici presenti ovunque nell'Africa nera.

L'*homo religiosus* africano e i suoi simboli

Spigato, o linea spezzata

Lo spigato è il simbolo della comunicazione con le forze divine e cosmiche e con gli spiriti e gli antenati.

La sua forma è quella dell'articolazione, della giuntura. In molte lingue il nome che lo designa, *-nungu*, deriva dalla radice *-dung-* che, come si è già visto, dà anche i nomi che designano Dio. Per es.: *Kalunga: Colui-che-per-eccellenza-unisce*, oppure *Colui-che-per-eccellenza-vincola*; *Mulungu: Colui-che-unisce*, oppure *Colui-che-vincola*. Per i Venda, lo spigato raffigura il mitico pitone, lo stesso che simbolizza il Creatore[41]. Nello Shaba (Zaire), l'indovino luba che entra in trance porta sulla fronte un diadema in forma di questo segno, che gli permette di mantenere il contatto con gli spiriti che parlano per mezzo di lui. Lo spigato simbolizza il dinamismo vitale, la vita. Le articolazioni, infatti, hanno un ruolo importante nelle culture africane. Esse segnano la differenza fra una persona viva e un cadavere: quelle dell'una si muovono, quelle dell'altro sono rigide. Simbolizza anche l'attività, il lavoro: ciò che si muove in una persona attiva, che lavora, sono evidentemente le membra.

Cerchi inscritti, o cerchi concentrici

La ricchezza simbolica è inesauribile. Si tratta del segno teandrico per eccellenza, prototipo al tempo stesso dell'Uomo nelle sue linee originali e di Dio, così come gli uomini lo vedono, privo assolutamente di materia.

Raffigurando il sole, i *cerchi concentrici* simbolizzano la perfezione, la compiutezza, in breve il Dio Onnipotente. Sono il simbolo dell'armonia fra gli uomini, dell'origine umana. Uno dei miti cosmogonici luluwa racconta che i Bena Luluwa sono spuntati dai solchi che si sono formati sul fiume Luluwa (in forma di questo segno), quando il Creatore vi gettò un ciottolo. I Baluba lo considerano un segno d'origine, simbolo del Serpente mitico, prefigurazione dell'Uomo.

Fra tutti i simboli religiosi, i segni grafici sembrano quelli le cui sfumature simboliche variano maggiormente. In realtà, pur conservando un nucleo simbolico permanente, il loro significato varia secondo l'oggetto sul quale appaiono, secondo l'ubicazione o secondo l'ambiente[42].

b. I simboli numerici

I numeri costituiscono il grado di simbolizzazione più astratto. Intervengono tanto nei simboli concreti quanto nelle rappresentazioni grafiche e, come tutti gli

---

[41]   J. Roumeguere-Eberhardt, *Le signe du début...*, p. 83.

[42]   L'autore di questo articolo sta conducendo una ricerca sui segni e i simboli che appaiono su oggetti d'arte africani. I risultati già ottenuti confermano questa constatazione.

altri simboli, trovano origine nei miti cosmogonici. Ecco alcuni valori simbolici che il numero 3 riveste per i Baluba, secondo il loro mito della creazione[43].

I tre Signori primi:

1 - il Creatore;
2 - l'Ordinatore;
3 - Colui che fa crescere le cose create.

I tre poteri creatori:

1 - il Verbo;
2 - il Gesto;
3 - il Soffio.

Le tre tappe della creazione:

1 - Maweja (Dio) stesso;
2 - le cose prime del Cielo superiore;
3 - le cose seconde della terra.

I tre orifizi di natura divina:

1 - il Cavo epigastrico;
2 - il Cuore;
3 - le Fontanelle (grande e piccola).

I tre luoghi segreti originali:

1 - la Savana;
2 - la Foresta;
3 - la grande Acqua dei grandi fiumi e dei grandi affluenti.

I numeri simbolici non sono molti nelle culture africane. E se non hanno ovunque lo stesso valore, tuttavia compaiono generalmente gli stessi numeri nelle diverse zone culturali. Si tratta di 2, 3, 4, 5, 7, 9, 12.

Rincrescerà che nell'ambito di questo studio non si sia potuto redigere un inventario dei principali segni grafici usati nei simbolismi africani, né approfondire il simbolismo numerico. Ma, dati i limiti che ci venivano imposti, abbiamo preferito metter l'accento sul modo di accostarsi al fenomeno simbolico. Tutto sommato, dopo aver descritto l'*homo religiosus* e i suoi simboli, resterebbe ancora da compilare l'inventario e da intraprendere l'analisi sistematica dei simboli dell'*homo religiosus* africano.

BIBLIOGRAFIA

Calame-Griaule, G., *Ethnologie et langage. La parole chez les Dogon*, Institut d'Ethnologie, Musée de l'Homme, Paris 1987.

Chevalier, J., e Gheerbrant, A., *Dictionnaire des Symboles*, Laffont, Paris 1969 (trad. it. *Dizionario dei simboli*, I-II, Rizzoli, Milano 1986).

De Heusch, L., *Le sacrifice dans les religions africaines*, Gallimard, Paris 1986.

[43]   Cfr. Fourche e Morlighem, *Op. cit.*.

L'*homo religiosus* africano e i suoi simboli

De Mehieu, W., *Structures et symboles*, Institut Africain International/Universit. Pers Leuven, London 1980.

Devisch, R., *Marge, marginalisation et liminalité. Le sorcier et le devin dans la culture yaka au Zaïre*, in «Anthropologie et Sociétés», 10 (1986), pp. 117-37; *La santé affective et sexuelle est de l'ordre de l'échange. Le cas des Yaka du Zaïre*, in «Cahiers des Sciences Familiales et Sexuologiques», 10 (1986), pp. 127-57.

Eliade, M., *Images et symboles*, Gallimard, Paris 1952 (trad. it. *Immagini e simboli*, Jaca Book, Milano 1981); *Das Heilige und das Profane*, Rowohlt, Hamburg 1957 (trad. it. *Il sacro e il profano*, Boringhieri, Torino 1967, 1973, 1979).

Faik-Nzuji, C.M., *Les symboles dans les cultures africaines*, in «Zaïre-Afrique», 187 (1984), pp. 431-42; 188, pp. 499-505; *Parole et geste dans les médiations du sacré*, in *Médiations africaines du sacré. Célébrations créatrices et langage religieux*, Kinshasa 1987, pp. 73-94; *Le statue ndengsh du Musée de Lauvain-la-Neuve: Symboles et significations*, CILTADE, Louvain-la-Neuve 1987.

Fourche, T., e Morlighem, H., *Une Bible noire*, Arnold, Bruxelles 1973.

Fu-Kiau, K.B., *N'kongo ye nza yakun'zungidila, Nza-Kôngo. Le Mukongo et le monde qui l'entourait. Cosmogonie-Kôngo*, Office National de la Recherche et du Développement, Kinshasa 1969.

Guthrie, M., *Comparative Bantu, An Introduction to the Comparative Linguistics and Prehistory of the Bantu Languages*, Gregg Intern., London 1967.

Haddad, A., *Contact de langues en Afrique. Cas du swahili et de l'arabe*, Tesi di dottorato, Lubumbashi 1978.

Hulstaert, G., *Dictionnaire Français-Lomongo*, Annales du Musée Royal du Congo Belge, Tervuren 1957; *Dictionnaire Lomongo-Français*, Idem, Idem 1957.

Johnson, F., *A Standard Swahili-English Dictionary*, Oxford University Press, London 1939; *A Standard English-Swahili Dictionnary*, Idem, Idem 1939.

Kagame, A., *Le Sacré païen et le Sacré chrétien*, in *Aspects de la culture noire* (Recherches et Débats du Centre Catholique des Intellectuels Français, Cahier 24), Fayard, Paris 1958, pp. 126-45.

Kujawski, M., e Roberts, A.F., *Le lever de la nouvelle lune: un siècle d'art tabwa*, testo di audiovisivo, Musée Royale de l'Afrique Centrale, Tervuren 1980.

Laman, K.E., *Dictionnaire Kilongo-Français*, Mémoires de l'Institut Royal Colonial Belge, Bruxelles 1936.

Mulago Gwa Cikala, *La religion traditionnelle des Bantu et leur vision du monde*, Faculté de Théologie Catholique, Kinshasa 1980.

Nagant, G., *Familles, histoire, religion chez les «Tumbwe» du Zaïre*, Tesi di dottorato, Ecole Pratique de Hautes Etudes, Paris 1976.

Otto, R., *Das Heilige. Uber das Irrationale in der Idee des Göttlichen un sein Verhältnis zum Rationalen*, Gotha 1917 (trad. it. *Il sacro*, Bologna 1926).

Roumeguere-Eberhardt, J., *«Le signe du début» de Zimbabwe. Facettes d'une sociologie de la connaissance*, Publisud, Paris 1982; *Pensée et société africaines, Essais sur une dialectique de complémentarité antagoniste chez les Bantu du Sud-Est*, Publisud, Paris 1986.

Sacleux, Ch., *Dictionnaire Swahili-Français*, Travaux et Mémoires de l'Institut d'Ethnologie, Paris 1939; *Dictionnaire Français-Swahili*, Idem, Idem 1939.

Sanou, B., *Bobo-Madare*, Imprimerie de la Savane, Bobo-Dioulasso (Burkina Faso), s.d.

Siertsema, B., *Masaba Word List. English-Masaba, Masaba-English*, Musée Royal de l'Afrique Centrale, 1981.

Thompson, R.F., e Cornet, J., *The Four Moments of the Sun. Kongo Art in Two Worlds*, National Gallery of Art, Washington 1982.

Vincent, J.-Fr., *Le prince et le sacrifice. Pouvoir, religion et magie dans les montagnes du Nord-Cameroun*, in «Journal des Africanistes», 56 (1986), pp. 89-121.

Wauthers, C., *Un exemple d'ésotérisme bantu. Le bukishi des Ben'Eki, tribu des Basonge*, manoscritto, s.d. Primo manoscritto di *L'ésotérisme des Noirs dévoilé*, éd. Européennes, Bruxelles 1949.

MITO E RITO
NELL'ESPERIENZA RELIGIOSA AFRICANA

di
Issiaka-Prosper Lalèyê

INTRODUZIONE

L'APPROCCIO ANTROPOLOGICO AL FENOMENO RELIGIOSO

In relazione agli approcci che l'hanno preceduta[1], la tematizzazione dello studio del fenomeno religioso, nel quadro dell'antropologia, non può riuscire utile al problema complessivo della conoscenza del trascendente in generale, e del divino in particolare, nei loro rapporti con l'umano, se prima non vengano osservate determinate condizioni. Condizioni che possono anche collocarsi nel complesso di quelle che si richiedono perché l'antropologia, in quanto tale, realizzi o affermi il suo stato di *scienza*. Tuttavia è preferibile dettagliarle, distinguendo in particolar modo le condizioni generali di scientificità comuni all'antropologia e alle altre scienze, dalle condizioni che sono proprie dello studio del fenomeno religioso, indipendentemente dal fatto che questo studio venga condotto dal punto di vista sociologico, etnologico, ermeneutico o fenomenologico.

1. Il trascendente come referenziale centrale

Ora, ciò che distingue, a nostro avviso, il fenomeno religioso—e quindi l'esperienza religiosa—dalla maggior parte degli altri oggetti, dei quali si desidererebbe che la conoscenza fosse obiettiva e scientifica, è che il suo referenziale principale o centrale, debitamente inteso, non può essere preso nel senso materiale o sensibile di questo termine. Questo referenziale centrale del fenomeno religioso può esse-

---

[1]   Cfr. in J. Ries, *Les chemins du sacré dans l'histoire*, i brani dedicati alla teoria sociologica, etnologica, fenomenologica ed ermeneutica del sacro, pp. 15-84.

re—e di fatto è stato—designato con parecchi nomi: sacro, numinoso, divino, ecc., o anche *mana*, *orenda*, ma non trascendente. Noi sceglieremmo *trascendente*; non perché questa parola è meno usata delle altre, ma semplicemente perché, rispettando l'opacità (qualcuno direbbe il mistero) del referenziale centrale dell'esperienza religiosa, questa designazione ne sottolinea il carattere primo, e fondamentale a questo titolo, che è quello di essere sempre in un certo al di là. Va da sé che questo al di là sia un al di là delle cose; ma si tratta anche di un al di là dei soggetti umani impegnati nell'esperienza religiosa come tale. Soggetti che, del resto, sono unanimi nelle loro testimonianze per collocare sempre il trascendente fuori portata, al di fuori e al di sopra di chi, tuttavia, gli si sente o può sentirsi collegato o unito in una intimità propriamente mistica. Ma si tratta soprattutto di un al di là degli atti di questi soggetti. Atti che implicano gli atti di parola, di cui, fra l'altro, dovremo vedere in qual modo si articolano con gli atti più materiali che intervengono nel processo globale dell'*homo religiosus* orientato verso il trascendente e da questo ispirato.

Il riconoscimento della natura fondamentalmente trascendente del Divino comporta, come principale conseguenza, nell'approccio antropologico al fenomeno religioso, il divieto di imporre a realtà culturali appartenenti a una data famiglia (civiltà), un reticolato di osservazione, di lettura e d'interpretazione totalmente e più o meno definitivamente costruito sulla base o quasi sul modello delle realtà culturali appartenenti a una famiglia (civiltà) più o meno radicalmente diversa. In concreto, l'approccio antropologico al fenomeno religioso deve considerare la trascendenza del Divino come un *minimum* e, in relazione a questo *minimum*, lo studio antropologico dell'*homo religiosus* non può salvaguardare la diversità e la ricchezza delle manifestazioni del trascendente, se non evitando la riduzione surrettizia delle forme sotto cui il trascendente ha potuto manifestarsi nelle diverse culture a una di esse, e in particolare a quella che, per ragioni storiche e tutto sommato congiunturali, è la più familiare all'antropologo, o agli antropologi impegnati in una ricerca antropologica che abbia per oggetto il fenomeno religioso come tale.

Nello studio dei diversi aspetti del fenomeno religioso, così come è stato condotto dalla nascita della sociologia fino ad oggi, una delle ipotesi che sembrano dover guidare le ricerche degli antropologi è quella di una relazione più o meno diretta e più o meno immediata fra i riti e i miti. Ci si è, dunque, sforzati, con vario successo, di chiarire gli uni mediante gli altri, avviluppando così—non sempre rendendosene conto—l'ordine mitico e l'ordine rituale in una totalità la cui sfericità sembra dotata di una tale autonomia e di una tale alterità, se paragonata ad altre totalità simili, che sarebbe logico affermare la natura più o meno radicalmente non-religiosa di certe totalità, le quali vengono allora qualificate come feticiste, magiche, animiste, ecc., oppure considerate di natura o di livello primitivo, quando proprio non si può negar loro ogni religiosità.

Mito e rito nell'esperienza religiosa africana

2. Mito, rito e specificità del fenomeno religioso

Troviamo particolarmente istruttivo che una delle branche più vigorose e più promettenti dell'antropologia del xx secolo, al termine del suo studio congiunto del mito e del rito, sia giunta alla conclusione che «... le visioni teoriche frequentemente espresse sugli stretti rapporti fra la mitologia e il rituale non si confermano in alcun modo»[2]. Certo, il tono apparentemente perentorio di questa affermazione di Lévi-Strauss viene notevolmente attenuato dal fatto che il grande antropologo francese, co-inventore e grande teorico dello strutturalismo in antropologia, ha tratto questa conclusione dalla sua analisi della mitologia e del rituale *Pawnee* e non del mito e del rito in generale. Si tratta, dunque, di un'affermazione relativa a un caso particolare e il cui significato va colto direttamente in relazione con questo caso. Tuttavia—e lo stesso Lévi-Strauss non s'inganna—la portata della sua constatazione va oltre la cultura *Pawnee*, e l'analisi strutturalista dei fatti di cultura verrebbe notoriamente meno alla sua vocazione di scientificità, se non consentisse ai suoi adepti di estrapolare—nel senso più legittimo dell'espressione—le loro principali scoperte all'insieme delle società e delle culture umane. Vi sono dunque buone ragioni per estendere a culture diverse da quelle degli Indiani *Pawnee* l'affermazione di Lévi-Strauss secondo la quale i rapporti che uniscono il mito e il rito non sono così stretti come si è frequentemente portati a credere e a dire. Il mito e il rito, afferma Lévi-Strauss «... non si raddoppiano, spesso si completano...»[3].

Tuttavia, se Lévi-Strauss ha ragione di raccomandare uno studio parallelo della mitologia e del rituale che, col favore di una classificazione sistematica dei simboli, dei metodi significativi e delle idee motrici del rituale in quanto tale, tenderebbe a scoprire o addirittura a *restituire*[4] uno «schema di montaggio» alla realtà necessariamente incosciente, si può non esser più d'accordo con lui se questo studio parallelo deve essere limitato alla scoperta di un «... sistema psicologico latente, di cui la mitologia e il rituale costituirebbero delle sfaccettature»[5], o di una dialettica sottile i cui frammenti, in realtà complementari, sono semplicemente giustapposti, così nella mitologia come nel rituale, e più ancora nel rito che nel mito, dato che «... il valore significativo del rituale è tutto limitato agli strumenti e ai gesti»[6]. Non vogliamo dire che lo schema di montaggio incosciente e latente

---

[2]   Cfr. Cl. Lévi-Strauss, *Paroles données*, p. 255.
[3]   *Ibid.*, p. 256.
[4]   Nel suo studio sul rituale *Pawnee*, Lévi-Strauss ha scritto: «questo lavoro ha permesso una classificazione preliminare dei simboli, dei comportamenti significativi e delle idee motrici, per giungere alla restituzione di una specie di "piano di montaggio" la cui realtà non potrebbe che essere incosciente, ma che in ogni caso ha un valore euristico», *Ibid.*, p. 255.
[5]   *Ibid.*, p. 256.
[6]   *Ibid.*, p. 257.

nella condotta rituale, il sistema degli elementi sparpagliati nella mitologia come nel rituale siano privi d'interesse. Chiunque s'interessi all'*homo religiosus* non avrà difficoltà ad ammettere che la conoscenza di questo schema, di questo sistema e di questa dialettica, fa parte integrante di quelle che sono necessarie sia per una conoscenza adeguata del fenomeno religioso nel suo complesso, sia per una migliore conoscenza dell'esperienza religiosa in quanto tale.

Ma se tali conoscenze dovessero essere ridotte a una soltanto delle loro dimensioni e non essere, quindi, considerate altro che manifestazioni di una certa struttura mentale, di una certa logica caratterizzante un ristretto gruppo culturale e, a poco a poco, l'intera umanità, non sarebbe forse evidente che la specificità dell'esperienza religiosa, osservata qui attraverso la mitologia e il rituale, verrebbe svuotata di contenuto o sviata dal suo autentico obiettivo? Non sarebbe evidente che solo la dimensione orizzontale del mito e del rito sarebbe stata sfruttata, mentre invece la specificità dell'esperienza religiosa ci «sfuggirebbe fra le dita»?

Per rimediare a questo riduzionismo del fenomeno religioso, a questo appiattimento dell'esperienza religiosa in virtù del quale se ne considera solo la struttura umana, ci sembra opportuno preferire la nozione di trascendente a tutte le altre nozioni che hanno potuto servire da idee direttrici nello studio del fenomeno religioso, e, per conseguenza, imperniare l'analisi dei rapporti fra il mito e il rito nell'esperienza religiosa nero-africana, sul *trascendente* così come l'*homo religiosus* africano lo affronta, lo manipola e lo possiede, o crede di possederlo nel momento stesso che gli si abbandona. Lo strutturalismo offre incontestabilmente un reticolo di lettura dei fenomeni religiosi che consente di progredire nella loro comprensione; ma, come dice così bene J. Ries, «... non si è detto tutto, quando si è tentato di stabilire lo schema d'intelligibilità dei fenomeni religiosi»[7].

A nostro avviso, la caratteristica fondamentale del fenomeno religioso, e di cui ogni approccio, sociologico, fenomenologico, antropologico o storico che sia, deve tener conto se vuol essere un approccio scientifico, è dunque la *trascendenza*. E per affrontarne lo studio, in una cultura particolare o in un particolare gruppo di culture, il meno che ci si possa attendere dal ricercatore, sia che proceda con una ricerca psicosociologica oppure con un approfondimento meditativo e riflessivo, è che sia pronto a riconoscere il trascendente al di là e attraverso le particolarità culturali delle sue manifestazioni, anziché decretarne l'inammissibilità per eccesso di feticismo, di magia o semplicemente di primitivismo.

Noi ci proponiamo di far sì che lo studio congiunto del mito e del rito nell'esperienza religiosa dell'*homo religiosus* africano contribuisca alla riflessione sulla mitologia e sul rituale in generale, ricordando ed esaminando volta per volta, in primo luogo alcuni esempi di comportamenti fortemente ritualizzati, ma con una infrastruttura mitologica o mitica limitata; in secondo luogo analizzeremo un caso

---

[7]   Cfr. J. Ries, *L'expression du sacré dans les grandes religions*, p. 333.

di ritualizzazione per il quale il problema della distinzione fra religione e magia ritorna irresistibilmente in primo piano quanto a preoccupazioni teoriche, ma che, tuttavia, resta uno di quei casi tipici e particolarmente rappresentativi che permettono di osservare l'efficacia del rituale, oltre che la conclusione e il coronamento della ritualizzazione come tale; e, in terzo luogo, prenderemo in esame un processo in cui il dato mitico e la pratica rituale hanno pari consistenza, articolati l'uno con l'altra mediante un simbolismo che colpisce anzitutto per la sua connotazione storica o storicistica. Esaminando queste tre serie di comportamenti mitico-rituali, ci sforzeremo di sapere, da una parte, se sia il mito a prevalere sul rito nell'esperienza religiosa nero-africana limitata di proposito a queste due dimensioni, o se non sia piuttosto il contrario; e d'altra parte cercheremo di distinguere quello che potrebbe chiamarsi il *messaggio risultante* o il *significato ultimo* del rituale, così come si articola col mito, nell'esperienza religiosa nero-africana.

I. COMPORTAMENTI RITUALIZZATI E INFRASTRUTTURA MITICA

1. Rito del verbo: il saluto come rituale

a. La gravità del tono di voce

L'interesse di esaminare la ritualizzazione a livello del verbo, così come si realizza nel saluto, comporta parecchi aspetti. Uno di questi aspetti è che il saluto non si limita all'ambito religioso: è un esercizio tanto profano quanto sacro, secondo le circostanze. Un altro aspetto di questo interesse sta nel fatto che il corredo di cui si avvale il verbo, nel caso del saluto, può essere fatto di comportamenti stereotipati (piegamento più o meno ampio del corpo, genuflessione, stretta di mano, toccarsi parti diverse del corpo come il petto, la testa, ecc.), oppure caratterizzato dall'assenza quasi completa di comportamento, specie quando si riduce a una posizione egualmente convenzionale adottata per salutare e che si modifica assai poco, o per nulla, durante il saluto. Questa semplicità gestuale e comportamentale, o questo annullamento relativo ma reale del corpo mentre si esegue il saluto, ha come conseguenza interessante di lasciare il campo libero alla parola; ci consente di esaminare come si realizza la *ritualizzazione* a questo livello.

Non è affatto facile rendere con le parole la gravità e la serietà di un tono di voce. Eppure questa gravità o serietà sono il primo indizio della ritualizzazione del verbo, almeno per chi osserva l'esercizio verbale che è già cominciato e così lo considera in base a una esteriorità irriducibile. Poiché, non appena guardiamo oltre il saluto fra esseri umani per osservare il fenomeno della ritualizzazione verbale, non è raro constatare che la bocca, e in particolare la lingua, possono diventare oggetto di certi comportamenti ritualizzanti che mirano a conferire alle parole proferite una dimensione o una forza supplementari che, da quel momento, possono considerarsi come sacro. Questi comportamenti ritualizzanti, e quindi sacralizzanti, possono prescrivere *l'astensione*, come quando viene proibito di consumare sale o olio prima di rivolgere la parola a una divinità. Ma possono anche imporre di *fare* diverse cose, come, per esempio, quando è necessario strofinarsi la punta della lingua con una data sostanza per togliere alla parola che si sta per pronunciare la virulenza e/o la pericolosità che altri riti appropriati gli avevano conferito in precedenza.

b. Il ritmo della parola

Accanto alla gravità del tono, e altrettanto difficile da rendere in quanto elemento o fattore di ritualizzazione del verbo, si trova il ritmo della parola, cioè il ritmo dell'emissione delle sillabe e, al di là delle sillabe, delle parole, delle immagini e perfino delle idee. Si intuisce che qui l'*homo religiosus* farà volentieri uso di tutti i mezzi che un'analisi di carattere letterario definirebbe semplicemente *poetici*. Ma in realtà, non ci si dovrebbe piuttosto chiedere se l'uso delle risorse cosiddette poetiche e che hanno attinenza con la rima, il ritmo, l'immagine, l'allusione, la metafora, ecc., non sia ordinato a un fine religioso, per effetto della forte ritualizzazione alla quale il poeta—ogni poeta—sottopone il suo verbo? Ciò che non tarda a rivelare lo studio di certi generi poetici propri della letteratura africana è che l'effetto della ritmica del verbo non va atteso e ricercato solo nelle desinenze degli enunciati, ossia, in certo qual modo nelle rime. Nello *Ijala* degli Yoruba, o nel *Kasala* dei Baluba[8], è facile vedere che il ritmo s'impadronisce dell'enunciato nella sua totalità; è questa totalità che il ritmo struttura e scandisce secondo una periodicità che l'enunciazione deve riprodurre con l'effetto desiderato, fermo restando che qualsiasi traduzione da una lingua a un'altra distrugge la ritmica della lingua di partenza, e la sostituisce, in modo più o meno surrettizio, col ritmo proprio della lingua ricevente o d'arrivo.

Il tono del verbo e il ritmo con cui viene proferito esercitano dunque sulla parola un lavoro di ritualizzazione che, da un lato, rischia di essere velato da atteggiamenti egualmente ritualizzanti di cui possono essere oggetto la bocca e la lingua—allorché si osservano atteggiamenti del genere—e che, dall'altro, potrebbe venir respinto in secondo piano dall'esercizio della parola considerata come una ritualizzazione del verbo, da parte dell'osservatore che si interessa soprattutto, o addirittura esclusivamente, del significato delle parole pronunciate.

---

[8]   Gli Yoruba sono un'etnia che vive nel sud-ovest della Nigeria, nel Benin, nel Togo ed anche nella Costa d'Avorio; mentre i Baluba sono un'etnia che vive a sud e sud-ovest dell'attuale Zaire.

Mito e rito nell'esperienza religiosa africana

c. Il saluto

Proprio per poter avvertire questo effetto della ritualizzazione prodotta dal tono e dal ritmo sul verbo, o sulla parola, può essere istruttivo osservare il saluto. Il significato delle parole pronunciate nel saluto è semplice; universalmente, in Africa e altrove, il loro contenuto si riduce ad auguri di buona salute, di pace e di felicità. Infatti, il numero e le qualità (stato sociale, nome, ecc.) degli individui di cui, attraverso il saluto debitamente ritualizzato, i protagonisti s'informano reciprocamente circa lo stato di salute, di pace e di felicità, non interferiscono sul rituale del saluto, in quanto *rituale*. Questo numero e queste modalità non ci rivelano la ritualizzazione. Sono anzi a questa sottoposti. E se vogliamo sapere a che cosa mira la ritualizzazione nel caso del verbo, il numero e le qualità degli individui che si salutano non costituisce un dato immediatamente significativo.

Ciò a cui mira la ritualizzazione del verbo, così come ci permette di osservarla il caso del saluto, è questa credenza apparentemente banale che certe parole ci guadagnino ad essere pronunciate o proferite ritualmente, solennemente; e queste parole sono nomi di persona[9], di luogo e di cose, le une in un certo senso più astratte delle altre, come la pace, la salute, la gioia, la felicità, mentre allo stesso tempo si tratta di cose che per l'essere umano possiedono una realtà e perfino una densità peraltro indiscutibili. Di conseguenza, nel caso del saluto, il fatto di proferire—il che suppone che venga fatto in una maniera particolare—conta quanto l'augurio proferito; o meglio, la ritualizzazione, impadronendosi del proferimento in quanto tale, pone in esso e nel suo rituale, almeno quanto nei significati proferiti, il mezzo o la causa il cui effetto è la realizzazione degli auguri indirizzati a colui che si saluta.

Resta il fatto che quanto si è detto circa il saluto, proprio per l'aspetto di questo comportamento che ci siamo sforzati di mettere in luce, non può pretendere di esser valido solo per l'Africa. Ci basta far notare che per l'Africano la maniera di salutare resta improntata a una ritualizzazione che, mentre dobbiamo riconoscere che si effettua sulla base di una infrastruttura mitica quasi nulla, nondimeno aspira a un'efficacia la cui causa, o il cui motore, deve situarsi nel processo di ritualizzazione debitamente percepito attraverso le sue componenti, la sua struttura, il suo funzionamento e la sua finalità. Finalità rilevabile grazie all'universalità della funzione assegnata al saluto. Questa struttura e questo funzionamento debbono ancora essere pazientemente scoperti, nel quadro di ciascuna cultura specifica, prima che si possa abbozzare la minima generalizzazione. In quanto alle componenti, ci limiteremo ad affermare che vi figurano il tono e il ritmo della parola, a metà strada fra i comportamenti ritualizzanti che riguardano

---

[9] L'accentuazione data ai nomi di persona è particolarmente evidente nel saluto senegalese odierno, in cui le persone, salutandosi, ripetono a lungo il nome dell'interlocutore, ponendovi una serietà che non può passare inosservata.

la bocca e la lingua, e i significati delle parole proferite per salutare. Ma non gira a vuoto l'efficacia rituale messa in opera nel saluto? e non deve i suoi effetti, attesi o supposti, ad altro che alla semplicità del suo funzionamento? È ciò che bisogna accertare esaminando altre forme di ritualizzazione come, ad esempio, quelle dei gesti e delle cose.

2. Rito del gesto e delle cose:
ritualizzazione su fondo mitico ridotto e simbolismo universale

a. Gesti comuni e gesti rituali

Se i gesti e le cose sottoposte alla ritualizzazione si trovassero solo in questa, sarebbe impossibile sapere in che cosa consista esattamente la ritualizzazione. Ma, il fatto di trovarli e di poterli osservare anche altrove non dà automaticamente accesso al *come* della ritualizzazione. Gesti compiuti numerose volte nel corso della giornata si rivelano così più o meno immediatamente rituali, indicando al tempo stesso lo spazio in cui la ritualizzazione va studiata e la difficoltà di questo studio. Ma non solo gesti comuni si rivelano improvvisamente rituali; anche cose comuni e familiari si rivelano più o meno improvvisamente avvolte da un vero alone di sacralità; qualcosa sembra strapparle o sottrarle istantaneamente dalla sfera del profano per impiantarle più o meno durevolmente[10] in quella del sacro. La constatazione di questa instabilità o di questa fugacità del sacro non data da oggi. L'antropologia religiosa se n'è presto resa conto. Ciò che, a nostro avviso, merita che si continui ad approfondire, è la nostra conoscenza del ruolo della ritualizzazione nel passaggio del sacro da un oggetto, da un essere, da un gesto e persino da un tempo o da un luogo a un altro oggetto, essere, ecc.

b. Il gesto dell'acqua e il suo valore simbolico

A nostro parere, in nessun'altra circostanza la banalità dei gesti e l'ordinarietà delle cose cui si riferiscono quei gesti si possono misurare con altrettanta chiarezza, quanto nel caso di quel gesto che consiste nel versare dell'acqua per terra. È un rituale la cui universalità nelle culture nero-africane ci obbliga a mettere in secondo piano l'infrastruttura mitica. A meno che, per l'appunto, questa stessa universalità sul piano del rituale non poggi su quella del simbolismo dell'acqua associata alla freschezza, all'umidità, alla germinazione, alla fecondità e alla vita e, nell'area culturale nero-africana, sull'universalità del simbolismo della terra consi-

---

[10] Le bevande versate per libare agli antenati, come gli alimenti posti sulle loro tombe o sui loro altari, sembra restino sacre solo per brevissimo tempo; poco dopo la cerimonia, il primo cane randagio può cibarsene tranquillamente. Segnaliamo d'altronde che in parecchi luoghi africani questo ruolo del cane è considerato necessario.

derata come il ricettacolo dei resti degli antenati e, a questo titolo, come la dimora di almeno parte dei loro mani[11].

L'acqua versata per terra sotto i passi di una sposa che entra per la prima volta nella casa coniugale—anche se da ragazza vi era già entrata parecchie volte—; l'acqua versata sotto i passi di un re che raggiunge il trono, dopo le cerimonie d'intronizzazione avvenute fuori del palazzo, in qualche bosco sacro—anche se da principe attraversò la soglia del palazzo stesso e ne calpestò il suolo parecchie volte; e l'acqua che un padre, o più spesso una madre di famiglia si affretta a versare attraverso la soglia di casa ogni mattina, o certe mattine di grande preoccupazione, prima che qualcuno che risieda nella stessa abitazione ne abbia varcato la porta: questi tre tipi di acqua versata, e molti altri ancora, fanno parte di una ritualizzazione che, pur essendo fatta di un gesto semplice e banale e di una cosa tutto sommato comunissima e di uso quotidiano, non di meno aspira a un'efficacia che non pare condizionata dalle parole pronunciate, spesso inesistenti, né dalla provenienza dell'acqua, nonostante l'esistenza di fonti sacre, dalle acque ricercate per speciali virtù.

Una volta ammessa la densità del significato simbolico dell'acqua, dovuto al suo rapporto con la vita, l'efficacia della ritualizzazione basata sull'acqua versata è da ricercarsi nel gesto stesso che consiste nel versare dell'acqua; e siccome si tratta di un gesto, come già fatto notare, fra i più frequenti e quindi assai banale, non resta che l'intenzione o la volontà di sacralizzare mediante il rituale come spazio in cui deve trovarsi l'efficacia supposta o attesa della ritualizzazione in quanto tale.

Ecco perché l'indagine sulla ritualizzazione ne guadagna se condotta su casi di ritualizzazione in cui l'efficacia non sia più solo supposta, scontata o attesa, ma sia constatabile, e di fatto constatata, da parecchi osservatori che ne divengono così altrettanti testimoni.

II. RITO DEL GESTO E DELLE COSE. IL RITO DELLE FORZE:
CULMINAZIONE DELLA RITUALIZZAZIONE SU SFONDO SIMBOLICO DIFFUSO

1. *Magia e religione nel comportamento rituale*

Un'indagine sui riferimenti del rito al mito o del mito al rito ci obbliga a ritornare sul problema della distinzione fra magia e religione; non tanto per considerare risolto il problema e contentarsi di utilizzare i criteri certi elaborati con una soluzione definitiva, ma piuttosto per rendersi conto dell'impossibilità di separare una volta per tutte la religione dalla magia, servendosi, per farlo, di qualche bar-

---

[11]   Gli antenati, infatti, sono posti a volte sotto terra, a volte in cielo.

riera invalicabile, sia questa barriera un concetto sociologico, filosofico o anche teologico. Poiché il rito non permette di distinguere la magia dalla religione. La ritualizzazione, anzi, è ciò in cui e per cui religione e magia sono tanto simili, che se si vuole distinguerle è altrove, e non nel rito in sé che dovranno ricercarsi elementi di diversità. Ciò non vuol dire che elementi di diversità non esistano: facciamo solo rilevare che non si trovano nel rito o nella ritualizzazione come processo e come mezzo col quale l'officiante—religioso o mago—ricerca un'efficacia che, del resto, ottiene spesso. Cosa che al tempo stesso impedisce di utilizzare la riuscita o il successo come criterio di distinzione fra ciò che è magico e ciò che è religioso, poiché non ci sarebbe niente di più assurdo che assimilare a una magia una preghiera o un rito riuscito, mentre un rito che fallisse, o il cui successo non fosse percepibile, passerebbe per un fatto religioso puro. Dobbiamo dunque accontentarci di considerare il comportamento rituale che ci serve qui per illustrare la culminazione della ritualizzazione su uno sfondo mitico diffuso, come esempio di ritualizzazione dall'efficacia constatabile, senza preoccuparci prima se si tratta di condotta magica o di comportamento autenticamente religioso.

2. Un esempio di efficacia simbolica del rituale

La scena, intendiamo dire la ritualizzazione, ha per quadro una grande città africana moderna. Siamo in giugno-luglio, cioè in un periodo di esami un po' dovunque, nell'Africa d'oggi. Sono circa le due del mattino, quando un giovanotto sulla ventina, che si era coricato presto in previsione degli esami che cominciano alle otto precise, è preda di un incubo terribile e comunque insolito. Presto la madre, che dorme in una camera accanto, si sveglia e si rende conto che il figlio pronuncia parole incoerenti, dibattendosi, a quanto sembra senza successo, contro invisibili assalitori chiaramente più forti di lui. Eccolo dunque agitato da un incubo strano di cui si sforza di spezzare le maglie invisibili, ma malefiche, perché sembra che il ragazzo perda la ragione. Allora la madre va a svegliare una vicina e le chiede aiuto. Quella arriva e indica il rituale da eseguire. Il figlio agitato viene forzato, non senza fargli male, a rimanere disteso. Quindi la vicina chiede alla madre il suo perizoma di sotto, cioè quello che è a contatto e copre la nuda pelle. Si copre l'agitato con questo indumento. Allora la vicina invita la madre a scavalcare per tre volte consecutive il figlio così coperto, ogni volta chiamandolo per nome. Il rituale viene eseguito. L'agitato risponde alla madre. Si calma. Il perizoma viene ritirato. È senza fiato e respira come se avesse corso; ma sembra tornato in sé, sembra aver ritrovato la ragione e chiede agli astanti, in tutta innocenza, come mai tanta gente intorno a lui a un'ora simile.

Che cosa è veramente successo? Di quale termine scientifico sarà opportuno servirsi per designare la crisi psichica di cui fu vittima quella notte il nostro candidato? In qual modo i gesti compiuti, gli oggetti usati e le parole pronunciate hanno avuto l'effetto descritto e manifestatosi col ritorno alla calma del ragazzo agitato, ritorno paragonabile a una guarigione? Interrogativi affascinanti e altrettanto difficili da risolvere. Piuttosto che dedicarvi l'attenzione, sarà più proficuo far rilevare:

– che situazioni del genere non sono rare in Africa e permettono di constatare l'efficacia momentanea o durevole di rituali semplici come quello che abbiamo illustrato; basti citare, come esempio, la credenza che porre un cuscinetto sulla testa d'una donna colta dalle doglie può ritardare il parto fino a quando non siano concomitanti le condizioni desiderate (di luogo, di tempo o di persona), o quest'altra credenza che vuole che il semplice fatto di far scivolare sotto le ascelle di un cadavere un certo oggetto, peraltro di uso quotidiano e banale, abbia l'effetto di ritardare la rigidità cadaverica, permettendo così di fare comodamente la toilette al defunto;

– che la cosa interessante in riti simili e in ritualizzazioni del genere, è che non comportano l'assunzione o la somministrazione di sostanze assimilabili a una medicina, perché in tal caso l'efficacia risultante non sarebbe più attribuibile alla ritualizzazione in quanto tale;

– e infine, che la semplicità e la nudità, per non dire la purezza di tali rituali, rendono i comportamenti che li compongono comuni alla magia e alla religione intese come fatti spontanei. Così ci si riporta al caso in cui, a forza di pregare, cantare e danzare, un gruppo di individui ottiene che alcuni di loro entrino in trance, siano posseduti dallo spirito e così profetizzino su diversi argomenti, quando questa trance non li rende puramente e semplicemente capaci di guarire dei malati o compiere altri prodigi.

3. La diffusione simbolica

Abbiamo lasciato intendere, non fosse che per il titolo dato a questa tappa della nostra analisi del ruolo della ritualizzazione in ciò che potremmo chiamare le migrazioni del sacro, che la culminazione dell'efficacia rituale si effettua su un fondo di simbolismo diffuso. Che cosa significa?

Bisogna cominciare con l'ammettere che si ha simbolo quando un oggetto (immagine, colore, odore, ecc.), un gesto o un atto (parlare, sputare, bere...) non si richiama più a se stesso o solo a se stesso. In un rituale si può segnalare una diffusione dei vari simboli coinvolti per esprimere l'impossibilità di sapere secondo quali assi di evocazione, rispettivamente caratterizzanti, questi simboli operano e sono efficaci. Così, nel perizoma usato per ricoprire l'agitato, quale dei significati simbolici messi in moto da quel perizoma andrà preso in considerazione per scoprire il percorso che il rituale ha seguito, grazie alla ritualizzazione, verso l'efficacia? Il perizoma interviene in quanto indumento della madre o piuttosto in quanto «indumento della nudità della madre»? Che cosa simbolizza esattamente lo scavalcamento e in particolare quello del figlio da parte della madre? Poiché è chiaro che a questo punto del rituale si vuol significare qualcosa di diverso dal gesto compiuto. Ma che cosa esattamente? Così pure, il numero tre sembrerebbe significare certe cose: la perfezione, la stabilità, ma anche il movimento, ecc. Tuttavia si vorrebbe sapere il significato delle tre chiamate per nome, anziché una sola o due.

Come si vede, la diffusione simbolica, nel caso della ritualizzazione data qui come esempio di culminazione dell'efficacia rituale, si accompagna anche ad una densità simbolica che non chiarisce, anzi complica e sembra occultare il modo di efficacia della ritualizzazione. Ciò che s'impone quindi, non tanto per strappare questo rituale all'assurdità, quanto per fare un passo di più verso la scoperta della logica che lo sottende, è che la ritualizzazione non considera e non manipola soltanto il verbo, le cose e i gesti; essa manipola anche e soprattutto delle forze. Sì, il carattere diffuso e la densità simbolica degli esseri, delle cose e degli atti coinvolti nel rituale occultano, o sembra che occultino, solo perché quegli esseri, quelle cose, quegli atti sono o possiedono anche e soprattutto certe forze. Su queste forze il rituale agisce e sono queste che la ritualizzazione fa operare con efficacia.

Ma, per il semplice fatto che le forze sono attive, la loro manipolazione esige da colui che vi si dedica la conoscenza di un certo numero di ordini di realtà. Senza volerli enumerare in modo esauriente, si può citare la conoscenza dei luoghi di residenza di tali forze, la conoscenza dei diversi modi di produrle, di portarle a interferire, ad articolarsi le une con le altre in un senso e per un obiettivo ben precisi. In altre parole, la manipolazione delle forze richiede che il manipolatore disponga di determinati modelli di comportamento, la cui efficacia sia assicurata o garantita da passati successi debitamente documentati.

Poiché il mito, in linea di massima, contiene quei modelli che, per i loro passati successi, acquistano un vero e proprio carattere di paradigma, può essere interessante esaminare ora in quale modo la ritualizzazione operante sul verbo, ma in quanto discorso, aspira a un'efficacia che più sopra abbiamo avuto l'occasione di mettere in luce mediante esempi di ritualizzazione su fondo mitico ridotto e quasi inesistente.

III. RITO DEL VERBO:
RITO DEL DISCORSO, DEL MONDO E DEL MITO

1. La ritualizzazione del discorso e il mito

La ritualizzazione del discorso non si distingue soltanto da quella del verbo o della parola; bisogna distinguerla anche dalla ritualizzazione del suono[12] e anche da quella del rumore[13]. Infatti, per i significati che racchiude, produce, trasmette e

---

[12]   Infatti si sa che nei culti *Vodum* e *Orisha* viene fatto uso del suono di campanelle.
[13]   L'uso del tam tam nei rituali religiosi africani rivela effettivamente non solo maestria nel-

alimenta, il discorso si colloca a un livello di elaborazione più approfondito del semplice suono o anche della semplice parola. Ora, non c'è dubbio che è solo a livello di discorso che si trova il mito; poiché esso è essenzialmente *struttura* o *sistema* di significati che, per elementari che siano (regredendo particolarmente allo stadio di immagini più o meno autosufficienti o anche di gesti chiamati a parlare in qualche modo per loro), presuppongono sempre il supporto del discorso per accedere alla pienezza della loro realtà. Perciò un mito non *è* veramente se non nel momento in cui viene recitato, proferito o anche proclamato. Ma è anche il motivo per cui il mito ha, anzitutto, il valore di una conoscenza e assume assai spesso il ruolo di scienza, precisamente nella misura in cui i significati che il discorso mitico costruisce o *struttura* non ci intrattengono per se stessi, ma piuttosto ci istruiscono circa gli esseri visibili e invisibili del mondo, nella loro natura e nella loro finalità. L'esoterismo di cui generalmente si circondano i miti, almeno in certe parti del loro *corpus*, trova una prima giustificazione in questo valore di conoscenza e in questo ruolo di scienza che ogni episodio mitico possiede, per banale che sia in apparenza.

2. Il corpus mitico di IFA, OFA, AFA, FA

La storia mitica di cui ci serviremo per studiare la ritualizzazione del discorso proviene da un *corpus* relativo a una certa pratica divinatoria chiamata IFA, OFA, AFA, FA. Colpisce, nelle culture nero-africane[14] in cui oggi si può osservare questa pratica divinatoria, quella sorta di imperialismo che questo sistema geomantico assume nei riguardi di tutti gli altri elementi culturali e religiosi che lo circondano, nel senso che contiene, sotto una forma o sotto un'altra, un riferimento a tutte le altre componenti della vita religiosa e della vita tout court. Ovunque l'IFA è in uso non c'è, per così dire, nulla—almeno nell'universo tradizionale—di cui il suo sistema non racconti una «storia» e, così facendo, non dia un'indicazione con valore di conoscenza e con funzione di scienza sulla natura e sul destino. B. Maupoil scrive in proposito: «I Bokono[15] enunciano oggi questo principio: tutto ciò

l'utilizzare il ritmo, ma anche uno sfruttamento, spesso davvero ingegnoso, del rumore come rumore di fondo, sul quale si sovrappongono suoni speciali, essi stessi più o meno rumorosi.

[14]   Fra queste culture si possono citare gli *Yoruba*, presso i quali il sistema IFA ha subito una tale integrazione che nulla di non-africano è rilevabile nella mitologia o nel rituale di questo sistema geomantico, e i *Fon*, fondatori dell'antico e ben noto Regno d'Abomey (Dahomey), e inoltre i *Gun* (Regni di Allada e di Porto-Novo, nel Benin), gli *Adja*, i *Mina* e gli *Ewe* (tutti a sud-ovest del Benin e a sud del Togo). Segnaliamo tuttavia che il sistema divinatorio IFA è egualmente in uso nell'isola di Madagascar, dove ha un altro nome e dove sarebbe interessante studiare, per esempio, i racconti e le leggende che laggiù sono veicolati dal sistema divinatorio, pur servendogli come mezzi d'espressione.

[15]   Nei paesi *Fon* (Benin) si chiama *Bokonon* il sacerdote iniziato ai misteri del sistema geomantico IFA; lo stesso personaggio, nei paesi *Yoruba*, ha il nome di *Babalawo*.

che in natura ha un nome, FA ne parla nei suoi segni e ciascun segno parla di ogni sorta di cose e di ogni circostanza»[16]. IFA dunque non è un semplice sistema divinatorio; o meglio, in questo sistema geomantico la divinazione poggia su una mescolanza che ingloba tutto l'universo conosciuto dagli iniziatori immemorabili del sistema, talché nulla può sfuggire alla sagacia dell'istanza in cui il sistema, in quanto oracolo, è stato ipostatizzato e che non può essere quindi che una divinità onnisciente.

Nel quadro di questo studio dovrebbe escludersi sia la questione delle origini—in parte storiche, in parte leggendarie—del sistema geomantico IFA, sia quella del funzionamento di questo procedimento geomantico, in quanto pratica o rituale divinatorio. Quello che ci sembra interessante è che, quando il sistema geomantico IFA, per la sua origine antica profondamente nascosta nella storia non ancora sufficientemente nota dell'antico Egitto, di Babilonia e anche di Roma[17], si presenta, anche nelle culture nero-africane dov'è in uso come un insieme di figure geometriche in cui la matematica sottostante resta innegabilmente[18] dominata, questo stesso sistema funziona, e quindi persiste, solo grazie a racconti, leggende o miti trasmessi da un indovino a un altro, o da un sacerdote ai suoi iniziati; racconti, leggende e miti la cui materialità offre miglior presa allo sforzo di memorizzazione di quanto non farebbero figure geometriche stilizzate e quindi molto simili fra loro.

Il sistema geomantico IFA si compone infatti di sedici figure principali o cardinali, ciascuna costituita da due colonne identiche che hanno, a loro volta, quattro stadi o livelli ciascuna. Queste sedici figure cardinali si caratterizzano quindi per

---

[16] Cfr. R. Maupoil, *La géomancie à l'ancienne Côte des Esclaves*, p. 413.

[17] R. Jaulin, parlando dell'origine della geomanzia, ha scritto: «Ciò che sappiamo dell'introduzione nel mondo arabo delle scienze divinatorie a base di aritmetica, della numerologia mistica e delle conoscenze relative alla "personalità" dei numeri, fa pensare che la geomanzia fu portata da questa corrente; corrente a cui la lingua araba servì da espressione, il cui pensiero fu mediterraneo-sumerico, egiziano, poi greco e via via, di conseguenza, babilonese e indu, e i cui agenti furono persiani. Ibn Khaldoun riferisce che le scienze arabe dovettero il loro sviluppo essenzialmente ai saggi provenienti dalla Persia, subito dopo la sua disfatta»: *Anthropologie et calcul*, pp. 185s. e nota.

[18] Fra coloro che si servono oggi in Africa del sistema divinatorio IFA, si osservano due grandi scuole. La prima, fedele alle abitudini ancestrali africane, limita la ricerca divinatoria all'interpretazione di una sola figura geomantica: quella che appare dal lancio dell'oggetto scelto apposta per rivelare queste figure. Questa scuola si caratterizza dunque per una specie di fissità delle figure di cui l'indovino rivela il messaggio. Una seconda scuola di indovini recluta i suoi membri fra gli studiosi arabi che sono stati iniziati al sistema divinatorio nella forma araba. Il materiale di base di questa scuola è abitualmente un quadrato di sabbia sul quale si traccia con l'indice e il medio un numero indeterminato di tratti, su quattro diversi livelli e quattro volte di seguito, in modo da trovare quattro figure di base. L'aspetto matematico—o almeno aritmetico—del sistema geomantico è ancora chiaramente percepibile, in quanto è su base matematica che gli indovini di questa seconda scuola costruiscono l'insieme delle sedici figure del sistema detto in attività, partendo dai primi quattro segni dati dal caso, dalla sorte o dall'oracolo.

la loro rigorosa simmetria. E i sedici nomi che le distinguono in *Yoruba*, in *Fon*, *Adja*, *Ewe*[19], ecc., riflettono strettamente questa simmetria, col suffisso *-meji* (originario della lingua *Yoruba*, ma conservato tale e quale nelle lingue delle altre culture vicine che hanno adottato il sistema) che significa 2 e grazie al quale il nome di ciascuna figura cardinale è costruito sul modello x-2, y-2, z-2[20], ecc., che significa a sua volta nient'altro che: 2x, 2y e 2z, ecc.

Dal momento che si sa come si ottengono gli indici (1 e 0)[21] che, disposti su quattro livelli o stadi, formano ciascuna colonna la cui semplice ripetizione permette di ottenere le sedici figure cardinali, diventa agevole capire che, partendo da queste sedici figure di base, le combinazioni o gli arrangiamenti possibili «esistono» in numero assai elevato. Con una rapida approssimazione, questo numero può venir fissato in 16x16 = 256 figure. Molti teorici si riferiscono al totale di 4096 figure, ammettendo semplicemente che le 256 figure di cui sopra danno origine a 16 altre figure (256x16 = 4096 figure). Ma, come giustamente scrive Robert Jaulin «... la "rivelazione geomantica" riposa sull'associazione di 2 raggruppamenti di (...) 16 figure: uno dato dal caso fra i 16 elevato alla quarta = 65.536 esempi possibili e che implica la ripetizione di certe figure, l'altro dato in un solo esemplare preciso e nel quale appaiono i 16 vettori binari a quattro dimensioni»[22]. Rispetto alle 65.536 figure del *sistema in attività*[23], le 16 figure che servono di riferimento, e rispetto alle quali si fa ciascuna rivelazione geomantica, formano il *sistema a riposo*[24]; così queste 16 figure del sistema a riposo sono ordinate o classificate dalla prima alla sedicesima, anche se quest'ordine può variare da una cultura all'altra, o anche da un indovino all'altro all'interno di una stessa cultura.

È facile capire perché le 16 figure cardinali (chiamate anche figure madri, per distinguerle dalle figure figlie o derivate) abbiano ciascuna un nome proprio, visto che il sistema a riposo è il sistema modello, quindi un vero e proprio archetipo, che è il solo a poter dare accesso a tutti i sistemi derivati. Ma va segnalato che ogni figura derivata può venir designata in modo preciso, per la ragione che le 16 figure madri, caratterizzate, come già detto, da una rigorosa simmetria, rappresentano la totalità di quelle che si possono ottenere come disposizione—nel senso matematico del termine—di due segni per gruppi di 4[25]. Di conseguenza, qualun-

---

[19] Tutte le etnie citate riconoscono di aver derivato il sistema IFA dagli *Yoruba*.

[20] In *Yoruba*, per esempio, gli appellativi delle figure-madri sono: *Ogbe-meji, Iwori-meji, Obara-meji*, ecc. Si nota facilmente la permanenza del suffisso «*-meji*», che significa 2.

[21] Nella trascrizione delle figure dell'oracolo IFA si può far rappresentare alla lettera 1 la situazione in cui una delle componenti del dispositivo geomantico è chiusa, e alla lettera 0 la situazione in cui questa componente è aperta.

[22] Cfr. Jaulin, *Op. cit.*, p. 186.

[23] Vedi più sopra la nota 18, e Jaulin, *Op. cit.*, pp. 186-89.

[24] *Ibid.*, pp. 190s.

[25] Jaulin scrive: «La geomanzia è un processo divinatorio costruito partendo da 16 figure

que figura possa apparire con la messa in movimento del sistema geomantico IFA, tale figura derivata sarà sempre l'accoppiamento di due metà delle 16 figure-madri note. L'interesse di prendere coscienza di questo rapporto puramente matematico che unisce le figure-figlie alle figure-madri, sta in particolare nel fatto che non appena si sostituisca il nome di ciascuna figura-madre con una storia fatta di avvenimenti (ossia di significati) disposti in un dato ordine, è possibile trovare la storia che corrisponde alle due metà di figure-madri che si uniscono per formare una figura derivata.

Ne consegue che il numero da memorizzare non è così grande come quello delle figure derivate che possono apparire nel corso di una consultazione geomantica. In teoria, 16 storie cardinali corrispondenti alle 16 figure egualmente cardinali dovrebbero essere sufficienti, perché, in qualsiasi maniera si uniscano le metà delle figure-madri per formare le figlie, non saranno altro che l'accoppiamento di due storie già note. Ma in realtà gli indovini maestri di IFA conoscono e raccontano volentieri più di una storia per ciascuna figura cardinale; e siccome conoscono anche, per certe figure derivate, storie differenti da quelle delle figure-madri, le cui metà si son trovate accoppiate dal caso, dalla sorte, dal destino o dall'oracolo, ne risulta che il sistema geomantico IFA appare come un vero pullulare di storie che mettono in scena tutti gli elementi dell'universo, ogni sorta di divinità e perfino l'Essere Supremo.

L'accoppiamento di ogni figura geomantica con una o più storie, secondo l'erudizione dell'indovino, fa sì che ad ogni consultazione dell'oracolo la figura che «esce» viene dapprima salutata solennemente col suo nome e i suoi motti declamati secondo il rituale. Dopo di che l'indovino incomincia a narrare, con molti dettagli inframezzati da canti e danze, una storia dalla quale emergerà progressivamente, ma con sicurezza e chiarezza, il modo in cui l'interpellante dovrà comportarsi per uscire dalla difficoltà che lo aveva spinto a consultare l'oracolo.

Così, quando appare la figura chiamata *Ogbe-meji*, quella che tutti gli indovini, senza eccezione, nei paesi *Yoruba* e *Fon*, riconoscono come il «padre» dei quattordici altri segni-madre, la cui «madre» è *Ofun-meji*, l'indovino *Fon* potrebbe[26] raccontare al suo cliente questa storia:

«Un giorno *Titigoti* (uccellino chiacchierone dalle piume grige[27], che indicheremo d'ora innanzi con la lettera T.), dichiarò chiaro e tondo a *Ajinaku* (l'elefante, che verrà indicato con la lettera A.): "io ti vincerò in singolar tenzone!". A. si mise

---

distinte corrispondenti alle disposizioni di due segni in gruppi di quattro (sedici vettori binari di dimensione quattro). Questi segni sono il pari e il dispari, rappresentati più spesso da uno e da due oggetti...»: *Op. cit.*, p. 185.

[26]   Questo verbo è al condizionale perché, come detto più sopra, gli indovini conoscono più di una storia per ogni figura geomantica.

[27]   Questa espressione è di B. Maupoil, p. 437 dell'opera citata, da cui è stata tratta e rimaneggiata la versione, peraltro popolare nell'ambiente *Fon*, della storia di *Titigoti* e *Ajinaku*.

a ridere e disse: "piccolo come sei?". T. insistette, ma consigliò A. di andare prima a casa a mangiare abbondantemente per non pretendere più tardi di essere stato battuto solo perché era a digiuno. A. rise della più bella e non gli diede retta. Dal canto suo, T. andò a procurarsi di nascosto tre piccole borracce. Nella prima mise del liquido rosso ottenuto con laterizi polverizzati e mescolati con acqua; nella seconda versò della pasta bianca fatta con calcare triturato e mescolato con acqua e nella terza mise un liquido nero ottenuto mescolando polvere di carbone e acqua. Il re in persona fu informato della sfida e il combattimento incominciò. T. andò lestamente ad appollaiarsi sulla testa di A., che tentò di afferrarlo con la proboscide. Ma T., svelto, si nascose in uno dei grandi orecchi di A. T. si spostava con tanta rapidità che A. finì col darsi dei colpi di proboscide sempre più violenti. Dopo parecchi di questi colpi, T. fece notare al re che A. stava sanguinando. A. protestò vivacemente. Ma T. aveva già vuotato di nascosto il contenuto della prima borraccia sulla fronte di A. Così, quando questi fu invitato a controllare lui stesso se sanguinava o no, ebbe la sorpresa di vedersi del rosso sulla proboscide, con cui si era appena sfregato la fronte. Qualche momento dopo, mentre A. tentava invano di scacciare T. dalla testa, e per farlo si assestava dei tremendi colpi di proboscide, T. dichiarò agli astanti, re compreso, che il suo grosso avversario stava perdendo il cervello. Difatti aveva abilmente vuotato la seconda borraccia sulla testa di A., sicché questi dové constatare che gli stava realmente colando il cervello. Con ciò divenne più furioso, perché, diceva a se stesso, se era veramente ferito avrebbe pur dovuto sentirlo. Ahimé, mentre A. continuava a stordirsi con la sua propria proboscide, T. vuotò sulla testa dell'avversario la terza borraccia. Dopo di che fece notare al re che le gravi ferite inflitte ad A. lo avevano notevolmente indebolito, che tutto ciò che gli era uscito dal cranio si era già annerito, che A. era finito e che lui, T., non aveva l'abitudine di combattere con dei moribondi! Tutti, infatti, potevano vedere un liquido nero sgocciolare sulla fronte di A. e questi poté constatarlo da sé servendosi della proboscide. Allora, pieno di vergogna, decise di darsi la morte e picchiò la testa contro gli alberi fino a morirne».

Al consultante dell'oracolo IFA che ha incontrato questa figura e al quale viene raccontata questa storia, l'indovino prescrive di trovare tre borracce, come ha fatto T.; inoltre tre galline (rossa, bianca e nera) e tre capretti (rosso, bianco e nero). In ciascuna borraccia l'interpretante mette un liquido rosso, bianco e nero ottenuto con lo stesso procedimento di *Titigoti* e a ciascuna borraccia l'indovino immola la gallina—e talvolta anche il capretto—del colore corrispondente. L'interpellato viene allora invitato a portare le tre borracce così «preparate» sull'altare del dio *Legba* (chiamato *Elegba* in lingua *Yoruba*) che, nei pantheon *Fon* e *Yoruba*, venne erroneamente identificato col Diavolo dai primi missionari cristiani, ma che in realtà è la divinità attraverso cui tutto deve passare per raggiungere qualsiasi altro dio e lo stesso Essere Supremo, di cui *Legba* è ritenuto il messaggero.

Quali che siano le difficoltà e la ricchezza dei racconti del *corpus* IFA che la ricerca antropologica può fare incontrare, la loro struttura e funzione sono un po' ovunque le stesse. Queste storie raccontano come sono avvenute le cose nei tempi immemorabili in cui visse IFA, in quanto personaggio storico-leggendario; e sul modello dei comportamenti archetipici, raggruppati attorno alle figure geomantiche IFA, l'indovino prescrive a ciascun cliente come deve comportarsi per risolvere il problema che gli si pone. Si può dire che per il sistema IFA tutto ciò che è umanamente concepibile è già successo una volta. La novità dei problemi attuali, dunque, è solo apparente. Il passato contiene tutte le soluzioni. Di conseguenza bisogna e basta conoscere il passato autentico, per essere in grado di padroneggiare il presente.

3. L'homo religiosus *e la ritualizzazione del discorso mitico*

A nostro parere, per osservare ciò che l'*homo religiosus* africano ottiene o spera di ottenere dalla ritualizzazione del discorso mitico, è meglio servirsi dell'esempio del sistema oracolare piuttosto che imbarcarsi a spiegare come faccia l'indovino a scegliere, fra le tante storie disponibili secondo la sua formazione ed erudizione, quella veramente più adatta al caso del cliente che lo consulta. Ma per questo crediamo si debba cominciare col considerare il processo oracolare come un fenomeno sociale totale, nel senso dato all'espressione da Marcel Mauss. Vogliamo dire che bisogna concepire i diversi stadi in cui è possibile scomporre questo processo come intimamente legati gli uni agli altri e quindi considerare la comprensione (o l'intelligenza) del *tutto* di questo fenomeno come condizionata dalla saggia articolazione delle sue parti fra loro.

A questo scopo occorre mettere particolarmente l'accento sulla differenza di esseri, di atti, di cose e di parole la cui disposizione costituisce la condotta dell'oracolo concepita come un tutto comportamentale, o come una totalità di condotte. A non considerare qui che la serie degli atti, noi per nostro conto vi scorgiamo successivamente:

– l'atto di recarsi da un indovino per informarsi sul modo di venire a capo di una difficoltà; il che presuppone che se ne sia presa coscienza e che non si potrebbe venir presi né per un giocatore, né per un amatore o un dilettante;

– l'atto—per e da parte dell'indovino—di servirsi di un dispositivo adatto per far apparire la figura geomantica col cui tramite l'oracolo (in quanto sistema impersonale, dispositivo matematico, destino, provvidenza o Dio, poco importa) risponde all'indovino e al suo cliente, ormai impegnati l'uno accanto all'altro, l'uno in aiuto dell'altro, nella stessa avventura;

– l'atto di chiamare per nome, con la dovuta solennità, e facilmente riconoscibile e immaginabile in una simile circostanza, la figura rivelata, che può quindi venir divinizzata essa stessa;

– l'atto di raccontare ritualmente, fra le storie di tale figura, quella che il genio dell'indovino, la sagacia, la scienza, l'ispirazione, a meno che non sia il suo «Demone», come già per Socrate, gli suggerisce di raccontare;

– l'atto, per tutti gli astanti (che, oltre all'indovino circondato da discepoli e assistenti, comprendono l'interpellante con amici e parenti da cui può farsi accompagnare), di ascoltare solennemente questa storia archetipica;

– l'arte di interrompere l'ascolto con canti, danze e recitazione delle sentenze riguardanti la figura rivelata; canti, danze e recitazione che non turbano l'ascolto in sé, anzi lo esaltano e lo sostengono;

– l'atto—per e da parte dell'indovino—di prescrivere, sul modello della storia raccontata, la condotta da adottare e i sacrifici da celebrare;

– l'atto, per il cliente e gli amici e i parenti, e talvolta per lo stesso indovino che agisca in luogo di un interpellante che ne abbia la necessità, di trovare tutto ciò che occorre e di portarlo all'indovino, che da quel momento agisce come sacerdote, perché il sacrificio possa effettuarsi;

– infine l'atto di fede che anima dal principio alla fine l'insieme della condotta oracolare, come condotta sociale totale, e che letteralmente ne cementa le diverse tappe in un tutto vivo e vitale; infatti questa fede non lega solo l'interpellante e l'indovino, ma lega entrambi al sistema geomantico IFA e, tramite questo sistema, al pantheon della religione, nella cui sostanza l'IFA, come opera di razionalizzazione, ha affondato le sue reti e posto i principali nodi di significato che scandiscono la sua propria logica. E inoltre, al di là di questo pantheon, grazie ad esso e per virtù della saggezza IFA, questo atto di fede dispone l'individuo e il suo cliente ad attendere con convinzione, e non semplicemente a sperare, che gli avvenimenti si raddrizzino e prendano per loro il senso felice rivelato dall'apparizione geomantica.

CONCLUSIONE

Non è necessario, a nostro avviso, dettagliare ulteriormente gli atti che compongono il processo oracolare (così chiamato in mancanza di espressioni più adeguate), per vedere a qual punto, di tutte le storie che vi sono incluse, quella degli atti prevale su tutte le altre. È la serie degli atti compiuti dai diversi protagonisti della ritualizzazione, a qualsiasi livello la si consideri (a livello di verbo, di gesto e delle cose, o a livello del discorso mitico in quanto gioco o sistema di significati costruiti su avvenimenti storico-leggendari interposti), è tale serie di atti, dicevamo, che dà veramente la struttura al processo nel suo insieme. Sono questi atti che operano sulle cose e sulle forze che animano l'universo e di cui solo certi avvenimenti archetipici possono rivelare le leggi profonde ed eterne.

Parlando di atti, precisiamo che si tratta di azioni e interazioni per chiarire che gli autori di tali atti non sono né sconosciuti né inaccessibili e che l'uomo, prendendo con tutta la dovuta coscienza e conoscenza, se non con la scienza, il suo posto nella serie degli attori, non fa che concorrere a che l'universo divenga quello che è.

Il Sacro e i popoli africani

L'*homo religiosus* africano, dunque, non ritualizza il verbo, le cose, i gesti, le parole e le forze del mondo per gioco, distrazione o divertimento. Ritualizzare, per lui, è partecipare all'essere del mondo, qualcuno direbbe «all'essere dell'Essere». È così che, per lui, il rito prevale sul mito.

BIBLIOGRAFIA

Lalèyê, I.-P., *Pour une anthropologie repensée*, La Pensée Universelle éd., Paris 1977.
Lévi-Strauss, Cl., *Paroles données*, Plon, Paris 1984.
Maupoil, B., *La géomancie à l'ancienne Côte des Esclaves*, Institut d'Ethnologie, Paris 1961.
Richard, Ph., e Jaulin, R., *Anthropologie et calcul*, Union Générale d'Editions, Paris 1971.
Ries, J., *Les chemins du sacré dans l'histoire*, Aubier, Paris 1985.
Ries, J., *Le symbolisme dans les grandes religions*, HIRE, Louvain-la-Neuve 1985.

Conclusioni

CONCLUSIONI E PROSPETTIVE

di
Julien Ries

I. L'*HOMO RELIGIOSUS* E IL SACRO

1. Le scoperte fatte in Africa da vent'anni a questa parte hanno spostato gli orizzonti della paleoantropologia. Questa improvvisa accelerazione nella conoscenza del remoto passato dell'umanità ci consente una migliore comprensione dell'emergere dell'uomo, della sua evoluzione, della sua storia e della sua peculiarità. Chiarisce inoltre, in modo nuovo e inatteso, l'antropologia religiosa. L'evidenza data all'unità di origine e all'affinità di comportamento degli uomini ci mostra che, fin dalla sua comparsa, l'uomo ha assunto un modo specifico di esistere. Peraltro, l'*homo religiosus* è riconoscibile ad ogni tappa del suo cammino. Secondo la definizione di Eliade, in qualsiasi contesto storico abbia vissuto, l'*homo religiosus* ha dato prova di credere in una realtà assoluta che trascende il mondo in cui si svolge la sua vita e che, manifestandosi in tale mondo, gli conferisce una dimensione di compiutezza.

Da oltre cinque millenni, l'*homo religiosus* ha fissato nella pietra, nell'argilla, sul papiro, sul legno, sulla pergamena, su altri materiali, la memoria della sua esperienza e delle sue credenze. A questo fine ha creato parole e linguaggi, testimoni irrefutabili del suo pensiero. Nel suo vocabolario appare una parola chiave, *sakros*, derivata dalla radice *sak-* e presente su tutta l'estensione dell'area delle migrazioni indoeuropee.

Questa radice e le parole alle quali ha dato origine ci introducono nella problematica e nella sfera del sacro. L'indagine sul linguaggio dell'*homo religiosus* spiega il modo in cui l'uomo ha compreso il sacro: si tratta di una mediazione significativa ed espressiva della sua relazione col Divino che gli si manifesta.

Ciò che colpisce il filologo che si dedica a una ricerca di semantica storica, così come lo storico delle religioni che esamina i significati scoperti, è la notevole

Conclusioni

omogeneità dell'espressione verbale del sacro. Un fatto del genere, che sarebbe facilmente comprensibile se l'indagine si riferisse a una medesima civiltà e a culture identiche, diventa particolarmente significativo quando si delinea un vasto complesso di convergenze e di omologie nell'espressione del sacro delle diverse religioni. Nella prospettiva delle recenti scoperte, la storia delle religioni raggiunge, conferma ed esplicita i risultati della paleoantropologia sull'unità del genere umano, non esitando a parlare di una unità spirituale. Si può infatti constatare che, nonostante la grande varietà delle culture in cui si è svolta la sua vita, l'*homo religiosus* ha fatto dappertutto un'esperienza simile. Così pure, l'analisi del linguaggio dimostra che, nella percezione delle ierofanie, o manifestazioni del sacro, l'*homo religiosus* avverte la presenza di una potenza invisibile ed efficiente, che si manifesta attraverso un oggetto, un essere, una persona, rivestiti di una dimensione nuova, la sacralità.

2. Per Régis Boyer l'*homo religiosus* vive un'esperienza del sacro che è personale e proviene dalla frequentazione intima di un Assoluto. Colui che la vive acquista una profonda certezza. I documenti delle diverse religioni ci inducono ad affermare che questa esperienza del sacro è universale. Esaminando il comportamento dell'uomo nelle diverse culture, possiamo dire che tutto avviene come se l'uomo non riuscisse a vivere in un mondo desacralizzato: il contesto nel quale si evolve la vita umana non appaga l'attesa dell'uomo. Lungo tutto il progredire della sua esistenza e nel più profondo di sé, l'uomo avverte l'ascendente di una Realtà misteriosa. È un'esperienza che si manifesta in modo diverso, secondo le culture e le epoche, ma è sempre un tentativo di sorpassare se stesso, l'esistenza quotidiana e la condizione umana.

3. L'esperienza del sacro è inseparabile dalla dimensione simbolica. Tutta l'opera di Gilbert Durand segue questa via. In questo volume ritorna sulla questione, insistendo in primo luogo sul sospetto in cui l'*homo religiosus* e il sacro furono tenuti per tre secoli. Filosofo e antropologo, l'Autore intende il simbolo come segno concreto che, per rapporto naturale, evoca qualche cosa di assente o d'impossibile a percepirsi, una rappresentazione che rende manifesto un significato segreto. In altri termini, «il simbolo è l'epifania di un mistero», si pone nell'ordine dell'intuizione. La nostra epoca è stata a lungo tributaria del presupposto ereditato dall'Illuminismo, ossia «che la verità scientifica dovrebbe servire da modello a tutte le verità». In realtà, il nuovo spirito scientifico ha introdotto un grande cambiamento nella ricerca e ci offre del simbolo definizioni molto sottili. Così i concetti di immaginario, di simbolo e di mito vengono riabilitati e come «normalizzati». Attualmente assistiamo a una straordinaria convergenza di tutta la ricerca scientifica d'avanguardia verso i confini della conoscenza, così che il simbolo si trova al centro di tutto il processo del pensiero contemporaneo. Il procedimento simbolico è la modalità dell'epifania di una Trascendenza. Quindi l'attività simbolica, considerata ora come attività veramente specifica dell'*homo sapiens*,

permette di collocare l'*homo religiosus* al centro dell'umanizzazione, cioè all'avanguardia delle conquiste dello spirito.

Nella prima parte del xx secolo si sono avute notevoli conseguenze del positivismo di Auguste Comte sul genio di Durkheim, di Mauss, di Henri Hubert, di Caillois: il sacro venne ridotto a motivazioni sociologiche. Fortunatamente, il periodo fra il 1930 e il '60 ha visto i lavori di Söderblom, di Otto, di Van der Leeuw, di Vendryès, di Dumézil, di Eliade, di Corbin e di Jung, e ciò ha reso possibile la creazione di una nuova ermeneutica simbolica e la completa reintegrazione dei valori dell'*homo religiosus*.

Durand insiste sul fatto che, con Dumézil, Jung, Corbin e Eliade, siamo in presenza di un'opera monumentale di autentici scienziati, per di più di immensa cultura, tanto da padroneggiare il comparativismo senza cadere nel sincretismo. Si tratta di quattro fondatori, che hanno rotto le *Weltanschauungen* precedenti e hanno aperto nuove prospettive sull'uomo e sull'uomo religioso.

Analizzando l'opera di questi quattro innovatori, Durand li raggruppa a due a due. Jung e Dumézil, l'uno come psicologo, l'altro come filologo, storico e sociologo, hanno seguito le orme dell'*homo religiosus* rispettivamente entro il processo psicologico ed entro un modello sociale. Jung si è interessato all'anima dell'*homo religiosus* in cui si manifestano le *dramatis personae* del sacro, mentre Dumézil ha fatto emergere dal suo studio sulle società indoeuropee le funzioni che si fondano su teofanie precise. Per Jung, il sacro è il fondamento ultimo su cui è instaurata l'anima; per Dumézil, il sacro tesse la trama della società. Jung ha reintegrato l'*homo religiosus* nelle entità che fondano il dramma e i problemi dell'anima umana, mentre Dumézil l'ha collocato nelle strutture che permettono il funzionamento del contratto sociale. Grazie all'opera eccezionale di questi due scienziati, ci viene reso l'universo simbolico del percorso antropologico dell'*homo religiosus*, ossia l'articolazione del sacro con lo psichismo, da una parte, e, dall'altra, con la società.

L'opera di Henri Corbin e quella di Mircea Eliade ci danno, secondo l'espressione di Durand, «le condizioni *a priori* di ogni intuizione e di ogni discorso religioso». Questi due autori hanno dimostrato che il sacro, per epifanizzarsi in teofanie, «ha bisogno di uno spazio e di un tempo che non siano più quelli vuoti dell'indifferenza geometrica di Euclide». Corbin ha disegnato la «topografia» di uno spazio, il *mundus imaginalis*, nel quale il *religiosus* può dispiegarsi. Eliade ci ha restituito l'*illud tempus*, il tempo della significazione. Tale posizione, insieme geniale e innovatrice, ha consentito a questi due autori di dedicarsi al comparativismo, evitando di fare, come dice Durand, «un amalgama riduttore». Grazie alla ricerca comparata su ciò che è visibile, sono riusciti a mettere in luce ciò che è nascosto. Le facce visibili dell'iceberg permettono loro di ricavarne l'intera configurazione. Corbin ha cercato di abolire il dualismo, ha mostrato cioè che quello immaginale «è il mondo in cui si corporizza lo spirito» e «il mondo in cui si spiritualizza il corpo». È il superamento del dualismo spirito-corpo. Nella sua opera troviamo una topologia del sacro che poggia sulla funzione simbolica dell'anima. Corbin ha messo bene in evidenza due spazi: quello dell'osservabile e quello delle rappresentazioni immaginarie.

Se Corbin si dedica alla definizione dei due spazi, Eliade definisce due tempi, ossia il tempo lineare delle durate continue e il tempo ciclico, ripetibile, del mito e della celebrazione liturgica, col suo potere di commemorazione, l'*illud tempus* che permette di rivivere l'avvenimento. L'opera di Eliade gravita intorno all'uscita del tempo profano, il tempo dell'usura degli esseri. Affermando che «il sacro è un elemento nella struttura della coscienza e non uno stadio nella storia della coscienza», Eliade stabilisce l'unità fondamentale e la perennità dei fenomeni religiosi, delle crisi e dei rinnovamenti. Questa posizione spiega come le sue radici affondino nel pensiero indiano, caratterizzato dal mito dell'eterno ritorno. Ma il dossier del tempo ciclico è ben più ampio, perché arriva fino alla teologia patristica, che sottolinea la presenza dell'evento del Golgota in ogni celebrazione eucaristica. L'anno liturgico cristiano ha come trama il tempo ciclico, il ritorno dell'*illud tempus* di Cristo. Grazie al comparativismo, lo storico delle religioni può tracciare il profilo dell'*homo religiosus*, che trascende il tempo storico.

In conclusione, Durand constata che «la grandiosa rivoluzione epistemologica che caratterizza gli ultimi cinquant'anni» sfocia nell'incontro di un nuovo spirito scientifico e antropologico. Ecco che, a conclusione delle scoperte tecnologiche e antropologiche più avanzate, ci si ritrova davanti alla potenza del pensiero simbolico e si riscopre la statura religiosa dell'*homo sapiens*. Il nostro Autore ricorda inoltre le responsabilità della Chiesa occidentale. Nel momento in cui l'antropologia d'avanguardia riscopre il valore dell'*homo religiosus*, i responsabili del magistero, della pastorale e della catechesi devono cercare i modelli altrove che nell'*episteme* superata «dell'Illuminismo, del positivismo, della psicanalisi, se non anche del marxismo».

4. Per terminare questa prima parte riguardante l'*homo religiosus* e il sacro, era necessario esaminare la dimensione estetica del sacro, poco considerata dai nostri contemporanei. Il sacro non è dissociabile dall'arte del fare e del dire. L'uomo ha espresso ed esprime la sua religiosità mediante forme belle e rispettabili. Michel Delahoutre ha tentato di definire quest'arte sacra: poesia, eloquenza, musica, architettura, iconografia. L'espressione non verbale del sacro costituisce un vasto patrimonio delle religioni. Tuttavia l'alleanza del sacro con l'arte, della religione con l'estetica, è stata messa in discussione più di una volta da correnti puriste e iconoclaste.

L'architettura sacra è attinente allo spazio. Lo storico delle religioni nota che talvolta la celebrazione cultuale—aspetto privilegiato dell'esperienza del sacro—si è accontentata di una particella della Terra, semplicemente predisposta come luogo di culto. Tuttavia, abbiamo più spesso a che fare con edifici costruiti a questo scopo, un tempio, una cappella, una chiesa. Accanto all'aspetto funzionale, quest'edificio presenta un carattere simbolico, contraddistinto peraltro dalla dottrina e dalla spiritualità di ciascun culto. Le immagini completano l'architettura. Secondo l'iconoclasta, o purista, le immagini sarebbero incapaci di rappresentare il divino. Il dibattito biblico veterotestamentario circa l'idolatria si è protratto durante i primi secoli cristiani, ma i Padri della Chiesa hanno assunto presto una posizione chiara: il mistero dell'Incarnazione esige un'arte cristiana e ne determina i limiti.

L'arte sacra non è fine a se stessa. Ha un compito di iniziazione. Fa passare l'uomo dalla figura alla realtà, dal tempio all'immagine di Dio. Quindi, accanto alla dimensione estetica, l'arte postula una dimensione religiosa. Nel cristianesimo, integra la liturgia, che è attualizzazione e celebrazione della storia della salvezza. Con l'arte sacra l'uomo crea mediazioni del divino. È questa missione di mediazione che conferisce all'arte sacra la sua grandezza e i suoi limiti.

II. *Urzeit* e *Endzeit*: origini ed escatologia

In questo volume, che cerca di tracciare qualche via di approccio al sacro, considerato partendo dall'esperienza dell'*homo religiosus*, abbiamo creduto necessario occuparci dell'*Urzeit* e dell'*Endzeit*. Non solo non era possibile trascurare i millenni che precedono immediatamente i tempi storici, ma era necessario fare una ricerca intorno alle origini, all'*Urzeit*.

1. Il compito di seguire il cammino dell'evoluzione umana è stato assunto da un eminente specialista di paleontologia e di paleoantropologia, il professor Fiorenzo Facchini di Bologna. Un milione di anni fa, l'*homo erectus* si è affermato come *homo symbolicus*. Giunto a servirsi delle mani prolungate dagli strumenti, è diventato il primo artigiano del mondo. Con la scoperta del simbolismo e della simmetria, ha fatto emergere la cultura. La coscienza dell'uomo si è formata durante questo lungo periodo che ha avuto inizio con l'erezione del corpo. L'avventura umana è in corso. Le espressioni culturali sono il segno di quest'avventura, dell'evoluzione della coscienza dell'uomo e della sua identità di *homo religiosus*.

Lo storico delle religioni valorizza le scoperte della paleoantropologia. Può formulare ipotesi di lavoro analoghe a quelle di Eliade sulla scoperta della Trascendenza, grazie al simbolismo della volta celeste. A partire dal Paleolitico medio (80.000 anni fa), il simbolismo funerario costituisce un elemento religioso importantissimo: seppellimento rituale dei morti e apparizione dell'ocra rossa, sostituto del sangue e simbolo di vita. Nel Paleolitico superiore (da 35.000 a 9.000 anni fa), l'arredo funerario è il segno della credenza in un'attività *post mortem* del defunto.

2. Il passaggio dall'*homo sapiens* del Paleolitico medio all'*homo sapiens* che emerge nel corso del Paleolitico superiore è particolarmente importante. Emmanuel Anati, eminente specialista della Valcamonica e in possesso di tutta la documentazione sull'arte rupestre mondiale, ha sintetizzato i risultati delle attuali

ricerche nei tre aspetti essenziali dell'esperienza del sacro fatta dall'*homo sapiens*: simbolizzazione, concettualizzazione e ritualismo. Se l'uomo di Neanderthal è particolarmente interessante perché fa uso di un simbolismo estetico fortemente sviluppato, che ci permette di cogliere in lui l'articolazione del sacro della vita e della morte, l'*homo sapiens* del Paleolitico superiore, a cominciare da 35.000 anni fa, si rivela invece una creatura geniale nel campo della cultura e del pensiero. L'arte franco-cantabrica, e specialmente le grotte di Altamira e di Lascaux, offrono una documentazione artistica che ci permette di parlare di rivoluzione nell'esperienza del sacro: dipinti parietali, rappresentazione di animali, valore simbolico dell'arcobaleno che collega cielo e terra, associazione dell'animale a certi disegni che rappresentano l'alba di una scrittura pittografica, orme di passi di giovani nella grotta di Lascaux, segni evidenti di primi pellegrinaggi e di pratiche di iniziazione. Davanti a tale vasta documentazione, Mircea Eliade non esitava a dire che l'uomo della pietra antica conosceva una serie di miti e di riti: miti cosmogonici che mettevano in scena le acque primordiali e il Creatore; miti e riti relativi all'ascensione al cielo; miti e simboli dell'arcobaleno; miti d'origine degli animali e del fuoco. Nel corso del Mesolitico si precisa l'idea dell'antenato mitico e dei miti d'origine. Con la cerealicoltura e la vegetocoltura esploderà la rivoluzione neolitica.

3. La storia ci fa constatare che la morte è stata sempre messa in rapporto col sacro: concezione della morte, atteggiamenti nei riguardi del defunto, credenza nella sopravvivenza. In questo volume, L.V. Thomas, uno dei migliori conoscitori dell'argomento, ha trattato il problema dal punto di vista dell'antropologia e della sociologia. In una prima parte ha esaminato la concezione della morte e la sua ritualizzazione nel contesto ebraico e cristiano, che ce ne offre l'articolazione meglio elaborata: morte-rottura, morte-separazione, morte-trasformazione, morte spirituale. Nella nostra epoca il modello tradizionale è in piena evoluzione, poiché il sacro viene sistematicamente svuotato dalla desacralizzazione tecnica e dalla sostituzione del rito laico al rito religioso. Un secondo importante aspetto dell'esperienza del sacro nel modo di concepire la morte, è lo spazio del post mortem: il cadavere purificato e abbellito, la tanatoprassi, la mummificazione, la conservazione delle reliquie. L'Autore fornisce un ventaglio di esempi, tratti dalle varie religioni, sulla sopravvivenza del defunto e sull'importanza del culto del ricordo come strategia di consolazione dei sopravvissuti. Nei vari stadi della storia dell'*homo sapiens* la potenza della memoria e del ricordo è servita da palliativo all'angoscia umana della morte.

Il miglior accesso al sacro vissuto nell'esperienza della morte ci viene aperto grazie al rituale funebre, rituale antichissimo, visto che l'uomo di Neanderthal ce ne ha conservato un prezioso campionario. Nelle varie culture, i riti funebri comportano la mobilitazione della comunità, luoghi prescelti, attori numerosi, una liturgia ben elaborata e una lunga serie di riti di lutto. Stando ai fatti, dobbiamo constatare che, per quanto concerne il rituale funebre, l'Occidente sta operando un vasto tentativo di desacralizzazione. Ma nell'impossibilità manifesta di estromettere il sacro, si cerca di sostituirgli un nuovo sacro che ha l'impronta della desacralizzazione, della neutralità affettiva e dell'impoverimento del simbolismo millenario. Il rituale ne risulta veramente eluso. Thomas spiega come le Chiese cristiane cerchino di reagire di fronte a tale situazione: rinnovamento dei riti, ricerca di un nuovo simbolismo, tentativo di rimettere in onore la celebrazione liturgica con la dottrina cristiana della resurrezione di Cristo e con la teologia paolina.

III. L'UOMO AFRICANO E IL SACRO

Occorre ripetere che alla luce delle scoperte degli ultimi due decenni, l'origine dell'uomo viene posta in Africa? Le grandi linee della nostra storia prendono forma, e le rotelle della culla dell'umanità, di cui parlava l'abate Breuil, sembrano definitivamente fissate (Y. Coppens). Non è forse una ragione sufficiente perché, in un volume che tratta degli approcci all'*homo religiosus*, una parte venga dedicata in modo particolare all'uomo africano? Eliade aggiungerebbe una seconda ragione. Il fatto che certe strutture originali di civiltà arcaiche non fossero ancora state individuate alla fine del XIX secolo, ci permette di affermare che «civiltà "arrestatesi" a uno stadio simile al Paleolitico superiore, costituiscono in qualche modo dei "fossili viventi"» (*Storia delle credenze...*, I, p. 35).

1. Vincent Mulago ha cercato di inquadrare la vita del Nero-africano nell'ambito delle manifestazioni del sacro. La sua ricerca si apre sulla visione africana del mondo: unità di vita e partecipazione; credenza nella crescita, nella decrescita e nell'interazione degli esseri; simbolo come mezzo principale di contatto e di unione; un'etica derivante dall'ontologia. La comunità nero-africana è un circuito vitale i cui membri vivono alle dipendenze e al profitto gli uni degli altri. Il mezzo principale per cementare questa unione è il simbolo, che si inscrive nello sforzo dello spirito umano di cercare un contatto con la potenza e costituisce un linguaggio alla portata di tutti i membri di una comunità.

Il Trascendente è il sacro per definizione e la fonte di ogni sacralità. Dio non è un essere, ma il Pre-Esistente, il Necessariamente-Esistente, il Tutt'Altro, origine di tutti gli esseri. Nell'Esistente eterno si colloca l'idea del sacro. La paternità di Dio si comunica agli uomini con la creazione, che è partecipazione alla vita di Dio e alla sua paternità. Il Nero-africano pone l'origine di ogni sacralità nel Pre-Esistente, che trascende tutti gli esseri e ne è l'origine. Al centro degli esseri creati pone l'uomo, la cui vita è ai suoi occhi il primo sacro creato, poiché la vita è il bene più prezioso di cui l'uomo possa disporre.

Tale concezione spiega perché nell'Africa nera ogni manifestazione del sacro sia in relazione con la vita e faccia riferimento alla divinità e al mondo invisibile. Il mondo è visto come un insieme di esseri che partecipano della stessa fonte di vita, ma questa partecipazione si realizza per mezzo d'intermediari, attraverso i quali il dono sacro della vita viene trasmesso e manifestato. Nel mondo invisibile questi partecipanti, intermediari e trasmettitori della vita, sono i fondatori del clan, gli spiriti degli antichi eroi, i parenti e i membri defunti del clan. Nel mondo visibile si presenta un'altra gerarchia di persone sacre: i re, i patriarchi del clan, i padri di famiglia. A queste persone sacre occorre aggiungere il fabbro, che gode di una condizione speciale grazie alla sua familiarità coi metalli estratti dal ventre della terra.

Il sacro africano si limita al campo religioso, al fine di assicurare la vita delle persone, la continuità della società e l'abbondanza dei beni. Nell'ambito della vita il Nero-africano mette il sacro creato: a tal punto la religione impregna tutta la sua vita.

2. L'esperienza del sacro è legata al simbolo e al simbolismo.

Era indispensabile aprire il dossier del simbolismo africano: il compito è stato affidato a Madiya Faîk-Nzuji. L'Autore è passato dapprima velocemente attraverso la semantica che ci introduce nel simbolo africano, luogo per il quale passa l'uomo che cerca di stabilire una comunicazione con le realtà di natura inafferrabile nel mondo del visibile. Ogni simbolo è depositario di messaggi e di insegnamenti, la cui conoscenza si rivela garanzia di equilibrio, di ordine, di coesione, per gli individui e per la società. L'Africa nera, inoltre, ha avuto cura di assicurare la conservazione, la trasmissione e la circolazione del suo simbolismo, che costituisce incontestabilmente uno dei principali mezzi di comunicazione e di rappresentazione.

Nell'Africa nera troviamo una ricchissima vena di iniziazione al simbolismo ancestrale, che consente al Nero-africano di accedere a una conoscenza molto specifica, la quale può raggiungere un livello assai elevato, imponendosi così al rispetto di tutta la comunità. In realtà, vi sono quattro gradi di apprendimento del linguaggio simbolico. I primi rudimenti vengono insegnati a tutti i fanciulli per prepararli ad entrare più tardi nel gruppo. Il secondo grado è quello chiamato comunemente iniziazione: rituali, modifiche corporali, esperienze del sacro, costituiscono uno scenario iniziatico che può essere impressionante. Divenuto adulto, dopo questa fase, l'Africano sceglie una professione e ottiene un posto nella comunità: qui abbiamo anche l'apprendimento di un linguaggio e di gesti simbolici. Il quarto grado è quello dell'alta iniziazione, riservata alle confraternite e alle signorie, gruppi chiusi nei quali il segreto è di rigore. Si può dire che questa iniziazione superiore è riservata a coloro che, per nascita, ambiente o rango sociale, detengono i segreti del simbolismo africano.

Il simbolismo è essenzialmente religioso, destinato ad aiutare l'uomo a trascendere il temporale e a collegarsi col mondo invisibile. L'Africano sceglie prima i suoi simboli nella creazione originale, cioè nel proprio corpo e nella natura: sole, luce, spazio, altezze. Come simbolismo animale, troviamo il serpente, l'aquila, il coccodrillo, e come simboli vegetali la palma e il banano. Questo simbolismo, in cui uomo e natura sono legati, ha un significato preciso: il Creatore ha stabilito che l'uomo è il padrone delle creature. Un secondo campo di scelta dei simboli è lasciato alla facoltà dell'uomo: un campo vasto, che va dalle parti del corpo umano ai colori, passando attraverso vari aspetti della natura accuratamente scelti, come legni, conchiglie, maschere. C'è infine l'immenso spazio della grafia e dell'arte astratta, che alla fine sfocia in un simbolismo dei numeri.

3. Lo storico delle religioni afferra il sacro in quanto l'*homo religiosus* dice che ne percepisce la manifestazione. Lo storico, quindi, trova il sacro attraverso il discorso dell'uomo che parla della propria esperienza religiosa. La teme come manifestazione di potenza, di forza, di efficacia, diversa da qualsiasi altra potenza d'ordine naturale. La manifestazione del sacro—chiamata da Eliade ierofania—fornisce all'*homo religiosus* la possibilità di entrare in rapporto col Trascendente. Rapporto che viene stabilito mediante il simbolo, il mito, il rituale.

Abbiamo chiesto a Issiaka-P. Lalèyê di mostrare l'articolazione del mito e del rito nell'esperienza religiosa africana. L'Autore ha cominciato stabilendo il campo di articolazione di questi dati essenziali dell'esperienza religiosa. L'articolazione deve essere centrata sul Trascendente, poiché va assolutamente evitata la riduzione del fenomeno religioso a una struttura orizzontale, come è successo a un certo numero di sociologi e antropologi, che si sono condannati ad affrontare il fenomeno religioso in modo superficiale e periferico.

Lalèyê ha dapprima esaminato i comportamenti fortemente ritualizzati, ma fondati su una infrastruttura mitica molto ridotta. È il rito della parola nel saluto, che comporta un certo ritmo della parola stessa, sia nel tono che nell'espressione. Per l'Africano, il modo di salutare è il segno di una ritualizzazione. In un secondo momento, l'Autore passa al rito del gesto e delle cose. Sceglie un gesto banale: versare dell'acqua per terra. Un gesto che non ha una vera struttura mitica, ma poggia sul simbolismo dell'acqua: umidità, germinazione, fecondità, vita e, nell'area culturale nero-africana, simbolismo della terra considerata come ricettacolo dei resti degli antenati. Tre esempi denotano il particolare valore simbolico che il gesto dell'acqua può rivestire: l'acqua versata sui passi di una sposa che entra per la prima volta nella casa coniugale; l'acqua versata sui passi di un re dopo la cerimonia d'intronizzazione; l'acqua che una madre di famiglia versa il mattino sulla soglia di casa. In questi tre casi, l'efficacia della ritualizzazione va ricercata nell'intenzione e nella volontà di sacralizzare di chi compie il gesto.

Un secondo livello è quello del rito delle forze, che si fonda sui rapporti rito-mito. L'Autore spiega un caso di efficacia del rituale derivante dalla manipolazione di forze. È il caso del rituale per cui una madre ricopre col proprio perizoma il figlio agitato in modo pauroso da un incubo. È il perizoma della nudità che copre l'agitato e gli restituisce la calma. L'Africa ci rivela numerosi casi di efficacia rituale attribuiti a riti simbolici, nei quali, accanto a una densità simbolica fortemente caratterizzata, si ha l'intervento della forza di esseri, di cose o di atti. Chi si serve di tali rituali è tenuto a conoscere bene i modelli la cui efficacia è garantita dal successo avuto in passato.

Il nostro Autore passa quindi a un altro livello, quello del rito del discorso, del mondo e del mito. Il discorso non è semplicemente il verbo, la parola. È un sistema di significati. È il caso del mito che non è reale se non nella fase della proclamazione. L'Autore ricorre a tutto un ciclo mitico africano, chiamato IFA o FA, che si compone di sedici figure principali, caratterizzate da una rigorosa simmetria, ciascuna delle quali può essere abbinata ad una o più storie, secondo l'erudizione dell'indovino. Queste storie narrano come avvennero le cose nei tempi immemorabili in cui visse IFA, personaggio storico-leggendario, il cui comportamento *in illo tempore* permette di risolvere i problemi attuali.

Alla fine di questo percorso, Lalèyê cerca di precisare l'elemento essenziale del processo oracolare. Questo elemento essenziale è l'insieme degli atti che elaborano le cose e le forze che animano l'universo e le cui leggi profonde ed eterne possono essere rivelate solo da alcuni avvenimenti archetipici. È l'insieme degli atti che prevale sul verbo e sul gesto. In altre parole, il rito prevale sul mito.

Eccoci alla conclusione di numerosi incontri con l'*homo religiosus*, di cui abbiamo seguito il comportamento attraverso l'esperienza del sacro. Le tre parti di questo volume si sono occupate di tre precisi aspetti, grazie ai quali riusciamo ad inquadrare la problematica che ci interessa. Abbiamo prima cercato di capire il posto del sacro nella vita dell'uomo, la natura della sua esperienza religiosa, il ruolo del simbolismo nel suo comportamento, come pure l'aspetto più particolare dell'espressione estetica del sacro. Questo primo itinerario ci ha mostrato la ricchezza di questa esperienza, i molteplici aspetti che la caratterizzano e il rinnovamento dell'antropologia religiosa. L'opera monumentale di autentici scienziati di cultura eccezionale come Dumézil, Jung, Corbin, Eliade, ha aperto sull'*homo religiosus* prospettive insospettate fino a qualche decennio fa.

In un secondo itinerario abbiamo cercato di seguire l'emergere dell'uomo e di precisare le origini della sua coscienza religiosa. Le straordinarie scoperte fatte in Africa hanno ampliato gli orizzonti della paleoantropologia e ci consentono di formulare ipotesi audaci sulle prime esperienze del sacro fatte dall'*homo erectus* e *symbolicus*. Di tappa in tappa abbiamo seguito quest'uomo arcaico nel suo itinerario attraverso il Paleolitico, fino all'alba delle civiltà neolitiche. Se c'è l'*Urzeit*, c'è anche l'*Endzeit*: è l'evento della morte umana. La storia delle religioni ci fornisce una copiosa documentazione sui riti funerari e sulla sacralizzazione della morte. In questo campo il nostro Occidente si sta muovendo contro corrente e in senso contrario alla storia. Stiamo assistendo alle ultime ripercussioni della desacralizzazione moderna.

Il terzo itinerario di questo volume si è occupato dell'esperienza del sacro fatta dall'*homo religiosus* delle culture nero-africane che, presenti sul Continente che ha visto nascere l'uomo circa quattro milioni di anni fa, si sono arrestate. Alla fine del secolo scorso queste culture non erano ancora state individuate e sono così in grado di rivelarci ora certe strutture originali delle civiltà arcaiche. Tutta questa parte del lavoro è stata redatta da cattedratici africani che da molti anni studiano le radici della loro cultura e si occupano dell'*homo religiosus*. Sono due le parole chiave: Trascendenza, Vita. Il Trascendente è il sacro per eccellenza, la fonte del reale, la fonte della vita. Ogni esperienza del sacro è legata al simbolo, ossia al mezzo per accedere al mondo invisibile e, per accedervi, l'africano utilizza un metodo, la ritualizzazione.

Grazie alle tracce lasciate dagli uomini, dal Paleolitico fino alla nostra epoca, lo storico delle religioni e l'antropologo sono in grado di identificare i tratti del volto dell'*homo religiosus*. Scoperte incessanti portano a un costante incremento di questa documentazione già così ricca e varia. Col suo comportamento nel corso dei millenni, l'*homo religiosus* mostra di credere in una Realtà trascendente che si manifesta in questo mondo e dà al mondo stesso una dimensione di compimento. Questa scoperta fa sì che l'uomo assuma un modo specifico di esistere, poiché sfocia in valori assoluti, capaci di dare un senso all'esistenza umana. Eliade non ha esitato a dire che l'«esperienza del sacro è indissolubilmente legata allo sforzo fatto dall'uomo per costruire un mondo che abbia un significato».

BIBLIOGRAFIA

L'opera qui pubblicata è un *Trattato*. Un simile strumento di lavoro deve essere facile da consultare. Ma deve anche offrire indicazioni bibliografiche utili al lettore. Tuttavia non si deve dimenticare che i sei volumi costituiscono un insieme unitario. Per evitare ripetizioni di volume in volume e per facilitare la consultazione al lettore che desideri ritrovare un soggetto o un tema trattato in ciascuno dei sei volumi, abbiamo deciso di pubblicare un *Indice generale*, che costituirà il settimo volume del *Trattato*. Pensiamo comunque che gli *Indici* dettagliati siano già sufficienti ad orientare il lettore di questo volume.

BIBLIOGRAFIA SELETTIVA

Il volume VII presenterà una *Bibliografia sistematica e critica*. Quella che segnaliamo qui, al termine del I volume, è soltanto una *Bibliografia di orientamento*.

Segnaliamo innanzi tutto due utili strumenti bibliografici:

J. Waardenburg, *Classical Approaches to the Study of Religion. Bibliography*, Mouton, The Hague-Paris 1974;

Dictionnaire des Religions, PUF, Paris 1984, 1985, pp. 1809-20 (Bibliografia che offre le sigle internazionali delle Riviste e delle Collezioni).

1. Dizionari

Seguiamo l'ordine cronologico della pubblicazione:

A. Bertholet, H. von Campenhausen, *Wörterbuch der Religion*, Kröner, Stuttgart 1952, 1962 (cur. K. Goldammer);

F. König (ed.), *Religionswissenschaftliches Wörterbuch*, Herder, Freiburg/B. 1956;

J. Chevalier, A. Gheerbrant, M. Berlewi, *Dictionnaire des Symboles*, Laffont, Paris 1969;

J. Chevalier (ed.), *Les religions*, Retz, Paris 1972;

Bibliografia

Y. Bonnefoy (ed.), *Dictionnaire des Mythologies*, Flammarion, Paris 1981, I-II (con numerose illustrazioni);

P. Poupard, J. Vidal, J. Ries, E. Cothenet, Y. Marchasson, M. Delahoutre (edd.), *Dictionnaire des religions*, PUF, Paris 1984, 1985 (trad. it. *Grande Dizionario delle Religioni*, Cittadella e Piemme, Assisi e Casale Monferrato 1988).

2. Enciclopedie

Con disposizione alfabetica della materia:

H. Gunkel, O. Scheel, F.M. Schiele (edd.), *Die Religion in Geschichte und Gegenwart*, Mohr, Tübingen 1909-1913: I-V; 1927-1932: I-VI; 1956-1965: I-VII;

J. Hastings, J.A. Selbie, *Encyclopaedia of Religion and Ethics*, Clark, Edinburgh 1908-1926, I-XIII;

A.M. Di Nola (ed.), *Enciclopedia delle religioni*, Vallecchi, Firenze 1970-1976, I-VI (con numerose illustrazioni);

M. Eliade (ed.), *The Encyclopedia of Religion*, MacMillan, New York 1987, I-XVI.

3. Storie delle religioni (opere enciclopediche)

P. Tacchi Venturi (ed.), (con numerose illustrazioni);

M. Gorce, R. Mortier (edd.), *Histoire générale des religions*, Muillet, Paris 144, 1945, 1960, I-IV (con numerose illustrazioni);

Fr. König (ed.), *Christus und die Religionen der Erde*, Herder, Wien 1951, 1956;

Cl.J. Bleeker, G. Widengren (edd.), *Historia Religionum*, Brill, Leiden 1969-1971, I-II;

H.Ch. Puech (ed.), *Histoire des religions*, Pléiade, Paris 1070-1976, I-III (trad. it. *Storia delle religioni*, Laterza, Bari);

J.P. Asmussen, J. Laessoe, C. Colpe (edd.), *Handbuch der Religionsgeschichte*, Vandenhoeck & Ruprecht, Göttingen 1971-1975, I-III (numerose illustrazioni);

M. Eliade, *Histoire des croyances et des idées religieuses*, Payot, Paris 1976-1983, I-III (trad. it. *Storia delle credenze e delle idee religiose*, Sansoni, Firenze 1979-1983, I-III);

M. Clévenot, *L'état des religions dans le monde*, La Découvert-Cerf, Paris 1987;

Le Grand Atlas des religions, Encyclopaedia Universalis, Paris 1988.

4. Pubblicazioni sul sacro

a. Opere collettive

E. Castelli (ed.), *Le Sacré. Etudes et Recherches*, Aubier, Paris 1984; *Prospettive sul sacro. Contributi al Convegno su «Il Sacro»*, Ist. Studi filosofici, Roma 1974;

Champ du sacré, in *Corps écrit*, II, PUF, Paris 1982;

C. Colpe (ed.), *Die Diskussion um das Heilige*, WBG, Darmstadt 1977;

Comunità, Società, Sacro, in «I Quaderni di Avalon. Rivista di studi sull'uomo e il sacro», 6 (1984);

M. De Smedt (ed.), *Demeures du sacré. Pour une architecture initiatique*, A. Michel, Paris 1987;

Bibliografia

Ph.E. Hammond, *The Sacred in a Secular Age*, Univ. of California Pr., Berkeley-London 1985;

«I Quaderni di Avalon. Rivista di studi sull'uomo e il sacro», Il Cerchio, Rimini 1982-...;

La cultura contemporanea e il sacro, Atti del I Convegno di studi de «I Quaderni di Avalon», 3-4 nov. 1984, Il Cerchio, Rimini 1985;

Le religioni e il mondo della morte di Dio, Ibid.;

J. Ries (ed.), *L'expression du sacré dans les grandes religions*, HIRE, Louvain-la-Neuve 1978-1986, I-III (Bibliogr.: III, pp. 385-97) (Opera di riferimento per il presente *Trattato*);

P. Scapin (ed.), *Memoria del sacro e tradizione orale*, Atti del III Colloquio interdisciplinare del Centro studi Antoniani, Padova 4-6 genn. 1984, Messaggero, Padova 1984;

M. Simon (ed.), *Le retour du sacré*, Beauchesne, Paris 1977;

J.F. Thiel, A. Doutreloux (edd.), *Heil und Macht. Approches du sacré*, Anthropos, St Augustin-Bonn 1975 (Studia Instituti Anthropos, 22);

M. Xhaufflaire, K. Derksen (edd.), *Les deux visages de la Théologie de la sécularisation*, Casterman, Tournai 1970;

b. Monografie

S. Acquaviva, *L'eclissi del Sacro nella civiltà industriale*, Comunità, Milano 1961;

D. Allen, *Mircea Eliade et le phénomène religieux*, Payot, Paris 1982;

R. Bastide, *Le sacré sauvage*, Payot, Paris 1975;

L. Bouyer, *Le rite et l'homme*, Cerf, Paris 1962;

P. Brown, *Society and the Holy in Late Antiquity*, Faber & Faber, London 1982;

T. Burckhardt, *Principes et méthodes de l'art sacré*, Dervy Livres, Paris 1976;

R. Caillois, *L'homme et le sacré*, Gallimard, Paris 1939, 1949, 1963;

P. Chaunu, *La mémoire et le sacré*, Calmann-Lévy, Paris 1978;

Ch.B. Costecalde, P. Grelot, *Sacré (et sainteté)*, in *Dictionn. Bibl.*, Paris 1985, Suppl. X, coll. 1342-1483 (con ricca bibliografia);

A. De Benoist, Th. Molnar, *L'eclipse du sacré. Discours-réponses*, La Table ronde, Paris 1986;

V.H. Debidour, *Problèmes de l'art sacré*, Le Nouveau Portique, Paris 1951;

P. Doncoeur, *Péguy, la révolution et le sacré*, L'orante, Mâcon 1942; *Eveil et culture du sens religieux*, Cahier, Paris s.d.;

A. Dupront, *Du Sacré. Croisades Pélerinages. Images et langages*, Gallimard, Paris 1987;

M. Eliade, *Traité d'histoire des religions*, Payot, Paris 1948 (trad. it. *Trattato di storia delle religioni*, Boringhieri, Torino 1976); *Le sacré et le profane*, Gallimard, Paris 1965 (trad. it. *Il sacro e il profano*, Boringhieri, Torino 1967);

Fr. Ferrarotti, *Il paradosso del sacro*, Laterza, Roma-Bari 1983;

H. Fugier, *Recherches sur l'expression du sacré dans la langue latine*, Belles Lettres, Paris 1963;

J. Grand'maison, *Le sacré dans la consécration du monde*, Université, Montréal; Ed. Ouvrières, Paris 1966, I-II;

R. Huyghe, *Dialogue avec l'invisible*, Flammarion, Paris 1955; *Sens et destin de l'art*, Flammarion, Paris 1967, I-II;

F.A. Isambert, *Le sens du sacré. Fête et religion populaire*, Ed. de Minuit, Paris 1982;

Bibliografia

E. Martin, P. Antoine, *La querelle du sacré*, Beauchesne, Paris 1970;

R. Otto, *Das Heilige*, Gotha 1917,..., Breslau-München 1963 (trad. it. *Il Sacro*, Zanichelli, Bologna 1926);

C. Prandi, *I dinamismi del sacro fra storia e sociologia*, Morcelliana, Brescia 1988;

J. Pradès, *Persistance et métamorphose du sacré*, PUF, Paris 1987;

J. Ries, *Le sacré comme approche de Dieu et comme ressource de l'homme*, HIRE, Louvain-la-Neuve 1981 (Conférences et Travaux, 1); *Il sacro nella storia religiosa dell'umanità*, Jaca Book, Milano 1982, 1989;

J.J. Wunenburger, *La fête, le jeu et le sacré*, Delarge, Paris 1977; *Le sacré*, PUF, Paris 1981 (Coll. Que sais-je ?);

5. Antropologia religiosa

Le nostre indicazioni bibliografiche si limitano a quello che è l'oggetto del nostro *Trattato*. Per una bibliografia generale si può vedere: *International Bibliography of Social and Cultural Anthropology*, Unesco, Paris 1955-1959, 1958-1961, I-V;

a. Articoli di Enciclopedia

J. Schmid, *Biblische Anthropologie*; A. Halder, *Philosophische Anthrop.*; K. Rahner, *Theologisches Anthrop.*, in *Lexikon für Theologie und Kirche*, Freiburg/B. 1957, I pp. 604-27;

H. Plessner, *Anthropologie (Philosophisch)*; O. Weber, *Theologiegeschichtlich*; R. Prenter, *Dogmatisch*, in *Die Religion in Geschichte und Gegenwart*, Tübingen 1957, I, pp. 410-24;

Cl. Geertz, *Religion. Anthropological Study*, in *International Encyclopedia of the Social Sciences*, New York 1968, XIII;

A.M. Di Nola, *Antropologia culturale, antropologia sociale e religione*, in *Enciclopedia delle religioni*, Firenze 1970, I, coll. 480-89;

R. Bastide, *Anthropologie religieuse*, in *Encyclopedia Universalis*, Paris 1968, II, pp. 65-69; Paris 1985, II, pp. 271-75;

J.A. Boon, *Anthropology, Ethnology and Religion*, in *The Encyclopedia of Religion*, New York 1987, I, pp. 308-15.

b. Monografie e opere collettive

Anthropologie et humanisme, Les Cahiers de Fontenay, 39-40, Fontenay-aux-Roses 1985;

M. Bantom (ed.), *Anthropological Approaches to the Study of Religion*, Tavistick, London 1966;

J. Basile, *L'homme, cet imprévu*, La Renaissance du livre, Bruxelles 1986;

R. Bastide, *Le sacré sauvage et autres essays*, Payot, Paris 1975;

A. Brien, *Le Dieu de l'homme. Le sacré, le désir, la foi*, DDB, Paris 1984;

J. Cazeneuve, *Les rites et la condition humaine*, PUF, Paris 1958;

H. Clavier, *Les expériences du divin et les idées de Dieu*, Fischbacher, Paris 1982;

P. Chauchard, *L'être humain selon Teilhard de Chardin*, Gabalda, Paris 1959;

O. Clément, *Quéstions sur l'homme*, Stock, Paris 1972; *Le visage intérieur*, Stock, Paris 1978;

Bibliografia

A. Dupront, *Anthropologie religieuse*, in J. LeGoff e P. Nora (edd.), *Faire l'Histoire*, Gallimard, Paris 1974, II, pp. 105-36;

G. Durand, *Les structures anthropologiques de l'imaginaire*, Bordas, Paris..., 1969; *Sciences de l'homme et tradition*, Berg intern., Paris 1979;

P. Eyt, *L'avenir de l'homme*, Desclés, Paris 1986;

Fr. Ferrarotti, *Culturologia del sacro e del profano*, Feltrinelli, Milano 1966;

J.F. Froger, M.G. Mouret, *D'or et de miel. Aux sources de l'anthropologie*, éd. des Iris, Meolans-Revel 1988.

L. Giussani, *Alla ricerca del volto umano*, Jaca Book, Milano 1984; *Il senso religioso*, Jaca Book, Milano 1986;

R. Habachi, *Le moment de l'homme*, DDB, Paris 1984;

A.G. Hamman, *L'homme image de Dieu. Essai d'une anthropologie chrétienne dans l'Eglise des cinq premiers siècles*, Desclée, Paris 1987;

M. Izard, P. Smith (edd.), *La fonction symbolique. Essai d'anthropologie*, Gallimard, Paris 1979;

M. Jousse, *L'anthropologie du geste*, Gallimard, Paris 1974-1979, I-III;

M. Kilani, *Introduction à l'anthropologie*, Payot, Lausanne 1989;

W.A. Lessa, E.Z. Vogt (edd.), *Reader in Comparative Religion. An Anthropological Approach*, New York..., 1979;

Cl. Lévi-Strauss, *Anthropologie structurale*, Plon, Paris 1958; *Anthropologie structurale deux*, Plon, Paris 1973 (trad. it. *Antropologia strutturale*, Saggiatore, Milano 1966, 1978, I-II);

M. Meslin, *L'expérience humaine du divin. Fondements d'une anthropologie religieuse*, Cerf, Paris 1988;

J. Middleton (ed.), *Gods and Rituals. Reading in Religious Beliefs and Practices*, Natural History Pr., New York 1967;

L. Negri, *L'uomo e la cultura nel magistero di Giovanni Paolo II*, Jaca Book, Milano 1988;

A. Rupp (ed.), *Jahrbuch für Anthropologie und Religionsgeschichte. Homo et Religio*, Homo et Religio, Saarbrücken 1973-...; *Forschungen zur Anthropologie und Religionsgeschichte*, Id., Id. 1978-...;

A. Sapir, *Anthropologie*, Ed. de Minuit, Paris 1967;

L. Scheffczyk (ed.), *Der Mensch als Bild Gottes*, WBG, Darmstadt 1969 (Bibliogr.: pp. 526-38);

H. Urs von Balthazar, *Dieu et l'homme d'aujourd'hui*, DDB, Paris 1958.

Gli autori

Julien Ries è nato a Fouches (Arlon) il 19 aprile 1920. Sacerdote della diocesi di Namur, con un dottorato di ricerca in Teologia e una laurea in Filologia e Storia Orientale a Lovanio, ha lavorato sotto la direzione di L. Cerfaux e di L. Th. Lefort. Professore incaricato al seminario ellenistico dell'UCL dal 1960 al 1968, dove ha tenuto delle conferenze, è ora professore di Storia delle Religioni a Louvain-la-Neuve dal 1968. Ha pubblicato un centinaio di articoli sul manicheismo, sullo gnosticismo e su diversi altri temi di storia delle religioni. Direttore del Centro di Storia delle Religioni di Louvaine-la-Neuve, ha fondato e dirige quattro collezioni: *Homo Religiosus*; *Collection Information et Enseignement*; *Collection Cerfaux-Lefort*; *Conférences et Travaux*. Tra le sue ricerche sul sacro e le religioni figura l'edizione in tre volumi *L'expression du sacré dans les grandes religions* (Louvaine-la-Neuve, I, 1978; II, 1983; III, 1986) e la pubblicazione di tre opere: *Il sacro nella storia religiosa dell'umanità* (Jaca Book, Milano 1982), *Le sacré comme approche de Dieu et comme ressource de l'homme* (Louvaine-la-Neuve 1983), *Les chemins du sacré dans l'histoire* (Aubier, Paris 1985). Membro del comitato di redazione del *Dictionnaire des religions*, vi ha pubblicato 86 articoli. Dal 1975 al 1980 è stato presidente dell'Istituto Orientalista dell'UCL. Dal 1975 al 1985 è stato membro del Segretariato romano per le religioni non cristiane. Nel 1986 l'Accademia di Francia gli ha conferito il premio Dumas-Millier.

Emmanuel Anati, professore ordinario di Paletnologia all'Università di Lecce, è direttore del Centro Camuno di Studi Preistorici, Capo di Ponte, Brescia. Nato a Firenze nel 1930, ha compiuto i suoi studi di archeologia e preistoria all'Università di Gerusalemme. Si è specializzato in Antropologia e Scienze Sociali all'Università di Harvard, Cambridge (USA) e in Etnologia alla Sorbona di Parigi dove ha conseguito un dottorato in Lettere (1060). Ha proseguito la sua formazione nelle scienze umane alle Università di Londra e Oxford (1960-62).

Anati ha insegnato e tenuto corsi in varie università ed istituti superiori di ricerca, tra cui le università di Gerusalemme e Tel-Aviv, l'Università di Manchester, i National Museums of Canada and Ottawa, la Smithsonian Institution a Washington, il Collège de France a Parigi. Ha compiuto missioni di ricerca, spedizioni e consulenze per conto dell'UNESCO e di vari governi, in tutti i continenti. Ha organizzato congressi e seminari internazionali sull'arte preistorica e primitiva, progettato e realizzato grandi mostre ed ha stimolato un movimento internazionale attorno a questa disciplina. Le sue ricerche in Valcamonica, dove ha fondato e dirige il Centro Camuno di Studi Preistorici, hanno portato l'arte rupestre di questa valle alpina all'inserimento nella «lista del Patrimonio Culturale Mondiale» dell'UNESCO.

Régis Boyer, nato nel 1932, laureato e dottore in lettere, titolare della cattedra di Lingue, Letterature e Civiltà Scandinave all'Università di Parigi Sorbonne (Paris IV), direttore dell'istituto di Studi Scandinavi e condirettore del Centro di Storia delle Religioni della medesima università.

Autore di una quarantina di traduzioni dall'antico islandese (tra le quali *Sagas islandaises*, Bibliotèque de la Pléiade, Gallimard), l'islandese moderno (4 romanzi di H. Laxness), il danese (K. Blixen, V. Sorensen), il norvegese bokmal (K. Hamsun), il nynorsk (T. Vesaas) e lo svedese (P. Lagerkvist, S. Largerlöf).

È autore dei volumi *Religions de l'Europe du Nord* (Fayard, Paris 1974), *La religion des anciens Scandinaves* (Payot, Paris 1981), *La magie chez les anciens Scandinaves ou Le Monde du Double* (Berg, Paris 1986), *Le Christ des Barbares* (Cerf, Paris 1986), *La vie religieuse en Islande* (Singer-Polignac, Paris 1979), *Le mythe viking dans les lettres françaises* (Porte-Glaive, Paris 1986) e di circa 200 articoli all'interno di riviste o di volumi.

Michel Delahoutre, nato il 28 aprile 1923 a Linselles nella Francia del Nord, ha fatto i suoi studi di teologia al grande seminario di Lille, dove è stato ordinato sacerdote nel 1974. Laureato in lettere, ha seguito a Parigi dei corsi specializzati di Indianismo. Ha il dottorato di ricerca in Studi Indiani (Parigi III). Direttore dell'Istituto di Scienza e di Teologia delle Religioni all'Istituto Cattolico di Parigi, vi tiene i corsi di Induismo. I suoi lavori più importanti e le sue ricerche personali trattano il tema dei rapporti tra l'estetica indiana e lo specifico religioso: *Valeur iconografique des Laksana du Buddha* (Valore iconografico dei Laksana del Buddha), sua tesi di laurea. Membro del comitato di redazione del *Dictionnaire des religions*, pubblicato dalla Presses Universitaires de France PUF nel 1984, ha ricevuto l'incarico di dirigere il settore relativo alle attuali religioni di Africa, Asia e

Gli autori

Oceania; gli è stata inoltre affidata la redazione di numerosi articoli tanto sull'induismo quanto sui rapporti tra l'arte e la religione.

Gilbert Durand è nato nel 1921. Docente onorario, laureato in filosofia, dottore *honoris causa* dell'Università Nova di Lisbona, è professore titolare emerito di antropologia culturale presso l'Università di Grenoble II e III. Già membro del Consiglio Nazionale della Ricerca Scientifica e del Comitato Consultivo dell'Università, è fondatore del Centro di Ricerca sull'Immaginario (1966).

È autore di 225 pubblicazioni, tradotte in 10 lingue, tra le quali: *Les structures anthropologiques de l'Imaginaire*, 1960, 10ª edizione; Bordas, 1984; *Le Décor mythique de la Chartreuse de Parme. Les structures figuratives du roman stendhalien*, 1961, 3ª edizione, 1983, Corti; *L'imagination symbolique*, 1964, 4ª edizione, 1984, PUF; *Les grands textes de la Sociologie moderne*, 1969, 3ª edizione, 1979, Bordas; *Science de l'Homme et tradition. Le Nouvel Esprit Anthropologique*, 1975, 2ª edizione 1980, Berg International; *Figures mythiques et visages de l'œuvre, de la mythocritique à la mythanalyse*, Berg International, 1979; *L'Ame tigrée, les pluriels de Psyché*, Denoël, 1981; *Mito simbolo e mitologia*, Ed. Presença, Lisbona 1981; *Mito e Societade. A mitanalise e a sociologia des profundezas*, Ed. A regra do joco, Lisbona, 1983; *La Foi du Cordonnier*, Denoël, 1984; *Beaux Arts et Archétipes. La religion de l'art*, PUF, 1989.

Fiorenzo Facchini, nato a Porretta Terme nel 1929, laureato in Scienze Naturali, è professore ordinario di Antropologia presso l'Università di Bologna e direttore dell'Istituto di Antropologia nella stessa università. È presidente della Unione Antropologica Italiana (U.A.I.) e membro di varie società scientifiche nazionali ed internazionali. Fa parte del Comitato editoriale di importanti riviste, fra cui «Antropologia Contemporanea», «Journal of Human Evolution», «Il Futuro dell'Uomo», ed è autore di un testo di Antropologia e di numerose pubblicazioni scientifiche, che si riferiscono particolarmente alla paleoantropologia, all'auxologia e ai polimorfismi genetici in popolazioni umane.

C. Faïk-Nzuji Madiya, nata a Tshofa (Kasai), nello Zaire, il 21 gennaio 1944, sposata e madre di cinque figli, dottoressa in Lettere e Scienze Umane all'Università Sorbonne (Paris III) licenziata in Filosofia e Lettere, gruppo di Filosofia Africana, all'Università nazionale dello Zaire (Lubumbashi), insegna all'Università Nazionale dello Zaire e all'Università di Niamey (Nigeria). Dopo il 1981, è supplente incaricata dei corsi straordinari all'Università Cattolica di Lovanio a Louvain-la-Neuve, dove insegna Linguistica, Letteratura e Culture Africane, e dove è membro del Centro di Storia delle Religioni. Ha creato e dirige il CILTADE (Centre

international des langues, litteratures et traditions d'Afrique au service du développement). I suoi principali lavori concernono i segni e i simboli nei sistemi di
comunicazione in Africa, le lingue, le letterature tradizionali, le arti e le culture
africane.

Issiaka-Prosper Lalèyê è nato a Kouti (rep. Pop. del Bénin) nel 1942. Laureato
e docente di Lettere e Scienze Umane e Filosofia, è specialista dal pensiero africano, di cui studia in particolare gli aspetti filosofici, antropologici e religiosi. Ha
pubblicato: *La conception de la personne dans la pensée traditionnelle Yorube*
(Berne 1970), *La philosophie? Pourquoi en Afrique* (Berne e Frankfurt 1975), *Pour
une anthropologie repensée... De la personne comme histoire* (Paris 1977) e numerosi articoli nelle riviste specializzate di filosofia e di scienze umane. È direttore di
ricerca al Centro di Studi delle Religioni Africane (CERA, Kinshasa) e membro del
Consiglio Internazionale presso il Consiglio Pontificio per la Cultura.

V. Mulago Gwa Cikala è nato a Birava (Bukavu) nello Zaire il 30 maggio 1924.
Prete nelle diocesi di Bukavu, ordinato a Roma il 21 dicembre 1952, dottore in
teologia, ha ottenuto la licenza in Diritto Canonico. Diplomato in giornalismo
(Università delle Scienze Sociali di Roma). Dopo sei anni di ministero nella sua
diocesi d'origine, è ora professore all'Università di Lovanio (oggi Università di
Kinshasa), dove tiene principalmente corsi di Teologia Pastorale e di Religioni
tradizionali Africane dal 1962. È direttore del Centro di Studi delle Religioni
Africane, fondato nel 1966, che pubblica dal 1967 la rivista semestrale *Cahiers des
Religions Africaines*, e dal 1962 la collezione *Biblioteque du CERA*, fino ad oggi
giunta all'XI volume. Le sue principali pubblicazioni sono: *Un visage africain du
christianisme*, Paris 1965; *Simbolismo religioso africano. Estudio comparativo con
el sacramentalismo cristiano*, Madrid 1979; *La religion traditionnelle des Bantu et
leur vision du monde*, Kinshasa, 2ª edizione, 1980; *Mariage traditionnel africain et
mariage chretién*, Kinshasa 1981. È membro della Commissione Teologica Internazionale dal 1974 al 1980 e consultore del Segretariato romano per i non-cristia-
ni e del Consiglio Pontificio per il dialogo religioso e membro del Comitato Scientifico di «Muntu», rivista del Centro Internazionale della Civilizzazione Bantu
(CICIBA), dal 1984.

Louis Vincent Thomas è professore di sociologia all'Università René Descartes
(Paris v, Sorbonne). Specialista del mondo africano, ha pubblicato nel 1975 (con
René Luneau) *La terre africaine et ses religions*. Membro fondatore de *La Société
de Thanatologie*, ha scritto numerosi articoli e vari libri sulla morte, sulla ripercussione della morte nei confronti della società e dei vivi. Dopo *Cinq essais sur la*

mort africaine (Dakar, 1968), ha redatto *Anthropologie de la mort* (Paris, 1980), un'opera con la quale ha proposto un vasto confronto critico fra la morte «africana» e la morte «occidentale». Egli ha posto una domanda fondamentale: l'uomo moderno sarà capace di inventare il nuovo umanesimo che l'aiuterà ad accettare il suo destino di mortale per meglio vivere? Fra le sue opere citiamo ancora *Mort et pouvoir* (Paris, 1978), *Le cadavre* (Complexe, 1980), *La mort africaine* (Paris, 1982) et *Rites de mort pour la paix des vivants* (Paris, 1985).

finito di stampare nel mese
di settembre 1989
dalla tipografia G. Bianchi
di R. & A. Dogheria
Sesto San Giovanni

Editoriale Jaca Book spa
Via Aurelio Saffi 19, 20123 Milano

spedizione in abbonamento
postale TR editoriale
aut. D/162247/PI/3
direzione PT Milano

CATHOLIC THEOLOGICAL UNION

3 0311 00108 8488

BL 430 .O74 1989

Le origini e il problema
dell'homo religiosus

DEMCO